WALLIS SIMPSON

DU MÊME AUTEUR

Elizabeth et Philip, Lattès, 1992.

www.editions-jclattes.fr

Charles Higham

WALLIS SIMPSON

La scandaleuse duchesse de Windsor

Traduit de l'anglais par Éric et Françoise Deschodt

JC Lattès
17, rue Jacob 75006 Paris

Titre de l'édition originale :
WALLIS : SECRET LIVES OF THE DUCHESS OF WINDSOR
(1re édition)
THE DUCHESS OF WINDSOR : THE SECRET LIFE
publiée par Sidgwick and Jackson Ltd.

Prologue

Ce fut, dit-on, la vente du siècle. Bien avant les enchères, qui eurent lieu le 2 avril 1987 à Genève, les bijoux avaient scintillé derrière des parois de verre à Manhattan, à Monaco, à Palm Beach. Des dizaines de journaux les avaient décrits, supputant leur valeur. Alfred Taubman, milliardaire du Michigan et propriétaire de Sotheby-Parke-Bernet, montait la plus importante vente de joaillerie que l'on ait jamais vue. Il choisit un cadre digne de son but, l'hôtel Beau Rivage, lequel non seulement abritait les bureaux de Sotheby, mais se trouvait presque mitoyen de l'hôtel Richemond, magnifique établissement parfaitement adapté aux goûts des riches amateurs qui accourraient du monde entier pour pousser les enchères. Taubman en outre fit monter dans les jardins du Beau Rivage qui bordent le lac une grande tente rayée de bandes rouges et blanches, grandiose chapiteau de cirque pour ce qui en vérité fut une séance de cirque.

Dans les jours qui précédèrent la vente, Taubman avait donné plusieurs réceptions pour permettre aux acheteurs potentiels et à leurs représentants d'examiner les bijoux à loisir. Astucieusement, il avait fixé à 9 heures du soir le début des opérations ; à cette heure, la nuit est tombée et de douces lumières disposées avec art sous la tente exaltaient la beauté des femmes. Rares furent ceux qui se plaignirent d'avoir dû dîner plus tôt qu'ils n'en avaient l'habitude, à des heures de sauvages.

Les hommes étaient en smoking, les femmes en robes de haute couture. On remarquait dans l'assistance la comtesse de Romanones, l'« espionne en rouge », vieille amie de la duchesse de Windsor, qui avait été agent secret des États-Unis au Portugal et en

Espagne pendant la Seconde Guerre mondiale. On remarquait aussi Grace, comtesse de Dudley, qui avait été elle aussi l'une des meilleures amies de la duchesse ; d'origine yougoslave, elle s'était élevée jusqu'aux premiers rangs de la société internationale. On voyait encore des rejetons de la plupart des familles royales d'Europe, à qui le duc de Windsor avait été lié, dont la princesse de Naples et le prince Dimitri de Yougoslavie. Il y avait l'infante d'Espagne, le baron Hans Heinrich Thyssen Bornemisza de Kaszon, la duchesse de Badajoz, la princesse Fyrial de Jordanie et Marvin Mitchelson, le grand avocat en divorces. L'on savait Elizabeth Taylor à côté de son téléphone au bord de sa piscine à Beverly Hills. De nombreuses personnalités avaient envoyé des représentants, au grand dépit des « paparazzi » qui s'étaient rués sur les lieux et qui, après une heure passée à photographier des princes déchus et des aristocrates de seconde zone, ne devaient plus songer, tels des lemmings, qu'à se précipiter en masse dans le lac Léman.

La vente commença en retard ; les gens riches n'ont jamais brillé par la ponctualité et certains se disputaient à qui entrerait le dernier sous la tente. La pendule marquait près de 10 heures lorsque Nicholas Rayner, de Sotheby, judicieusement choisi pour son élégance, portant un smoking merveilleusement coupé dans le style des années trente relevé d'une pochette rouge, gravit les marches du podium, un marteau d'or à la main. Il leva les yeux vers un écran où, écarlate sur fond noir, s'inscrivait le prix demandé pour le premier numéro de la vente, un clip de saphirs et de rubis sertis d'or en forme de gland de passementerie. Une jolie fille apparut alors, portant un présentoir de velours noir où reposait le précieux bijou. Lequel fut enlevé pour soixante-dix mille francs suisses, dix fois environ sa valeur réelle. Il est temps de préciser que sous le chapiteau personne ne s'intéressait à la vraie valeur des objets présentés, personne n'y songeait en termes d'investissement. On était là pour satisfaire un caprice et partager un rêve.

L'atmosphère s'échauffa bientôt jusqu'à évoquer celle d'une course à Ascot, d'un combat de coqs à Manille, d'une rencontre de poids lourds à Madison Square Garden. Ce qui frappe dans de nombreuses ventes, c'est le silence qui les accompagne, celui d'une crypte ou d'un bar d'homosexuels. Un hochement de tête, un discret mouvement de stylo en or, un imperceptible froncement de sourcils indiquent d'habitude des ordres qui peuvent dépasser de loin le million de dollars. Mais, cette fois, le public se comporta comme les figurants d'un mauvais film. Cris, hurlements, pugilats, gesticulations hystériques, poings, mains, catalogues brandis vers le podium ; tout rappelait la frénésie qui empoigne souvent les témoins d'un naufrage ou d'un grand incendie. Cramponnés aux téléphones, les gens de Sotheby, sélectionnés pour leur allure, agitaient les bras pour signifier que, dans d'autres pays, des milliardaires enchérissaient. La vente des trente et un premiers lots rapporta trois millions de dollars. Des jumelles de diamants atteignirent cent dix-sept mille dollars ; elles n'en valaient pas plus de cinq mille. Les modestes boutons de manchettes, boutons de col et autres du duc de Windsor s'enlevèrent pour quatre cent mille dollars, quarante fois leur valeur réelle. Lorsque chacun à l'aube eut vidé les lieux, la vente avait déjà rapporté près de dix fois sa valeur réelle. La nuit suivante, quand Nicholas Rayner abattit pour la dernière fois son marteau, le total arrivait à cinquante et un millions de dollars.

Ceux qui avaient vidé leurs poches et leurs bourses n'avaient pas seulement voulu acquérir des objets royaux, encore que la duchesse de Windsor n'ait jamais été autorisée à porter le titre d'Altesse royale, ils avaient aussi voulu participer, fût-ce par procuration, à une époque où le mot de société signifiait encore quelque chose, où les riches (au moins dans les fantasmes collectifs) étaient fascinants ; où, tandis que le reste du monde luttait pour survivre, la fête pour eux semblait ne devoir jamais finir. Ils voulaient voir scintiller à leur cou et à leurs poignets des souvenirs de l'histoire d'amour du siècle.

Aussi Wallis Simpson fut-elle encore plus célèbre dans la mort qu'elle ne l'avait été dans la vie. De toutes les femmes de son temps, elle avait été celle dont on avait le plus parlé et pourtant une grande part de sa personnalité demeurait brouillée.

Commençant mes recherches, je fus surpris de constater à quel point Wallis avait été habile dans ses Mémoires à masquer ses traces, allant jusqu'à changer le nom de l'hôtel où elle avait habité à Shanghai, indiquant le Palace au lieu de l'Astor, et à dissimuler les noms de ses compagnons de voyage pour des raisons qui paraîtront fort claires au lecteur. Je fus encore plus surpris de m'apercevoir que tous ses biographes, jusqu'aux plus sérieux, étaient tombés dans le piège et l'avaient aveuglément suivie dans tous les tours et détours de son astucieuse narration.

Comme j'avançais dans mon travail, le caractère de cette femme remarquable se précisa, notamment grâce aux nombreux documents qui la mentionnent dans les archives du département d'État et de plusieurs autres administrations américaines, et surtout grâce aux papiers de feu lord Avon (plus connu sous son nom d'Anthony Eden). Aucune de ces sources ne semblait avoir été explorée. La détermination de Wallis, sa volonté de fer, ses luttes contre ses propres faiblesses, son goût de l'intrigue et de l'espionnage, sa fierté d'aventurière et de dominatrice dans le monde des hommes, son goût, son authentique séduction malgré son manque de beauté, sa passion enfin pour les splendeurs qu'offre la vie, se précisèrent de plus en plus. Comment Wallis, fille naturelle, pauvre, sans vraie beauté, parvint à la fortune, à la renommée, à la possession de demeures splendides, à conserver toute sa vie l'amour d'un roi qui devait lui faire frôler le trône d'Angleterre ? Voilà l'énigme majeure à laquelle je dus faire face. J'espère que ce livre l'aura résolue.

J'ai ruminé pendant des années le projet d'écrire sur les Windsor. Tout livre est une aventure ; en 1987, en dix mois, mes trois visites en Angleterre afin de préparer la première édition furent autant redécouverte d'un exilé que voyage d'enquêteur. L'Angleterre que j'avais fuie longtemps auparavant avait disparu, pour laisser la place à un pays plus aimable, plus chaleureux, en un mot plus attirant. En même temps que son empire, la Grande-Bretagne avait perdu sa raideur et la sécheresse d'un conformisme dépassé. Et je fus récompensé de mon retour par des gentillesses qui me firent croire que je ne l'avais jamais quittée. J'eus l'honneur et le plaisir de déjeuner avec la duchesse de Marlborough, de dîner avec la légendaire Margaret, duchesse d'Argyll, d'être reçu à la campagne par sir Dudley Forwood, ancien écuyer et secrétaire du roi Édouard VIII, et sa séduisante épouse, et par Adrian Liddell Hart, fils du chroniqueur militaire du *Times*, Basil Liddell Hart. Je passai des journées charmantes chez Hugo Vickers, qui me prouva le charme des Windsor, enregistrement à l'appui. Il contrôla l'exactitude des faits rapportés dans ce livre et me donna de précieux conseils.

Aux États-Unis, je n'oublierai pas la visite que je fis à Alfred de Marigny (faussement accusé, puis acquitté du meurtre de sir Harry Oakes) et à sa merveilleuse femme, Mary, dans leur maison de River Oaks, ce quartier plein de charme et de mystère de Houston, au Texas. Il me faut encore remercier en Amérique James P. (« Jay ») Maloney qui, à Washington, passa d'innombrables heures à dépouiller d'obscurs documents, bataillant contre les restrictions à la loi sur la liberté de l'information et s'absorbant dans les documents d'embarquement des Dollar Lines, des Royal Canadian Pacific Lines, de la Cunard ; compulsant les dossiers des renseignements navals, les registres des passeports et de l'immigration à Seattle et New York et des milliers d'autres sources plus ingrates encore qu'aucun biographe ou historien n'avaient jusque-là examinées. Tandis qu'il s'y employait, je passai moi-même des mois – frustrants parfois, mais le plus souvent stimulants – à la bibliothèque de l'université de Californie du Sud, comme dans les bibliothèques publiques de Glendale et de Pasadena, à lire des masses de vieux magazines et à vérifier des documents aussi abstrus que la liste des clients de l'hôtel Astor House à Shanghai en 1924, de vieux numéros du *South China Morning Post* et du *Hong Kong Telegraph* et les comptes rendus du bal du prince de Galles à l'hôtel San Diego del Coronado, il y a soixante-cinq ans.

À San Diego, j'eus le plaisir de rencontrer plusieurs fois Mrs. Dale St. Dennis, délicieuse petite-fille d'une cousine et amie de Wallis Simpson, Corinne Montague Mustin Murray, qui me communiqua en priorité certaines lettres où la duchesse évoquait sa vie dans les termes les plus spontanés. C'était son père, le vice-amiral Lloyd Mustin, qui les avait découvertes. La Société historique du Maryland et le Radcliffe College m'en communiquèrent d'autres, les dernières formant la correspondance de Mary Kirk Raffray, amie de classe de Wallis, qui épousa plus tard le deuxième mari de Wallis, Ernest Simpson. Sir John Colville, ancien secrétaire de sir Winston Churchill, aujourd'hui décédé, fut une mine d'informations. De même John Costello, tandis que Nigel West s'avéra des plus utiles en matière de services secrets. Feu Charles Bedaux Jr. fit de son mieux pour adoucir l'idée que je me faisais de son père, lequel, accusé de trahison, s'était suicidé en 1944 ; il avait été l'hôte du duc et de la duchesse au château de Candé, lors de leur mariage en 1937. Robert Barnes, de Baltimore, se montra incollable en généalogie. John Ball m'aida à débrouiller le meurtre de sir Harry Oakes, à propos duquel je fus plus tard aidé par le docteur Joseph Choi, expert en médecine légale. Richard A. Best y participa aussi.

Je dois encore des remerciements à Herbert Bigelow, au rabbin Abraham Cooper, à Boris Celovsky, au comte René de Chambrun, à feu Richard Coe, Jim Christy, Mrs. Evelyn Cherfak, au comte de Crawford, à Mitch Douglas, Alain Deniel, Kenneth de Courcy, Tood Andrew Dorsett, Tony Duquette (et Hutton Wilkinson), lady Donaldson, Leslie Field, Henry Gris, au comte Dino Grandi, à Barbara Goldsmith, Martin Gilbert, Betty Hanley, lord Hardinge, Kirk Hollingsworth, John Hope, lord Ironside, Anna Irwin, Michael Kriz, Samuel Marx, Mrs. Milton E. Miles, Philippe Mora, Roy Mosley, lady Mosley, Luke Nemeth, à la duchesse de Normandie, à Donatella Ortona, Chapman Pincher, Peter Quennell, Daniel Re'em, Kenneth Rose, Jill Spalding, Rudolph Stoiber, Roberta Stitch, Mrs. Béatrice Tremain, John Vincent et Frédéric Winterbotham. Les excellentes méthodes d'entraînement physique de Richard M. Finnegan, la frappe impeccable de Victoria Shellin ; enfin le talent éditorial et les encouragements de Thomas W. Miller furent indispensables pour mener cet ouvrage à bonne fin.

En 2003, après un intervalle de seize ans, mes éditeurs américains et anglais m'ont approché pour me demander de rédiger une nouvelle version, plus développée, de mon ouvrage – d'où la présente réédition qui est notablement augmentée. La publication en 2002 de l'ensemble des écrits et documents de Joseph P. Kennedy – l'ancien ambassadeur à Londres et père de feu le président John Kennedy –, qui fournissent des détails ignorés jusqu'ici sur les réactions de la famille royale à l'égard des Windsor, rendait impérative cette nouvelle édition. D'autre part j'ai découvert par hasard *Shadow Lovers*, l'excellent livre d'Andréa Lynn sur les amours de H. G. Wells et cette découverte m'a conduit vers les journaux non publiés de Constance Coolidge ; ceux-ci m'ont révélé l'existence d'une étonnante histoire de chantage en mars 1938 à Paris dont il m'a fallu des mois pour débrouiller toutes les péripéties.

En outre, à la suggestion d'un ami, j'ai pris contact avec une femme remarquable, Eleanor Davies Ditzen, fille de l'ambassadeur américain en Russie, Joseph E. Davies, laquelle m'a appris l'existence d'une liaison prolongée (et ignorée) de la duchesse de Windsor avec William Christian Bullitt, successeur de Davies à Moscou avant d'être le célèbre ambassadeur américain en France entre 1936 et 1940 – et dont de nouveaux documents nous apprennent qu'il a été le collaborateur des nazis. Pendant que j'enquêtais sur cette relation amoureuse, j'ai découvert à Washington, grâce à Jill Cairns-Gallimore, les volumineux dossiers du F.B.I. sur Elsa Schiaparelli, la grande couturière, dont les salons parisiens abritaient les amours de la duchesse et de l'ambassadeur.

D'autres pistes m'ont mené aux dossiers non encore consultés de Kenneth de Courcy, duc de Grantmesnil, à la Hoover Institution of Peace and War qu'abrite Stanford University en Californie. Ces dossiers confirmaient l'existence souvent controversée d'un dossier Chine dans lequel le roi George V et le Premier ministre Stanley Baldwin faisaient examiner les activités de la duchesse en 1924 en Chine (prostitution et trafic de drogue). D'autres fils compliqués m'ont conduit aux archives peu connues des émigrés russes regroupées dans les Archives Bakhmeteff à Columbia University ; on y trouve une remarquable lettre de la reine d'Angleterre attaquant les Windsor, qui a survécu au travail de générations d'épurateurs en Angleterre ; les lettres au contenu explosif du duc de Kent au prince Paul de Yougoslavie y sont également préservées. Grâce à l'historien britannique Martin Allen, qui fait autorité sur le sujet, j'ai pu déterminer les circonstances exactes de l'assassinat du duc de Kent par le chef d'escadrille Frederick Winterbotham de l'Intelligence Service en 1942.

En juin 2003, je suis tombé par hasard, dans l'entassement labyrinthique de livres de la Doheny Library de l'Université de Californie, sur un livre de souvenirs oublié. La princesse Viktoria Louise, fille de la duchesse de Brunswick et du Kaiser Guillaume II, m'y a révélé, comme nul autre n'aurait pu le faire, que l'épouse choisie conjointement par Hitler et George V pour le futur roi Édouard VIII était la propre fille de Viktoria, la princesse Friederike de Prusse. Si ce mariage avait eu lieu et si Wallis Simpson avait été la maîtresse du roi, le cours de l'histoire aurait pu changer. L'Angleterre aurait-elle pu déclarer la guerre à l'Allemagne si la petite-fille de son ancien souverain, choisie de surcroît par Hitler et George V, occupait le trône ? Il est clair d'autre part que, dès 1935, la famille royale anglaise avait pardonné le passé au Kaiser, si l'on en juge par le flot de princes germaniques qui se manifestèrent au Jubilé d'argent du roi George V, sans parler d'un autre flot, celui des félicitations royales qui submergent le Kaiser lors de son quatre-vingtième anniversaire en 1939 dans son exil hollandais.

Le livre que j'avais découvert et d'autres chroniques de personnages royaux de l'époque me firent mieux comprendre le puissant motif qui poussait le duc et la duchesse de Windsor : préserver et renforcer les liens entre familles royales par l'intermédiaire d'Hitler et arriver à la destruction de l'Union soviétique, laquelle avait anéanti le tsar Nicolas et sa femme Alexandra, parente de Windsor lui-même.

Un cheminement compliqué m'a ensuite conduit à saisir une certaine filière nazie, dont je n'avais pas conscience en 1988. Lien entre le duc de Windsor, son frère le duc de Kent et leur cousin, le prince Philippe de Hesse, l'arrière-petit-fils de la reine Victoria, elle est à la base du chantage de 1938 dont j'ai fait mention plus haut. Philippe de Hesse était le favori d'Hitler et son émissaire ; son mariage avec la princesse Mafalda, fille du roi Victor-Emmanuel III d'Italie, dont la cérémonie civile s'était déroulée sous la présidence de Mussolini, a servi de tremplin à l'alliance entre Hitler et Mussolini, à laquelle les Windsor et les Kent ont été étroitement associés. Cet écheveau royal de loyautés pro-fascistes a nourri une grande partie de mon nouveau texte et m'a paru justifier amplement une mise à jour.

Pour les compléments d'information dont bénéficie cette nouvelle édition (2004), je dois une reconnaissance particulière : à Jill Cairns-Gallimore, qui a fait des recherches pour moi à Washington et au terme d'un long et courageux travail a mis la main, aux Archives nationales, sur des documents obscurs que depuis des décennies nul n'avait consultés ; à mon ami, collègue et fidèle soutien, John Taylor, le sage et illustre directeur du département Armées modernes de ces Archives ; à Dorris Healsey, incomparable agent littéraire et judicieuse conseillère ; à Bob O'Hara, chercheur diligent à Londres, ainsi qu'à Jessica Gerger, de Londres également ; à Eleanor Davies Tydings Ditzen, qui à quatre-vingt-dix ans passés est une source d'informations incomparables ; à Scott Libson et Tanya Chebotareff ; à Michael Neal de Paris, remarquable libraire et bon historien ; à mon ami et contact français, Chi-Chi Barthélémy ; à Andrea Lynn, irremplaçable source de renseignements sur les journaux personnels, qui avaient disparu, de Constance Coolidge ; à Martin Allen, l'excellent et incorruptible historien ; à Aline, comtesse de Romanones ; au professeur Jonathan Petropoulos ; à Herbert Reginbogen ; à Joël Greenberg ; à Jean Paule et Michael Sutherland d'Occidental College à Los Angeles ; à Margaret Shannon, Magdid Magidi, Mildred de Riggi, Carolyn Ugolini, Heidi Sugden, Chapman Pincher, Nigel West, Fulton Oursler Jr et Harry Cooper de Sharkhunters. J'ai eu plaisir à retravailler avec l'éditeur original de cet ouvrage, Thomas Ward Miller, et avec un nouvel éditeur, Emma Marriott, aussi bien qu'avec le brillant metteur en scène Michael Clark Haney et avec Udana Powers, virtuose du traitement de texte.

1

Une enfance à Baltimore

Le monde où naquit, hors mariage, Bessie Wallis Warfield, le 19 juin 1895, ne connaissait ni l'avion, ni la télévision, ni la radio, ni le cinéma, ni l'automobile, ni l'impôt sur le revenu, ni les supermarchés, ni les mots croisés, ni les maillots de bain. Tout le monde ou presque allait à l'église le dimanche. Le courrier était distribué au moyen de voitures à cheval et les maréchaux-ferrants martelaient toujours leurs fers. Les États-Unis comptaient moins de soixante-quinze millions d'habitants et une grande partie de ceux-ci respiraient encore l'atmosphère de la découverte, celle de la « frontière ».

Le pays se remettait à grand-peine d'une crise désastreuse. New York, naguère flamboyante et fiévreuse, baignait dans la morosité. Les causes premières de la panique boursière de 1893, qui avait vu des millions d'actionnaires brader leurs portefeuilles et des banques sauter par dizaines, avaient été la surchauffe, un optimisme délirant et les investissements sauvages des grands rapaces de la finance. Le président Grover Cleveland s'était avéré incapable de faire face à la situation et le Trésor s'était épuisé à combattre une permanente hémorragie d'or.

Le trou, aux élégances déjà fatiguées, qu'était Baltimore et où habitait la famille de Wallis montrait des signes éclatants de détresse. Les Warfield étaient installés 34, East Preston Street, dans une étroite maison de trois étages en brique grise du Maryland. La cuisine se trouvait au sous-sol. Le salon, dissimulé aux regards indiscrets par des rideaux de macramé irlandais et d'épais doubles rideaux de satin pourpre, était au rez-de-chaussée, derrière était la salle à manger garnie de buffets en acajou. La bibliothèque était au premier, les chambres au second, le troisième et dernier étage était celui des domestiques.

Anna Emory, veuve Warfield, était la matrone du clan. Elle avait dépassé la soixantaine. Ses cheveux étaient d'un blanc de neige et relevés en un chignon que maintenait au-dessus de son occiput un peigne chinois de laque noire. Sa fragile, mais parfaitement droite, silhouette était invariablement vêtue de noir. Bonnet de veuve pour sortir l'après-midi et manchon noir sur des gants de satin noir ; à la maison, un châle d'angora noir, une robe de soie noire, des bas noirs et de hautes bottines noires à boutons.

Son seul compagnon, mis à part sa cuisinière, ses femmes de chambre et son maître d'hôtel, impartialement surmenés et tyrannisés, était son fils célibataire, Solomon Davies Warfield. Trois autres garçons l'avaient quittée ; deux d'entre eux, Emory et Henry, pour se marier ; le troisième, Teackle, pour s'installer dans un petit appartement.

Les propriétés de Solomon Warfield, qui comprenaient le superbe ensemble des fermes de Manor Glen où il chassait, de Mount Eyrie et de Mount Prospect et les trente hectares de Parker-Watters Place avec une volière de cent oiseaux rares, avaient gardé leurs logements d'esclaves, où des Noirs étaient traités en créatures inférieures. Solomon Warfield présentait tous les caractères d'un parangon de droiture. Ses cheveux noirs étaient coupés court et précisément divisés par une raie, son visage carré s'ornait d'une moustache nette, son imposante stature et son maintien altier, ses vêtements sur mesure et ses gants de chamois, tout cela lui donnait une allure glaciale, hautaine et dédaigneuse, dans la tradition Warfield. Et pourtant il se chuchotait que cet élégant gentleman de Baltimore s'adonnait en privé à la débauche et que bien peu de femmes, mariées ou non, devant lesquelles s'allumait certaine lueur dans son regard froid, échappaient à ses avances ignominieuses. La liste de ses maîtresses, actrices et chanteuses de New York, où il possédait une garçonnière dans la Ve Avenue, était objet de scandale.

Le plus jeune des fils d'Anna Warfield (elle avait aussi deux filles mariées qui vivaient à Baltimore) était Teackle Wallis, ainsi nommé en l'honneur de Severn Teackle Wallis. Dans le clan,

Teackle était une anomalie – non pas une brebis galeuse : les Warfield auraient pu s'en accommoder en l'expédiant au Canada ou en Californie – mais il avait quelque chose de si contraire à l'idéal américain que c'en était impardonnable ; sa faible constitution lui interdisait toute prouesse athlétique et sa mauvaise santé l'avait même obligé à quitter le collège. La solidité génétique des Warfield avait manqué lorsque, à l'âge de soixante-deux ans, un Henry Mactier déclinant avait engendré cet enfant.

À dix-huit ans, Teackle souffrait de phtisie. Au lieu de l'envoyer en sanatorium, son frère Sol s'entêta à lui faire apprendre le métier de banquier, en partant de la base. Ainsi, équipé d'une visière et de manchettes de lustrine, se vit-il obligé de besogner aux écritures à la Continental Trust, tandis que ses frères occupaient déjà des postes importants dans les assurances de leur oncle.

Il était interdit aux tuberculeux de vivre avec des femmes. Le médecin de famille, l'inoffensif docteur Leonard E. Neale, avait certainement exprimé au jeune homme de très sages avis sur le célibat, mais, à vingt-cinq ans, Teackle commit la faute de tomber amoureux. Au début des années 1890, il rencontra une très jolie, très vivante et adorable blonde de vingt-quatre ans, Alice Montague, dont les ancêtres, comme ceux des Warfield, remontaient aux Normands compagnons de Guillaume le Conquérant. Elle devait soutenir toute sa vie que des chevaliers des deux familles étaient présents dans l'armée qui avait envahi l'Angleterre. Elle était fille d'un assureur, William, et de Mary Anne Montague, qui habitaient au 711, St. Paul Street.

En un temps où ne fût-ce qu'un baiser de tuberculeux était jugé dangereux et parfois mortel, il fallut à Alice tout son jeune courage pour entamer avec son amoureux une liaison romantique. Lui ne semble pas avoir songé aux conséquences que ce rapprochement pourrait entraîner pour elle ; et, en fait, elle ne contracta pas sa maladie. Cependant, échappant à la surveillance de leurs familles respectives, ils consommèrent leur relation dans des hôtels borgnes ou la nuit dans des jardins. Et, horreur suprême, Alice tomba enceinte. Le docteur Neale parvint à cette conclusion deux mois après la conception.

Dans toute famille épiscopalienne, la naissance hors mariage était un désastre. Elle entraînait le déshonneur, la ruine sociale et jusqu'à l'expulsion. Le scandale allait s'abattre sur les Warfield et les Montague. L'enfant ne devait donc pas naître à Baltimore et l'histoire officielle de la famille Warfield, alors en cours de rédaction (elle fut publiée en 1905), ne devait pas plus mentionner les noms des parents que celui de l'enfant. Le docteur Neale ne devait pas présider à la naissance, non plus que le cousin Mactier, qui était aussi médecin, s'y trouver impliqué le moins du monde.

Dans les premiers mois de 1895, le jeune couple quitta Baltimore pour Blue Ridge Summit, populaire station de montagne du comté de Monterey, implantée à haute altitude, parmi les sommets qui enjambent la frontière de la Pennsylvanie et du Maryland. Le prétexte à cet infamant exil était que le climat de Blue Ridge Summit était bon pour les phtisiques. Grâce à la fortune des Warfield, ni la grossesse d'Alice ni la naissance de son enfant ne seraient jamais mentionnées dans les journaux, tant de Blue Ridge que de Baltimore. Alice devait demeurer cloîtrée pendant toute la durée de son séjour.

Depuis 1884, où le chemin de fer l'avait atteinte, Blue Ridge avait connu une croissance considérable. Lorsque, par un jour printanier de 1895, le train à vapeur pénétra en haletant dans la gare de la station, une voiture à quatre chevaux blancs conduisit les amants jusqu'à leur nouveau foyer, un pavillon de la Monterey Inn, nommé Square Cottage, aussi avenant qu'une niche à chien. La ville proposait des divertissements : bals le samedi soir, à la lumière de lanternes chinoises, promenades à cheval et, le dimanche, défilés sous grands chapeaux ou parasols ; mais jamais le couple ne fut convié à partager aucun de ces plaisirs.

Le 19 juin 1895, Alice éprouva ses premières contractions. Le docteur Lewis Miles Allen, disciple du docteur Neale, débarqua de Baltimore pour pratiquer l'accouchement dans les meilleures conditions de discrétion. À la vue du nouveau-né, le docteur déclara : « Tout va bien. Laissons-la crier, cela lui fera du bien. » Il ne prononça jamais – toute sa vie il dut s'en défendre – « C'est un morceau de roi ».

Cette naissance fut le seul événement de la double saga des Warfield et des Montague à ne pas avoir les honneurs de l'impression ; en outre, le bébé, nommé Bessie Wallis Warfield, fut le premier Warfield à n'être pas baptisé. Les conseillers épiscopaliens de la famille avaient décidé de ne point admettre au baptême un enfant illégitime et les autorités ecclésiastiques de Baltimore devaient confirmer ce verdict.

Lorsque Wallis fut confirmée, le 17 avril 1910, à Christ Church, à Baltimore, il fallut falsifier le registre des baptêmes, et le fait de ne pas avoir été baptisée devait invalider de fait, du point de vue religieux, deux sur trois de ses mariages, dont celui de 1937 avec le duc de Windsor. Aux yeux de son Église, elle était promise à la damnation éternelle.

Dix-sept mois après la naissance de Wallis, Teackle et Alice furent enfin mariés. Compte tenu des circonstances, la cérémonie ne pouvait avoir lieu dans une église. Cela constituait déjà un déshonneur en soi ; jamais ni Warfield ni Montague, se mariant pour la première fois, ne s'étaient vu refuser un service religieux. La situation excluait aussi dot, trousseau, service civil et réception, que ce soit chez les Montague ou chez les Warfield.

Le mariage se passa dans le salon du révérend Ernest Smith, ministre épiscopalien, qui dut museler ses sentiments les plus profonds pour accomplir ce désagréable devoir. La cérémonie eut lieu le 19 décembre 1896. Alice portait une robe d'après-midi en soie verte bordée de zibeline, des gants et un chapeau assortis et un petit bouquet de violettes. Le marié était vêtu d'un simple costume gris. Les familles n'étaient pas représentées. Il n'y avait ni garçon d'honneur ni demoiselle d'honneur, personne n'accompagnait la mariée. Il n'y eut pas davantage de réception ni de lune de miel.

Le malheureux ménage s'installa d'abord au logis du mari, 28, Hopkins Place, puis au Brexton Residential Hotel, médiocre pension de famille de Park Avenue dont les chambres étaient louées un dollar et demi par semaine. Là, le pauvre garçon, qui se traînait, miné par la fièvre, dut sans nul doute essuyer les regards anxieux des autres pensionnaires, inquiets de côtoyer un phtisique à ce point marqué par la maladie.

Ce qu'Alice dut éprouver dépasse l'entendement. La présence constante auprès de son bébé d'un mari dont les jours étaient comptés et dont la toux pouvait leur apporter la mort, à elle-même comme à sa fille, était une source d'angoisse que même sa nature résolument optimiste ne pouvait étouffer.

Les Warfield serrèrent les rangs ; la décision fut prise d'héberger le couple et son enfant au 34, East Preston Street. Le déplacement s'effectua, dans l'incognito sans doute, dès qu'Alice se fut suffisamment rétablie des complications postnatales dont elle avait souffert.

Teackle ne survécut que six mois. Il mourut le 15 novembre 1897. Juste avant de mourir, il demanda la photographie de Wallis – il ne lui était permis ni de l'embrasser ni de la toucher. Il n'avait que vingt-six ans.

Anna Emory Warfield ne se séparait jamais de ses broches et de ses bagues en émaux noirs ; corsetée et amidonnée, elle demeura toute sa vie despotique. À l'âge de cinq ans, Wallis devait se lever à l'aube pour participer à la prière familiale. Le petit déjeuner était annoncé à huit heures par un gong de cuivre indien. Aussitôt après, Mrs. Warfield donnait ses instructions à ses six femmes de chambre, en bonnets et tabliers réglementaires. Mrs. Warfield ne se séparait jamais de son trousseau de clés. Lorsque l'une de ses femmes voulait prendre du linge ou quelque conserve dans un placard, il lui fallait dûment demander la clé correspondante. Toutes les nuits à la même heure, l'oncle Solomon rentrait à la maison et en inspectait chaque pièce pour vérifier que le ménage avait été bien fait et que le personnel n'avait pas commis de faute. Quelquefois oncle Henry et sa femme, tante Rebecca, apparaissaient en voisins pour voir l'enfant, dont les grands yeux violets pleins d'ardeur étaient déjà remarquables.

Wallis était une enfant malicieuse et exubérante. Sa mère l'adorait. Elle la photographiait toutes les semaines, si bien qu'en 1900 plus de trois cents photos de la petite remplissaient sa chambre. Elle les désignait sous le nom de « Wallis Collection », inspiré de celui de la « Wallace Collection » de Londres. Comme tous les Warfield, Wallis respirait le snobisme. D'après Cleveland Amory, elle donna à ses premières poupées les noms de Mrs. Astor et de Mrs. Vanderbilt, reines du New York d'alors. Elle apprit à lire dans des magazines de mode, se repaissait des comptes rendus de théâtre et de récits de la vie des rois et reines d'Angleterre. Dès ses débuts dans la vie, elle se conduisit en princesse, disant « Me Me » au lieu de « Mama ».

L'atmosphère du 34, East Preston Street, était tendue et désagréable pour Alice Montague Warfield. Oncle Solomon ne cessait de lui faire sentir qu'elle était là par charité, laissant par ailleurs glisser des regards concupiscents sur son jeune corps voluptueux.

En 1901, Alice déménagea, pour s'en retourner avec Wallis au Brexton Residential Hotel.

La maigre allocation d'oncle Sol ne couvrait pas les frais de pension, aussi Alice dut-elle se mettre à travailler. Elle ne savait ni taper à la machine ni tenir des comptes, en revanche elle savait coudre. Elle entra au Women Exchange, organisation charitable où l'on retouchait des vêtements d'enfants pour un salaire modique. Au moins pouvait-elle coudre les roses de Wallis avec la machine à coudre de ses employeurs pendant la pause du déjeuner.

En 1902, la sœur d'Alice, Bessie, vint à son secours. La douce, chaleureuse et pulpeuse Bessie venait de perdre son mari, David B. Merryman, commissaire-priseur, mort subitement l'année précédente d'une pneumonie à l'âge de quarante-trois ans. Bessie, qui adorait Alice et Wallis, fut heureuse de les accueillir dans sa grande maison de brique au 9, West Chase Street. Elles y trouvèrent un vrai foyer.

Cette même année, Wallis entra au jardin d'enfants de miss Ada O'Donnell, au 2812, Elliott Street. Ce fut là que le caractère de l'enfant commença d'apparaître. Elle se montra déterminée à être première en tout. Elle avait sept ans lorsque miss O'Donnell demanda à sa classe : « Qui a essayé de faire sauter le Parlement à Londres ? » Un petit garçon assis derrière Wallis bondit et cria : « Guy Fawkes ! » à l'instant même où elle allait donner, comme lui, la bonne réponse. Furieuse d'avoir été devancée, elle lui flanqua sur la tête un grand coup de plumier.

À l'âge de quatre-vingt-dix ans, Mrs. Edward D. Whitman, née Susan Waters White, fille de distillateur, se rappelait fort bien Wallis à l'école O'Donnell :

> Elle était aussi agitée qu'une bande de singes. Et brillante ! Bien plus brillante que nous tous ! Elle avait décidé d'être la première de la classe et elle l'était. Elle n'avait pas un sou. Les Warfield n'avaient rien. Les domestiques ? Tout le monde pouvait en avoir. Mais elle n'avait pas un sou d'argent de proche. Elle aimait beaucoup la campagne. Elle passait des séjours chez nous, à Robinwood et à Knowle, qui existent toujours, et elle s'amusait comme une folle avec nous – nous étions onze enfants. Elle adorait jouer au bouchon.

Lorsque la nuit était tombée, les lucioles la fascinaient. Elle aimait particulièrement que nous lui racontions l'histoire d'un lord anglais venu en séjour et qui s'était exclamé : « Regardez toutes ces lumières ! D'où peuvent-elles bien venir ? » Et grand-père avait répondu : « Mais vous n'avez plus de sirop de menthe ! »

Wallis avait huit ans et demi lorsque se produisit l'événement le plus important de son enfance. Au matin du dimanche 7 février 1904, la maison de tante Bessie fut arrachée au sommeil par des volées de cloches. Une succession de voitures de pompiers tirées au galop par leurs attelages se ruaient dans Chase Street en direction de la vieille ville. Baltimore était en feu.

Attisées par des vents furieux, les flammes sautaient d'un immeuble à l'autre, terrifiant spectacle pour les résidents de Chase Street, qui se précipitèrent sur leurs seaux pour les remplir d'eau. Une grande lueur rouge emplissait le ciel et une âcre odeur de brûlé empestait l'atmosphère. Lorsque le feu fut maîtrisé, la plus grande partie des établissements Warfield avait été rasée par les flammes, y compris le Calvert Building, où officiait l'oncle Sol, et le siège de la Continental Trust.

En 1906, Alice regagna East Preston Street, laissant Wallis aux bons soins de Bessie, devenue mère auxiliaire. En 1908 elle déménagea, avec Wallis, dans les Preston Apartments, ensemble locatif où elle entreprit de louer des chambres sur cour, impensable déchéance aux yeux de la société de Baltimore, d'autant plus qu'elle les louait à des étudiants de belle prestance, dont, un temps, ses propres cousins Montague. Elle était aussi négligente à exiger ses loyers qu'elle l'était à payer le sien, et trop généreuse avec ses pensionnaires à qui elle servait de luxueux repas où figurait par exemple de la tortue Maryland ou du homard cardinal.

Elle apprit à Wallis à faire la cuisine et l'exubérante petite fille s'avéra capable, dès l'âge de dix ans, de réussir un gâteau Lady Baltimore ou une tourte aux noix de pécan, mais malheur à ceux qui gênaient ses mouvements ou ignoraient ses efforts. L'un des pensionnaires de sa mère, Charles F. Bove, étudiant en médecine, se rappellerait des années plus tard Wallis affairée au-dessus de la cuisinière, à fourgonner dans les plats. Ses cheveux noirs nattés sur la nuque et ses hautes pommettes saillantes la lui avaient fait surnommer « la Squaw » et « Minnehaha ». Elle croyait dur comme fer ce que lui avait dit sa mère, que du côté Warfield elle descendait, indirectement, de Pocahontas.

À dix heures le matin, Wallis gagnait l'élégante école de filles, Arundell School, toute proche de la maison de ses grands-parents maternels, au 714, St. Paul Street. Si l'une de ses camarades s'avisait de se moquer d'elle parce que sa mère prenait des pensionnaires, elle répliquait à grands coups de ses lourds souliers de marche.

Le professeur principal d'Arundell School était miss Carroll. Wallis défia souvent son autorité et s'acquit très vite une réputation de hauteur et d'impertinence. À la stupéfaction de ses maîtresses, il lui arrivait aussi d'user d'un langage fort grossier. Les corrections, celles de l'école comme celles de sa mère, n'y faisaient rien, elle demeura hautaine, obstinée, irréductible. Elle travaillait toutes les matières avec une ardeur frénétique, qu'il s'agisse de basket-ball ou de travaux d'aiguille, de cuisine ou d'histoire. Elle manquait de beauté, mais n'en éprouvait pas moins de théâtrales migraines et de subits évanouissements dès que l'attention se détournait d'elle. Néanmoins son enthousiasme, sa vitalité et son charme la rendaient populaire. Avec sa silhouette anguleuse, ses épaules garçonnières, sa coiffure et sa figure « indiennes », son menton accentué, elle était, d'après l'une de ses compagnes, différente des autres filles, « spéciale ». Elle avait toujours l'air de sortir d'une boîte, sachant que le moindre relâchement de sa personne lui vaudrait une dégelée de coups de brosse à cheveux ou l'immersion dans un bain glacé. Ses crayons étaient toujours admirablement taillés. On ne trouvait jamais dans son pupitre ni boules de gomme ni pommes entamées. Ses chemisiers et ses jupes plissées étaient toujours impeccablement repassés.

Oncle Sol lui-même ne parvenait pas à l'ébranler. Sachant qu'elle détestait les mathématiques, il exigea qu'elle participe tous les samedis soir à un jeu de calcul à East Preston Street. Un dimanche, elle se redressa tout à coup de toute sa taille et annonça : « Le carré de l'hypoténuse d'un triangle rectangle est égal à la somme des carrés des deux autres côtés. » Oncle Sol en lâcha le couteau à découper, qui tomba avec fracas dans le plat de bœuf.

2

Une jeune femme obstinée

Les années passant, le caractère de Wallis s'enrichit. Apparut chez elle une témérité prononcée qui la poussait à se précipiter dans n'importe quelle aventure, quitte à s'affoler si les choses allaient trop loin. L'une de ses camarades d'Arundell racontait :

> Un soir, elle nous entraîna à espionner une cérémonie maçonnique. Un policier nous surprit et menaça de nous arrêter. Wallis s'affola et nous nous enfuîmes. Elle nous déclara ensuite qu'elle allait se jeter dans une rivière. Des années nous l'avons taquinée en lui rappelant cette déclaration.

Une autre élève devait rappeler :

> Elle paraissait évaporée, ... et elle faisait un bruit terrible dans les réunions... Sans vraie beauté ni solide bon sens, elle avait beaucoup d'élégance et de style.

Willis éprouva une profonde colère lorsque en 1907, après onze ans de veuvage, sa mère prit un amant. John Freeman Rasin était un bon à rien de trente-sept ans, fils aîné du responsable du parti démocrate à Baltimore. Il n'avait jamais été marié et constituait le pire parti possible. C'était un gros veau corpulent à face de lune, de surcroît alcoolique, qui n'aimait rien tant que rester couché tout le jour à lire des bandes dessinées et boire de la bière. Son excessif amour de la bouteille lui avait valu de s'abîmer le foie et de se détériorer les reins. Mais il s'était montré gentil et généreux envers Alice et Wallis, et offrait à Alice, qui portait encore la honte de son premier mariage, un vrai foyer et un père à sa fille.

Tandis qu'il lui faisait la cour – empressement que Wallis traita à coups de bouderies et d'évanouissements, car elle n'admettait pas cette invasion de son territoire – Alice déménagea à une meilleure adresse, au 212, Biddle Street. Là, défiant toutes les conventions, elle partagea ses nuits avec Rasin dans la chambre d'ami de son nouveau logis, qui n'était séparée de celle de sa fille de onze ans que par une mince cloison. Lorsque Alice lui annonça qu'ils allaient se marier, Wallis piqua une crise de rage, accompagnée de cris hystériques. On aurait dit que pour elle le monde s'écroulait. Elle décida de boycotter la noce, jusqu'à ce que tante Bessie la persuade de revenir sur sa décision. Tante Bessie avait sur elle une influence toute-puissante.

Le mariage fut célébré à 3 heures de l'après-midi le 20 juin 1908 au 212, Biddle Street. Une fois encore, un mariage à l'église était exclu. Cette fois, les Warfield et les Montagne honorèrent la cérémonie de leur présence. Quant à Wallis, elle ne put supporter l'événement jusqu'au bout. Personne n'accordant attention à ses démonstrations de mécontentement, elle quitta le salon et entreprit de mettre en pièces le gâteau de mariage, décidée à dérober les traditionnels anneau, dé et pièce de monnaie nouvellement frappée qu'il recelait. Elle fut surprise en plein travail à l'instant même où elle atteignait ces insaisissables trésors. À sa vue, toute la noce éclata de rire.

Elle s'était mieux conduite en 1907 au mariage de sa cousine préférée, l'époustouflante blonde aux yeux bleus Corinne De Forest Montague. Il faut dire que l'affaire était autrement romantique, car Corinne épousait le superbe Henry Croskey Mustin qui, à trente-trois ans, était l'un des premiers pilotes de la marine américaine, en ces temps où l'aviation était balbutiante. Une garde d'honneur en uniformes blancs donnait à la noce un surcroît d'éclat et Wallis fit le vœu d'épouser un mari de la même trempe et d'avoir une noce encore plus brillante.

À douze ans, Wallis était une rebelle et un garçon manqué. Elle était vive au point d'en être insupportable. Sa voix perçante, ses questions incessantes, son air hardi et sûr de soi, ses évanouissements théâtraux lui valaient une espèce de célébrité. Elle supportait sans défaillance les pratiques religieuses des très épiscopaliens Warfield et Montague, qui veillèrent à la faire confirmer, bien qu'elle n'ait jamais été baptisée. Elle souffrait de son mieux les interminables prières du matin, du midi et du soir, comme les admonitions exaspérantes du révérend Francis Xavier Brady, qui était aussi étranger aux rêveries romantiques d'une adolescente qu'un habitant de la lune. En un temps où les filles n'étaient censées penser qu'à coudre, s'habiller et jouer au basket, Wallis courait déjà après les garçons et songeait à devenir médecin, savant ou explorateur.

Elle aimait parcourir les rues écartées dans sa voiture à âne, s'habiller de robes-chemisiers à la dernière mode, porter des bottines à lacets. Mais ce qu'elle aimait par-dessus tout, c'était le goût, l'odeur, le sentiment de la richesse. Elle était hypnotisée par ses cousines plus riches et plus jolies : Lelia, qui habitait en Virginie l'imposant Wakefield Manor au portique ionique à quatre colonnes, et Corinne, à présent installée dans une ravissante maison de Washington et qui devait bientôt déménager en Floride. Wallis aimait les beaux lins d'Irlande, les napperons de dentelle, les ronds de serviette en argent massif, les cristaux de Waterford, la vaisselle Crown Derby, les orchidées, les tapisseries, les lustres, les pierres précieuses – les diamants, les émeraudes – l'argent.

En 1911, Wallis participa à un camp d'été dans une superbe propriété, Burrland, située à Middleburg, en Virginie. Là, sous le charme d'un manoir antérieur à la guerre de Sécession et de ses trois cents hectares, elle tomba amoureuse pour la première fois. L'objet de sa flamme – ou de son béguin, comme on disait alors – s'appelait Lloyd Tabb, bel adolescent brun, mince et athlétique, héritier d'une belle fortune. Les autres filles d'Arundell et de Burrland étaient jalouses de sa conquête. Elles se demandaient entre elles comment Wallis, la moins jolie de toutes, avait réussi à ferrer le plus beau garçon.

Son secret était l'offensive : Wallis était une chasseresse. Ainsi apprit-elle par cœur toutes les performances de Tabb au football, n'éprouvant en réalité aucun intérêt pour ce sport. Elle savait également les temps qui lui avaient valu de remporter telle ou telle compétition de natation, quelle était sa glace préférée et combien, l'hiver, il aimait patiner. Les amis du garçon s'étaient faits complices de son entreprise de séduction.

Elle avait l'art des louanges, celui de bercer l'amour-propre viril d'un adolescent. Bien que la chose fût jugée hardie, elle tâtait leurs biceps. Elle sut aussi séduire la famille de Tabb, en la complimentant sur leur maison à colonnes, Glenora, dont ils étaient très fiers. Elle y passa de longs après-midi d'été à lire avec Lloyd les poèmes de Kipling à la gloire de l'empire. À tour de rôle, ils lisaient des passages des livres qui leur plaisaient, *Monsieur Beaucaire*, par exemple, œuvre très populaire de Booth Tarkington que Wallis adorait et qui racontait les aventures d'un roturier à la cour du roi Louis XV. Sans doute n'était-ce pas un hasard si elle aimait déjà les histoires de rois et de reines et si elle s'intéressait à la manière dont leurs inférieurs pouvaient attirer leur attention. *The Prince and the Pauper*, de Mark Twain, était aussi l'un de ses livres favoris et les audacieux poèmes d'amour indiens de « Laurence Hope » la remplissaient d'émoi. Lloyd ne devait jamais oublier les séances de musique sous la véranda de Glenora en compagnie de Wallis. Des années plus tard, il se souviendrait :

> Curieusement, Wallis chantait rarement avec les autres, bien qu'elle prît manifestement grand plaisir au chant. Elle était l'une des meilleures d'entre nous pour trouver de nouveaux airs. Après quelques suggestions, appuyée sur ses bras minces et la tête penchée comme en attente, elle se rejetait en arrière, et cette attention concentrée nous encourageait jusqu'à nous faire croire qu'en effet nous formions un chœur talentueux.

Galamment, Tabb oublie de mentionner que Wallis n'avait pas d'oreille. Son habileté était de feindre un grand plaisir à écouter les autres faire de la musique ; la considération qu'elle leur accordait lui donnait à leurs yeux un charme supplémentaire.

Lloyd possédait un cabriolet Lagonda rouge vif dans lequel Wallis adorait se promener. Le premier soir où il l'emmena faire une balade, lorsqu'il l'embrassa sur le pas de sa porte, elle lui dit : « Ah ! le chef de file de la jeunesse me fait l'honneur de sa présence. » Là-dessus, elle rejeta la tête en arrière et éclata de rire. Lloyd ne devait jamais oublier ces mots, pas plus qu'il n'oublia Wallis.

À la rentrée de 1911, Wallis changea d'école pour aller à Oldfields School, l'ayant jugée supérieure à sa rivale Arundell, bien que quitter un établissement pour un autre en cours de scolarité fût jugé choquant. Elle poussa l'audace, l'été de cette année-là, jusqu'à se rendre à Burrland, pour affronter sans aucun respect humain les camarades et les équipes de basket qu'elle avait laissées tomber. Elle écrivit dans ses Mémoires qu'elle était passée normalement d'une école dans l'autre ; en vérité, l'un comme l'autre établissement menaient leurs élèves de sept ans jusqu'à dix-huit.

Oldfields était l'école de filles la plus chère du Maryland. Oncle Sol dut vider ses poches pour l'y envoyer. Mais elle était persuadée que le président de la Seabord Airline Railway et de six autres compagnies de chemin de fer pouvait se permettre cette dépense. L'école était installée dans une ancienne ferme du XVIIIe siècle en bois peint en blanc, entourée de cent hectares, le long de la Gunpowder River. Elle avait été fondée en 1867 par le révérend Duncan McCulloch et sa femme Anna dont la famille était propriétaire de la ferme. Anna, que l'on appelait miss Nan, était directrice de l'établissement lorsque Wallis y fut admise.

Les meilleures amies de Wallis à Oldfields et à Burrland étaient Renée du Pont, de la famille Dupont de Nemours, et la ravissante Mary Kirk, de Kirk Silverware. Surnommées les « Trois Mousquetaires », les trois filles décidèrent de s'accommoder au mieux de l'école en dépit de l'étouffante bigoterie qu'y faisait régner sa distinguée directrice, invariablement vêtue de noir. Elles passaient leurs journées à apprendre des chapitres entiers de la Bible, à réciter des prières, à étudier la couture et à prendre des leçons de cuisine. Mais il y avait des moments plus frivoles, tels les visites du père de Renée, le sénateur du Pont, qui leur distribuait des pièces d'or de vingt dollars ; les virées à Burrland dans une cahotante charrette à foin qui les laissait couvertes de bleus ; les tableaux vivants des séances de gymnastique ; la représentation d'un vaudeville à Middleburg avec une autre amie de Wallis, l'héritière Lucy Lee Kinsolving, en don Juan moustachu qui chantait « Chères, délicieuses femmes », tandis que Wallis et Mary se pâmaient de délice ; les pique-niques en pleine nuit, Wallis et Mary se glissant hors de leurs lits chargées de provisions dérobées à tante Bessie, olives, bière (!), gâteaux, sucreries et beurre de cacahuète, pour festoyer dans les champs ; les bas bleus que l'on enfilait pour assister à un concours hippique ; le bal costumé avec Mary Kirk déguisée en Buster Brown, héros fameux de livres d'enfants, et Wallis en Mary Jane, la bien-aimée de Buster ; la virée à Washington pour voir le grand acteur sir Johnson Forbes Robertson dans le rôle d'Hamlet, avec les filles qui piaillaient d'excitation sur le quai de la gare, tandis que les professeurs discutaient le prix des billets, et la nuit à l'hôtel, avec Wallis et Mary réveillant toute l'école en pleine nuit, en réclamant à grands cris du ginger ale et des sandwiches.

Il y avait toutes sortes de fêtes, des séances de ragtime aux soirées de fin d'étude, et bien entendu le superbe Lloyd Tabb dans sa Lagonda rouge et, second dans l'ordre des préférences de Wallis, le jeune et élancé Tom Shyrock qui se promenait à cheval avec elle. Tom, plus tard, devait se rappeler :

> Wallis abordait sans un battement de cils les obstacles les plus hauts. Il y avait quelque chose de royal dans sa façon de se tenir à cheval. J'étais, je crois légitimement, fier de moi sur un cheval, mais devant Wallis je tirais mon chapeau.

Comme des millions de filles de son âge, Wallis était amoureuse du prince de Galles, le blond héritier du trône britannique, alors âgé de dix-sept ans. Elle avait disposé dans sa chambre des dizaines de photos de lui, et elle suivait par la presse tous ses faits et gestes. Lloyd et Tom ne se formalisaient pas de cet emportement juvénile.

En 1912, Wallis offrit tous les symptômes d'un profond dégoût d'Oldfields. Elle passa ses vacances chez tante Bessie. Alice et John Rasin avaient déménagé pour Atlantic City où ils habitaient une maison au bord de la plage. Rasin était devenu un alcoolique incurable. Il mourut d'une maladie des reins le 4 avril 1913.

L'année suivante, Wallis quitta Oldfields. Encore touchée par son deuil, et très vieillie, Alice retourna à Baltimore pour s'installer dans un appartement au 16, Earl Court, qui donnait sur Preston Street où rôdaient les fantômes des Warfield. Âgée maintenant de dix-huit ans, Wallis devait faire son entrée dans la société puis – ainsi le voulait la coutume – conclure le plus vite possible un mariage avec un riche et séduisant jeune homme d'une vieille famille de Baltimore. Wallis s'était mis en tête d'aller au bal de

Princeton avec sa cousine Leila, de Wakefield Manor, comme cavalière de Basil Gordon, frêle mais très beau frère de cette dernière. Or Basil avait déjà un engagement qu'il refusait d'annuler. Wallis se mit dans une fureur noire jusqu'à ce que Basil convainque son meilleur ami de laisser tomber la fille avec qui il devait sortir pour emmener Wallis au bal. Wallis aussitôt passa de la rage à l'extase. Elle consacra des heures à combiner avec Alice ce qu'elle mettrait. Wallis en tenait pour de l'organdi bleu, Alice préférait le rose. Wallis triompha lorsqu'elle se découvrit la seule au bal à porter du bleu.

L'événement majeur de l'année pour les jeunes femmes de Baltimore était imminent.

3

L'ascension sociale

Le Cotillon des Célibataires, où n'étaient acceptées que quarante-neuf jeunes filles sur les cinq cents qui iraient au bal, était la consécration suprême. En faire partie à soi seul assurait une place enviable au sein de la société. Traditionnellement, ce cotillon avait lieu le premier mardi de décembre au Théâtre-Lyrique. Les événements du monde étaient aussi lointains et irréels pour Wallis que des rêves – le tremblement de terre de San Francisco en 1906, le krach de 1907, le passage de la comète de Halley, le périple de la Grande Flotte Blanche, la course au pôle Nord, la convention démocrate de Baltimore, même le naufrage du *Titanic* et le déclenchement de la Grande Guerre au mois d'août 1914, tout cela, pour Wallis, paraissait sans existence, le Cotillon épuisant à ses yeux toute la réalité. Incapable de dormir, partagée entre l'hystérie, l'angoisse et l'abattement, elle n'était capable que d'une seule pensée : serait-elle des quarante-neuf ?

Enfin le grand jour arriva. Sa nervosité lui fit mettre en pièces l'enveloppe qui contenait la précieuse invitation. Désormais, le monde pouvait s'écrouler, elle devait avant tout s'occuper de sa toilette et décider un membre de sa famille à lui servir de chaperon, puis déterminer quel bouquet elle porterait à son corsage.

Il lui fallut enjôler oncle Sol afin d'obtenir tout le concours nécessaire. Pour ce rendez-vous capital, au « Temple de Salomon », siège de la Continental Trust, rebâti après le grand incendie, on emprunta la Pierce Arrow familiale. Assise comme une princesse dans la somptueuse voiture, elle promenait sur le monde un regard indulgent, tandis que le chauffeur en livrée grise la conduisait à destination. L'argent ! L'argent était inégalable.

L'oncle Sol la reçut avec solennité et écouta ses demandes. Il savait aussi bien qu'elle toute l'importance mondaine du Cotillon et il n'était pas question qu'une Warfield n'y éclaboussât point ses rivales. Aussi lui donna-t-il la somme incroyable de vingt dollars – de quoi acheter au moins trente robes ! Wallis s'en alla tout droit chez Maggie O'Connor, couturière et modiste de Baltimore, et investit sa fortune entière en une seule et unique robe.

C'était la copie exacte d'une robe en satin blanc de Worth créée à Paris pour la fameuse Irène Castle. Wallis demeura quatre heures debout, tandis que l'on ajustait ce chef-d'œuvre à ses formes anguleuses. Il lui en coûta bien davantage pour apprendre le one-step et surtout le sensationnel tango. Elle fit aussi de grands progrès en valse. Sa mère l'entraînait chez elle et divers cavaliers, Lloyd Tabb en tête, la firent tournoyer sur les pistes de danse des country-clubs, si bien qu'elle finit par se flatter d'être aussi parfaite danseuse qu'Irène Castle elle-même.

Il lui fallait maintenant s'assurer, obligation qui allait de soi, le meilleur sigisbée possible lors de cette nuit mémorable. Il était de tradition pour les débutantes d'être escortées par un oncle ou un cousin plus âgé. Wallis ne voulut pas en entendre parler. Elle jeta son dévolu sur le plus beau, le plus impétueux et le plus jeune de ses parents, son cousin de vingt-sept ans, Henry Warfield, qui, pour être mal dégrossi, n'en était pas moins déjà à demi amoureux d'elle. Une fois cela décidé, des semaines passèrent encore en thés et déjeuners de présentation, en soirées dansantes et réunions diverses, en communications téléphoniques interminables qui rendaient Alice folle car elle ne pouvait plus se servir de son téléphone.

Enfin le 7 décembre arriva. Au terme de longues minauderies et voltes devant ses miroirs, Wallis parvint à se convaincre qu'elle avait vraiment bien l'air d'une créature de rêve. À l'heure dite, cousin Henry, épanoui dans sa queue-de-pie, surgit au 212, Biddle Street, enveloppé du rugissement de la Pierce Arrow d'oncle Sol.

Quand l'orchestre attaqua *De retour au Michigan*, Wallis, toutes voiles dehors, s'avança sur la piste avec le mari de sa cousine Lelia, le major-général George Barnett, du corps des fusiliers marins. Elle dansa pendant des heures, jusqu'à ne plus sentir ses pieds. À tout partenaire nouveau elle accordait l'attention la plus absolue, la plus exclusive, sans jamais parler d'elle-même. Résultat : les jeunes gens revenaient à elle indéfiniment, bien qu'elle fût probablement l'une des moins jolies débutantes de la soirée ; mais elle était brillante et ensorcelante, et elle le savait.

À minuit, Wallis, Henry et tous les autres vidèrent les lieux, pour rouler avec mille clameurs jusqu'au Baltimore Country Club où jusqu'à l'aube ils se grisèrent de one-step et de tango.

À la fin de cette glorieuse nuit, Wallis se considéra femme ; d'amourette en amourette, Alice lui servait de chaperon. Wallis était folle des hommes et s'exposait aux pires ragots par la stupéfiante succession de ses galants. Prié de la définir en un seul mot, l'un de ses contemporains eut celui-ci : « Rapide. »

Après la mort de sa grand-mère Anna, Wallis se trouva légataire d'une somme de quatre mille dollars. Alors elle ne s'appartint plus ; elle était décidée en outre à ne pas porter le deuil pendant des mois sans fin. Mais Carter Osburn, qu'elle était presque résolue à épouser, fut envoyé au Mexique dans l'armée du général Pershing, pour combattre Pancho Villa. Wallis lui fit de théâtraux adieux, ruisselante de larmes et agitant son mouchoir aussi longtemps que fut visible le train qui l'emmenait au dépôt.

Elle occupa le deuil d'Anna à écrire à Osburn des lettres enflammées, qu'il lisait à la lumière de lampes tempête, dans la solitude des campements mexicains, après des journées de reconnaissance ou d'escarmouches. Elle se mit au bridge sans y trouver autre chose qu'une piètre consolation.

Enfin l'occasion se présenta de quitter la ville. Le 20 janvier 1914, le mari de Corinne, le capitaine de corvette Henry C. Mustin, avait rallié Pensacola, en Floride, pour y prendre le commandement du cuirassé *Mississippi*. Il avait été nommé à ce poste pour participer à la création d'une base aéronavale de formation et d'entraînement en vue de la guerre vers laquelle les États-Unis avançaient avec répugnance. Corinne avait souvent écrit à Wallis pour lui décrire la vie dans cette base qui était la première du genre en Amérique. En novembre 1915, Corinne, enthousiaste, informa Wallis que Mustin était le premier homme à s'être envolé aux commandes d'un avion du pont d'un navire à l'aide d'une catapulte. Le navire était l'USS *North Carolina* et l'avion un AB-2.

Fascinée par les militaires et l'armée en général, Wallis entra en transe lorsque sa cousine lui demanda de venir partager sa vie à Pensacola. Elle supplia sa triste famille de la laisser partir. Un conseil fut tenu. Tante Bessie et Alice plaidèrent la cause de Wallis devant les oncles Sol, Henry et Emory et le cousin Mactier, sévères dans leurs vêtements noirs. Leur plaidoirie emporta la décision. Wallis irait à Pensacola. Et, comme oncle Sol était propriétaire d'une fraction des chemins de fer qui lui permettraient de gagner la Floride, elle bénéficierait d'un billet gratuit de première classe.

Corinne l'attendait au dépôt de Gregory Street et la conduisit jusqu'à sa maison de bois peinte en blanc qui faisait partie d'une longue rangée de bâtiments identiques, dominant l'immense baie bordée de palmiers et la base aéronavale avec ses hangars, ses chantiers de carénage, ses grues et ses ateliers.

Wallis était dans son élément. Pensacola, la plus importante agglomération du nord-est de la Floride, commandait près de deux cents kilomètres de plages d'une blancheur neigeuse qui s'étendaient inviolées vers l'est et vers l'ouest. L'atmosphère de la ville, avec de très beaux bâtiments de l'époque coloniale, était espagnole.

Wallis aimait beaucoup Henry Mustin. Plus âgé que Corinne, il avait quarante-deux ans et le visage buriné par les années dans des fuselages ouverts sous le soleil des tropiques. Son sourire contagieux et sa voix forte étaient attirants et il faisait grande impression sous son casque de vol et ses lunettes protectrices. Il avait des difficultés avec le ministère de la Marine et échangeait une correspondance peu amène avec Washington. Son principal contradicteur était le capitaine Mark L. Bristol, directeur de l'aéronautique navale. Mustin revendiquait davantage d'autonomie vis-à-vis du ministère et de la part de celui-ci une meilleure administration des moyens dont il disposait. La lutte était quotidienne.

Wallis s'installa donc avec les Mustin et leurs trois enfants. Elle disposait d'une grande chambre ensoleillée et aidait Corinne à tenir la maison et à faire la cuisine. Le samedi soir, elle allait avec eux au San Carlos Hotel où l'on dansait au son d'un orchestre dans la grande salle à manger de style espagnol. Là encore elle s'attira de nombreux cavaliers, par sa maîtrise du one-step et du tango, et par l'attention qu'elle leur accordait sans jamais parler d'elle-même.

Au début du mois de mai, après des semaines de bains de soleil, de baignade en eau limpide, de pique-niques, de cinéma et de danse, Corinne annonça à Wallis qu'elle allait la faire déjeuner avec trois jeunes aviateurs. Du porche de la maison, Wallis les vit arriver, tous trois beaux et conquérants dans leurs uniformes blancs ; mais l'un d'eux surpassait les autres, il était irrésistible.

Mustin le lui présenta. Il s'appelait Earl Winfield Spencer. Elle devait écrire plus tard : « Il riait, mais il y avait en lui derrière ce rire une force et une vitalité qui me frappèrent aussitôt. » Pendant le déjeuner, la conversation se concentra sur des questions d'aéronautique qui lui passaient au-dessus de la tête ; cependant Wallis ne put détacher les yeux d'Earl Winfield Spencer. Comme elle considérait ses épaules galonnées d'or, il lui fit comprendre, par un simple mouvement des yeux, qu'il savait parfaitement ce qu'elle ressentait pour lui ; elle buvait ses paroles, il le remarqua aussi. Wallis s'était soudain prise de passion pour l'aviation.

Il avait les cheveux noirs, coupés en brosse, le front haut, un regard perçant, plein de fierté, le nez busqué, la mâchoire ferme ; il y avait comme du défi dans son expression et une espèce de férocité ; tout cela composait un ensemble très attirant. Le teint mat, souple et musclé, très droit, il était plein d'assurance. Son maintien n'évoquait en rien la douceur, la courtoisie, le charme. Wallis se trouva subjuguée ; il lui montait à la tête comme une coupe de champagne. Les fauves l'avaient toujours attirée.

Après le déjeuner, Spencer la prit à part et l'invita à dîner pour le lendemain. Balayant ses réserves, il lui dit qu'il passerait la chercher, puis il partit. La sûreté du jeune homme l'avait laissée sans voix. Elle ne s'appartenait plus.

Spencer était né dans une petite ville du Kansas, le 20 septembre 1888. Son père, agent de change à Chicago, était, comme Wallis, de vieille ascendance américaine puisqu'elle remontait au début du XVIIe siècle. Colossal et tonitruant, Earl Senior avait fait partie de l'Ithaca, l'équipe de base-ball de New York, et il avait été en son temps un grand chasseur de gros gibier, tueur de bisons, de loups, de cerfs et d'antilopes, dont les têtes garnissaient les murs de la maison de famille, 109, Wade Street, Highland Park, Illinois.

Winfield était l'aîné de ses enfants. Les autres s'appelaient

Gladys, Ethel, Egbert, Dumaresq et Frederick. Win était la mauvaise graine du lot, mais Wallis n'en savait rien. Admis à l'école navale d'Annapolis en 1905, il encourut de nombreux blâmes pour mauvaise conduite et les motifs suivants : uniforme et souliers sales, chambre sale et mal balayée, perte de son costume de bain lors d'une rencontre de natation, retards aux repas, à l'exercice, aux séances de chant choral, chahut dans les corridors, tapage, déménagement de mobilier sans autorisation. Pourtant il était populaire, remportant surtout de grands succès dans les vaudevilles que montaient les élèves de l'école, car il excellait dans les rôles de travestis. Bon joueur de football, il était aussi un boute-en-train incontesté et la vedette de la parade de Noël ; « un joyeux diable, un chanteur surnommé Caruse », d'après le magazine de l'école. Il était bisexuel et, si la chose avait été connue, elle aurait entraîné son expulsion.

Si proche qu'elle ait été de Corinne, avec ses yeux de poupée et son incessant bavardage, Wallis n'était que trop heureuse de s'échapper sans chaperon avec Win, dès que l'occasion s'en présentait, pour d'innocents et romantiques rendez-vous nocturnes. Car l'atmosphère était plutôt lourde chez les Mustin. Henry lui-même ruminait en silence ses différends avec Washington. Wallis n'avait jamais été attirée par les enfants, et ceux de Corinne, surtout Lloyd, le turbulent aîné des garçons, qui était à l'âge du train électrique, si charmants fussent-ils, l'exaspéraient.

Par Win, Wallis rencontra de nombreux officiers de la base dont le courage la subjugua. Elle eut parmi eux de nombreux flirts, mais il est douteux qu'elle ait été jusqu'au bout avec aucun d'eux. Avec John Towers, commandant de la base, George D. Murray, qu'elle devait retrouver des années plus tard, Chevy Chevalier, Jim Rockwell, Dick Saufley et leurs petites amies, Wallis et Win piqueniquaient et dansaient. Il était bon d'être vivant, jeune et sans souci.

Le dimanche, Wallis jouait au golf avec Win, ramassait avec lui des coquillages sur la plage, allait au cinéma Isis, grande bâtisse rococo regorgeante de stucs où passaient les films de Buster Keaton et de Harold Lloyd dont elle raffolait, et se laissait caresser par Win dans l'obscurité, en mangeant du pop-corn. On la jugeait volage. Elle acceptait d'autres soupirants, dont Chevy Chevalier, avec une sorte d'abandon sauvage. Elle était « quelqu'un ».

Elle ne tarda pas à s'apercevoir que Win était amoureux. Il

explosait de fureur lorsqu'elle sortait avec Chevy. Mais elle aussi était amoureuse de Win. Elle révéla à Corinne l'intensité de son amour. L'inévitable, savait Corinne, allait se produire.

Compte tenu des mœurs du temps et des conséquences désastreuses de la faiblesse de sa mère envers Teackle Warfield, il était hors de question pour elle d'« aller jusqu'au bout », si pressant que se montrât Win. Enfin il la demanda en mariage, comme elle l'espérait, un soir, sous le porche du « country-club », après le dernier film de la soirée. Elle lui répondit qu'il lui fallait réfléchir et en parler avec sa mère et oncle Sol. Il lui enjoignit alors de ne pas le faire attendre trop longtemps.

Elle rentra chez elle en juin. Il l'embrassa avec tant de passion sur le quai, qu'elle s'engouffra toute rougissante dans le train. Une fois à Baltimore, elle dut subir les mises en garde d'Alice. Mais sa décision était prise, rien ne l'en détournerait. Puis elle ne manquait pas d'arguments : la famille de Win était riche et très bien posée. Un mariage avec lui assurerait son avenir.

À peine avait-elle persuadé sa mère, que la lecture du journal lui apprit une terrible nouvelle. Au lendemain de la fête du 4 juillet, un violent ouragan descendu de l'Alabama avait saccagé la base navale. Dix-huit personnes avaient été noyées. La maison des Mustin avait été dévastée par l'inondation.

Le déferlement de la marée avait balayé les hangars, les avions, les embarcadères, les quais et les digues. Mais Win était sauf et s'en vint bientôt en permission voir Wallis. La visite fut très brève en raison du travail qui s'imposait pour reconstruire la base. Il envoûta littéralement oncle Sol, oncle Henry et Alice. Il ne comptait sans doute pas pour rien que son père figurât dans le *Who's who in Chicago* et qu'il fût par-dessus le marché un intraitable épiscopalien.

Au mois d'août, Winn emmena Wallis en chemin de fer en Illinois pour la présenter à sa famille : à Earl Senior, l'imposant chasseur de gros gibier ; à Agnès, son Anglaise de femme qui ressemblait à une souris ; aux cinq frères et sœurs de Win. Wallis fit leur conquête. Les Warfield n'étaient pas inconnus à Chicago. Win offrit un diamant à Wallis et les fiançailles furent annoncées dans les journaux de Baltimore le 25 septembre 1916. La date du mariage avait été fixée au 8 novembre. Comment Wallis, d'ici là, parviendrait-elle à trouver le sommeil ?

4

Un grand mariage

Pour venger les honteuses et lamentables noces de sa mère, Wallis était décidée à ce que son mariage fît événement à Baltimore. Plus riche que jamais, oncle Sol, qui venait d'acheter neuf lignes de chemin de fer supplémentaires et se préparait à lancer le Florida et le Northwestern, trois cent quatre-vingts kilomètres jusqu'à West Palm Beach, offrait la dot et le trousseau.

Chez Lucile de Paris, luxueuse boutique du centre de Baltimore, Wallis commanda une robe de velours blanc, échancrée à la taille sur un audacieux jupon de dentelle de Bruxelles, qu'avait porté Anna Warfield le jour de son mariage. Elle porterait aussi une couronne de fleurs d'oranger et un voile de tulle, bordé de dentelle, un corsage brodé de perles et des manches en forme de cloche. Pour fixer à son corsage une orchidée et quelques brins de muguet, Win lui offrit une agrafe de diamant ; elle tiendrait à la main un bouquet des mêmes fleurs.

Lelia Barnett, les Montague et plusieurs amies de classe donnèrent des réceptions pour elle. La veille du mariage, Wallis alla au Lyric avec un groupe d'amis et de parents voir les Dolly Sisters, qui se produisaient dans *His Bridal Night* (Sa nuit de noce).

Wallis avait romantiquement choisi de se marier à la nuit tombée, à l'église épiscopale du Christ. L'imposant bâtiment était éclairé, sur ses instructions, de bougies en cire d'abeille ; car elle jugeait le suif du dernier commun. Lorsque Wallis fit son entrée, dans le fracas des orgues, au bras d'oncle Sol, la lumière des cierges et la profusion des lis, des roses et des chrysanthèmes blancs créaient une atmosphère magique. Ellen Yuille, amie d'Oldfields, était première demoiselle d'honneur, suivie de Mary Kirk, Lelia Barnett, Renée du Pont, Ethel Spencer (sœur de Win) et de deux autres filles d'honneur, vêtues de rose et de bleu. Une garde d'honneur de la marine en grande tenue, où l'on reconnaissait Chevalier, accompagnait le marié ; son dernier frère, Dumaresq Spencer, le chouchou de la famille et son plus bel homme, était garçon d'honneur.

Le révérend Edmund Niver reçut le consentement des époux. Le couple descendit en courant les marches du perron sous une averse de riz et gagna en automobile l'hôtel Stafford, où avait lieu la réception. Wallis donna à chaque demoiselle d'honneur un anneau d'or. À l'instant de partir en voyage de noces, elle lança son bouquet à Mary Kirk, et les invités aspergèrent le couple de pétales de roses blanches.

Après une nuit au Shoreham Hotel à Washington et une autre à la Shenandoah Valley Inn, les nouveaux mariés arrivèrent au luxueux Greenbriar Hotel à White Sulphur Springs, dans les montagnes de Virginie occidentale, où, enfant, Wallis avait souvent passé ses vacances et où elle s'était rendue l'année précédente [1]. La montée en train jusqu'à cet hôtel coûteux était tout à fait impressionnante.

On leur donna la chambre 528, au dernier étage, d'où la vue s'étendait sur des pentes couvertes de chênes, d'érables et de sapins et enveloppées de brume. C'était l'heure du dîner, et ils se changèrent immédiatement. Découvrant que la Virginie occidentale était un État sec, Win, devait-elle écrire plus tard, sortit une bouteille de gin de sa valise. Mais ce n'était pas la première fois qu'il allait en Virginie occidentale.

Son alcoolisme était connu de tous. Il ne fait pas de doute qu'il but énormément pendant leur voyage de noces, aussi bien à Greenbriar et New York, où ils assistèrent à la rencontre Armée contre Marine et aux Ziegfeld Follies, qu'à Atlantic City, où Alice avait toujours sa petite maison. Ils reprirent le train pour Pensacola en décembre, et ce fut encore Corinne qui alla les chercher à la gare et

1. Dans ses Mémoires, Wallis écrit qu'elle avait dit à Win se souvenir à peine de l'endroit. Mais le registre de 1915, où figure son nom, dément cette affirmation.

les conduisit à l'hôtel San Carlos. Ils y restèrent quelques jours avant de s'installer chez la veuve Covington, à Baylen et Gonzalez, en attendant que le numéro six de l'« Admiralty Row » – un bungalow de bois, presque identique à celui des Mustin, et très voisin du leur, avec une petite véranda et vue sur l'océan – fût en partie remis en état après l'ouragan.

Toujours nette, élégante et maîtresse d'elle-même, Wallis ne tarda pas à se montrer agacée par la conduite de Win. Pour faire enrager Henry Mustin, qui interdisait l'alcool dans la base, il remplissait d'eau des bouteilles de gin en prévision des inspections du samedi matin. Aux soirées dansantes du San Carlos, le samedi, il se donnait en spectacle, dansant et chantant devant l'orchestre, équipé d'une canne et d'un canotier. Hors service, il aimait s'affubler de criardes culottes de golf à carreaux, de chandails voyants et de grosses chaussures de marche. Il n'arrêtait pas de boire de la bière. Tous les prétextes étaient bons : porter un toast au drapeau avant un vol ; avaler un autre verre pour affermir son courage, puis un troisième pour « se remettre les idées en place ». Il cachait du Martini dans des boîtes de soupe Campbell et le servait avant les repas dans des tasses ou des bols.

Wallis avait l'alcool en haine et redoutait que Win ne s'écrasât au sol. Lorsque deux enseignes ivres s'accrochèrent en vol, lors d'une périlleuse acrobatie, elle fut prise de panique. Chaque départ de Win pour un vol d'entraînement accentuait son appréhension. Corinne était sa consolation, mais, à son grand désespoir, Henry fut muté à Washington, comme commandant en second du *North Dakota*. Après le départ de Corinne, Wallis se trouva très seule, au fil d'interminables journées écrasées de chaleur et d'humidité.

L'amitié de Gustav et Katherine Eitzen et de leur fille, Carlin, la consola quelque peu. Gustav, affable marchand de bois, habitait avec sa famille une grande maison sur la baie. Elle se lia aussi d'amitié avec la future Mrs. Fidelia Rainey.

> Wallis, déclarait cette dernière, adorait le cinéma. Tous les après-midi sans exception, nous achetions des sacs de cacahuètes chaudes et nous enfermions au théâtre Isis pour y voir le film – souvent le même pendant toute une semaine. Cela l'aidait à oublier le danger que courait Spencer.

Rentrant chez elle un après-midi, Wallis apprit que l'avion de Spencer était tombé dans la baie et qu'il avait été repêché presque indemne. Elle faisait le dur apprentissage d'un mariage difficile. Wallis devait toute sa vie haïr la seule idée de la guerre. L'Amérique y entrait le 6 avril 1917.

Win se porta aussitôt volontaire pour combattre en France. Qu'il songeât à la quitter fut un choc pour Wallis, mais il souhaitait ardemment se battre. Son frère, le bien-aimé Dumaresq, avait déjà rejoint l'escadrille Lafayette ; quant à Egbert et Frederick, ils allaient rallier le corps expéditionnaire américain pour combattre dans les tranchées.

La demande de Win fut refusée ; son ivrognerie n'y était sans doute pas étrangère. La marine américaine tenait à donner d'elle-même la meilleure image en Europe. Will entra en fureur et passa sa rage sur Wallis. Il n'en était pas encore remis lorsque, le 8 mai, on lui annonça sa mutation à Boston pour y entraîner les recrues à la nouvelle base navale de la garde nationale de Squantum. Il fut nommé enseigne de vaisseau de première classe, grâce à quoi sa solde se trouva augmentée.

Après une brève visite, les 2 et 3 mai, à Oldfields School à l'occasion du cinquantième anniversaire de l'établissement, Wallis et Win s'installèrent dans un appartement de la résidence Mulberry, non loin de Boston Common. Wallis tuait le temps dans les musées et les tribunaux, où elle suivait des procès. Tous les matins, elle conduisait Win à la base et allait l'y chercher le soir. Plusieurs incidents pour conduite en état d'ivresse lui avaient valu un retrait de permis. L'expérience de Squantum fut brève.

Au mois d'octobre, le ministère de la Marine s'avisa tardivement que le climat de la fin de l'automne et de l'hiver à Boston ne convenait pas à l'entraînement des aviateurs, aussi la base fut-elle transférée en une nuit à Hampton Roads, en Virginie, à la grande joie de Wallis, qui s'en trouvait rapprochée de Lelia, de Corinne et de sa mère. Mais le ministère envoya Win à San Diego, en Californie.

Il y fut chargé de l'entraînement en vol à North Island.

La nouvelle affectation de Win apporta un certain soulagement à Wallis ; son mari ne serait pas envoyé au front et échapperait ainsi à une mort probable. Elle fit donc ses bagages pour ce long voyage vers l'ouest. Il débuta le 3 novembre 1917 et comportait un changement de train à Chicago et une escale d'une nuit à l'hôtel Blackstone. C'était un train extrêmement luxueux.

Les Spencer arrivèrent enfin à San Diego, plaisante petite ville somnolente de cent mille habitants, qui jouissait l'hiver d'un climat paradisiaque au bord d'un océan Pacifique bleu-gris. Les palmiers rappelaient la Floride à Wallis, mais les couleurs du paysage étaient plus douces et délicates.

Tandis que Spencer passait ses journées au bureau, Wallis cherchait un appartement. Elle jeta son dévolu sur le logement 104 du Palomar, 536, Maple Street, donnant sur une copie de patio espagnol [1] et Balboa Park, qui conservait de nombreux témoins de la grande exposition de 1915. Le 104 était l'un des deux seuls appartements avec vue du Palomar et l'un des rares deux-pièces de l'ensemble.

Durant ces mois, Win fut très occupé à organiser l'école d'entraînement. Il avait en charge non seulement les pilotes, mais aussi les mécaniciens auxquels s'ajoutèrent bientôt des marins, des soldats de l'armée de terre et des recrues sans aucune instruction de Los Angeles. Il s'arrêta de boire un certain temps, mais la mort de son frère Dumaresq au cours d'un combat aérien au-dessus de la France, le 16 janvier 1918, l'anéantit. Il se reprocha de ne pas avoir combattu aux côtés de son frère, et se remit à boire.

Durant cette période, Win et Wallis déménagèrent à plusieurs reprises, bougeotte qui trahissait leur difficulté d'être. Ils emménagèrent enfin dans un logement légèrement plus grand, au 1029, Encino Row, puis au 1143, Alameda Street, où ils demeurèrent plus de trois ans.

Le 19 juin 1917, Wallis fêta son vingt-deuxième anniversaire. Que pouvait-elle ressentir en ce jour, sinon de la tristesse ? Win était partagé entre des accès de rage et de longues bouderies moroses. Ses pulsions bisexuelles en étaient-elles la cause ? Wallis ne voulait pas d'enfant. Pourtant, toutes les femmes Montague, qu'elle avait tant enviées et qu'elle s'était efforcée d'imiter en épousant un marin, étaient mères de famille, de même plusieurs frères et sœurs de Win avaient des enfants. Un officier aspire à avoir des fils ; Win était profondément déçu. En outre, les

---

1. Contrairement à ce qu'elle prétend dans ses Mémoires, l'appartement n'avait pas de patio privé.

coquetteries de Wallis face à tout homme en uniforme l'exaspéraient. À vingt-huit ans, il s'épaississait déjà ; on lui aurait donné quinze ans de plus ; son menton, jadis fier, disparaissait sous la graisse. Il était littéralement défiguré par la boisson. San Diego était un trou ; Wallis en avait assez de confectionner ses vêtements sur une machine à coudre Singer. La situation semblait sans issue ; elle était perdue. Son amour s'étiolait.

En juin 1918, elle se rendit à New York au mariage de son amie de classe, Mary Kirk, qui épousait l'attaché commercial et militaire français, le capitaine Jacques-Achille Raffray ; elle devait y être demoiselle d'honneur. Le voyage la requinqua. De retour à San Diego, elle se fit de nouveaux amis, dont Katherine Bigelow, qui avait perdu son mari en France ; Rhoda Fullam, fille d'un officier de marine, qui devait devenir contre-amiral ; Mrs. Claus Spreckels, qui avait de gros intérêts dans la terre et le sucre ; la jeune Marianna Sands et Grace Flood Robert.

Le 11 novembre 1918, l'*Union* de San Diego fut déposé en même temps que la bouteille de lait sur le seuil de sa maison. Ainsi apprit-elle en l'ouvrant que la guerre en Europe venait de prendre fin. Des centaines d'habitants de San Diego jaillirent de leurs maisons en vêtements de nuit, en poussant des cris et des clameurs.

Au lendemain de ce jour mémorable, Win retomba dans une dépression plus profonde que jamais. Il était rongé par la boisson ; la guerre était finie, son activité à North Island avait perdu sa raison d'être ; il insultait Wallis en public et l'accablait de remarques injustes sur sa cuisine, lorsqu'ils étaient seuls à la maison. Mauvais danseur, il était furieux lorsque des hommes s'approchaient de leur table aux soirées de la marine et entraînaient la coquette Wallis au son des derniers succès d'Irving Berlin et de Jerome Kern. Il l'accusait d'adultère ; et, pour être sûr qu'elle ne se dissipe pas avec d'autres hommes, il l'enfermait souvent à clé dans la maison.

Le 8 décembre 1919, Mustin prit le commandement des forces aéronavales du Pacifique. Il avait précédé Corinne à Coronado ; celle-ci l'y rejoignit à la mi-janvier 1920. Wallis se réjouit de l'arrivée de Corinne.

Le 7 avril 1920, un événement exceptionnel se produisit. Le prince de Galles s'arrêta à San Diego avec son cousin Louis Mountbatten, en route pour l'Australie, à bord du croiseur *Renown*. Arrivé un matin de bonne heure, il reçut sur le pont le maire de San Diego,

L.J. Wilde, et le gouverneur de Californie, William E. Stephens, en même temps que la presse. Comme Wilde lui donnait du « Votre Altesse royale », le prince lui enjoignit de « laisser tomber », avec un étrange accent, mélange d'américain et de cockney qu'il avait adopté pour se démarquer de la diction distinguée de l'aristocratie britannique.

Wallis fut sûrement ulcérée de ne pas avoir été invitée au déjeuner donné en l'honneur du prince de Galles, à bord du cuirassé *New Mexico*. Déjeuner suivi de réceptions à bord de l'*Aroostook* et du *Renown*. Les invités furent transbordés d'un bâtiment à l'autre par des dragueurs de mines. Les Towers, Corinne et Henry Mustin et leurs amis, les Charlie Mason et les Pete Mitscher, étaient de la fête. Pourquoi les Spencer en avaient-ils été exclus ? Wallis n'aurait pas manqué une occasion pareille. Il faut croire que l'alcoolisme de Win, sa mauvaise conduite et ses heurts avec ses supérieurs lui avaient valu ce cruel camouflet.

La frêle silhouette, les cheveux dorés, le charme et le naturel du jeune prince de Galles conquirent d'emblée San Diego. Il débarqua avec Mountbatten à 2 h 30 de l'après-midi, serra la main des anciens combattants et harangua quelque vingt-cinq mille citoyens entassés au stade, tandis que près de soixante-dix mille curieux étaient massés sur les trottoirs pour le voir passer en voiture.

Wallis avait été invitée avec Win au bal donné le soir par le maire à l'hôtel del Coronado. Mais elle subit un nouvel affront : elle ne fut pas invitée au banquet. Elle était avec les Mustin au nombre des invités, qui se pressèrent par milliers dans la salle de bal, décorée de fleurs sauvages et de drapeaux américains et anglais. L'orchestre du *Mexico* joua les succès de l'époque. Une troupe locale dansa des valses et le « Whirlwind One-Step » ; les hommes en grand uniforme et les femmes en robes somptueuses se joignirent à eux, formant, selon le correspondant quelque peu surmené de l'*Union* de San Diego, « une scène d'une gaieté kaléidoscopique ».

Wallis ne fit qu'apercevoir le prince de loin, en uniforme blanc de la marine royale, serrant des centaines de mains. Il se retira vite, pour aller, d'après quelques témoins oculaires, à Tijuana goûter les plaisirs locaux, ce qui lui ressemblait tout à fait ; il détestait les réceptions et les banquets, et ne demandait qu'à jouir de la vie.

Entrevoir l'idole de son enfance excita certainement beaucoup Wallis, mais l'événement se trouva noyé dans la tristesse de son mariage. Alice vint voir sa fille en mai. Elle la trouva en larmes ; Win passait souvent la nuit dehors et à son retour cassait le mobilier. Alice arriva un après-midi pour trouver Win en train de brutaliser sa femme ; ils s'étaient disputés, parce que Wallis n'avait pas envie de jouer au golf avec lui. Il annonça qu'il allait retourner en Floride auprès d'une fille dont il prétendait être amoureux. Wallis le supplia de rester, mais au mois de novembre, ayant obtenu sa mutation, il partit.

Quatre mois passèrent sans un mot de sa part, puis, au printemps de 1921, il fut nommé à Washington, au ministère de la Marine, sous les ordres du contre-amiral William W. Moffett. Il demanda alors à sa femme de le rejoindre, ce qu'elle accepta. Henry Mustin avait réussi à se faire nommer au ministère et Wallis se languissait de Corinne. Alice était à ce moment-là employée comme hôtesse au Chevy Chase Country Club et fréquentait un juriste, Charles Gordon Allen.

Ils emménagèrent au Brighton Apartment Hotel, dans California Street, à Washington, mais elle regretta bientôt sa décision. Les hurlements de Win étaient insupportables la nuit et réveillaient l'hôtel ; il l'enfermait des heures dans la salle de bains, tombait ivre mort, avec des maîtresses et, la chose est prouvée, couchait aussi avec des hommes. Il lui apparut bientôt ne plus avoir d'autre solution que d'obtenir le divorce.

Ni les Warfield ni les Montague n'avaient jamais connu pareil scandale. Alice et tante Bessie furent bouleversées par sa décision. L'Église épiscopalienne n'admettait pas le divorce. Mais rien ne put fléchir Wallis. Ce n'était pas parce que personne n'avait divorcé dans la famille qu'elle devait demeurer liée à un homme qu'elle haïrait désormais toute sa vie.

Elle alla voir oncle Sol, qui était devenu entre-temps le plus grand magnat des chemins de fer du Sud. Il la reçut dans ses bureaux de la Continental Trust. D'abord horrifié, il explosa de fureur. Il hurla : « Je ne te laisserai pas nous déshonorer de la sorte ! » Puis il s'adoucit quelque peu et lui demanda de tenter un dernier essai de vie commune.

Elle l'écouta, mais la situation était désespérée. Il lui suffisait de mettre tous ses soins à préparer un dîner pour que Win ne rentre pas.

Le 19 juin 1922, il lui annonça qu'il déménageait à l'Army and Navy Club. Wallis appela sa mère. Alice arriva et Wallis, en larmes, lui montra les placards vidés de toutes les affaires de Win. Alice passa la nuit avec elle. Le lendemain, Wallis appela le Club. « Le commandant Spencer ne souhaite pas vous parler », lui répondit-on. Alice attendit une heure, puis appela elle-même le Club. Elle pressa Win de revenir pour un conseil de famille. Il lui répliqua : « Pourquoi discuter de mon retour ? Je suis décidé à vivre comme je l'entends. »

Au comble de l'angoisse et de la détresse, Wallis s'installa avec sa mère. À l'automne suivant, Alice demanda à Win de venir s'entretenir avec elle. Il accepta et lui déclara carrément qu'il était amoureux d'une autre. « Loin de Wallis, lui dit-il, je suis bien plus heureux. » Puis il s'en alla, déclinant son invitation à dîner.

Win buvait plus que jamais. Au mois de février 1923, sa maîtresse le plaqua. Il ne cessait de se quereller avec ses supérieurs, et, comme avant lui Henry Mustin, il fut sanctionné et muté à la mer au commandement du *Pampanga*, qui patrouillait en mer de Chine.

Le *Pampanga* était une ancienne canonnière espagnole, de mille quatre cents tonneaux, vieille de trente-six ans et complètement délabrée ; sa tenue à la mer était des plus douteuses. Il croisait dans les eaux de Canton, déchirée par la guerre. C'était le seul bâtiment d'un tirant d'eau assez faible pour passer dans les branches d'un estuaire marécageux, dévasté par les combats et les massacres. Les canons chinois avaient fait de grands trous dans la coque. Il n'y avait pas de douches à bord ; un simple seau attaché à une ficelle en faisait office. Il n'y avait pas de cabinet digne de ce nom, non plus que de ventilation, si bien que, dans l'écrasante chaleur de l'été, les hommes à demi nus dormaient sur le pont. Le *Pampanga*, comme les autres unités de la patrouille de Chine du Sud, avait reçu de la marine une mission secrète : transporter sur le continent le pétrole de la Standard Oil. Leur mission officielle était la protection des établissements religieux et du commerce américains au milieu d'une nation déchirée par les luttes intestines entre généraux rivaux et révolutionnaires inspirés par les Russes. Le renseignement n'était pas la seule activité des capitaines, ils secouraient aussi les missionnaires ou le personnel de la Standard Oil en danger. Chaque jour des prêtres et des pasteurs étaient massacrés par différents groupes opposés, et la guerre avec l'Amérique et l'Angleterre menaçait. Interdit de vol, relégué au commandement du bateau le plus moche de la marine, Win se mit à boire de plus belle.

Wallis s'accommodait de la séparation. Le fait que son mari fût en service actif et que la Chine fût trop dangereuse pour une jeune femme rendait sa position plus acceptable ; elle revit plusieurs anciennes amies, et, grâce à Marianna Sands et à Ethel Noyes de San Diego, elle fut admise dans la société diplomatique. Bien qu'elle le niât par la suite, elle parlait assez bien l'allemand, qu'elle avait étudié à Oldfields, et possédait des notions de français.

Lors d'une réception à l'ambassade d'Italie, Wallis jeta son dévolu sur l'ambassadeur en personne. Le séduisant prince Gelasion Caetani avait quarante-cinq ans et comptait au moins deux papes et deux cardinaux dans sa famille. Il était le fils du prince Teamo et d'une Américaine, Ada Bootle Wilbraham. Diplômé de l'université de Rome en génie civil en 1901, il était devenu une autorité en géologie et en exploitation minière et avait fondé en 1910 une entreprise d'équipement, Burch, Caetani et Hearsley, à San Francisco.

Pendant la Première Guerre mondiale, il avait servi dans l'armée italienne et reçu plusieurs décorations. Nationaliste convaincu, il était un partisan passionné du fascisme et participa en 1922 à la marche sur Rome. Il fut envoyé à Washington ; Mussolini voyait en lui le personnage idéal, capable de s'attirer les intérêts et les sympathies des classes dirigeantes américaines : il avait un vaste réseau de relations parmi les cercles culturels et financiers orientaux.

Il travaillait avec acharnement à l'extinction de la dette de guerre italienne et à l'établissement de relations solides avec les militaires et les marins italo-américains. Il construisit avec l'argent de Mussolini une nouvelle ambassade, copie surchargée d'un palais Renaissance.

Il est évident que c'est Caetani qui éveilla l'intérêt de Wallis pour son maître, le dictateur italien, et pour le système politique de l'Italie ; en dehors de l'attrait sexuel qu'il éprouvait pour elle, il cherchait précisément, en devenant son amant, à exercer une telle influence. Elle avait accès, il le savait, à tous les niveaux de la société de Washington ; et elle saurait se faire l'avocate de la doctrine fasciste. Une source digne de foi, ami intime de Caetani et associé dans ses affaires, confirme le fait.

La liaison de Wallis avec l'ambassadeur ne dura pas longtemps ; elle choisit de cantonner leurs rapports à l'amitié.

Elle eut en revanche une relation beaucoup plus enflammée avec Felipe Espil, premier secrétaire à l'ambassade d'Argentine. Âgé de trente-cinq ans, riche, Espil était le type même du séducteur latin ; il était le meilleur danseur de tango de Washington. La chevelure noire plaquée au crâne par de la brillantine, les yeux étincelants comme ceux de Rudolph Valentino, le visage ovale, olivâtre, avec des lèvres pleines, le cou réduit, mince, mais musclé, ainsi se présentait-il au physique. Il portait monocle. C'était le meilleur parti de la capitale.

Wallis ne perdit pas de temps. Mariée ou pas, il lui fallait cet homme. Elle se fit inviter à un dîner où elle savait qu'il serait. Inquiète, toutefois, d'entrer en compétition avec une multitude de beautés célibataires. Quelles chances étaient les siennes, avec son visage carré et sa silhouette plate, presque masculine ? Mais elle était déterminée ; personne, fût-ce la plus belle femme de Washington, ne l'empêcherait d'arriver à ses fins. Le vilain petit canard organisa la conquête de Felipe Espil avec la détermination de Wellington préparant la bataille de Waterloo.

Prenant son courage à deux mains, elle invita celle qui l'avait reçue en même temps qu'Espil à venir boire un lait de poule avec lui dans l'appartement de sa mère. Il vint, seul, comme il lui avait été demandé – Wallis ne laissait rien au hasard – et elle entreprit de déployer pour lui tout son charme et tout son esprit. Captivé, il l'invita à déjeuner à l'hôtel Hamilton. Elle accepta, pour se retrouver en compagnie des « Soixante gourmets », association aux agapes de laquelle elle avait déjà participé avec d'autres jeunes diplomates dont la plupart se trouvaient là. Mais personne ne s'en formalisa : dans le Washington de l'époque, c'était déjà la loi de la jungle.

Une fois de plus, son art de la flatterie, de persuader n'importe quel homme qu'il était le croisement de Socrate et d'Apollon, fit merveille. Elle enleva Espil aux beautés qui le pourchassaient. Bien qu'il criât misère, Espil avait su profiter de puissantes relations familiales auprès du gouvernement du président Irigoyen, oppresseur du peuple et sympathisant de la cause allemande, qui, en dépit des importants intérêts britanniques investis en Argentine et des attaques allemandes contre le trafic maritime argentin, avait tenu son pays hors de la Grande Guerre. Irigoyen dominait un pays ravagé par la corruption, où les masses croupissaient dans la misère. Espil pratiquait à Washington une diplomatie d'apaisement pour éviter toute occasion de conflit. Wallis en prit de la graine.

Leur liaison fit bientôt scandale. Mrs. Lawrence Townsend, qui faisait autorité dans le monde, refusa d'inviter Wallis à son bal annuel qui était l'événement social le plus important de l'année. Lorsque Wallis s'en plaignit, Espil lui répliqua : « Je ne peux pas demander à Mrs. Townsend d'inviter ma maîtresse. » Wallis en fut furieuse, mais elle parvint à figurer aux côtés de son amant dans d'autres réceptions, y compris, invitée par lui, au bal de l'ambassade d'Argentine.

Et ce fut alors qu'elle rencontra son châtiment.

5

La Chine

Felipe Espil, qui n'avait jamais été fidèle à Wallis, tomba amoureux d'une femme du monde, Courtney Letta Stilwell, descendante d'une famille qui s'était illustrée dans la guerre et la politique. Lorsqu'elle le découvrit, Wallis entra en fureur. De rage elle planta ses ongles jusqu'au sang dans les joues de son amant. Il la quitta aussitôt ; et elle décida d'abandonner Washington, où son échec la rendait ridicule.

Le département d'État conserve à son sujet un dossier substantiel relatif à cette époque. Ces pièces indiquent qu'elle alla vivre chez le capitaine de vaisseau Luke McNamee, responsable des services de renseignements de la marine, qui habitait avec sa femme, le peintre Dorothy McNamee, une maison de Georgetown. Étape classique, préliminaire, à un enrôlement dans ces mêmes services. Elle permet d'éprouver le sujet pressenti et de lui enseigner discrètement les grandes lignes du métier. Le 9 juillet 1923, Harry W. Smith lui fit passer un examen détaillé dans les bureaux de la marine et le même mois elle embarquait pour l'Europe, la France et l'Angleterre, à bord du *President Garfield* en compagnie de Corinne Mustin. À Paris, elle prit contact avec William E. Eberle et Gerald Green, tous deux chargés de la liaison entre l'ambassade et les services de renseignements de la marine ; à la suite de quoi, elle s'en fut à Londres, puis à Rome.

C'était une coutume de l'époque que d'utiliser, dûment instruites, des femmes d'officiers de marine comme courriers officieux pour porter en Europe et en Orient des documents confidentiels. L'emploi de courriers était nécessaire, car tous les télégrammes transmis à la flotte américaine en Chine étaient interceptés et lus ; les codes étaient déchiffrés ; quant aux messages radio, transmis d'une même station émettrice à Manille, ils pouvaient aussi être interceptés. La seule façon de faire passer des informations était donc d'employer des parents du personnel naval. À son retour d'Europe, Wallis fut détachée en Chine auprès de Win Spencer. Ce fut le capitaine de vaisseau Henry R. Hough qui signa son ordre de mission. Pendant ce temps, Spencer était nommé officier de renseignement pour la flotte de Chine du Sud, ajoutant cet emploi à sa tâche de commandant du *Pampanga*, qui passa au second plan. Ses bureaux à Canton, à Shameen Legation Island, occupaient une position stratégique, du fait que Sun Yat-sen et les communistes attaquaient sans relâche les missions et s'emparaient des biens américains dans la région. Win devait rejoindre Wallis à Hong Kong le 8 septembre ; elle y prendrait contact avec Mary Sadler, épouse du contre-amiral Frank H. Sadler, officier de renseignement embarqué à bord du *Sacramento*. Les deux femmes devaient ensuite gagner Shanghai, où les intérêts américains étaient menacés par les seigneurs de la guerre inféodés aux Soviétiques.

Wallis reçut une autre mission. Elle devait prendre place à bord du *Chaumont*, ancien ferry de Hog Island, transformé en transporteur de troupes, qui emmenait douze cents recrues à Pearl Harbor, Guam et Cavite. Sous le commandement du capitaine de vaisseau F.L. Oliver, le navire était amarré au quai n° 10 du Brooklyn Navy Yard, lorsque, selon le journal de bord, Wallis embarqua à 16 h 30, le 17 juillet 1924. Elle partagea sa cabine avec trois femmes, dont Ruth Thompson, qui allait rejoindre son fiancé, le lieutenant R.E. Forsyth, à Cavite. Un cousin de Win, le lieutenant Douglas E. Spencer, de Chicago, était également à bord ; il était détaché à Cavite avec sa femme et son petit garçon de cinq ans. Le navire était bourré de marins et de soldats.

Le *Chaumont* quitta Brooklyn à minuit, mais dut jeter l'ancre pendant quelques heures au large du port, en raison d'ennuis de chaudière. Le bateau arriva dans la journée à Hampton Roads, en Virginie. Deux jours plus tard, le navire embouquait le canal de Panama dans une chaleur suffocante et mouillait à Cristobal et Balboa ; l'équipage, entassé dans des quartiers étouffants à dix par cabine, commença à manifester de la mauvaise humeur ; des pugilats éclatèrent avec les *marines* qui étaient à bord. Un groupe d'enseignes mécaniciens jeta dans le canal des bobines d'un film destiné au mess des officiers. Un soldat rossa un quartier-maître ; déféré en cour martiale, il fut condamné au cachot. Le passage diurne du canal fut retardé, car les cuirassés britanniques *Hood*, *Repulse* et *Adelaïde* franchissaient les écluses ; le *Chaumont* jeta donc l'ancre dans le lac de Gatun. Épuisée et fiévreuse, Wallis fit un séjour détestable à Panama. Le 28, après deux jours dans les eaux du Pacifique, un homme fut tué et jeté à la mer. Face à l'ivrognerie et à la quasi-mutinerie de l'équipage, il fallut de nouveau réunir une cour martiale.

L'arrivée à Pearl Harbor, aux îles Hawaii, qui impliquait le passage d'un dangereux récif de corail balayé de violentes bourrasques, était délicate. Wallis resta une semaine à Honolulu ; le navire repartit le 13 août. À Guam, le gouverneur Henry B. Price donna une réception pour les officiers et les femmes du *Chaumont* ; trois jours plus tard, Price montait à bord avec les honneurs du sifflet et accompagnait le bateau jusqu'à sa destination, Cavite.

L'arrivée de Wallis à Hong Kong fut un des grands moments de sa vie. Des jonques de pêche noires, à voiles carrées, nervurées comme des ailes de chauves-souris et décorées d'immenses yeux jaunes peints sur la proue, sortirent du port pour saluer son bateau, suivies de petits sampans propulsés à la godille et remplis de petits garçons bruns qui plongeaient dans l'eau verte et huileuse pour en remonter les pièces lancées depuis les ponts par les passagers du paquebot. Wallis vit surgir devant elle la montagne, appelée « The Peak », toute parsemée de baraques en bois, et dont le pied était flanqué par les pompeux bâtiments des banques et des compagnies de commerce britanniques. Des chiens aboyaient, des sirènes mugissaient, des enfants hurlaient, des hommes criaient leurs marchandises. Et par-dessus tout cela flottait l'odeur si spéciale de Hong Kong, mélange de santal, de cannelle, de jute, d'urine et de goudron.

L'*Empress of Canada*, sur lequel Wallis avait terminé sa traversée, accosta à 4 h 30 de l'après-midi. Conformément aux traditions navales, Win était dans la chaloupe du *Pampanga* qui s'aligna contre le paquebot, lorsqu'il vint s'amarrer au Royal Naval Anchorage. Win avait reçu de l'amiral Thomas Washington, commandant de la flotte, l'ordre de faire effectuer à Hong Kong toutes les réparations possibles, car son navire allait bientôt devoir rallier Canton et Shanghai.

Dans la semaine même de l'arrivée de Wallis à Hong Kong, la guerre civile, qui menaçait en Chine depuis plusieurs mois, explosa dans tout le pays avec la dernière violence. La Chine n'avait pas de gouvernement effectif. La force principale était représentée par Sun Yat-sen, chef du Kuomintang, ou parti du peuple, basé à Canton, opposé au gouvernement militaire de Pékin. Sun Yat-sen et son gouvernement de fortune étaient tombés sous l'influence de l'Union soviétique, grâce à l'action d'un agent russe, qui se faisait appeler Michael Borodin ; au mois de janvier 1924, le premier congrès du Parti délégua son pouvoir à un comité exécutif central, copié sur celui de Moscou. De violents conflits déchiraient le Kuomintang, et les éléments de droite, menés par des généraux rebelles, entreprirent cet été-là de s'attaquer aux forces qui tenaient Canton. D'autre part, la présence sur le sol chinois d'un grand nombre de résidents anglais, français et américains engendrait un mécontentement croissant. Au siècle précédent, les dirigeants chinois avaient dû consentir contre argent, aux termes de traités notoirement inégaux, des concessions permanentes à certaines puissances étrangères, qui les avaient rapidement transformées en enclaves armées, indépendantes des lois de la Chine. On trouvait semblables établissements dans la plupart des grandes villes de l'empire. La Chine était divisée autant qu'il était possible, ravagée par la famine, la peste et la guerre, vendue aux entreprises européennes. Les conditions de vie du peuple y étaient effroyables.

Nominalement indépendante du continent, Hong Kong reflétait les tensions de son gigantesque voisin. La colonie de la couronne connaissait d'incessantes violences. À l'arrivée de Wallis, la typhoïde faisait rage et la chaleur battait des records. Wallis gagna l'hôtel Repulse Bay au son de la mitraille, puis, s'étant réconciliée avec Win, elle s'installa à Kowloon, dans un appartement de la marine, fourni tout équipé avec cuisinier et femme de chambre. Durant les quelques semaines de son escale, Win fut surchargé de travail. Il lui fallait faire réparer et armer le *Pampanga*, pour être prêt à appareiller ; c'était une tâche de seize heures par jour.

Le 16 octobre 1924 arriva l'ordre de départ. Win avait de nouveau été détaché à Canton. La malheureuse cité était plongée dans la terreur et le sang. Ayant envahi la ville, l'armée rouge parcourait avec des torches le labyrinthe de ses rues de bois en pillant et violant. Elle massacra de nombreux membres du Merchant Volunteer Corps, milice hâtivement levée, connue sous le nom de fascistes chinois. Cinq jours de combat de rues avaient laissé des milliers de morts, au nombre desquels on comptait des centaines de femmes et d'enfants brûlés par des incendies criminels ou provoqués par des tirs de mitrailleuses. Lorsque Win entra dans le port de Canton, le ciel était noir de fumée.

Ses deux canons prêts à bombarder le rivage, le *Pampanga* accosta au milieu des violences, des épidémies et de la famine, à Shameen Legation Island, qui était sous protection militaire. Trois canonnières anglaises suivirent le bateau jusqu'au quai ; Wallis avait tenu à monter à bord de l'une d'elles, probablement la *Bee*. Elle ne resterait pas en arrière. Elle retrouva Win au cantonnement maritime de la colonie anglo-américaine, qui seul acceptait alors les femmes de marins. L'île était fermée aux civils étrangers. L'air était âcre et chargé de cendres, l'eau et les vivres y étaient strictement rationnés. Atteinte de troubles rénaux provoqués par de l'eau toxique, elle dut être évacuée sur Hong Kong, le 28 octobre.

Le 3 novembre, avec à son bord des missionnaires, des médecins et des infirmières évacués, le *Pampanga* retourna à Hong Kong afin de se ravitailler avant de prendre la mer le 30 pour Kongmoon, où il avait mission de protéger les intérêts américains dans la région. C'est alors qu'il se passa quelque chose d'étrange. D'après un dossier établi, sur la demande du Premier ministre Stanley Baldwin, par les services secrets (MI 6) et destiné au roi George V et à la reine Mary en 1935 (lorsqu'il fallait absolument empêcher Wallis de devenir reine d'Angleterre), Win aurait initié Wallis aux « maisons de chant » de la colonie anglaise. Il s'agissait de bordels de luxe, dont les pensionnaires, recrutées le long du littoral chinois, étaient formées, dès leur plus jeune âge, dans l'art de l'amour. Les clients y étaient reçus au son d'instruments à cordes, avec des chants érotiques et des danses d'une rare beauté. Elles étaient dirigées par une Américaine, Gracie Hale. Cette blonde oxygénée, aux longs cils factices, aux joues outrageusement fardées, était toujours séduisante – malgré son embonpoint – au début des années trente, quand l'écrivain hollandais Hendrik de

Leeuw l'interviewa et qu'elle lui parla de sa carrière à l'époque où Wallis était à Hong Kong.

Il y avait deux sortes de « maisons de chant ». Les plus connues étaient les « hôtels pourpres ». Le seul de ces établissements qui acceptât des étrangères se trouvait à Repulse Bay. À son entrée, le client était accueilli par un esclave souriant, vêtu d'une robe de coton bleu, qui s'inclinait profondément devant lui avant de l'introduire dans une immense pièce carrée aux murs recouverts de tentures vertes et blanches.

Au-delà du vestibule d'entrée se trouvait un long couloir conduisant dans une autre salle, entourée de fauteuils et de canapés recouverts de tissus somptueux. Les murs et les portes étaient décorés de treillis et de rouleaux avec des inscriptions en chinois. Il y avait des vitrines en acajou magnifique, où étaient disposés de beaux objets chinois. Les filles étaient vêtues de soie rouge ou bleue. L'étage supérieur comportait une série de pièces minuscules, mais élégamment meublées, où les prostituées attendaient les clients. Certaines maisons portaient des noms particuliers, tels « Champs de fleurs éclatantes » ou « Club des canards des mandarins ».

D'autres maisons de prostitution étaient connues sous le nom de *Hoa Thing* ou « bateaux de fleurs » ; ils mouillaient dans le port. Les bateaux mesuraient dix-huit à vingt-quatre mètres de long sur neuf mètres de large ; ils étaient décorés de meubles et de tapis somptueux, et des lampes de cristal se balançaient aux plafonds. Il était courant qu'un particulier loue tout le bateau pour la soirée, qui commençait à 9 heures par un dîner où se succédaient de nombreux plats. Une fois le dîner terminé, l'invité emmenait sa compagne d'une nuit dans un des petits esquifs, reliés par une petite passerelle de bois au bateau central, auquel ils étaient attachés par des cordes.

Selon certains témoignages de son dossier chinois, Wallis aurait appris des « pratiques perverses » dans ces maisons de prostitution. Que se cache-t-il derrière ces mots ? Lesbianisme certainement et entraînement à l'art du Fang Chung. On désigne sous ce nom une méthode séculaire de massage très finement gradué qui vise à faire atteindre au partenaire mâle une sérénité complète dans l'exercice amoureux. Ces massages intéressent les seins, le ventre, les cuisses et, après suspension délibérée, les organes génitaux. Les élèves en Fang Chung apprennent à localiser les centres nerveux de l'organisme de telle sorte que le simple frôlement des doigts produit un effet décisif sur les moins actifs des hommes. Le Fang Chung « réveillerait un mort ». Il est particulièrement efficace dans le traitement de l'éjaculation précoce. Une pression ferme et précise en un point entre l'urètre et l'anus peut retarder l'orgasme. Les masseuses spécialisées retardent le plus possible l'intromission afin d'abolir la peur de l'échec qui affecte les hommes frappés de ce dysfonctionnement.

D'après l'un de ses amis intimes, Wallis n'eut pas plus tôt l'occasion d'appliquer sa nouvelle science, qu'elle subit un choc déplorable. Win la quitta, pour vivre avec un jeune peintre dont la beauté et le talent avaient attiré l'attention de toute la colonie. Le 21 novembre, toute à sa détresse, elle partit pour Shanghai à bord de l'*Empress of Russia* avec la charmante Mrs. F.H. (Mary) Sadler, quarante-deux ans, épouse de l'amiral Sadler, pacha du *Saratoga* et responsable des renseignements de la marine.

Longtemps avant l'accostage de l'*Empress of Russia*, le 22 novembre, des flots de boue ocre assombrirent la mer de Chine, annonçant la proximité du site marécageux de Shanghai. Le bateau remonta lentement le Whangpoo, doublant de fragiles villages de bois, des saules pleureurs et des rizières verdoyantes qui ondulaient sous un ciel kaki. Le fleuve était à ce point couvert d'embarcations de toutes sortes, que le navire avait du mal à s'y frayer un chemin. Enfin, Wallis vit apparaître les cheminées de brique de la Shanghai Power Company qui vomissaient leur fumée dans une puanteur de soufre et de charbon. Une vedette la fit aborder à travers des eaux saturées de vieux journaux, d'oiseaux morts et d'excréments. Devant elle s'étendait le Bund, célèbre avenue longeant le fleuve et bordée de superbes immeubles de bureaux couverts d'enseignes lumineuses. Tandis que des porteurs empilaient les bagages sur le quai, elle gravit les marches de la jetée, pour tomber sur une file de pousse-pousse qui s'étendait à perte de vue. Torse nu, leurs conducteurs squelettiques s'époumonaient après la clientèle. La voie était encombrée de brouettes, de charrettes à bras et de bicyclettes ; des coolies trottaient en tous sens, d'énormes perches de bambou posées sur leurs épaules étroites.

Wallis et Mrs. Sadler franchirent la courte distance qui les séparait de l'élégant hôtel Astor House, arrêtées tous les dix mètres par des soldats ou des policiers qui, en raison de la guerre civile, examinaient leurs passeports. L'établissement était composé de quatre bâtiments de brique, reliés par des passages de pierre. L'immense vestibule était recouvert d'un tapis rouge et éclairé de lustres en verre taillé. Le centre était occupé par une banquette circulaire en cuir, au milieu de laquelle trônait un énorme vase de cuivre. On y voyait encore des lions de céramique rouge, des sièges dorés, recouverts de tissu rouge, et des coupes de bronze remplies de lis en papier. Au plafond, des ventilateurs tournaient lentement, dérangeant les mouches. Les chambres étaient arrangées en cabines de paquebot ; les lits étaient des couchettes, des hublots, décorés de trompe-l'œil maritimes, éclairaient les couloirs – Wallis un jour en reprendrait l'idée dans sa maison de Paris. Le directeur était un ancien capitaine de la marine anglaise, qui menait l'hôtel comme un bateau ; des sonneries de trompette annonçaient les repas. Wallis et Mary Sadler passèrent dix jours à l'Astor House.

Le spectacle de Shanghai en pleine guerre était stupéfiant. Chaque jour apportait son lot d'escarmouches et de meurtres. La concession internationale avait beau être protégée par des fusiliers marins américains et britanniques et ses habitants continuer d'y mener une existence privilégiée, des fusillades éclataient à moins d'un pâté de maisons de l'Astor House. Çà et là, des lots entiers de baraques misérables disparaissaient dans les flammes et, des quartiers indigènes, s'élevaient des cris et des hurlements, signalant que la police pourchassait les pillards de la Bande verte. La ville offrait un mélange de fumeries d'opium, de bordels, de sinistres passages dérobés, mais aussi de somptueuses maisons, où se succédaient des soirées élégantes, et notamment chez ce prince des marchands qu'était sir Victor Sassoon, que servaient soixante-quinze domestiques. On y trouvait aussi des magasins de luxe, dont le Sun Sun, le Sincere et le Wing On, qui proposaient tous les trésors de l'Orient. Wallis y acheta des éléphants d'ivoire porte-bonheur avec leurs trompes levées, des boîtes d'ivoire sculptées et un paravent chinois.

Elle se précipita dans la vie mondaine de Shanghai. Derrière les murs de la concession, entourés d'un cordon de troupe, les négociants anglais et américains et les administrateurs coloniaux vivaient dans un luxe provocant. On les rencontrait aux courses d'Eiwo, dans les clubs et les thés dansants des grands hôtels, tandis que des factions rivales combattaient sauvagement pour le contrôle des grouillants quartiers indigènes de la métropole. Les journaux de l'époque signalent la présence de Wallis à de nombreuses courses, cette saison-là. Le 30 avril 1987, après réclamation au ministère de la Justice et sept ans d'attente, communication fut donnée du rapport du F.B.I. consacré aux activités de Wallis à l'époque et établi à la veille de Pearl Harbor. Bien que son rédacteur se soit trompé sur l'affectation et le rang du capitaine de frégate Spencer, ce rapport pose plusieurs questions intéressantes ; le fait qu'il ait été si longtemps interdit au public, en dépit de nombreux atermoiements, prouve que l'administration lui accordait plus de valeur qu'à de banals commérages ou à de pures et simples divagations.

> F.B.I., le 6 décembre 1941
>
> *Confidentiel.* Mémoire à l'intention de D.M. Ladd, par P.J. Wacks (Washington).
>
> Le 26 septembre 1941, à 2 h 30 de l'après-midi (un blanc) prit contact avec le soussigné, dans le bureau de ce dernier, à propos de la duchesse de Windsor. (Un blanc) l'informa que le premier mari de la duchesse était un officier de marine dont la duchesse avait fait la connaissance à San Diego, en Californie. Cet officier par la suite a été muté à Singapour et la duchesse l'aurait suivi dans cette ville, où elle aurait fréquenté de nombreuses boîtes de nuit et approché de nombreux officiers de marine des flottes américaine et britannique. Les autorités anglaises auraient été informées que la duchesse essayait d'obtenir des officiers britanniques qu'elle rencontrait des informations touchant aux secrets navals, à la suite de quoi son mari aurait été muté.

Était-ce purs ragots ? L'informateur devait savoir quelque chose. Mais quoi ? Si Wallis faisait de l'espionnage pour le compte d'une puissance ennemie, ce n'aurait pu être que pour la Russie, qui était l'adversaire de l'Amérique et de l'Angleterre en Chine. La rumeur courait au Foreign Office, rumeur récemment confirmée de bonne source à Londres, que Wallis travaillait pour les Soviétiques, hypothèse intéressante, aujourd'hui impossible à vérifier.

Selon Leslie Field, biographe, historienne et éditrice américaine, qui, en 1987, a travaillé à Buckingham Palace, en liaison avec la reine, à un livre sur les bijoux royaux, le dossier chinois, qu'une personne de sa connaissance a, dit-elle, examiné en détail, contient sur Wallis des renseignements plus gênants encore.

D'après Mrs. Field, Wallis avait été à l'époque impliquée dans un vaste trafic de drogue, activités qui n'auraient été établies que des années plus tard, lorsque, sur instructions royales, les autorités de Hong Kong réussirent à en obtenir connaissance. D'autre part, des hommes riches misaient sur Wallis, qui jetait de grosses sommes sur les tables de jeu. En Chine, en ce temps-là, les jeux de hasard étaient tous truqués. On ne pouvait y gagner qu'en montrant patte blanche. Il n'est pas surprenant que Wallis, protégée de la sorte, ait réussi à gagner des sommes substantielles au baccarat, à la roulette et au vingt et un. Selon Mrs. Field, Wallis était, de notoriété publique, une femme entretenue et même pendant son mariage avec Win elle couchait avec des hommes riches, parmi lesquels un général chinois.

Le 4 décembre 1924, elle se rendit à Pékin ; à l'époque, les Américaines n'étaient pas autorisées à se rendre dans la capitale, à moins d'y être envoyées en mission officielle. L'obèse seigneur de la guerre, le général Feng Yu-hsiang, qui se pavanait dans des uniformes napoléoniens galonnés d'or et ne se séparait jamais d'une longue-vue, s'était emparé du pouvoir et avait contraint l'empereur-enfant à chercher refuge auprès de la légation japonaise, après s'être vu refuser l'accès de la légation britannique. Le seigneur de la guerre rival, le maréchal Tchang So-ling, avait quitté Pékin avec vingt-cinq mille hommes. Confuse et volatile, la situation allait bientôt exploser. Sun Yat-sen venait de rentrer du Japon et rassemblait ses forces pour lancer, avec l'aide du maréchal Tchang, un coup d'État qui chasserait Feng du pouvoir.

Wallis et Mary Sadler empruntèrent le *Shuntien*, vapeur de mille deux cents tonneaux, qui les conduisit jusqu'à Tientsin *via* Weiheiwei et Chifou ; à Tientsin, par une chaleur étouffante, elles prirent le train pour le reste d'un voyage qui fut troublé par les typhons – grand fracas de vaisselle et d'objets divers.

La mission de Wallis n'était sans doute pas anodine, car le consul général Clarence E. Gauss se déplaça pour l'accueillir dans le port de Tientsin, le 10 décembre. Il apprit à Wallis et Mary que l'armée américaine avait réquisitionné le train de Pékin, mais que la totalité des forces de Tchang avaient pris position le long de la voie.

Mary Sadler, souffrant de l'estomac, dut retourner à Shanghai. Wallis arriva le 11 au matin à la gare centrale de Tientsin. L'édifice délabré offrait un spectacle infernal où se mêlaient victimes de la typhoïde et de la famine, soldatesque excitée, enfants en pleurs et femmes épuisées se battant pour un siège. Wallis était porteuse d'un mandat militaire spécial et avait toujours le passeport maritime délivré par les services secrets. Lorsqu'elle monta à 12 h 30 dans une des huit voitures du train interallié, réservé au personnel officiel ou militaire, elle fut soumise à un interrogatoire serré, et à Pei-Tsang, la gare suivante, elle fut de nouveau interrogée, tandis que les soldats de Tchang montaient dans le train et arpentaient les couloirs.

Ce fut un affreux voyage. La locomotive était vieille et rouillée, le froid intense dans cette région septentrionale, et les fenêtres, brisées par des coups de feu, laissaient entrer un air glacial ; il n'y avait ni eau ni nourriture ; les cabinets n'étaient que de simples trous dans le sol. Ivres, les soldats n'en faisaient qu'à leur tête ; les pannes étaient continuelles, annoncées par des grincements de freins et des cris mystérieux. Le voyage n'aurait dû prendre que quatre-vingt-dix minutes ; il dura trente-huit heures.

À son arrivée, Wallis fut accueillie dans la bruyante obscurité de la gare, car il y avait une panne de courant, par le commandant des *marines*, Louis M. Little. Elle devait transporter des documents très importants, car en période de troubles jamais un officier ne quittait son poste sans une raison pressante.

Comme la voiture blindée grise de Little traversait la place Hatamen et passait la porte du même nom pour gagner le quartier protégé des légations, la première chose que dut voir Wallis fut une rangée de têtes, piquées sur des perches de bambou, plantées là par le général Feng, qui attendait dans les collines occidentales d'engager le combat avec le maréchal Tchang et Sun Yat-sen, pour signifier qu'il ne tolérerait aucune insubordination dans la ville.

Pékin était en proie à la terreur. Lorsque Wallis arriva au Grand Hôtel, débauche de chinoiseries, les journaux étaient pleins de récits racontant comment les ennemis de Feng étaient traînés dans les parcs pour y être décapités au sabre sans le moindre jugement. Les ressortissants américains et britanniques, chaque jour plus tendus et angoissés, attendaient l'arrivée, donnée pour imminente, de Sun Yat-sen et le déchaînement des communistes contre tous les étrangers. L'antique cité couleur de sang, aux portes monumentales, aux quartiers clos, aux toits bleus et jaunes, balayée de vents glacials, chargés de poussière, qui soufflaient de la plaine, vivait dans l'attente.

Pour Wallis et ceux qui étaient arrivés tout dépenaillés de Tientsin, le Grand Hôtel de Pékin était une oasis. Le hall offrait une boutique d'objets d'art, une librairie française et une fontaine décorative. Le grand escalier de marbre conduisait aux portes de verre de la salle de bal impériale. Wallis ne tarderait pas à découvrir la salle à manger avec sa galerie de musique et son orchestre de danse anglais.

Sa chambre donnait sur le quartier des légations, qui était gardé par des *marines* en uniforme bleu. Au-delà, elle pouvait apercevoir le vieux mur tartare, ses tours de guet en forme de L et ses portes ornementales, et les tuiles bleu vernissé du temple du Ciel. Toutes les heures, les cloches de fonte de l'ancienne tour de Koubilaï Khan sonnaient, et, selon une tradition séculaire, chaque après-midi à 4 heures on lâchait de paniers d'osier un millier de pigeons, qui prenaient leur essor dans le ciel bleu glacier de l'hiver ; les minuscules flûtes de bambou cachées sous les ailes des oiseaux produisaient une plainte étrange.

Durant son séjour à Pékin, Wallis eut une liaison avec Alberto da Zara, bel attaché naval de l'ambassade d'Italie. Blond, trente-cinq ans, da Zara descendait d'une longue lignée d'officiers de cavalerie, dont il avait hérité une grande bravoure avec une passion pour les chevaux. Elle le rencontra à l'ambassade un vendredi soir, qui était jour de réception.

Il était cultivé et connaissait plusieurs langues ; dans sa jeunesse, on l'envoyait passer l'été à l'étranger, où il s'était fait de nombreuses relations.

Il avait pris son poste d'attaché naval à Pékin au printemps 1924, quelques mois avant l'arrivée de Wallis. « La perspective, écrivait-il plus tard, de commander une caserne et d'exercer les fonctions d'attaché militaire interarmées dans un pays qui n'avait ni marine, ni aviation, et dont l'armée tenait de la milice féodale, ne me séduisait guère. »

Wallis l'accompagnait avec empressement aux courses. Elle ne s'intéressait pas particulièrement aux chevaux, mais elle n'y allait pas pour eux. Il écrit dans ses Mémoires :

> L'hiver 1924-1925 fut une grande saison pour les participants italiens aux concours hippiques de Pékin… Sans distinction d'âge ou de sexe, de profession ou de statut social, tout le monde s'enthousiasmait pour quelqu'un : un cheval ou un cavalier, un athlète ou une équipe, un club ou une ville ; ministres et consuls, douaniers, directeurs, industriels, grandes dames et jeunes beautés.

Il ajoutait galamment :

> L'une des plus passionnées parmi ces dernières était Mrs. Wallis Spencer. À cette époque, elle portait une coiffure classique lui dégageant le visage, qui mettait en valeur son front et ses yeux et à laquelle elle est restée fidèle jusqu'à ce jour. Elle manifestait déjà un goût particulier pour la couleur qui serait connue comme le bleu Wallis et qui était assortie à ses yeux.

Wallis était sous le charme de da Zara. C'était un poète, un amoureux de D'Annunzio, dont il lui fit connaître les œuvres. Autoritaire de par son métier, il était discret et généreux. Wallis aimait son esprit fier et libre. Son adjoint, le lieutenant Giuseppe Pighini (maintenant amiral à la retraite), se rappelle parfaitement la liaison de Wallis et de da Zara :

> Mrs. Simpson et da Zara avaient des relations très intimes, et leur amour se transforma en une amitié durable. Da Zara disait que ce n'était pas une beauté, mais qu'elle était extrêmement séduisante et avait des goûts très raffinés. Sa conversation était brillante et elle avait le don d'amener le sujet de conversation approprié, quelle que soit la personne avec laquelle elle se trouvait, et de dire des choses intéressantes. Elle avait en commun avec da Zara cet art de la conversation ainsi que la connaissance et l'amour des chevaux.

Leur liaison ne dura pas, mais Wallis et da Zara restèrent bons amis.

Alberto da Zara est certainement pour beaucoup dans l'amour de Wallis pour l'Italie et dans sa conviction que le fascisme était le seul système opposable au communisme. Ce point de vue allait bientôt la rapprocher du prince de Galles.

Wallis découvrit la cité impériale jaune, la cité interdite violette et la féerique beauté des palais construits au milieu de lacs glacés, enjambés par des ponts de marbre et parsemés de feuilles de lotus gelées. Elle avait des lettres d'introduction pour les officiers de renseignement, français et allemands combattant l'influence soviétique et pour l'élégant esthète et architecte George Sebastian, Roumain élevé à Londres et à Paris. Gerry Green, agent secret auprès du consulat des États-Unis, qui avait eu son heure d'élégance parisienne, l'emmenait danser dans la salle à manger du Grand Hôtel de Pékin. Un soir, parmi les couples enlacés, Wallis aperçut un visage familier, celui de Katherine Bigelow, à présent Katherine Rogers, la jeune veuve qu'elle avait connue à Coronado, dans le sud de la Californie, six ans auparavant. Le mari de Katherine, Herman Rogers, était un officier de renseignement attaché à l'ambassade locale. (Sa famille confirme ce fait.) Rogers était l'exemple classique de l'homme comblé de dons. Il n'avait pour seul défaut que d'être un romancier médiocre. Grand, beau, athlétique, il avait fait ses études à Groton et à Yale. Retiré des affaires à trente-cinq ans, il avait décidé, après avoir épousé Katherine, dont il avait fait la connaissance en France pendant la Première Guerre mondiale, de consacrer le reste de sa vie à voyager, se cultiver et essayer d'écrire « le grand roman américain ».

Conformément à la tradition des agents secrets, les Rogers logèrent Wallis chez eux, au 4, Shih Chia Huting, dans le quartier des légations. Ils firent tout pour qu'elle se sentît chez elle ; elle avait son conducteur de pousse-pousse et sa femme de chambre. Le week-end, Herman et Katherine l'emmenaient dans le temple bouddhiste qu'ils avaient loué sur les contreforts des montagnes qui servaient de poste d'observation à l'armée du général Feng. Avec eux, Wallis faisait des promenades à cheval, jouait au poker, au bridge et à l'inévitable mahjong. Cependant, les circonstances de son séjour furent loin d'être aussi idylliques qu'elle voulut bien le prétendre ensuite.

Selon une amie de Wallis, elle aurait fait avec Herman et Katherine un étrange ménage à trois. Ce qui ne manquait pas de créer des tensions et des désaccords, suivis de disputes ; les jalousies mutuelles et les conflits de sentiments la bouleversaient. L'atmosphère dans la maison était lourde.

Pendant ce temps, la guerre faisait rage. Sun Yat-sen arriva le jour de la Saint-Sylvestre, miné par un cancer du foie ; sa faiblesse lui interdisant de songer à un coup d'État, il signa avec le général

Feng une paix bâtarde sur son lit de mort à l'hôpital. On craignait qu'à sa disparition la Chine ne fût livrée à plus de violence encore, et que seul Tchang Kaï-chek, dont l'étoile montait, n'offrît l'espoir d'un gouvernement fort. Lorsque Sun Yat-sen mourut, le 11 mars, Pékin fut plongée dans le deuil. Des bannières noires flottaient sur les remparts et de tous les pôles du monde civilisé des délégations arrivèrent pour lui rendre un dernier hommage.

Le froid dans Pékin était à la limite du supportable. Dans la maison des Rogers, seuls offraient quelque chaleur les braseros, dont les braises rougeoyantes ne parvenaient guère à attiédir l'air glacé, mais dégageaient une fumée âcre qui emplissait les pièces. Le conducteur de pousse-pousse de Wallis fut écrasé par une automobile, et, en avril, il y eut des explosions de violence, rappelant celles de Shanghai. Le pire pour Wallis était sa situation avec Herman qui devenait intolérable. Alberto da Zara, lui-même, ne parvenait pas à la rasséréner. Il ne lui restait plus qu'à partir le plus tôt possible.

Lorsqu'elle prit le train pour Hong Kong, le 21 mars, Win venait de quitter le *Pampanga* et s'apprêtait à prendre le commandement du *Whipple*, qui était en rade de Shanghai et devait rejoindre les États-Unis. Ils essayèrent une fois de plus de se raccommoder et embarquèrent le 23 mars sur le *President Grant*, en route pour Shanghai.

À l'époque, les épouses de marins, comme les autres civils, n'avaient pas le droit d'entrer à Shanghai, ce qui permet de penser que Wallis était sous les ordres du contre-amiral C.V. McVay de la flotte de Chine du Sud.

Le 23 mai, un incident devait mettre en danger tous les Occidentaux. Trois mois plus tôt, les ouvriers chinois des filatures japonaises s'étaient mis en grève ; le conflit s'était achevé dans la violence. Le mouvement reprit, la violence aussi. Une féroce bagarre à coups de bâton et de fusil fit un mort et sept blessés parmi les ouvriers. Le conseil municipal de Shanghai, contrôlé par les Anglais, ne réussit pas à faire entendre raison aux patrons japonais et dut arrêter les grévistes. Après le service à la mémoire de l'ouvrier tué, une grande manifestation réunit trois mille étudiants. Un officier britannique ordonna à la milice sikh d'ouvrir le feu ; onze étudiants chinois furent tués et trente-cinq blessés. Il en résulta une poussée de xénophobie sans précédent dans tout le pays et une grève générale. Win avait déjà rejoint les États-Unis sur le *Whipple*, tandis que Wallis se trouvait coincée des semaines durant à Shanghai, risquant à tout moment d'y être kidnappée et assassinée par des militants communistes.

Wallis eut là une liaison avec un autre fasciste, le fier et sombre comte Galeazzo Ciano, beau brun de vingt et un ans, qui était un ardent supporter de Mussolini. Son père, l'amiral Ciano, avait participé à la fameuse marche du Duce sur Rome et avait été impliqué dans le meurtre de Matteotti. Galeazzo Ciano allait devenir ministre italien des Affaires étrangères. Encore étudiant, fasciné par la Chine, il s'y trouvait en voyage d'information. En 1927, il serait nommé vice-consul.

Selon Mrs. Milton E. Miles, dont le mari, officier sur le *Pampanga*, devait devenir amiral :

> Wallis remonta la côte jusqu'à Qunhuangdao, ravissante station estivale, au débouché de la Grande Muraille sur la mer. De Pékin, Ciano y passa avec elle de longs séjours. À Hong Kong, les épouses de marins en jasaient. C'était un scandale public.

Wallis tomba enceinte de Ciano. Comme elle était toujours mariée à Win, elle risquait, mettant au monde un enfant illégitime, d'obtenir un divorce désavantageux. Il n'était pas exclu en outre que le scandale qui pourrait s'ensuivre n'entraînât le renvoi de Win de la marine. Selon Mrs. Miles, elle se fit avorter, au prix de graves complications gynécologiques, qui devaient la suivre toute sa vie, et lui ôter toute espérance d'avoir un enfant.

Wallis regagna Shanghai sur l'*Empress of Canada*. La grève continuait, mais les bateaux américains pouvaient entrer et sortir du port. Le 29 août, par une pluie torrentielle, Wallis, en piteuse santé, monta sur le *President McKinley* de la Dollar Line et rejoignit Seattle en première classe, *via* Kobe, Yokohama et Honolulu. Dès son arrivée, le 8 septembre, après un pénible voyage, elle fut immédiatement hospitalisée.

Wallis restait en contact avec Win ; bien qu'il parût ignorer la raison de sa maladie, il était inquiet pour sa santé. Ils se retrouvèrent à Chicago et tentèrent encore de se réconcilier. À la mi-septembre, ils prirent le train pour Washington, d'où Win fut rapidement transféré sur le *Wright*. Ils demeuraient bons amis.

Tout comme Wallis, Win avait noué de solides relations dans l'administration italienne. Cet automne-là, il vit beaucoup Italo Balbo, pionnier du fascisme et de l'aviation italienne, intime de Ciano et organisateur de l'armée de l'air de Mussolini, avant de devenir ministre de l'Air. Il avait dirigé la milice fasciste des Chemises noires et, avec l'amiral Ciano, organisé la marche sur Rome. Son amitié avec Win dura jusqu'à sa mort, en 1940, où il fut abattu par erreur par la D.C.A. de son propre pays non loin de Tobrouk, en Libye. En 1936, Win fut décoré de l'ordre envié de la Couronne d'Italie, en remerciement de l'assistance apportée à Mussolini dans la constitution de son aviation militaire.

Wallis passa trois semaines en convalescence chez sa mère à Washington. Elle se rendit plusieurs fois à Wakefield Manor, à Front Royal, qui avait à peine changé depuis son enfance. Sa cousine Lelia y vivait avec son mari, le général George Barnett, qui venait de prendre sa retraite, après onze années à San Francisco au commandement des *marines* du Pacifique. Les Barnett s'instituèrent protecteurs de Wallis et lui recommandèrent leur avocat, Aubrey Weaver, du cabinet Weaver et Armstrong, à Front Royal.

Weaver apprit à Wallis qu'au-delà des Blue Ridge Mountains, à Warrenton, dans le comté de Fauquier, en Virginie, il était très facile d'obtenir le divorce pour abandon du domicile conjugal. Il suffirait à Win d'écrire une lettre antidatée du mois de juin 1924, à en-tête du *Pampanga*, dans laquelle il déclarerait ne plus vouloir reprendre la vie commune.

Il lui faudrait quant à elle s'installer à Warrenton pour au moins un an et ne pas quitter la ville plus de quelques semaines durant ce laps de temps. Wallis prit bonne note de ces instructions, mais, curieusement, il lui vint comme un accès de regret et elle fit un nouvel effort pour raccommoder son mariage. Elle écrivit à Win, à bord du *Wright*, pour lui fixer rendez-vous au bureau d'Aubrey Weaver, à Front Royal, mais celui-ci lui répondit qu'il souhaitait être libre.

Wallis, résignée, s'en fut à Warrenton, le 3 octobre 1925. Elle s'installa à l'hôtel Green Warren, vieux d'un demi-siècle, imitation en brique rouge de bâtiment colonial avec véranda à deux niveaux et marquise. L'hôtel avait connu des jours meilleurs, mais il se dégageait encore un charme victorien de ses sièges recouverts de peluche, des papiers à fleurs de ses corridors et de ses fougères en pots. Wallis prit possession de la chambre 212, au premier étage, qui donnait sur la place et la Fauquier National Bank. La médiocrité du mobilier la déprimant, elle obtint du gérant permission de l'améliorer, compte tenu du long séjour qu'elle avait prévu. Elle disposa donc dans sa chambre, en vif contraste avec le lit de cuivre, la table de toilette avec sa bassine et son pot à eau et le fauteuil de cuir craquelé, ses boîtes, ses éléphants et son paravent chinois et s'en sentit un peu réconfortée.

Les lieux de son enfance et de sa jeunesse étaient assez proches pour qu'elle y retrouvât des amis.

En 1926, Wallis fut invitée par Mary et Jacques Raffray à passer Noël à New York, dans leur hôtel particulier de Washington Square. Elle devait y faire une rencontre qui allait changer sa vie et l'entraîner dans la plus dangereuse de ses aventures.

6

Ernest

Le jour de Noël, en fin d'après-midi, Jacques et Mary étaient réunis avec leurs amis et parents autour de l'arbre traditionnel, lorsque la sonnette retentit ; Jacques alla ouvrir la porte. Deux hommes entrèrent ; l'un des deux fit si peu d'impression sur Wallis qu'elle en oublia bien vite son nom et son métier [1]. Mais l'autre produisit sur elle le même effet que Winfield Spencer, quelque dix ans plus tôt. Jacques le présenta comme Ernest Aldrich Simpson ; il avait un accent anglais affecté et manifestait une certaine arrogance. Ses cheveux bruns avaient des reflets dorés ; il avait les yeux bleu foncé, une expression douce et sympathique, les joues roses et la mâchoire carrée. Comme Win, il avait une moustache brune. Il était bien bâti et avait la démarche avantageuse du militaire sûr de soi. Il avait vingt-neuf ans.

La soirée avançait ; on ouvrit les cadeaux, puis le dîner fut servi. Wallis était de plus en plus intriguée. Simpson avait d'exquises manières, une allure d'intellectuel racé et une expression pondérée, dépourvue de la témérité dangereuse qui l'avait imprudemment attirée vers Win. Mais il était marié à Dorothea Parsons Dechert, fille et petite-fille de juges de la cour suprême du Massachusetts, et le couple avait une fille, Audrey.

Ernest Simpson était associé de la compagnie Simpson, Spence et Young qui achetait et vendait des bateaux, traitant d'importantes

---

1. Bernard Rickatson-Hatt.

affaires de part et d'autre de l'Atlantique. Elle avait des bureaux à Londres et des agents à Hambourg, en Allemagne, où elle travaillait en étroite collaboration avec la Hamburg-America Line, ainsi qu'en Italie, où elle était en relation avec le gouvernement de Mussolini. Cédant à son amour pour l'Angleterre, Simpson avait quitté Harvard avant d'en obtenir le diplôme ; ses parents venaient tous les deux des îles Britanniques. Il entra dans le bataillon des élèves officiers des Coldstream Guards. Mais, à la fin de la Première Guerre mondiale, il fut obligé, en raison de la mauvaise gestion de son père, de démissionner de l'armée pour prendre la direction de la compagnie. Bien qu'installé à New York, il restait anglophile : il se promenait en chapeau melon, cravate des Guards et costume sombre et, comme il était toujours à Mayfair, ne se séparait jamais de son parapluie.

Cet impeccable et sémillant jeune Américain avait un secret, si bien gardé que même sa fille n'en savait rien. Il était juif. Son père, qui s'appelait Solomon, avait changé de nom, car il craignait, non sans raison, que le monde des affaires ne fermât ses portes à une nouvelle compagnie juive. Comme son père et lui avaient le teint clair, et que rien ne permettait de découvrir l'imposture, Ernest négligea d'en avertir sa première femme... et se fit recevoir dans plusieurs clubs qui n'admettaient jamais de membres juifs. Il se garda bien de dévoiler la vérité en Allemagne, où l'antisémitisme était nettement plus profond qu'au sein des classes dirigeantes et des milieux d'affaires de Manhattan et de Londres.

Wallis ne se doutait pas des origines d'Ernest. Au cours de sa vie, elle eut vis-à-vis des Juifs une attitude ambiguë et changeante ; elle sera liée à certains membres des deux familles juives les plus riches, les Sassoon et les Rothschild, sans que cela l'empêchât, selon Stephen Birmingham, de s'en prendre aux « kikes » (youpins). Elle était en cela fidèle à son époque ; Cecil Beaton était lui aussi connu pour utiliser ce terme : en 1938, il fit scandale en le glissant dans un dessin animé tristement célèbre.

Wallis aurait dû retourner à Warrenton pour respecter l'obligation de domicile exigée par le divorce ; au lieu de quoi, elle se lança hardiment dans une liaison avec Ernest, sans se soucier de la présence de Dorothea dans la maison de la 68e Rue Est. Wallis et Ernest avaient beaucoup en commun. Ils aimaient tous deux les bons livres (il était plus cultivé qu'elle), collectionnaient les statuettes et les bibelots, et s'y connaissaient en argenterie et en porcelaine. Ernest aimait aussi la peinture, la poésie et la musique. Il était le parfait représentant d'une espèce menacée, l'homme d'affaires cultivé. Il emmenait Wallis dans les musées, les galeries, les librairies, les bibliothèques ; elle apprit de lui tout ce qu'il pouvait lui enseigner.

Il présentait d'autres avantages. Il semblait à l'abri du besoin. Il avait des manières parfaites, savait commander du vin et composer un menu. Il fumait, il est vrai, ce qu'elle détestait, mais il n'aimait que les meilleurs tabacs, les cigares de La Havane et les cigarettes turques ou Sobranié. Il possédait deux luxueuses voitures de tourisme. Il était courtois jusqu'à l'obséquiosité, si bien que Wallis n'avait jamais pu laisser libre cours au côté dominateur de sa personnalité.

Leur liaison débuta par des parties de bridge et de poker et le match de football Armée-Marine. Mais Wallis se rendait compte que cela ne menait nulle part et elle cessa de le voir pendant un moment. Elle commença par quitter les Raffray pour s'installer dans une minuscule chambre de l'hôtel New Weston. Puis elle essaya de vendre un article à *Vogue* ; il lui fut refusé. Elle s'inscrivit dans une école de secrétariat, mais n'insista pas. Elle commença alors à s'apitoyer sur elle-même.

Très déprimée au printemps, elle fut consolée par tante Bessie qui, alors dame de compagnie de Mary B. Adams, propriétaire de l'*Evening Star*, lui offrit un voyage en Europe. Juste avant d'embarquer, le 16 juin, Wallis déposa sa demande en divorce chez son avocat de Front Royal.

Le voyage en Europe ne fut pas un succès. Wallis s'ennuya. À Paris, fin octobre, elle apprit la mort d'oncle Sol, à Baltimore, d'un arrêt du cœur. Le premier mouvement de Wallis, qui lui devait beaucoup, fut de se désoler de n'avoir pas pu assister à ses funérailles, mais la lecture du testament, quelques jours plus tard, la mécontenta fortement. L'oncle Sol ne lui avait laissé que les intérêts de quinze mille dollars d'actions de ses compagnies de chemin de fer et de deux sociétés alliées, l'Alleghany Company et la Texas Company. Elle avait espéré une part bien plus substantielle des cinq millions de dollars de l'héritage et, furieuse, elle entama une action judiciaire contre les gérants de l'ensemble. Elle chargea sa mandataire, Joséphine Warfield, petite-fille de son oncle Henry, de soutenir que Solomon n'avait plus sa tête lors de la rédaction de son testament et que sa signature avait été contrefaite.

En décembre 1927, le juge George Latham Fletcher lui accorda le divorce à Warrenton.

Désormais libre, Wallis se rappela Ernest Simpson et regagna New York pour renouer avec lui. Dorothea l'apprit sur son lit de douleurs à l'hôpital américain de Paris et entreprit aussitôt une procédure de divorce. Les cheveux précocement gris et prématurément usée, l'aristocrate du Massachusetts qu'elle était s'autorisa, des années plus tard, à déclarer à Cleveland Amory : « Wallis a montré beaucoup de noblesse. Elle m'a volé mon mari tandis que j'étais malade. » Dans le courant de l'année 1928, Ernest décida de relayer son père à la direction de leur affaire à Londres, car ce dernier devenait de plus en plus négligent et il était empêtré à Paris dans une liaison douteuse.

Ernest représentait l'aisance et la sécurité. Son divorce avait été prononcé, il était libre. Elle n'avait pas un sou. Il en avait, il était bien introduit dans les milieux financiers britanniques. Elle lui télégraphia – elle acceptait la demande laissée en suspens – et partit pour Londres à la fin du mois de juin 1928.

Elle y arriva au bon moment, comme toujours, pour le début de la « saison », qui commençait officiellement le 1er juillet pour durer tout le mois, un mois époustouflant. Le prince de Galles, qui fascinait toujours Wallis – elle ne l'avait pas vu depuis sept ans et demi, depuis son passage à San Diego –, venait de donner une série de fêtes à York House, sa résidence à St. Jame's Palace. Il se donnait beaucoup de mal pour combattre l'étiquette compassée de la cour en invitant à se produire là, devant toute la jeunesse dorée de Londres, des orchestres de jazz ou de variétés, des troupes de vaudeville et des danseurs de cabaret.

Dans les dîners de Mayfair, que Wallis fréquentait désormais, la conversation roulait sur la famille royale, les gens en vue, le sexe, le tennis et les chevaux. Il n'y venait guère à l'idée d'évoquer les taudis, le chômage, la hausse constante du coût de la vie. En 1928, Mussolini était l'idole de la société londonienne. Winston Churchill était l'un de ses plus ardents partisans. Le *Times* du 21 janvier 1927 rapporte en ces termes une déclaration qu'il fit à Rome : « Si j'étais italien, je sais que j'aurais été avec vous du début à la fin de votre combat victorieux contre les passions et les appétits bestiaux du léninisme. » George Bernard Shaw n'était pas en reste. L'assassinat de Matteotti, le plus fameux des meurtres politiques imputables à Mussolini, lui inspirait les remarques suivantes, dans une lettre à Friedrich Adler, datée du 2 octobre 1927 : « Le meurtre de Matteotti n'est pas davantage un argument contre le fascisme que ne le fut celui de Thomas Becket contre le système féodal. » L'écrasante majorité de la société londonienne était d'accord. Après coup, cet engouement pour Mussolini semble aberrant. Du début à la fin, les politiques britannique et française envers lui ne furent que de conciliation et de concession, alors qu'une opposition décidée eût été nécessaire. Quoi qu'il en soit, les relations amoureuses de Wallis avec le prince Caetani, le comte Ciano, Alberto da Zara ne pouvaient que l'entraîner à faire confiance à ce système corrompu et défectueux et il n'est pas étonnant qu'elle ait partagé cette conviction avec le prince de Galles.

Lorsque celui-ci naquit, son arrière-grand-mère, la reine Victoria, était encore sur le trône. Aussi le prince grandit-il dans l'obsession de l'empire, sachant qu'un jour il régnerait sur le tiers des terres émergées et des millions d'êtres humains pour qui le monarque était à peu près l'égal d'un dieu. Son père, le roi George V, avait été pour lui un personnage lointain, majestueux, qui condescendait rarement à venir voir ses fils, Édouard, Albert, Henry, George et John, non plus que sa fille Mary, dans leur nursery ; selon la coutume, le roi laissait ses enfants en bas âge à l'attention, intermittente, d'une succession de nannies dont au moins deux furent de vraies sadiques.

Le roi George traitait ses trois aînés comme des enseignes à bord d'un cuirassé. Comme l'écrivit plus tard le prince de Galles, ils étaient toujours « en grande tenue ». Si leurs costumes marins ou leurs tartans n'étaient pas impeccables, le roi les réprimandait avec une véritable fureur, et avaient-ils le malheur de mettre les mains dans les poches qu'il les faisait coudre. On leur infligeait des cols durs Eton qui leur sciaient littéralement le cou. Ils portaient des chaussettes et des souliers à boucle et, même pour nager, ils devaient être couverts de la tête aux pieds. Le corps était à l'époque objet de honte, et, en dehors d'une baignoire, devait être entièrement masqué. Le sexe n'avait qu'un but, la procréation, et les femmes n'étaient pas censées en éprouver le moindre plaisir.

Le résultat de cette oppression fut de transformer de bonne

heure le jeune et séduisant prince en rebelle. Dès qu'il le pourrait, il bouleverserait la mode et libérerait les mâles de toutes les entraves des siècles. Il abandonnerait les cols durs et les gilets, les redingotes, les guêtres, encouragerait le port des chemises ouvertes, des shorts, allant jusqu'à se produire torse nu en public.

Petit garçon mince et blond, il était très séduisant ; c'était un vrai prince Charmant. Seul le dernier de ses frères survivants, George, qui était grand et brun, tandis que lui-même était très petit, mesurant un mètre soixante-cinq, l'égalait en beauté. Les deux frères avaient quelque chose d'efféminé ; à Oxford, où il ne brilla guère, le prince de Galles aurait été un peu trop étroitement lié, selon la rumeur, avec son directeur d'études, Henry Peter Hansell ; on les avait surnommés Hansel et Gretel. La reine Mary, dans leur âge tendre, leur avait appris le crochet et l'on dauba beaucoup sur la familiarité avec cette pratique, bien que c'eût été une coutume anglaise à l'époque d'instruire les garçons dans cette activité qui paraît si féminine.

Le prince de Galles aimait l'Autriche et l'Allemagne. Il avait déploré les divisions qui avaient précédé la Première Guerre mondiale dans la famille royale ; tout comme sa mère, la princesse de Teck, Allemande de naissance. Il n'oublia jamais l'assassinat du tsar Nicolas II, cousin et parrain de George V, par les bolcheviques à Iekaterinbourg et il voua dès le début une haine inexpiable au communisme. Le Kaiser, autre cousin de son père, le fascinait ; il se lia étroitement avec sa famille, apprit l'allemand et passa une grande partie de sa jeunesse en Allemagne. Son cousin préféré était Charles, duc de Saxe-Cobourg-Gotha, qui avait fait ses études à Eton et devait jouer plus tard un rôle sinistre dans sa vie.

Ce fut dans les années vingt que le prince inaugura ses fameuses visites de l'empire. Aucun monarque avant lui ni après lui ne devait parcourir autant de territoires ni serrer un aussi grand nombre de mains. Sa brève et mince silhouette couronnée de cheveux blonds allait devenir dans le monde entier symbole de la jeunesse.

Il fut le célibataire le plus convoité de son temps, surpassant même Valentino auprès des femmes de toutes nations. En janvier 1923, le *New York Times* publia à la une l'annonce de ses fiançailles avec lady Elizabeth Bowes-Lyon, dont le joli visage, sous un printanier chapeau à fleurs, s'encadrait dans un médaillon placé à côté du titre. Une semaine plus tard étaient publiées les vraies fiançailles de lady Bowes-Lyon, elle épousait non pas Édouard mais son frère George. L'année suivante, la reine Marie de Roumanie songea à lui pour sa fille, la princesse Ileana. En 1926, c'est lady Alexandra Curzon qui lui fut fiancée, on la prétendit aussi amoureuse du duc de Kent ; en fait, elle devait bientôt épouser son écuyer, Edward « Fruity » Metcalfe. La même année, on le « fiançait » à l'infante Béatrice d'Espagne et en 1928 à la princesse Ingrid de Suède.

L'artiste et esthète Max Beerbohm causa au mois de juin 1923 une sensation bien oubliée. Nouveau Nostradamus, il prédit l'abdication, quatorze ans à l'avance, exposant aux Leicester Galleries à Londres une caricature du prince de Galles, telle qu'il le voyait en 1972, sous les traits d'un pitoyable vieil homme, ayant abdiqué depuis longtemps et marié à une fille de logeuse.

Lorsque Wallis arriva à Londres, le prince avait dépassé la trentaine. Il était obstiné, capricieux, charmant ; la moindre contrariété le mettait en fureur. Son obsession de la forme physique, de la minceur, de l'entraînement contrôlé, était en avance sur l'époque de plusieurs dizaines d'années. Il passait des heures à s'occuper de son tour de taille et faisait tous les matins une demi-heure de gymnastique ; tandis que tout le monde autour de lui prenait de la bedaine, à force de viandes, de sauces et de puddings, il grignotait des feuilles de laitue et un fruit et ne faisait qu'un repas complet par jour. Il adorait le sport et les boîtes de nuit. Ses journées types commençaient par une pomme en guise de petit déjeuner, se poursuivaient par une partie de tennis, un déjeuner de fruits, l'après-midi du golf ou du polo, un dîner de poisson à la vapeur ou de poulet, puis s'achevaient dans ses boîtes favorites avec quelque jolie débutante et tout un cortège de jeunesse dorée.

Le prince venait de vivre à Paris une ténébreuse expérience avec la célèbre Marguerite Laurent, princesse Fahmy Bey, torride beauté qui, dans la nuit du 9 juillet 1923, au deuxième étage de l'hôtel Savoy, au plus fort d'un orage inouï, avait tué son mari à coups de pistolet, dans un accès de jalousie soulevé par l'intérêt que cet Égyptien voluptueux manifestait pour une autre femme. Un portier qui actionnait un chariot à bagages avait entendu les coups de feu et trouvé le prince Fahmy en pyjama de soie, un filet de sang au coin de la bouche. La princesse avait jeté son arme fumante aux pieds de son mari mourant et s'était rendue au détective de l'hôtel.

Habilement défendue par son avocat, sir Edward Marshall Hall, elle avait été acquittée. Ayant hérité plusieurs millions, elle s'était installée au Ritz, à Paris, où le prince de Galles, aux commandes de son biplan, vint passer de nombreux week-ends romantiques.

Après plusieurs années de séparation, il avait aussi renoué avec Mrs. Frieda Dudley Ward qui, en 1918, bien qu'elle fût mariée à un élu libéral à la Chambre des communes et eût deux enfants, s'était permis une longue liaison avec le prince de Galles. Elle lui avait été présentée par la propre sœur d'Ernest Simpson, Maud Kerr-Smiley. Selon d'autres bruits non confirmés, le prince était bisexuel.

Le journal de lord Louis Mountbatten pour l'année 1920, récemment publié, révèle que, lors d'un voyage dans l'hémisphère Sud, le prince s'était livré à des jeux bizarres, infantiles et plutôt pervers. Habillé de langes, il se faisait promener dans une voiture d'enfant ou feignait de se battre avec le contre-amiral sir Lionel Hasley déguisé en femme. Une autre fois, il s'était assis sur la tête du superbe lord Claud Hamilton des Grenadier Guards et l'avait entièrement déshabillé. En une autre occasion, revêtu d'habits d'enfant, le prince s'était fait pousser à toute vitesse dans un landau tout autour de la salle où se donnait une fête.

Le 10 juin 1930, dans une lettre à Dora Carrington, l'écrivain homosexuel Lytton Strachey décrira en ces termes une visite à la Tate Gallery :

> Hier, je suis allé voir la collection Duveen... Il y avait là une poule brune qui déambulait en bottines de caoutchouc dans l'attente d'une occasion. Nous traînâmes tous deux de la plus étrange façon devant des chefs-d'œuvre variés, errant d'une salle à l'autre. Puis j'aperçus une autre poule, plus attirante que la première – épaisse chevelure blonde, d'un jaune éclatant, figure rose, et vitalité magnifique. Aussi reportai-je sur elle toute mon attention et commençai de m'en approcher, lorsque, la voyant mieux, je reconnus le prince de Galles. Sans aucun doute, c'était lui... J'ai peut-être été stupide mais j'ai fui, manquant peut-être une aventure qui aurait été vraiment amusante.

Bien entendu, il ne faut rien voir là-dedans que les fantasmes fiévreux d'un brillant hurluberlu. Mais les choses allaient-elles plus loin ? Il est probable qu'à l'époque le prince, à la sexualité indécise, n'avait pas eu d'expérience homosexuelle, mais qu'il n'en manquait pas moins de virilité, malgré l'idée que se faisaient de lui des millions de femmes ; et qu'il était encore, à la fin des années vingt, ce que les Français appellent une demi-vierge. Inquiet, incertain de soi, il était un médiocre amant et ses penchants homosexuels profondément refoulés se trahissaient par une aversion quasi hystérique envers les pédérastes – cela n'empêchant pas les représentants de cette catégorie au sein de la société londonienne de rêver sur ses cheveux blonds et les proportions parfaites de sa svelte silhouette. Il était la coqueluche de tous les salons lorsque Wallis Spencer commença d'y paraître.

Ernest Simpson n'était peut-être pas grisant, mais il avait ses entrées aux niveaux intermédiaires de cette société. Fatiguée de ses errances, lassée de se battre, Wallis l'épousa, après de brèves fiançailles, par résignation plus que par amour. Le mariage fut prononcé au Chelsea Register Office, le 21 juillet 1928.

Sa mère, qui souffrait d'un cancer de l'œil, était restée à Washington. Elle avait fait clairement comprendre sa désapprobation, laquelle s'explique sans doute par sa découverte qu'Ernest était juif ou par le fait que sa société était en mauvaise posture. Il ne vint personne des États-Unis, pas même Corinne ni Lelia, ni Mary Raffray, ni Consuelo Thaw, dont le mari avait demandé son transfert à Paris. Les témoins furent le père d'Ernest et le fils de Maud, Peter, qui, apparemment, détestait Wallis qui le lui rendait bien. Le cadre de cette formalité était sale et sinistre et la réception n'eut pas lieu à l'élégant Grosvenor House où il s'en donnait beaucoup, mais dans le tapage vulgaire du Grosvenor Hotel, bâtisse plutôt miteuse, voisine de Victoria Station.

Ce début n'était pas très prometteur. Mais enfin le couple partit pour le continent dans une superbe Lagonda flambant neuve, conduite par un chauffeur en uniforme. Pendant toute leur lune de miel, entamée à Paris, poursuivie en France et en Espagne, Ernest continua à inculquer à Wallis des notions d'art et d'architecture, la saturant de minutieuses visites de galeries, de musées et de palais.

De retour à Londres, les Simpson emménagèrent au 12, Upper Berkeley Street. L'adresse était bonne, proche de Hyde Park et de Green Park. La maison leur avait été louée meublée pour un an avec cuisinière, femme de chambre, maître d'hôtel et chauffeur. Ainsi vivaient les bourgeois aisés en ces lointaines années.

Grâce à Maud Kerr-Smiley, Wallis ne fut pas dépaysée à Londres, dont elle détestait pourtant le climat. Maud donna pour elle une série de réceptions dont Wallis la remercia en lui rendant la pareille. Elle dévorait les nombreux journaux de Londres, suivant tout spécialement les mouvements du prince de Galles. Elle avait beau affecter pour elle-même et pour les autres de trouver absurde l'obsession des Anglais pour les faits et gestes de la cour, elle en était si avide qu'elle se précipitait sur le « Court Circular », compte rendu officiel quotidien publié dans le *Times* des occupations de ladite famille. Mais le climat ne lui réussissait pas, elle était perpétuellement enrhumée et son mariage n'était pas fait pour lui remonter le moral. Aussi était-elle le plus souvent triste.

Pendant l'automne de 1928, le prince ne cessa d'occuper les médias. Il préparait un voyage en Égypte et dans d'autres pays d'Afrique, déplacement qui devait inclure un safari au Kenya et une liaison avec l'aviatrice Beryl Markham, qui partageait ses faveurs et ses nuits entre le prince de Galles et son frère Henry, le duc de Gloucester. Ce scandale fut soigneusement occulté par les spécialistes qui veillaient sur l'image de la famille royale dans la presse. Le prince de Galles apparut en public sans gilet, événement qui en lança la mode ; on le vit aider un petit garçon à creuser le sable au bord de la mer pour y trouver des vers, et il se montra à Ypres, en France, aux côtés d'anciens combattants de la Grande Guerre, à l'occasion d'une cérémonie commémorative des combats particulièrement sanglants qui s'y étaient déroulés. Ce dernier type d'activités, apparemment anodines, exprimait en fait son intérêt primordial : l'empire et l'importance qu'il attachait à la sécurité du canal de Suez, artère vitale en direction de l'Inde. L'abandon du gilet et le coup de main au petit garçon traduisaient sa simplicité et son amour des enfants et des pauvres. Dominait en lui l'horreur de la guerre. Convaincu de la futilité et de la stupidité du dernier conflit, pour lui conséquence des rivalités inutiles qui avaient opposé son grand-père Édouard VII et son cousin Guillaume II, il était déterminé de toute son âme, lui qui avait connu le front français, à ce que pareil holocauste, qui avait coûté à l'Angleterre la fleur de sa jeunesse, ne se reproduisît jamais.

Wallis s'imprégnait de ses discours, surtout de la harangue passionnée qu'il avait prononcée à Ypres. Elle aussi haïssait la guerre, qui lui avait valu tant d'angoisses à Pensacola, et elle n'avait pas oublié la mort en France de Dumaresq Spencer. À Canton, en Chine, elle s'était trouvée aux premières loges, lors des combats sans merci qui avaient opposé les communistes et les fascistes. Elle ne pouvait manquer de partager entièrement le neutralisme du prince de Galles.

Elle entendit bientôt parler d'un sujet qui n'avait pas trouvé place dans les journaux les plus indiscrets. Encore empêtré dans ses relations avec Frieda Dudley Ward et la princesse Fahmy, le prince tomba amoureux de lady Furness, qui n'était autre que Thelma, jumelle de Gloria Vanderbilt et cadette de Consuelo – Mrs. Benny Thaw – grande amie de Wallis. Thelma s'installa hardiment à Fort Belvedere, résidence du prince aux franges du Grand Parc de Windsor, et redécora entièrement une chambre d'amis, qu'elle présenta désormais comme la sienne, en rose « shocking », avec sur les quatre montants de son lit l'emblème des plumes de Galles. Cette exemplaire vulgarité amusa beaucoup le prince, il se lança avec Thelma dans une succession de jeux puérils. Ils achetèrent des ours en peluche chez Harrods qu'ils s'offraient après leurs disputes, en gage de réconciliation. Ils faisaient de la broderie ensemble, art qu'ils avaient appris tous deux de leurs mères. Enfin ils s'appelaient Poppa et Momma – Momma étant le prince. Leurs relations sexuelles ne semblent pas avoir été au-delà d'un stade infantile et plutôt frustrant. Thelma se plaignit plus tard des proportions du prince et de la médiocrité de ses performances. Comme bien d'autres, elle l'affubla du surnom méprisant de « Petit Homme ».

Wallis menait une vie confortable et sans histoires ; Ernest était le plus attentif et dévoué des maris. Ils sortaient beaucoup ensemble, dînaient en ville, jouaient au bridge et au backgammon.

Le bail de la maison d'Upper Berkeley Street arriva à terme et Wallis et Ernest s'installèrent provisoirement dans un appartement de Hartford Street, quand de Washington la nouvelle leur parvint qu'Alice était mourante.

Wallis fit seule la traversée, à bord de l'*Olympic*. Son sens habituel de l'événement la fit arriver en plein krach de Wall Street. La nouvelle en était parvenue à bord et il lui avait été impossible de vendre à temps son portefeuille, aussi perdit-elle presque tout des quinze mille dollars de son héritage Warfield ; l'action qu'elle avait introduite contre le testament de l'oncle Sol, au nom de Joséphine Warfield, ne fut jugée que l'année suivante et elle fut déboutée, au bénéfice d'une transaction qu'elle finit par accepter.

Il ne lui fallut qu'un jour ou deux pour apprendre que les avoirs d'Ernest aux États-Unis avaient subi le même sort. Ce fut une semaine dramatique, et la mort d'Alice, le 2 novembre, en fut le summum. Alice ne laissait rien ; elle était intestat. Son infortuné mari, Charles Gordon Allen, était lui aussi sans le sou, ses maigres économies ayant disparu dans le krach. Wallis regagna, très sombre, l'Angleterre.

Par bonheur, Simpson, Spence et Young ne dépendait pas des États-Unis ; la compagnie continuait d'acheter et de vendre avec profit des bateaux en Allemagne, en Italie et dans les pays scandinaves. Les Simpson réussirent à économiser suffisamment d'argent pour acheter des meubles et s'installer dans le joli appartement qu'ils avaient trouvé au 5, Bryanston Court, dans George Street ; spacieux et confortable, il était loué avec un personnel complet, logé dans l'immeuble. L'appartement comportait une petite entrée, un grand salon, une salle à manger, où l'on pouvait tenir à quatorze, trois chambres – une chambre de maître et deux chambres d'amis –, deux salles de bains et une grande cuisine. Wallis décora l'ensemble avec goût, excepté la chambre d'amis, pour laquelle elle choisit un immense lit rond et blanc avec des draps et des oreillers roses. Les invités entrant dans le salon voyaient à leur gauche un fauteuil rembourré recouvert de brocart devant une table d'acajou sur laquelle était posé un vase chinois, rapporté de Pékin ; devant eux, un cabinet Chippendale rempli de bibelots chinois et au-dessus de la cheminée un miroir Regency ; à droite, une chaise Queen Anne garnie de soie rayée et un grand canapé, recouvert de soie. Dans une bibliothèque aménagée dans le mur étaient disposés les livres d'Ernest, dont les œuvres de Charles Dickens et de A.A. Milne, l'auteur de *Winnie the Pooth*, son livre préféré, au héros principal duquel il ressemblait par bien des points.

En octobre 1930, Benny et Consuelo Thaw quittèrent Paris pour Londres, où Benny était nommé premier secrétaire à l'ambassade des États-Unis. À sa grande joie, Wallis vit aussi arriver Corinne Mustin Murray, dont le mari, George Murray, était attaché naval adjoint. Wallis commençait à se sentir plus à son aise à Londres. Elle faisait maintenant partie d'une colonie américaine qui se réunissait au moins deux fois par semaine et dont les membres échangeaient des nouvelles du pays.

Par Benny et Consuelo, Wallis rencontra Thelma Furness. Bien qu'elle eût porté le fils de lord Furness, Tony, Thelma ne songeait pas une seconde à rompre sa liaison royale ; Furness, qui était immensément riche, malgré le krach – il possédait dans les Bermudes des bateaux pour voyages de noces – vivait dans le sud de la France une continuelle lune de miel avec de jeunes beautés. Pour ne pas laisser échapper le prince, Thelma passait tous ses week-ends à Fort Belvedere, tandis que Gloria Vanderbilt et sa fille, Little Gloria, s'installaient juste en face, dans l'imposant Three Gables, visible des fenêtres royales.

Pour ne rien laisser au hasard, on fit même venir au Three Gables Mama Morgan, Laura Kilpatrick, la pittoresque mère des trois sœurs. Pendant ce temps, sur l'initiative de Thelma, le prince refaisait Fort Belvedere à l'américaine de la cave au grenier ; il installa le chauffage central – grand luxe en Angleterre à l'époque –, un bain turc, un gymnase et une piscine. Le prince rejoignait avec Thelma cette thébaïde gothique dans un avion conduit par son nouveau pilote de la flotte royale, le capitaine Edward Fielden, qui se posait habilement sur Smith's Lawn, dans le parc de Windsor.

Wallis se lia d'amitié avec Thelma ; peut-être se disait-elle qu'elle pourrait, par ce biais, mettre un pied à la cour. Quoi qu'il en fût, les deux femmes se retrouvaient parfois pour déjeuner, au Ritz généralement, et se plaisaient à papoter ensemble. Lorsque, à la mi-janvier 1931, Consuelo et Benny Thaw invitèrent Wallis à Burrough Court, la maison des Furness à Melton Mowbray, elle accepta sans se faire prier. Les Thaw lui firent miroiter la présence du prince de Galles et de son frère George, qui, de leur résidence voisine de Graven Lodge, devaient, comme chaque année, participer à une chasse. Lord Furness faisait un safari en Afrique.

À la dernière minute, la mère de Benny tomba malade à Paris, et Consuelo dut immédiatement prendre l'avion pour aller la soigner. Wallis, Ernest et Benny décidèrent de gagner Melton Mowbray par le train.

Wallis était nerveuse à l'idée de rencontrer le prince de Galles. Elle passa une journée entière chez le coiffeur. Le samedi arriva, elle fut alors en mesure de se contempler avec un peu plus de sérénité dans la glace. Mais la crainte de ne pas faire bonne impression continuait de la terrifier ; elle redoutait de se trouver en porte à faux, dans un milieu où les seuls sujets de conversation étaient les chevaux et la chasse, et de ne pas se sentir assez bien pour briller – car elle traînait un rhume affreux.

Enfin, elle fut prête. En compagnie d'un Ernest résigné depuis longtemps, elle gagna St. Pancras Station, où ils retrouvèrent Benny Thaw. Pendant le trajet, Wallis se sentit de plus en plus mal. Tandis que le train haletait dans le brouillard et la neige, elle toussait et reniflait sans discontinuer et sentait monter la fièvre. Tout à coup elle s'aperçut n'avoir aucune idée de la façon dont il convenait de s'adresser au prince. Benny lui apprit qu'il fallait dire *sir*. Puis il lui vint à l'esprit qu'elle ne savait pas faire la révérence. Benny dut le lui apprendre sur-le-champ. Et dans un train brinquebalant, ferraillant, couvert de suie, le diplomate Benny Thaw, premier secrétaire près l'ambassade des États-Unis à Londres, produisit une révérence des plus gauches. Wallis se sentait si mal qu'elle n'eut même pas la force de rire. Mais elle imita Benny et avant la fin du voyage elle faisait la révérence à la perfection.

Le train entra dans la gare de Melton Mowbray, lâchant un nuage de vapeur dans un épais brouillard jaune. Thelma avait envoyé une voiture. Le chauffeur connut des moments difficiles dans une gadoue glacée. Le trajet n'en finissait pas. Enfin il s'arrêta devant une grande maison à pignons de style Tudor, le Tudor « stockbroker », comme devait un jour le définir Osbert Lancaster. Averill Converse, belle-fille de Thelma d'un précédent mariage, se tenait à la porte à la place du maître d'hôtel pour accueillir les arrivants. Elle leur annonça que Thelma était allée à Craven Lodge pour revenir avec les deux princes. Wallis toussait à fendre l'âme et reniflait de même. Ernest et elle gagnèrent leurs chambres pour se rendre présentables.

Averill offrit aux invités un thé prolongé. Les heures sonnaient à la vieille pendule du salon. Wallis commençait à se demander si les princes apparaîtraient jamais ou s'ils n'étaient pas perdus dans le brouillard. Enfin, deux heures plus tard – il était sept heures du soir – on entendit un crissement de pneus sur le gravier de l'allée, puis un bruit de voix. Le maître d'hôtel ouvrit la porte.

7

Le prince

Mystérieuse, vive, somptueuse, Thelma fit son entrée avec les princes. C'était la première fois que Wallis voyait le prince de Galles de vraiment près ; elle ne connaissait jusque-là de lui qu'une silhouette se déplaçant au milieu des foules de l'hôtel del Coronado, un visage triste entrevu dans la voiture royale quittant le palais de St. James et le personnage des actualités, des journaux et des magazines. Il était en train de lui dire « Bonsoir » et de lui serrer la main. Elle lui fit la révérence. Elle le regarda droit dans les yeux, avec une brûlante curiosité.

Elle l'aima tout de suite. Il était plus petit qu'il ne le paraissait sur les photos. Il semblait avoir une bonne constitution, mais il était frêle et mince. Il avait les cheveux d'un blond doré, l'air égaré, les yeux d'un bleu fatigué, souligné de poches dues, Wallis ne tarderait pas à le découvrir, à la boisson. De loin, on l'aurait pris pour un enfant, mais son visage était plissé et profondément marqué par le soleil tropical de ses voyages aux limites de l'empire. Il avait des dents blanches et régulières, que dévoilait souvent un sourire communicatif et assez narquois, auquel peu de gens résistaient. Il portait un costume de tweed à carreaux qui ne passait pas inaperçu. Il était simple, détendu et rieur et lorsqu'il riait son visage s'illuminait d'une joie innocente ; au repos, il exprimait une profonde tristesse, comme refermé sur une douleur secrète.

La nuit était tombée. Le dîner serait servi à 9 heures. Pour faire honneur à ses hôtes princiers, Thelma prépara un second thé, obligeant Wallis, qui suivait un régime inflexible, à attaquer une seconde tournée de scones, de gâteaux et du breuvage favori des Anglais. La conversation allait à bâtons rompus. Enfin, Wallis et Ernest regagnèrent leurs chambres afin de s'habiller pour le dîner, tandis que Thelma se rendait à la nursery pour border dans leurs lits son tout jeune fils, Tony, et sa nièce, Little Gloria Vanderbilt. Gloria senior était en France. Le dîner n'offrit guère à Wallis d'occasions de briller ; il n'y fut parlé que de chasse – elle persistait à ne pas l'aimer –, de chiens et d'origines de chevaux. Elle souffrait toujours de son rhume et se trouvait placée à table loin du prince.

À son lever le lendemain, fort tard dans la matinée, les choses n'allaient guère mieux. Le nez dans son mouchoir, Wallis descendit de sa chambre pour trouver le prince de Galles en grande conversation avec son aide de camp, le dévoué brigadier général Gerald F. « G. » Trotter, séducteur grisonnant qui avait perdu le bras droit contre les Boers et dont la manche vide était épinglée au plastron de sa tunique. Wallis s'aperçut que personne n'était placé pour le déjeuner, aussi s'assit-elle hardiment à côté du prince. Pour être aimable, celui-ci dit : « Le chauffage central vous manque, Mrs. Simpson. » Elle ajouta : « J'en suis navrée, sir, mais vous me décevez. – Comment cela, Mrs. Simpson ? » lui répondit-il, d'évidence très surpris de cette insolence, tandis que Thelma, Ernest, « G. » Trotter et les autres invités exprimaient silencieusement leur consternation. Mais Wallis était lancée, elle poursuivit : « Toutes les Américaines qui arrivent en Angleterre s'entendent poser la même question, j'attendais plus d'originalité de la part du prince de Galles. »

À son premier regard dans les yeux bleu pâle du prince, Wallis avait compris qu'il demandait à être dominé et que les agressions directes ne lui étaient pas désagréables. Ce froid calcul se révéla juste. Le prince ne trouva rien à répondre ; elle avait piqué son intérêt et en avait la plus nette conscience.

Le dîner du même jour fut tout à fait solennel. Par dizaines, les membres de l'aristocratie locale envahirent la salle à manger pour y discuter cheval pendant des heures. Le lendemain, Wallis, Ernest et Benny rentrèrent à Londres. La rencontre avec le prince avait peut-être éveillé en Wallis des sentiments qu'elle aurait voulu étouffer, mais sa conduite les jours suivants ne fut que violence et nervosité. Elle congédia son chauffeur, pour une réflexion dédaigneuse qu'il avait faite à Ernest, renvoya une femme de chambre et adressa un avertissement à la cuisinière. Une nouvelle ambition la consumait : revoir le prince. Sa présentation à la cour constituerait une occasion idéale, aussi, lorsque l'une de ses relations américaines, Mrs. Reginald Anderson, évoqua la question, elle sauta sur l'occasion, quand bien même elle n'éprouvait pour Mrs. Anderson aucun sentiment particulier. Sa cousine, Lelia Barnett, était venue à Londres pour y être présentée en 1929 et Wallis l'avait aidée à s'habiller. Thelma Furness avait été présentée, de même Consuelo et Gloria. Il ne serait pas dit que Wallis leur céderait là-dessus.

Les conditions de présentation étaient soumises à des critères moraux typiques du règne du roi George V, dont la stricte conduite contrastait avec les complaisantes faiblesses de la société londonienne des années trente. Pendant des années, aucune divorcée n'avait été reçue à la cour. En 1931, une divorcée pouvait y être présentée, mais il lui incombait de prouver que les torts, adultère, cruauté mentale ou abandon du domicile conjugal, étaient du côté du mari. Le moindre partage de responsabilité était désapprouvé, ce qui limitait considérablement le nombre des présentées.

Pour tourner ce règlement draconien, Wallis écrivit à Mrs. Sterling Larrabee, chez qui elle avait habité à Warreton, pour lui demander de lui envoyer le dossier de divorce, conservé aux archives de la ville.

Mrs. Larrabee se montra une vraie amie ; elle envoya l'acte. Mais elle n'avait pas réussi à obtenir les dépositions d'Alice, de Hugh Spilman et de Wallis elle-même, ce qui était pourtant essentiel ; Wallis la renvoya au tribunal, afin qu'elle obtienne ces documents et les lui envoie.

Pendant ce temps, le prince de Galles et son frère George avaient quitté l'Angleterre pour les Caraïbes et l'Amérique du Sud, *via* Paris et l'Espagne. Durant l'absence du prince, Wallis ne perdit pas de temps pour tirer profit de sa rencontre royale. Le bruit s'étant répandu qu'elle avait fui le prince, elle reçut invitation sur invitation, et elle traînait avec elle un Ernest épuisé et irascible, qui détestait les longues soirées après une dure journée de bureau. Son ambition sociale était impitoyable, obsessionnelle. Wallis ne manqua pas non plus de cultiver plus sérieusement Thelma, sachant que cette amitié la mènerait tout près du trône. Elle fit également la connaissance de Gloria Vanderbilt, qui passait davantage de temps en Angleterre, et de la pittoresque Nadeja, surnommée « Nada », Milford Haven. Fascinante Russe blanche, Nada Milford Haven faisait partie avec Thelma et Gloria d'un puissant groupe de lesbiennes de la bonne société, qui défrayait la chronique des salons de Mayfair.

Le 15 mai, pour fêter le retour des princes, Thelma donna une grande réception dans sa maison de Grosvenor Square. L'excitation fut à son comble parmi les invités, lorsque Thelma, resplendissante dans une robe de lamé argent, fit son entrée avec le prince de Galles. S'approchant de Wallis, le prince murmura à Thelma : « N'ai-je pas déjà vu cette dame ? » Comme elle se relevait de sa révérence, il lui serra la main et lui dit qu'il n'avait pas oublié leur précédente rencontre. Elle sourit et il continua à serrer d'autres mains.

Quelques jours plus tard, le lord-chambellan agréa la présentation de Wallis à la cour. Wallis fut transportée de joie. Rien ne comptait plus que cet événement qui devait avoir lieu en juin.

Le 3 juin 1931, jour du Derby, le brillant diplomate américain William Galbraith et son abrupte épouse Katherine emmenèrent avec toute sa bande une Wallis survoltée à Epsom pour assister à la course du haut d'un bus à deux niveaux de la ville de Londres, loué pour la circonstance, avec champagne, caviar et poulet froid, extraits de paniers de pique-nique.

Enfin le jour de la présentation arriva. C'était le mercredi 10 juin. Wallis, hystérique, emprunta à Thelma un éventail composé de trois plumes d'autruche, emblème du prince de Galles requis pour toute présentation. Elle était trop grande pour entrer dans la robe de Thelma, aussi se glissa-t-elle dans celle de Consuelo. Thelma lui prêta sa traîne. Elle acheta pour la circonstance une broche et une croix d'aigue-marine et de cristal. Un riche Américain, Lester Grant, prêta enfin aux Simpson une voiture digne de l'occasion.

Pour prévenir le monstrueux encombrement du Mall, les Anderson et les Simpson quittèrent très en avance Bryanston Court. Déjà des foules s'étaient formées et des badauds scrutaient l'intérieur de la luxueuse automobile pour apercevoir les occupants.

C'était la première fois que Wallis allait à Buckingham Palace. Elle en était transportée. Le chauffeur franchit les grilles de fer et gara le véhicule dans la cour. Wallis et ses compagnons furent dirigés vers une entrée particulière et pénétrèrent dans un vestibule où des valets en livrée débarrassaient les femmes de leurs manteaux. De là, ils gravirent lentement le grand escalier, de part et d'autre duquel se tenaient alignés les yeomen de la garde en costume médiéval. Ils parcoururent ensuite une galerie éclairée par des lustres qui conduisait à la salle de bal rouge et or. Le trône et son dais fascinèrent Wallis. Le roi et la reine étaient assis côte à côte devant le baldaquin de velours cramoisi, brodé d'or, sous lequel ils s'étaient tenus lors du Durbar de Delhi, donné à l'occasion de leur couronnement en 1911. Au ciel du baldaquin étaient brodés le lion et la licorne royaux ; de part et d'autre, des piliers blancs cannelés supportaient un assortiment d'emblèmes nobles.

Le roi était en grand uniforme ; la reine portait une robe de satin blanc, brodée de perles, et un collier de chien de perles et diamants. Le prince de Galles se tenait debout derrière le trône. L'indispensable « G. » Trotter fit asseoir le groupe de Wallis non loin des souverains. La salle fut très vite pleine. Au signal du chef d'orchestre du palais, les présentateurs et les présentés se mirent en rang et défilèrent, les femmes faisant la révérence devant le couple royal. Tout le monde se retrouva ensuite dans les grands appartements, où le prince de Galles, en compagnie de ses parents, s'entretint brièvement avec chacun des invités. Wallis l'entendit dire à son grand-oncle, le duc de Connaught : « Il faudrait faire quelque chose avec ces lumières. Elles rendent toutes les femmes affreuses. »

Après la présentation, Thelma invita chez elle Wallis, Ernest et les Anderson à boire un verre avec le prince. Wallis l'apostropha hardiment à propos de sa remarque. Il parut surpris que sa voix ait porté si loin ; peut-être aussi avait-il sous-estimé l'intensité avec laquelle, feignant l'indifférence, elle était suspendue à chacun de ses mots. Une fois de plus, avec un grand à-propos, elle avait su éveiller son royal intérêt.

Lorsque les Simpson quittèrent Thelma, à 3 heures du matin, leur chauffeur les attendait. Mais le prince proposa de les reconduire dans sa voiture. Wallis renvoya donc son chauffeur. Une fois à Bryanston, elle lui proposa de monter prendre un dernier verre. Il refusa avec un sourire ; il rentrait à Fort Belvedere. Mais il lui promit de la prendre au mot à la prochaine occasion.

Peu après cette mémorable soirée, Consuelo Thaw proposa à Wallis, qui accepta avec ravissement, un voyage dans le midi de la France. Il s'agissait d'un voyage entre femmes ; Benny et Ernest n'étaient pas conviés, et Gloria Vanderbilt rejoindrait les femmes à l'hôtel Miramar, à Cannes. Wallis partit, sans paraître se soucier du parfum quelque peu saphique de l'aventure. Mary Raffray fit une partie du voyage avec son amie. À Paris, alors que Wallis, Mary et le père d'Ernest Simpson traversaient la rue, Mary fut renversée par un taxi, qui avait pris son virage trop vite. Wallis, horrifiée, se précipita sur son amie. Conduite en ambulance chez Gloria Vanderbilt, Mary, en proie à une crise de larmes, fut ensuite transférée à l'hôpital américain à Neuilly. Il y eut moult échange de télégrammes ; la riche tante de Mary, Minnie, qui vivait à Paris, proposa de s'occuper d'elle. Estimant que Mary était suffisamment remise, Wallis partit pour Cannes. Mary ne tarda pas à regagner New York.

Sur la Côte d'Azur, Wallis se trouva confrontée à une situation embarrassante. Elle découvrit qu'elle devrait partager sa chambre avec Consuelo. Ce qu'il en découla n'est pas prouvé, mais, un matin, la femme de chambre de Gloria Vanderbilt, Maria Caillot, entra dans la chambre de Gloria, sans raison particulière, pour trouver cette dernière et Nada s'embrassant passionnément. Lorsque Ernest, qui se doutait peut-être de ce dans quoi sa femme s'était fourrée, la rappela à Londres pour se rendre à l'invitation de lord et de lady Sackwille, elle plia bagage sans demander son reste [1].

De retour à Londres, Wallis découvrit que les affaires d'Ernest n'allaient pas fort. Elle avait épuisé par ses folles dépenses tout ce que l'oncle Sol lui avait laissé, et mis son malheureux mari dans de telles difficultés qu'il dut renvoyer le chauffeur et vendre la voiture. Rivaliser de standing avec les gens riches tenait de la gageure, et les comptes hebdomadaires étaient un vrai supplice. Son insistance à percer les nuits épuisait ce pauvre Ernest, qui devait être debout à 8 heures du matin pour se rendre en métro à son bureau. Il devenait tous les jours plus pâle et hagard, et des cercles noirs se formèrent sous ses yeux.

---

1. Wallis, des années plus tard, accrocha dans la chambre de ses habitations successives, à Paris, un tableau représentant deux femmes nues faisant l'amour.

À l'automne 1931, Wallis se sentit très mal. Elle souffrait d'une inflammation des amygdales, qu'il fallut lui enlever. Consuelo vint la voir tous les jours ; sa sollicitude dépassait la simple amitié ; son intérêt pour Wallis n'avait apparemment pas diminué. Wallis redoutait ses visites. C'était un mois de novembre brumeux et sinistre ; Wallis resta couchée pendant des semaines, épuisée par l'opération et perturbée par sa situation financière. Le prince de Galles mit du temps à se manifester. À la fin du mois de janvier 1932, la mélancolie hivernale fut effacée par l'invitation tant attendue à se rendre à Fort Belvedere. Les Simpson empruntèrent une voiture pour gagner, à travers une campagne enneigée, Sunningdale, dans le Berkshire, où ils arrivèrent en début de soirée. La route traversait une forêt, puis débouchait subitement sur une allée de gravier qui conduisait aux tourelles et créneaux brillamment illuminés d'un château de conte de fées. Les hautes fenêtres étaient éclairées, et un valet de pied en livrée, alerté par le bruit du moteur, apparut pour ouvrir la porte et prendre les bagages. Vêtu d'un kilt, le prince se tenait sans cérémonie à la porte, pour accueillir ses invités.

Par un vestibule octogonal au sol de marbre blanc et noir, il conduisit Ernest et une Wallis rajeunie et heureuse dans le salon des Canaletto. Les rideaux de satin jaune d'or étaient tirés ; l'atmosphère était chaude, confortable, très américaine. Il y avait des fauteuils recouverts de chintz, des tables Chippendale et un piano à queue. Malgré le feu qui ronflait joyeusement dans la cheminée, le chauffage central était poussé à fond. Thelma était là, ainsi que « G. » Trotter et les Thaw. Le prince conduisit lui-même les Simpson jusqu'à leur chambre. Après s'être habillés pour dîner, ils retrouvèrent, à leur grand étonnement, le prince occupé à broder un tapis de table de backgammon avec une concentration extrême, sous le regard attendri de Thelma. Levant enfin la tête, il dit timidement : « C'est mon vice secret. Le seul, en tout cas, que je prenne la peine de cacher. »

La salle à manger où ils dînèrent était une superbe pièce lambrissée et décorée de sujets équestres de Stubb. Wallis s'amusa beaucoup en constatant que le prince plaçait son étui à cigarettes dans son aumônière. Après le repas, les uns jouèrent aux cartes, les autres s'escrimèrent à reconstituer un gigantesque puzzle. Puis on dansa, joue contre joue, les derniers fox-trot et rumbas. Enfin le moment qu'attendait Wallis arriva, le prince l'invita à danser. « Il dansait bien, écrirait-elle des années après ; il était preste, léger, très en rythme. »

Cet été-là, le prince de Galles s'éprit d'une nouvelle femme, la célèbre aviatrice Amelia Earhart, qui venait de faire les gros titres de toute la presse, ayant été la première femme à traverser l'Atlantique en solitaire. Se désintéressant de Thelma, le prince, sans souci de discrétion, emmenait Amelia danser bien qu'elle fût mariée.

Il traita fort mal Thelma cette année-là. Il voyagea sans elle dans l'Italie de Mussolini, faisant le salut fasciste à son arrivée à Venise, où on le vit danser à plusieurs reprises avec une jeune beauté hongroise et s'en aller nager avec elle au Lido le lendemain matin. À Corfou, il inspecta les flottes italienne et britannique, puis gagna Monte-Carlo, où le 25 août il dansa longuement, joue contre joue, avec une jeune Américaine, Mrs. Barbara Warrick, tandis que les jeunes femmes de ménage françaises du casino leur lançaient des fleurs du haut du balcon. Ensuite, accompagné par le prince George, il se rendit en Suède, où il flirta publiquement avec la ravissante princesse Ingrid, ce qui provoqua de nombreuses rumeurs de fiançailles. Après un court séjour en Irlande, où l'I.R.A. menaçait de l'attaquer à la bombe, il rentra en Angleterre pour s'envoler dans les Midlands et s'y pencher sur l'affreuse condition des travailleurs de cette région qui le tourmentait beaucoup.

Pendant la longue absence du prince, Wallis, à Bryanston Court, se sentit de plus en plus malheureuse, frustrée, perdue. Elle passait sa mauvaise humeur sur ses domestiques, dont il y eut un défilé permanent ; ses ulcères la faisaient beaucoup souffrir, lui interdisant toute joie de vivre. Mais l'empressement du prince à les inviter, elle et Ernest, à Fort Belvedere dès son retour lui fut une puissante consolation. En janvier 1933, Wallis se rendit une nouvelle fois à Fort Belvedere, mais ses lettres de l'époque sont assez éloquentes : elle éprouvait une grande irritation de l'emprise persistante de Thelma sur le prince.

En mars 1933, elle n'avait plus à la craindre. Il n'était pas dans l'habitude des princes d'envoyer des messages aux passagers de paquebots engagés sur l'océan, à moins que ceux-ci ne soient de leurs favoris. Lorsque Wallis, ce mois-là, s'embarqua sur le *Mauretania* pour aller voir tante Bessie à Washington, on lui remit à bord un télégramme lui souhaitant un bon voyage et un retour sans encombre. L'arrivée de ce câble ne tarda pas à s'ébruiter sur le bateau, ce qui lui valut toutes les attentions des officiers et de l'équipage. Elle se plut à recevoir les hommages de nombreux hommes, se laissant entraîner à Washington dans un tourbillon de flirts, qui se prolongea pendant le voyage de retour.

À partir de ce moment-là, un changement se produisit dans les relations de Wallis avec le prince de Galles. L'anecdote suivante en est la preuve ; elle eut pour témoin Henry Flood Robert, fils de Grace Flood Robert, vieille amie de Wallis de l'époque du Coronado, qui était venu à Londres pour participer à une conférence monétaire internationale. Wallis, Ernest et Grace, qui habitait chez eux, étaient allés le chercher à la gare. Wallis avait préparé un excellent repas américain, avec un poulet frit. L'atmosphère était à l'euphorie ; Wallis était enchantée de se rappeler le bon vieux temps de la Californie. Thelma Furness était là, aussi étrangère qu'Ernest à ce flot de souvenirs. Mr. Flood Robert ne devait pas oublier ce qui arriva à 4 heures, cet après-midi-là :

> Soudain la porte s'ouvre et la femme de chambre apparaît. Elle annonce qu'une voiture royale est à la porte, et que Madame est attendue à Fort Belvedere par le prince de Galles ! Dans l'instant et sans un mot, au nez d'Ernest et de Thelma, Wallis prend son sac, son manteau et vide les lieux, nous laissant tous sans voix. Je regardai Ernest, il avait les larmes aux yeux. Je n'osai pas regarder Thelma. J'étais de tout cœur avec Ernest, mais je ne pus m'empêcher de dire à ma mère sur le chemin de notre hôtel : « Où Wallis s'arrêtera-t-elle ! »

D'après une inscription, gravée sur un bracelet donné trois ans plus tard par Édouard à Wallis et aujourd'hui en possession de la comtesse de Romanones, ce fut très vite après cet incident que leur liaison commença. La comtesse se refuse à révéler la teneur de l'inscription, qui rappelle une date importante ; elle se borne à préciser qu'il s'agit d'une référence à un événement très intime, étroitement lié à une « baignoire ». Selon sir Dudley Forwood, plus tard écuyer du duc de Windsor, ami intime du couple, les relations entre Wallis et le prince étaient bizarres.

> Les techniques que Wallis avait découvertes en Chine ne suffisaient pas à triompher entièrement des graves défaillances sexuelles du prince. Il est douteux qu'ils aient jamais eu ensemble des relations sexuelles normales. Mais elle réussissait à l'apaiser. Fétichiste refoulé,

il avait l'obsession des pieds ; elle flatta sans réserve cette perversité. À la demande du prince, ils s'adonnèrent à des jeux érotiques compliqués, où s'exprimaient notamment des fantasmes infantiles : il portait des couches ; elle était la nurse. Elle était dominatrice ; il se soumettait avec bonheur. Satisfaisant ainsi ces besoins, besoins qu'il n'avait sans doute jamais exprimés à Mrs. Dudley Ward ni à Thelma Furness, elle s'acquit sa reconnaissance et sa soumission éternelles.

D'autres opinions se sont exprimées là-dessus, dont celle de Giuseppe Pighini, lieutenant d'Alberto da Zara :

> De très proches amis de Wallis m'ont assuré qu'elle l'avait initié à certaines techniques, grâce auxquelles il put enfin trouver du plaisir à faire l'amour. Il était si émotif qu'avant elle il n'était jamais parvenu à consommer vraiment l'acte sexuel.

Cette même année, Adolf Hitler prit le pouvoir en Allemagne. Il était décidé à conclure une alliance avec la Grande-Bretagne, dont la politique étrangère favorisait Mussolini, qui était son plus grand rival parmi les dictateurs européens. Il s'efforça de raviver l'intérêt de la famille royale britannique pour ses cousins d'Allemagne, et s'abstint très habilement de confisquer les immenses propriétés de l'ex-empereur Guillaume II, cousin du roi George V, pour s'assurer le soutien de l'armée, dont l'allégeance traditionnelle à la vieille noblesse prussienne demeurait inaltérée. Bien que le Kaiser fût en exil aux Pays-Bas, ses fils et belles-filles purent continuer de mener à Berlin une existence des plus confortables, sous la protection du Führer.

Le prince Louis-Ferdinand, son petit-fils, était un pilier de la vieille garde de la droite allemande, militariste dans l'âme. Son hôte en Angleterre, l'incisif et brillant sir Robert Bruce Lockhart, consignait minutieusement les rencontres de Louis-Ferdinand et du prince de Galles ; Wallis fit elle aussi la connaissance du prince allemand, qu'elle apprécia beaucoup. Le 11 juillet 1933, les deux hommes se virent à York House. Ils s'entretinrent en allemand et en espagnol. Le 12 juillet, Bruce Lockhart notait dans son journal :

> Le prince de Galles s'est montré tout à fait pro-Hitler. D'après lui, nous n'avons pas à intervenir dans les affaires intérieures de l'Allemagne, qu'il s'agisse des juifs ou de quoi que ce soit d'autre. Il a

ajouté : « Les dictateurs sont très populaires aujourd'hui et il se pourrait bien que d'ici longtemps l'Angleterre en ait besoin d'un. »

Peu de temps après, Louis-Ferdinand rencontra le prince George, à qui il dit, comme le note Bruce Lockhart : « Le prince est artiste, efféminé, utilise un parfum fort. J'aime ça. »

Le Kaiser fut très content du séjour de son petit-fils dans la capitale anglaise. Il écrivait à Bruce Lockhart, le 22 juillet :

> Je vous remercie tout spécialement de ce que vous avez fait pour mettre le prince en contact avec la famille royale... Il serait très heureux que cette visite favorisât les relations germano-britanniques... La remarque du prince de Galles, selon laquelle c'est à nous de régler nos affaires, est juste ; elle dénote un jugement sain. Le prince Louis-Ferdinand n'aura pas manqué de partager ce point de vue.

Bien que le prince Louis-Ferdinand eût été secrètement antinazi et eût plus tard rallié la résistance allemande, sa présence à Londres, censée témoigner du soutien d'Hitler au rapprochement des familles royales d'Angleterre et d'Allemagne, confirma en fait le prince de Galles dans ses opinions, et à travers lui Wallis. Le prince de Galles aurait-il eu le moindre doute sur la volonté d'Hitler de restaurer ces vieux liens familiaux, qu'il aurait été dissipé. Dès lors, Wallis et lui demeurèrent inébranlablement convaincus qu'Hitler ne désirait que la paix. Le 11 novembre, anniversaire de l'armistice, le prince de Galles confia au comte Albert Mensdorff, ancien ambassadeur d'Autriche, toute l'estime qu'il portait au nazisme.

Mensdorff devait écrire :

> La façon dont il exprimait ses sympathies pour le nazisme allemand est tout à fait étonnante : « Il n'y a pas autre chose à faire, il faudra en passer par là, car ici aussi le communisme est une grave menace... J'espère et je crois que nous ne reverrons jamais la guerre, mais s'il ne devait pas en être ainsi, nous nous devrions d'être du côté gagnant, qui sera celui de l'Allemagne et non pas de la France... » La sympathie qu'il manifeste pour l'Allemagne et le nazisme est intéressante et significative.

La juxtaposition d'une série de citations met en évidence une étroite correspondance entre les idées politiques du prince, à l'époque et plus tard, et celles de sir Oswald Mosley, chef de l'Union des fascistes britanniques. Dans ses Mémoires, ce dernier déplore entre autres choses que Goering se soit abstenu de se rendre en Grande-Bretagne, où il aurait trouvé d'importants soutiens à la cause nazie.

Dans un article publié dans le *New York Daily News*, le 13 décembre 1966, celui qui était alors le duc de Windsor écrivait :

> Mes ancêtres Hanovre et Cobourg étaient allemands. Je n'étais pas sans admirer le caractère allemand. Pour le meilleur et, hélas ! pour le pire, les Allemands constituent une nation virile, dure à la peine, efficace. Je reconnais aujourd'hui qu'avec bien d'autres personnes de bonne volonté j'ai laissé mon admiration pour les vertus du caractère allemand m'aveugler sur tout le mal dont il était capable. J'ai cru que nous pourrions demeurer spectateurs du duel qui opposerait les nazis et les rouges.

Wallis partagea tout de suite l'attitude de Mosley et du prince.

En décembre, Thelma Furness prit une décision, qui allait lui être fatale. Elle retourna aux États-Unis pour y retrouver sa jumelle, Gloria. Wallis invita Thelma au Ritz pour un déjeuner d'adieu. Évoquant le prince de Galles avec un certain cynisme, Wallis dit : « Oh ! Thelma, le Petit Homme va être si seul ! » À quoi Thelma répondit avec une certaine innocence : « Eh bien, ma chérie, occupe-toi de lui pendant mon absence. Veille à ce qu'il ne fasse pas de bêtises. » Ce n'était ni naïveté ni confiance absurde ; elle était aveuglée par son égocentrisme colossal et infatuée de son pouvoir, qu'elle croyait illimité, sur le prince de Galles. Elle n'avait apparemment pas conscience que des « bêtises », il en avait déjà commis avec Wallis.

Thelma s'embarqua pour New York comme dans un rêve, dans une suite de première classe, pleine de fleurs des serres de Fort Belvedere. Le prince était fort irrité qu'elle eût décidé de le quitter, fût-ce pour quelques semaines, désobéissant ainsi à son royal désir. Le lendemain de son départ, il appela les Simpson pour les inviter à un dîner qu'il donnait au Dorchester en l'honneur d'un de ses vieux amis, Fred Bate, correspondant à Londres de la N.B.C. Pendant tout le dîner, le prince ne parla que des ouvriers des Midlands, du chômage qui les frappait, de leur courage et de leur misère. Wallis sauta sur l'occasion. Elle feignit d'être touchée par les descriptions du prince et resta suspendue à ses lèvres. Quand il en vint à évoquer son futur rôle dans l'empire britannique, elle le flatta avec art. Dans ses Mémoires, il écrit avoir été convaincu à la fin de ce dîner que Wallis Simpson était douée de conscience sociale.

Toujours agacé par l'absence de Thelma et apparemment insatisfait de la brièveté des rencontres qu'il parvenait à se ménager avec la seule Wallis, le prince sombra dans une véritable obsession. Il appelait les Simpson à toutes les heures du jour et de la nuit, jusqu'à des 4 heures du matin, simplement pour parler. Insomniaque invétéré, torturé par ses complexes et par les frustrations de sa situation d'héritier du trône, détestant se trouver seul, fût-ce pour un instant, il débarquait à Bryanston Court sans prévenir.

Wallis décida de tirer le meilleur parti de cette situation impossible. Le prince de Galles était tombé sous son entière dépendance ; elle tenait la situation en main. Elle savait le faire rire, et, quelle que fût l'heure de ses apparitions nocturnes, elle le régalait d'histoires lestes. Il accompagnait parfois Ernest et Wallis dans les hauts lieux de la vie nocturne londonienne, tel l'Embassy Club. Là, dans une cave bondée où s'agglutinaient autour des tables cernant la minuscule piste de danse les représentants en tenue de soirée de la haute société, officiait le génial Luigi ; alors, dans le vacarme du scintillant orchestre Ambrose qui enchaînait les derniers quick-steps aux derniers fox-trot, le prince et Wallis se lançaient de rauques et stridentes reparties, tandis qu'Ernest, épuisé et à demi ivre, se morfondait dans une tabagie impénétrable.

En décembre 1933, Ernest était au comble de la détresse ; celle-ci se traduisit par une poussée de furoncles qu'il fallut inciser. Tandis qu'il languissait sur son lit de douleur, Wallis cuisinait des beignets pour le prince.

Juste avant Noël, une irrésistible invitation arracha Wallis du lit où l'avait clouée un rhume. Consuelo avait organisé une fête pour le prince et pour elle.

À la mi-mars 1934, Thelma Furness assista à une soirée donnée à l'hôtel Pierre, à New York, par son amie Mrs. Frank Vance Storres. Son hôtesse, fort avisée, la plaça à table auprès d'Ali Khan ; ce prince de vingt-trois ans était l'héritier de l'immense fortune de son père, le potentat indien Aga Khan. Ali était le plus grand séducteur du moment. Beau, musclé, le teint mat, c'était un apollon qui partageait sa vie entre le polo, les voitures de sport et les belles femmes. Il avait une incomparable réputation d'amant. Seul Porfirio Rubirosa, le play-boy dominicain, pourrait un jour rivaliser avec lui. Son père, l'Aga Khan, l'avait envoyé à l'âge de dix-huit ans s'exercer à l'amour dans les bordels du Caire ; il y avait été rompu à la pratique de l'Imsak, qui développe chez les hommes la faculté de retenir l'orgasme ; c'est l'équivalent égyptien du Fang Chung chinois. Une nuit avec Ali Khan était une expérience merveilleuse. Un journaliste devait un jour écrire : « Comme le père Noël, Ali Khan ne "vient" qu'une fois par an. »

Il fut aussitôt attiré par Thelma. Il aimait les sombres et torrides beautés de type latin, et ce soir-là Thelma était resplendissante. En pleine table et devant son chevalier servant, il proposa de l'emmener ailleurs sitôt après le café. Elle lui répondit qu'elle devait faire ses bagages cette nuit-là, car deux jours plus tard elle prenait le bateau pour l'Angleterre. Il lui adressa un regard brûlant qui la perça jusqu'au cœur et dit : « Remettez votre voyage d'une semaine. » Thelma, pas folle, lui répondit qu'elle partirait à la date prévue. Il lui en fallait plus pour le décourager. Il lui demanda ce qu'elle faisait le lendemain soir. « Appelez-moi donc demain en fin de matinée », répondit-elle simplement.

Le lendemain, elle fut réveillée par un livreur apportant un énorme bouquet de roses rouges, accompagné de ce mot : « Vous appellerai à 11 h 30 pour notre dîner de ce soir. Prince Ali Khan. » Il appela et elle ne put lui résister : elle accepta le dîner. Elle embarqua le lendemain. Sa suite sur le *Bremen* était pleine de roses, et chaque bouquet était accompagné d'un mot d'Ali.

Lorsqu'elle se réveilla, le lendemain matin, le *Bremen* était en mer. Le téléphone sonna. C'était Ali, qui appelait sans doute de New York. Il lui proposa de déjeuner avec lui. Cette idée absurde la fit rire. Pourquoi pas à Palm Beach ? Il répondit, à sa stupeur : « Je suis à bord. » Il l'était bel et bien. Après cela, comment lui résister ?

La traversée lui permit de mesurer toute la différence entre un prince de Galles très amoureux, mais puéril et à demi impuissant, et un bel étalon à la peau cuivrée pour qui l'anatomie féminine n'avait pas de secret. Thelma arriva à Londres rajeunie de dix ans.

Le prince avait des espions partout, et d'évidence sur le *Bremen*, car, sitôt débarquée en Angleterre, Thelma eut des ennuis. Toute rayonnante du plaisir que lui avait donné son amant, et dans son insondable vanité, elle avait sans doute oublié que les princes ne supportent ni désobéissance ni infidélité. Le prince de Galles surgit chez elle à Londres et exigea des explications. Comment avait-elle pu le trahir avec un Indien ?

Toutes les préventions racistes et coloniales du prince s'étaient réveillées avec sa fierté blessée. Le fait, pour lui, de tromper Thelma avec Wallis ne semblait pas le gêner le moins du monde. Sagement, Ali partit pour Paris. Alors, dans son inconscience, Thelma appela Wallis pour lui demander, au bord des larmes, un conseil de femme.

L'heure de Wallis avait sonné, et elle ne la laissa pas passer. Lorsque Thelma fit irruption au 5, Bryanston Court, pâle et crispée comme elle seule savait l'être, Wallis demanda à sa femme de chambre de les laisser seules et de ne les déranger sous aucun prétexte. Thelma raconta son histoire : Ali Khan, le déplaisir du prince de Galles, sa propre détresse devant la fureur du prince. Avec beaucoup d'intelligence et de subtilité, Wallis lui dit : « Mais, Thelma, le Petit Homme t'aime tant ! Le Petit Homme était perdu sans toi. »

À cet instant, la femme de chambre entra. Wallis la fusilla du regard. « Je croyais vous avoir dit de ne pas nous déranger », lâcha-t-elle d'une voix coupante. « Je sais, madame, répliqua la femme de chambre, mais c'est… Son Altesse royale le prince de Galles ! »

On eût dit que la Tour de Londres s'était écroulée sur Thelma. Sans un mot, Wallis prit le téléphone.

Thelma tendit l'oreille, sans rien pouvoir entendre d'autre que ces mots, prononcés par Wallis d'une voix tendue : « Thelma est ici. » Lorsque Wallis revint vers elle, Thelma comprit qu'elle ne pourrait rien en tirer de plus. Transie et effondrée à l'idée que son règne était condamné, Thelma vida les lieux.

Le week-end suivant, le prince invita les Simpson à Fort Belvedere. Ce furent pour Thelma deux jours de terrible épreuve. Le prince se montrait envers elle d'une froideur extrême et n'écoutait pratiquement pas un mot de ce qu'elle disait. En revanche, et sans s'occuper d'Ernest, il multipliait les attentions les plus affectueuses envers Wallis qui le traitait comme une nanny un enfant gâté. Le pire advint pendant le dîner. Le prince ayant saisi une feuille de laitue avec ses doigts, Wallis lui tapa sur la main, le priant sans douceur d'utiliser à l'avenir un couteau et une fourchette. Il eut alors un sourire gêné et rougit comme un enfant. Thelma regarda Wallis, qui lui renvoya un regard triomphant et glacial. Sa victoire était consommée. Ce coup d'œil froid, plein de superbe signifiait à Thelma qu'elle n'était plus rien. Lady Furness n'eut d'autre ressource que de s'aliter. Dans la nuit, le prince passa son nez à sa porte. « Chéri, murmura-t-elle de son lit, c'est Wallis ? – Ne soyez pas stupide », lâcha-t-il.

Il ne revint pas cette nuit-là.

Pendant ce temps, Wallis, à la grande fureur du chef de Fort Belvedere, dont les prérogatives à la cuisine étaient absolues, avait envahi ce domaine sacré. Lorsque le prince, qui était à sa recherche, finit par l'y trouver, elle lui offrit des œufs brouillés qu'elle venait de faire elle-même. Il s'assit devant le cuisinier et les femmes de service et mangea ses œufs sur-le-champ. Thelma partit à l'aube.

Après cela, Wallis n'hésita plus à planter là Ernest pour retrouver son royal amant. Syrie Maugham, épouse de Somerset Maugham, qui avait aidé Wallis à décorer Bryanston Court, donna une réception, à laquelle elle invita le prince et Wallis. Très tard dans la soirée, alors qu'ils s'étaient retirés dans la bibliothèque pour un instant d'intimité, ils furent surpris par un bruit de voix dans la galerie attenante. « Où est David ? » clamait une voix perçante. C'était Thelma qui exigeait de voir le prince. « Je vais le chercher », répondit Syrie Maugham. Mais, à cet instant, Thelma ouvrit la porte de la bibliothèque pour voir étroitement enlacés l'héritier du trône et sa maîtresse américaine. Furieuse, elle sortit en trombe et trouva consolation auprès d'Ali Khan dans le midi de la France.

Au début de 1934, l'étoile de Wallis s'éleva rapidement. Régnant sur le cœur du prince, elle était, pour son bonheur, la coqueluche de Londres, et personne, un instant, n'ajoutait foi à la fable de leurs relations platoniques (encore que l'on sache maintenant que leurs relations se limitaient alors à des jeux érotiques, et qu'ils ne couchaient pas vraiment ensemble). Les ennuis financiers de Wallis cessèrent comme par enchantement ; la générosité princière n'y était pas pour rien. Les Simpson pouvaient maintenant s'offrir tout ce qu'ils voulaient, bien que Wallis continuât astucieusement de pleurer misère dans ses lettres à tante Bessie. Ernest, toujours effacé, ne trouvait rien à redire à cette situation. On l'aurait dit honoré des bontés princières qui descendaient sur sa femme. Il ne semble même pas s'être consolé auprès d'une maîtresse. Ce complaisant royaliste américain, qui tenait du mouton et du saint, s'acquittait simplement de son travail quotidien. Dans la société londonienne de cette époque, le mariage était souvent de pure convenance ; maris et femmes y vivaient chacun de leur côté. Pourtant la réaction de Simpson ne semble pas normale : il aimait Wallis, et tout homme normalement constitué se serait insurgé contre cette situation. Il n'est pas impossible que ses relations avec Wallis aient été sado-masochistes, tout comme le seraient à bien des égards celles du prince et de Wallis.

Une des amies de Wallis était la célèbre lady Colefax. Brune, minuscule et rondelette, Sibyl était une brillante protectrice des arts, aux dîners de laquelle le jeune John Gieguld, Cecil B. de Mille, Osbert et Édith Sitwell étaient souvent présents. Bernard Shaw, Arnold Bennett, Somerset Maugham et Max Beerbohm fréquentaient beaucoup sa ravissante maison georgienne de Chelsea, avec son mobilier du XVIIIe siècle et ses tentures de soie vertes et jaunes. Lady Cunard était, elle aussi, une hôtesse en vue. Née à San Francisco, elle avait réussi à s'extraire de ses humbles origines pour épouser sir Bache Cunard, héritier des paquebots Cunard. Ayant relégué son vieux mari à la campagne elle était une des reines de Londres et surtout de Covent Garden car elle était la maîtresse de sir Thomas Beecham.

Hitler, Shakespeare et Balzac étaient les passions de lady Emerald Cunard, mais pas forcément dans cet ordre. Elle détestait sa fille Nancy, qui était gauchiste et aimait les Noirs.

Les réceptions d'Emerald, au 7, Grosvenor Square, rassemblaient les partisans du nazisme, dont l'influence allait croissant à Londres. Son salon, décoré de Marie Laurencin, retentissait nuit après nuit de conversations où étaient débattus les mérites et les torts de Mussolini, du Premier ministre Ramsay McDonald et du nouveau Führer.

C'est Emerald qui, consciemment ou inconsciemment, entraîna Wallis dans les milieux nazis, fréquentations dont les conséquences la suivraient pendant des années. L'un des plus éminents protégés d'Emerald et le premier de ses favoris était l'effervescent Russe blanc Gabriel Wolkoff, frère du dernier amiral de la flotte du tsar Nicolas II.

L'amiral de la flotte Wolkoff tenait à Londres une humble

boutique où il vendait du thé et qui servait de quartier général à un groupe de Russes blancs, antisémites enragés, hitlériens passionnés, déterminés à écraser l'Union soviétique par tous les moyens, et notamment l'enrôlement de quiconque en Angleterre partageait leurs vues. La fille de l'amiral Wolkoff, Anna, était une jeune femme sans beauté, mais volontaire, qui était la couturière de la princesse Marina de Grèce. Sur les conseils de Marina, Wallis l'employa à son tour. Ce fut à ce moment-là ou peu après que les services de renseignements nazis enrôlèrent Anna, qui, en 1940, transmettrait à Berlin *via* l'Italie des informations secrètes.

Ce rapprochement ne pouvait manquer d'intéresser les services secrets anglais. Il ne pouvait pas non plus échapper à l'Intelligence Service que les ambassadeurs d'Allemagne et d'Italie avaient été des premières personnes que le prince eut présentées à Wallis.

Il l'entraîna aussi dans les milieux pronazis de Londres. La princesse Ann-Mari von Bismarck, veuve du prince Otto, chargé d'affaires allemand, devait écrire à l'auteur de ce livre :

> Je me rappelle parfaitement notre première rencontre. C'était à Ascot. Nous nous étions isolés de la foule de l'enceinte royale. L'ambassadeur Leopold von Hoesch me fit part de son embarras. Le prince lui avait demandé d'organiser un dîner pour lui à l'ambassade d'Allemagne. L'ambassadeur accepta bien évidemment, à la satisfaction des représentants du Foreign Office à Berlin. Le prince demanda alors à brûle-pourpoint s'il serait possible d'inviter Mrs. Simpson, d'où l'embarras de l'ambassadeur, qui me dit à quel point l'ennuyait la perspective que le gouvernement allemand considère comme un impardonnable faux pas la présence de Mrs. Simpson. Sans compter les réactions du Foreign Office et de la famille royale d'Angleterre !
>
> Nous retournâmes la question dans tous les sens. Je finis par dire : « Comme le dîner est pour le prince, il est important qu'il soit content, et, si vous n'invitez pas Mrs. Simpson, il s'ennuiera ; peut-être même ne viendra-t-il pas du tout. »
>
> Le dîner eut lieu. L'ambassadeur avait-il eu ou non l'accord de Berlin ou de Buckingham Palace, je n'en sais rien, mais je tendrais à penser que le palais n'avait pas été consulté. J'étais à côté du prince, car, von Hoesch n'étant pas marié, je faisais office de maîtresse de maison. Nous étions assis autour de grandes tables rondes, et mon mari était à la table derrière moi avec Mrs. Simpson. Si bien que le prince, tout en me parlant, ne cessait de tourner amoureusement la tête

vers Mrs. Simpson pour s'assurer qu'elle était contente. Cette soirée fut très réussie. Le prince et Wallis me séduisirent l'un et l'autre. Elle avait beaucoup d'esprit et je compris alors combien elle était distrayante.

Héritier homosexuel d'une grosse fortune industrielle, von Hoesch était un excellent ambassadeur à la cour de St. James. Diplomate de carrière, formé à l'école de von Papen, il n'hésitait pas à critiquer Hitler en privé, mais travaillait en même temps avec un dévouement sans faille à satisfaire les souhaits les plus douteux de son maître.

Il n'était certainement pas négligeable aux yeux du Führer que von Hoesch consolidât les bons sentiments du prince de Galles. Selon son collègue Paul Schwarz, von Hoesch était informé que le prince aimait par-dessus tout la musique tsigane et les stridences mélancoliques des csardas. Aussi engagea-t-il à grands frais et à de nombreuses reprises l'orchestre tsigane du restaurant Hungaria, pour jouer devant Wallis et Édouard, à l'occasion de soirées intimes. Il les invita à la réception donnée en l'honneur du conseiller particulier d'Hitler pour les affaires étrangères et ambassadeur sans portefeuille, l'élégant et vaniteux Joachim von Ribbentrop. Wallis fascina Ribbentrop. Pour marquer le premier anniversaire de leur rencontre, Ribbentrop lui aurait, selon Schwarz, envoyé chaque matin pendant un an, à Bryanston Court, dix-sept roses rouges, accompagnées de billets enflammés. On prétendait à Londres qu'elle le recevait souvent chez elle, en présence de son juif de mari. On disait même qu'ils auraient été amants dix-sept nuits. En manifestant sa fascination pour la nouvelle maîtresse royale, Ribbentrop se faisait l'ambassadeur de son maître. Hitler ne tarderait d'ailleurs pas à se procurer des films de Wallis qu'il se projetterait avec un délicieux plaisir dans son pavillon de chasse d'Obersalzburg.

Cette idylle intéressait les services secrets anglais, dont la faction antihitlérienne jugeait également provocantes les relations que le prince entretenait avec d'autres sympathisants fascistes. D'après sir Edward Forwood, il s'agissait d'une relation amoureuse du prince de Galles avec son écuyer, Edward « Fruity » Metcalfe, l'un des rares serviteurs de la couronne qui plus tard n'ait pas figuré sur la liste des « honneurs, », peut-être à cause de ses sympathies politiques. Metcalfe était grand, mince, les joues creuses, l'aspect un peu chevalin ;

c'était un amateur de sport dont la personnalité joviale pouvait agacer ; il aimait les vestes de tweed épais et affectionnait l'uniforme.

Ce fils du président du conseil des prisons irlandais, né à Dublin, a été décrit en ces termes par le futur Édouard VII, dans *A King's Story* : un garçon « gai, beau, sympathique et compréhensif ». Le roi George V l'avait tout de suite détesté, peut-être parce qu'il soupçonnait entre lui et l'héritier du trône une relation trouble en une époque où l'homosexualité pouvait conduire au suicide. Ou peut-être parce qu'il n'appréciait pas sa tendance à encourager certains penchants du prince : goût des boîtes de nuit, des tavernes louches, de la consommation d'alcool à haute dose.

En dépit de son mariage précoce avec une sœur de sir Oswald Mosley, le fasciste britannique, lady Alexandra Mosley, mariage dont étaient nés plusieurs enfants, Forwood soutenait avec insistance que Metcalfe était homosexuel et qu'il avait eu une liaison avec le prince à ce moment-là et plus tard.

Voici ce qu'il m'a déclaré : « Naturellement je n'étais pas dans la chambre à coucher mais il y avait des signes qui témoignaient d'une sorte de passion de mon maître pour lui. Le prince adorait le sol sur lequel Fruity posait ses pas. Non, je n'ai jamais vu de personne de sang royal manifester de tels sentiments pour un de ses serviteurs. Il se rongeait les sangs quand Fruity n'était pas en sa compagnie. Ses absences le rendaient presque fou. »

Le 22 septembre 1922, le prince écrivit à Metcalfe, alors en voyage, une lettre qui témoigne de sa détresse : « Vous me manquez terriblement quand vous êtes loin. » Le 1er septembre 1925, il lui expédia un message aussi anxieux pour le conjurer de ne pas quitter l'Angleterre pour prendre le poste en Inde où George V, irrité, voulait l'envoyer. Leurs activités sportives en commun, steeple-chase, course, natation, golf et tennis ainsi que leur habitude de se photographier mutuellement à demi nus dans les vestiaires présentaient toutes les caractéristiques de « l'amour grec » et le roi insistait souvent pour que ces relations prennent fin. Le jour où le roi refusa de payer les émoluments de Metcalfe, le prince se substitua à son père et doubla ces émoluments.

En 1934 ces relations avaient pris une tournure dangereusement politique. Comme son épouse, Metcalfe avait des sympathies nazies ; il admirait Hitler et était l'ami de fascistes comme William Joyce qui devait pendant la Seconde Guerre mondiale prendre régulièrement la parole à la radio allemande – on le baptisa « Lord Haw-Haw » – et qui fut pendu à la fin des hostilités. Ce compagnon superficiel, frivole, et d'un antisémitisme détestable ne pouvait qu'engager encore davantage le prince de Galles dans le camp nazi.

Bien qu'elle partageât ses opinions politiques, Wallis le détestait cordialement. Forwood soulignait qu'elle en était jalouse, ce qui, disait-il, ne pouvait être dû qu'à une conviction, qui était aussi la sienne : que les deux hommes avaient des relations sexuelles.

Pourtant l'appartenance de Metcalfe au January Club pro-hitlérien et son entente exceptionnelle avec le prince dont il était le champion proclamé préoccupaient moins les services de sécurité britanniques qu'une autre affaire. Hitler et von Ribbentrop venaient de se lancer dans un plan ambitieux, auquel le roi George V et la reine Mary ne semblaient pas opposés, instaurer entre l'Angleterre et l'Allemagne nazie une alliance permanente, qui laisserait à Hitler les mains libres en Europe ; cette alliance permanente, que le January Club (et sans doute la majorité de l'establishment britannique) appelait de ses vœux, permettrait aussi la destruction de l'Union soviétique. La réussite de ce plan était subordonnée au mariage du prince de Galles avec une princesse allemande.

La princesse choisie avec enthousiasme par Hitler était éminemment acceptable pour Buckingham Palace : c'était la belle Friederike, princesse de Hanovre, petite-fille du Kaiser et fille du duc et de la duchesse de Brunswick, amis intimes et cousins du roi George et de la reine Mary. Friederike était considérée comme une épouse idéale pour le futur monarque anglais. En 1911 sa mère n'avait-elle pas failli épouser le prince de Galles d'alors ?

En janvier 1934, Friederike était pensionnaire à North Foreland Lodge, une école de filles de l'aristocratie située dans le Kent près de Broadstairs. Le roi et la reine l'invitèrent à Buckingham Palace de façon à pouvoir se faire une idée de sa personne. Leur approbation fut sans réserves. À leur retour en Allemagne, les Brunswick furent avisés par von Ribbentrop qu'Hitler approuvait, lui aussi, le projet de mariage et il insista pour que celui-ci eût lieu le plus tôt possible.

D'après la duchesse de Brunswick, dans son livre de souvenirs, *The Kaiser's Daughter*, l'idée de ce mariage épouvanta son époux comme elle-même ; ils tinrent tête au Führer et l'obligèrent à renoncer à son plan. Rien ne saurait être plus éloigné de la vérité. La princesse Friederike resta sur la liste des élues possibles, c'est-à-dire ayant obtenu l'approbation de la cour, jusqu'en 1938 – à ce moment-là elle se fiança au prince Paul de Grèce – et il n'y a aucun communiqué de Buckingham Palace ou du Foreign Office qui contredise ce constat.

Si le mariage avait eu lieu, Wallis restant à l'arrière-plan comme maîtresse du prince, comme cela est arrivé souvent dans l'histoire de la royauté britannique, on peut se demander si la Seconde Guerre mondiale se serait produite. Comment l'Angleterre aurait-elle pu déclarer la guerre à l'Allemagne si la petite-fille du Kaiser, choisie conjointement par Hitler et George V, s'était trouvée sur le trône ? L'ironie de la chose c'est qu'Édouard VIII, à cause de son obstination à donner la couronne à Wallis, ait lui-même fait échouer l'alliance qu'il souhaitait passionnément. On comprend dans ces circonstances la haine de George V pour la femme responsable de l'échec d'une combinaison matrimoniale très élaborée.

Parmi les partisans les plus déterminés du mariage princier, il faut compter les riches et influents membres de la maison de Hesse, cousins à la fois du prince de Galles et de la princesse Friederike et de surcroît très liés avec le frère cadet du prince de Galles, le prince George, futur duc de Kent. Arrière-petits-fils de la reine Victoria et fils de Margarethe, la sœur de la duchesse de Brunswick et la plus jeune fille du Kaiser, ils allaient jouer un rôle décisif dans l'orientation pro-nazie du prince de Galles et de Wallis dont l'objectif durable était un rapprochement anglo-germanique inspiré par l'antisoviétisme.

En effet les deux fils aînés, Philippe et Wolfgang, des jumeaux nés le 6 novembre 1896, avaient choisi le nazisme bien avant l'arrivée d'Hitler au pouvoir : ils étaient grands admirateurs et amis d'Hitler et d'Herman Goering. Hitler lui-même, emporté par son culte du héros mâtiné d'homosexualité refoulée, s'était engoué de Philippe, dont la blondeur, le physique séduisant et la musculature, en sus de son sang royal de pur Aryen, le plongeaient dans un état d'adoration déraisonnable.

À peine adulte, Philippe était tombé amoureux de l'Italie ; ayant des dons pour l'architecture, il avait dessiné les plans de nombreux bâtiments dans ce pays. Philippe, qui était bisexuel comme le prince de Galles et le prince George d'Angleterre, avait des aptitudes marquées pour la décoration d'intérieur. Pendant qu'Hitler opérait peu à peu son ascension, Philippe multipliait les séjours à Rome – il était fiancé à la princesse Mafalda, fille du roi Victor-Emmanuel III – où il cherchait à obtenir une aide financière de Mussolini. En 1925 celui-ci présida la cérémonie civile lors du spectaculaire mariage de Philippe et de la princesse.

Au cours de la décennie suivante et jusqu'en 1942, le prince Philippe fut le principal intermédiaire personnel et politique entre Hitler et Mussolini. Profondément antisémite, très attaché à la cause d'Hitler, il devint sur ordre d'Hitler le gouverneur et le chef des S.S. de la province de Hesse. Plus tard ce fut lui qui obtint l'accord de Mussolini quand Hitler décida l'annexion de l'Autriche, lui encore qui intervint pour que Mussolini accepte, à contrecœur, l'invasion de la Tchécoslovaquie. Mais le but qu'il visait infatigablement, avec le concours du prince de Galles et de son frère George, c'était une alliance permanente avec l'Angleterre. Il avait aussi un allié d'importance en la personne du beau-frère du prince George, le prince régent Paul de Yougoslavie, être faible, fourbe et indécis, que Winston Churchill devait faire arrêter en 1942 et déporter en Afrique pour trahison de son pays au profit de l'Allemagne.

Une troisième menace pesait à l'époque sur la sécurité britannique. Il s'agit de Sandra Rambeau, aventurière internationale américaine, agent nazi et maîtresse du prince de Galles, du prince George et de l'un des favoris d'Hitler, le général Ritter von Epp.

Née à Springfield dans le Missouri le 26 janvier 1909, fille d'un commodore de la flotte, Sandra était une beauté éclatante : des cheveux noirs ondoyants, des yeux gris-vert et une silhouette irréprochable. Sandra avait abandonné l'école avant d'obtenir son diplôme, puis travaillé comme téléphoniste, serveuse et finalement danseuse dans la troupe des Monte Carlo Follies avec laquelle elle faisait une tournée en Europe quand elle avait rencontré à Berlin le général von Epp qu'elle avait rapidement séduit, l'arrachant aux bras d'un amant mâle appartenant au clan homosexuel de Ernst Röhm liquidé plus tard par Hitler.

Ce von Epp était du même bord que les Hesse. Il devint le chef du Bureau colonial nazi dont l'objectif était la restitution des colonies enlevées à l'Allemagne après la Première Guerre mondiale dans le cadre d'un accord de paix permanent avec l'Angleterre. Il dirigeait aussi un des services de renseignements allemands sous l'autorité de l'amiral Wilhelm Canaris qui, en qualité d'agent double au service de l'Angleterre et l'Allemagne, poursuivait le même objectif.

Sandra Rambeau rencontra le prince de Galles et son frère George à Paris. En 1934 tous deux commencèrent une liaison avec cette femme : il n'est pas douteux que celle-ci put ainsi communiquer des informations précieuses à von Epp et aux services de Berlin. Le 4 avril 1938, George fit allusion à Sandra au cours d'une conversation avec l'ambassadeur américain, Joseph P. Kennedy, où il lui confia que son frère le roi George VI déplorait ses relations et celles de son frère avec une certaine Américaine. D'après le dossier substantiel du F.B.I. sur S. Rambeau le prince George lui fit don d'un certain nombre de bijoux de la Couronne, dont une chevalière portant ses initiales.

Sandra Rambeau, qui voyageait infatigablement entre Londres, Paris et Berlin et couchait avec ses trois amants, s'en trouva encore un quatrième, sympathisant nazi comme les autres, le flamboyant major général Bishnu Shumshere Jung Bahadur Rana qui se présentait comme prince du Népal et était le fils dévoyé du Premier ministre de ce pays. Figurant en bonne place sur la liste des indésirables au Foreign Office, et plus tard expulsé d'Angleterre, Bishnu finit par débarquer aux Bahamas où il trouva place dans le cercle du duc et de la duchesse de Windsor devenus, lui, gouverneur, et elle première dame de la colonie.

Ces liens avec le nazisme de membres de la famille royale anglaise représentaient un danger qui préoccupait vivement le duc d'York, frère du prince de Galles et du prince George. York dont la loyauté à l'égard de son pays et l'opposition à Hitler étaient indiscutables devint, on le sait le roi George VI. Visitant le Canada à ce titre, il déclara le 10 juin 1939 au Premier ministre canadien, Mackenzie King, comme celui-ci le rapporte dans son journal : « On s'est servi des parents de ma famille en Allemagne pour espionner notre pays et obtenir des informations d'autres membres de ma famille. »

On ne saurait dire plus, et plus exactement, en moins de mots.

Le 27 mai, le prince et Wallis étaient chez Sibyl Colefax, en compagnie du magnat hongrois du cinéma sir Alexander Korda, Merle Oberon, lord Dalkeith (plus tard duc de Buccleuch) et d'une nouvelle amie de Wallis, Elsie Mendl, et son mari sir Charles. Deux des personnes présentes, sir Alexander Korda et sir Charles Mendl, travaillaient pour l'Intelligence Service ; tous deux remarquèrent la grande admiration du prince de Galles pour l'Allemagne nazie. Sir Robert Bruce Lockhart et Henry « Chips » Channon, snob américain entiché de titres et de fortunes, par ailleurs mémorialiste piquant, ne manquèrent pas de noter de quelle sorte de gens Wallis aimait s'entourer non plus que l'indulgence verbale de son royal compagnon envers l'hitlérisme.

Wallis entretenait à l'époque l'amitié la plus étroite avec lady Mendl. Elle adorait l'élégance, la drôlerie, le charme irrésistible de cette doyenne des décoratrices aux cheveux bleus. L'influence d'Elsie Mendl sur l'ascension sociale de Wallis fut considérable. À son arrivée à Londres, Wallis, sans doute peu sûre de son statut, offrait d'elle-même l'image d'une créature péremptoire et envahissante à la voix stridente, ainsi que le notait dans son journal le pénétrant Cecil Beaton. Lady Mendl lui enseigna les avantages de la réserve, plus susceptible de s'accorder au tempérament britannique. Elle l'encouragea à s'exprimer d'une voix plus douce, plus proche de l'accent traînant du Sud que de ses intonations agressives, et à s'habiller très simplement, sans craindre d'accentuer le côté anguleux de sa silhouette plutôt que de s'escrimer à masquer ses défauts physiques. Grâce à elle, Wallis se fit un emblème de ses vêtements classiques, presque sévères.

Vers 1935, la mode féminine tendait à l'exubérance, Wallis veilla à se cantonner dans des tenues discrètes, de couleurs pastel ou noir et blanc. Elle surveilla jusqu'à ses chapeaux. Lady Mendl remplaça le camaïeu blanc de Bryanston Court par de subtiles harmonies de couleurs variées. Elle apprit à Wallis le métier de maîtresse de maison, y compris la composition des repas, proscrivant sans pitié les soupes ; elle avait pour devise : « Ne jamais composer de repas sur une mare. » Bientôt, Bryanston Court, soutenu par la bourse royale, offrit aux regards d'audacieuses alliances, où s'exprimait tout le don de lady Mendl à frôler la surcharge et le mauvais goût, sans jamais y tomber. Cette amitié, bien entendu, permettait à sir Charles de garder un œil sur les activités de Wallis et ses fréquentations.

Wallis assura son pouvoir durant l'été de 1934 en s'attaquant à la domesticité du prince. Les membres de la maison royale jouissaient de génération en génération de privilèges intangibles. Ils tendaient à fixer les règles de vie dans les lieux où ils servaient, à se décharger sur leurs subordonnés, qui déléguaient eux-mêmes, et ainsi de suite jusqu'aux derniers échelons de leur hiérarchie, à la cuisine ou dans les sous-sols. Entre tous, Osborne, majordome à Fort Belvedere, tenait le haut du pavé. Il avait été l'ordonnance du prince pendant la Première Guerre mondiale et ne l'avait plus quitté. Il était considéré comme intouchable. À sa consternation, lui, qui ne recevait d'ordres que d'altesses royales, fut averti par le prince de Galles que dorénavant ce serait de Mrs. Simpson qu'il prendrait ses instructions. Mrs. Simpson ! Une roturière américaine ! C'était l'horreur. Mais il lui fallait bien obéir pour ne pas être renvoyé. Aussi accepta-t-il cette affreuse humiliation. Wallis lui enjoignit de s'occuper lui-même des bouquets de Fort Belvedere, au lieu de confier cette tâche, d'après lui peu virile, aux femmes de chambre. C'était rompre avec la tradition. Wallis composa également les menus pour chaque jour de la semaine, bien qu'elle ne vînt que le week-end à Fort Belvedere. Cet office avait toujours été rempli par l'intendante de la maison conjointement avec Osborne. Mécontentes du décor qu'avaient arrangé le prince de Galles et le prince George, Wallis et lady Mendl entreprirent de bouleverser une pièce après l'autre, roulant les tapis, décrochant les rideaux, envoyant le mobilier au garde-meuble. Après quoi elles refirent tout, de la cave au grenier, ne conservant, assez bizarrement, dans l'état antérieur que la chambre aménagée par Thelma avec son grotesque lit surmonté aux quatre coins par les plumes du prince de Galles, dans une symphonie de rose crapuleux.

Le choc fut sanglant entre Wallis et le maître d'hôtel de York House. Ce personnage avait joué un rôle capital dans l'enfance du prince de Galles dont il avait été le valet dès le berceau. Il se considérait à la fois comme une nurse et comme un père subrogé, harcelant le prince de recommandations : ne pas boire autant, se coucher plus tôt, éviter les soirées mouvementées et les femmes faciles. Ce campagnard sans reproche du Nord le plus extrême, parangon de droiture, se trouva soudain coiffé par une étrangère qui ne se souciait en rien de ses états d'âme. Non seulement elle prit tout en main à York House, jusqu'à commander elle-même une centaine de cadeaux de Noël, mais elle exigea de Finch qu'il apprît à faire des cocktails, à les servir, et à mettre de la glace dans toutes les boissons, à la manière américaine. Le moindre glaçon dans un verre était une hérésie pour ce serviteur d'élite. Il refusa d'obéir et fut renvoyé. Son successeur, Crisp, fut éphémère. Osborne se cramponna, mais ne tenait qu'à un fil.

Les personnels des deux maisons que le prince aimait en vinrent à haïr Wallis. Ils redoutaient comme la peste le retour de leur maître et de sa maîtresse, à 3 ou 4 heures du matin, de l'Embassy Club, du Kit Kat ou de quelque autre boîte de nuit, riant fort et tirant du lit femmes de chambre, maître d'hôtel, cuisinier, afin de se faire servir une collation ou quoi que ce fût qui satisfît leurs impérieux caprices. Le roi George V et la reine Mary étaient très attentifs à ne pas abuser de leur personnel. Leurs heures de repas étaient régulières et ils s'arrangeaient pour obtenir le consentement de leurs domestiques à leurs instructions. Wallis et le prince ne se souciaient pas de pareille diplomatie. Wallis était ponctuelle – le laxisme du prince en matière de rendez-vous et d'heures de repas l'irritait beaucoup – mais les réactions des domestiques à ces désordres la laissaient complètement froide.

L'été 1934, le prince résolut de faire fi de toute convention et d'emmener Wallis en Espagne et en France. C'était le meilleur moyen d'attirer l'attention de la presse. Non pas des journaux anglais ; en ces temps-là, les membres de la famille royale pouvaient compter de la part de Fleet Street sur une discrétion inébranlable. Mais les journalistes américains, pour ne citer qu'eux, ne pouvaient manquer de s'intéresser à cette expédition avec une Américaine mariée ; le prince ne semblait pas s'en soucier, pas davantage que de l'absence d'Ernest Simpson. En revanche, la présence de tante Bessie Merryman était censée désarmer les critiques. Elle devait jouer un rôle de chaperon, qui ne trompa personne.

Le prince loua le Castel Meretmont, non loin de Biarritz. La maison était spacieuse et confortable. Dès le lendemain de leur arrivée, les journalistes se retirèrent poliment aux limites de la propriété, se contentant d'observer à la jumelle les mouvements du prince et de ses compagnons.

Le 5 août, Wallis et le prince prenaient un verre au bar d'une piscine, installée sur le front de mer, lorsque du grand bain un garçon d'une dizaine d'années appela au secours. Le prince ôta vivement sa veste, plongea et sauva l'enfant, aux applaudissements de l'assistance, tandis que la mère, les larmes aux yeux, se confondait en remerciements. La nouvelle se répandit comme une traînée de poudre et une nuée de journalistes arriva sur les lieux. Wallis quitta le bar et le prince, furieux, se fraya un chemin jusqu'à sa voiture en criant que « tout ça n'était que mensonges ». Il était manifestement gêné par la présence de Wallis et terrifié à l'idée d'être pris en photo avec elle. Ce qui fut le cas.

Le 15 août, par une pluie battante, ils allèrent dîner chez le marquis et la marquise de Portago, dans leur somptueuse villa Pelican. Au cours de la soirée, le prince annonça à Wallis et à tous ceux qui se trouvaient là qu'il commençait à s'ennuyer à Biarritz et avait décidé de prendre l'avion pour Cannes, où son frère George, qui était fiancé à la princesse Marina de Grèce, devait s'arrêter brièvement. George et Marina avaient passé quelques jours à Vienne, pour y rencontrer les dirigeants du gouvernement autrichien. Edward Fielden reçut l'ordre de ramener de Londres l'avion royal, afin d'embarquer le prince et ses amis. Mais Wallis, qui détestait l'avion, fut certainement responsable du changement de programme.

Le prince décida de rejoindre Cannes par mer. Qu'il eût préféré rater son frère et sa future belle-sœur plutôt que de causer du désagrément à Wallis en voyageant avec elle par air est tout à fait significatif de la dévotion qu'il lui manifestait. Il comptait arriver à temps à Cannes pour gagner Marseille par avion, afin de dire au revoir à son frère le prince Henry, qui devait s'embarquer pour l'Australie et la Nouvelle-Zélande à bord du *Sussex*. Le seul bateau disponible était le *Rosaura*, vieille coque de sept cents tonnes, qui avait été acheté par lord Moyne, explorateur et ethnographe, pour être transformé en bateau d'exploration scientifique. Le navire faisait relâche à Biarritz pour ravitaillement et réparations.

Le prince demanda à lord Moyne s'il lui serait possible de louer le *Rosaura*. Moyne ne put refuser la demande royale. Il avertit cependant que les conditions météorologiques étaient extrêmement mauvaises. Le *Rosaura*, ses ponts inondés, relâcha à La Corogne le 1er septembre. Le prince et ses amis débarquèrent et prirent une voiture pour aller visiter Saint-Jacques-de-Compostelle. Ils se recueillirent sur la tombe de sir John Moore, le héros anglais qui avait marqué l'enfance du prince de Galles, et allumèrent à son intention des cierges dans l'église. Le lendemain, ils allèrent à Vigo, puis gagnèrent de là la frontière portugaise, en compagnie des deux consuls portugais et britannique.

Malgré la pluie, l'équipée princière se rendit à Porto pour y visiter les fameux vignobles. Le groupe resta dans la région jusqu'au

3 septembre. L'après-midi de ce jour-là, arrivant à Viana del Castello, ils furent accueillis par une foule de femmes en costume traditionnel qui offrit à Wallis et au prince stupéfaits une poupée de soixante centimètres, vêtue d'une jupe et d'un chemisier brodés.

Le prince et ses amis prirent alors la mer pour Majorque, où ils se rendirent à l'hôtel Formentor, au nord de l'île, où ils prirent un bain de mer. Au crépuscule, ils retournèrent voir le *Rosaura*, tout illuminé, ancré dans un coude de la baie. Le lendemain, ils visitèrent la cathédrale et le cloître Saint-François ; ils passèrent le week-end à explorer des grottes, ramasser des coquillages et escalader les rochers.

Le bateau arriva enfin à Cannes. Quelque part entre la France et le Portugal, les relations entre Édouard et Wallis avaient pris un tour plus intense, du seul fait du prince. Il était maintenant si amoureux qu'il aurait voulu que ce voyage ne finît jamais. Après avoir télégraphié à son frère le duc de Gloucester de l'attendre à Marseille et demandé à Edward Fielden d'amener son avion de Paris afin d'attendre son bon plaisir, le prince décida brusquement de rester où il était, avec la femme qu'il aimait. Il renvoya Fielden à Londres, et son frère s'embarqua pour l'Australie sans l'avoir vu.

Le troisième jour, le prince et Wallis s'installèrent hardiment à l'hôtel Miramar. À 1 heure du matin, le prince convoqua le responsable de nuit dans sa suite ; il ordonna de réveiller le personnel de la succursale Cartier et de faire ouvrir la boutique. Quittant l'hôtel par une porte dérobée, il se rendit au magasin, où il acheta une breloque en émeraude et diamant pour le bracelet de Wallis et beaucoup d'autres qu'il lui donnerait plus tard. De retour à l'hôtel, il tira du lit Wallis et toute sa suite et annonça à lord Moyne qu'il souhaitait prendre immédiatement la mer.

Comme le navire gagnait le large, baigné par le clair de lune, le prince prit Wallis dans ses bras et lui glissa la breloque de Cartier dans le creux de la main. Après une traversée calme, le *Rosaura* arriva à Gênes, le 17 septembre. Le prince ayant télégraphié pour réserver des voitures, tout le monde partit pour le lac de Côme. Le groupe descendit à l'hôtel Villa d'Este. Le temps était splendide ; le soleil brillait sur les montagnes et le lac était d'un bleu éblouissant. Tous les matins, le prince et Wallis se promenaient en barque sur les eaux immobiles ; le premier jour, dans l'après-midi, ils allèrent à Bellagio en vedette. Le lendemain après-midi, ils jouèrent au golf à

Monteforno, et le jour suivant ils firent une longue promenade en voiture le long de spectaculaires routes de montagne. Le 21 septembre, le groupe princier gagna le lac Majeur et prit un bateau à Stresa pour visiter les îles Borromées. Là, abandonnant toute retenue, le prince se laissa photographier en short et torse nu par les journalistes.

Le 23 septembre, le prince et sa suite embarquaient à bord de l'*Orient Express* à Domodossola ; Mussolini avait mis à la disposition du prince et de ses compagnons un luxueux wagon. Le prince avait télégraphié à Edward Fielden pour qu'il l'attendît à Paris, car il tenait absolument à rentrer à temps pour assister au lancement du dernier-né de la Cunard, le *Queen Mary*, et le voir glisser de son berceau jusque dans les eaux de la Clyde, en Écosse. Abandonnant ses compagnons à l'hôtel Meurice, il prit l'avion pour Windsor.

Wallis et les autres rentrèrent en Angleterre sur le *Manhattan*, *via* Cherbourg. Mais décidément le prince ne semblait plus pouvoir s'arracher à Wallis, fût-ce pour cette occasion. Avant de se rendre au lancement du *Queen Mary*, il surgit à Southampton, chargé de cadeaux pour Wallis et sa tante et de mots d'amour pour sa bien-aimée.

8

En marche vers le trône

À l'automne de 1934, le prince George, frère cadet du prince de Galles, et la princesse Marina de Grèce attiraient l'attention générale. Leur mariage devait être célébré le 29 novembre, au grand soulagement de la famille royale. Pendant des années, le prince George avait défrayé la chronique et certaines des rumeurs qui le concernaient n'étaient pas fausses. Sa liaison avec une comédienne noire, vedette de la revue « Blackbird » qui avait remporté à Londres un véritable triomphe, est établie. Il aurait été en outre initié à la drogue par une célèbre pianiste et par une femme du monde.

Des ingrédients encore plus croustillants renforçaient ce scénario déjà passablement corsé. Dans son journal, l'incorrigible sir Robert Bruce Lockhart mentionne d'invérifiables bruits qui auraient circulé dans Londres et selon lesquels le prince aurait eu à Paris une liaison avec un jeune garçon qui l'aurait fait chanter. On le crédita aussi d'une histoire bizarre avec Noel Coward et une incendiaire beauté latine. Aussi le soulagement fut-il considérable lorsque le prince George, oubliant toutes ces folies, tomba amoureux de la ravissante princesse Marina de Grèce.

Le 24 octobre, laissant Wallis à l'hôtel Meurice, les deux frères, Édouard et George, s'envolèrent de Paris sur le biplan royal dont ils prenaient tour à tour les commandes, pour assister aux funérailles du roi Alexandre de Yougoslavie assassiné le 9 du mois à Marseille par un terroriste macédonien. L'assassin qui reprochait au roi Alexandre ses sympathies nazies avait tué également, ironie du sort, le ministre français des Affaires étrangères Louis Barthou, qui était anti-nazi. C'est en cette occasion funèbre, dans Belgrade endeuillée, qu'un grand pas en avant fut accompli dans l'entente anglo-allemande.

Comme le jeune roi Pierre, successeur désigné, était mineur, son cousin le prince Paul fut désigné comme régent. Or la femme de Paul était Olga, la sœur de Marina de Kent, qui avait des sympathies nazies affichées. D'après *Current Biography*, dans sa publication de 1941, la phrase qui courait sur elle à l'époque c'était : « La duchesse de Kent a apporté les modes balkaniques à Londres, tandis que la princesse Olga a introduit les émissaires d'Hitler au Palais Blanc (à Belgrade). » En réalité, bien que les historiens aient pudiquement voilé le fait, Paul lui-même était favorable à Hitler ne fût-ce que pour se protéger. Kent et le prince de Galles trouvaient en lui une âme sœur – comme l'était également un autre des assistants à ces funérailles, Philippe de Hesse, commandant de SS. Notons aussi la présence du maréchal Herman Goering qui devait rendre compte avec enthousiasme à Hitler de ses entretiens avec Windsor, Kent et Philippe. Il suggérait aussi au chancelier d'inviter sans tarder Paul de Yougoslavie à visiter Berlin. La proposition fut faite et immédiatement acceptée.

Le 27 novembre 1934, il y eut un grand bal à Buckingham Palace à la veille de la cérémonie de mariage entre Kent et la princesse Marina. Le roi George et la reine Mary exigèrent du lord-chambellan qu'il raie le nom de Wallis de la liste des invités. Wallis en fut bouleversée ; quant à Édouard, sa colère ne connut pas de bornes. Décidé à la présenter à ses parents, il arriva au bal avec elle.

« Il l'a fait entrer clandestinement dans le palais », devait dire plus tard le roi George au comte Mensdorff. Wallis était décidée à surclasser la ravissante Marina, qui était simplement habillée de satin blanc ; la reine était vêtue de brocart d'argent, tandis que la plupart des autres femmes avaient choisi des couleurs discrètes en accord avec la solennité de l'occasion. Wallis apparut en fourreau de lamé violet relevé d'une ceinture verte. L'assistance presque entière, dont le roi et la reine, la toisèrent avec un glacial mépris, mais le prince Paul, régent de Yougoslavie, se mit en tête de lui affirmer qu'elle était la femme la mieux habillée de la soirée. Son cou et ses poignets étincelaient des bijoux que lui avait donnés son amant et elle portait en outre un diadème de diamant, loué à Cartier.

Payant d'effronterie, le prince de Galles présenta Wallis à ses parents. Sa révérence ne lui valut que le plus froid des regards. Le duc et la duchesse d'York, qui étaient très aimés, ne lui firent pas meilleur accueil. La duchesse se prit pour Wallis d'une animosité instantanée, s'estimant offensée par la conduite, à ses yeux inqualifiable, de Wallis, sa grossièreté provocante et l'éclat de sa tenue. Wallis ne fut pas en reste. La douce voix, un peu haut perchée, de la duchesse d'York, son rose visage écossais et sa silhouette potelée l'irritèrent au plus haut point. Comme chacun sait, la duchesse d'York devint par la suite la bien-aimée reine mère.

Noël apporta de nouvelles difficultés à la favorite princière. Elle avait eu le culot de choisir elle-même les cadeaux des deux cent cinquante membres de la maison du prince de Galles. Nombre d'entre eux en furent fâchés. Les potins allèrent leur train lorsque le prince donna à Wallis une broche de diamants avec deux émeraudes carrées et un chiot de race cairn, officiellement nommé Mr. Loo, mais le plus souvent appelé Slipper. Le prince ajouta encore à toutes les félonies dont sa conduite était tissée aux yeux de ses proches en invitant le personnel de Wallis à Bryanston Court à se réunir à ses propres domestiques autour de l'arbre de Noël de York House.

Ce même mois de janvier, le prince de Galles et le prince George, devenu duc de Kent, reçurent de Berlin un intéressant visiteur. Kent venait de rentrer de Munich où il s'était lié d'une solide amitié avec le beau-frère de sa femme, Karl-Theodore, comte von Toerring-Jettenbach, mari de la sœur de Marina, Elizabeth, de sympathies nazies. Toerring envoya aussitôt à Berlin un agent spécial pour faire savoir que Kent voyait d'un œil favorable le réarmement allemand, en dépit de son ampleur. Le baron Wilhelm de Ropp, agent double itinérant et émissaire du théoricien nazi Alfred Rosenberg, qui lors d'une visite à Londres en 1933 s'était distingué en déposant une gerbe en forme de croix gammée au monument aux morts de la guerre, arriva à Londres afin de vanter aux deux frères royaux les qualités de Rudolf Hess, de Rosenberg et des autres dignitaires nazis. Après leur rencontre, sir Robert Bruce Lockhart devait écrire dans son journal que le duc de Kent était « un fervent partisan de l'Allemagne ».

Puis le prince de Galles décida d'un autre voyage en Europe avec Wallis et plusieurs amis. Déplacement qui devait mêler vacances et politique, au sens le plus aventureux. La situation sur le continent était cette année-là des plus délicates. Le Foreign Office, sous l'impulsion du Premier ministre Ramsay MacDonald, s'était engagé dans une politique d'apaisement envers Hitler et Mussolini. Il estimait préserver les capacités de la Grande-Bretagne à contrôler l'équilibre européen, en même temps qu'il assurait la défaite du communisme. L'idée fixe du Foreign Office était de dissocier à tout prix Hitler et Mussolini, de faire obstacle entre eux à toute alliance majeure, laquelle aurait mis en péril l'hégémonie britannique. L'un des trois constants soucis du gouvernement anglais était le maintien de son influence en Méditerranée, pour prévenir tout blocus du canal de Suez, artère vitale de l'empire vers l'Afrique orientale et l'Inde, joyau de la couronne. À cette époque, Mussolini s'opposait à Hitler par qui il redoutait de se voir éclipsé en Europe. Les deux dictateurs estimaient que le contrôle de l'Autriche, nation en elle-même faible et misérable, donnerait un avantage décisif au pays qui s'en emparerait le premier. L'Angleterre soutenait l'influence de Mussolini à Vienne, jugeant essentiel d'empêcher Hitler d'y prendre pied. La partie pour Whitehall était de la plus haute importance et le prince de Galles, par goût et par délégation, s'y trouva impliqué.

Viscéralement attaché au rôle impérial de l'Angleterre, convaincu de l'importance de l'Inde pour le Commonwealth, le prince était persuadé servir de son mieux la politique étrangère de son pays. Mais, quelle qu'ait été la pureté de ses intentions, il n'était ni habituel ni désirable de mêler une altesse royale à ce genre d'activité politique. Le dessein du prince était d'encourager les Autrichiens et leurs voisins hongrois à maintenir des liens aussi étroits que possible avec l'Italie, de manière à faire bloc contre les visées d'Hitler en direction du sud. Son entreprise fut approuvée par sir Oswald Mosley, dont l'Union fasciste britannique était toujours financée par Mussolini et le comte Ciano, *via* le ministère italien de la Propagande. La présence de Wallis constituait une « couverture » utile à cette mission à Vienne et à Budapest. Comme le prince de Galles l'admet lui-même dans ses Mémoires, il consultait

Wallis en tout et nous savons aussi par lui qu'elle suivait la politique avec passion, lisant d'un bout à l'autre tous les journaux publiés à Londres. On ne peut pas imaginer un instant qu'elle ait pu ignorer le but du voyage.

L'expédition commença comme un voyage d'agrément. De Paris, le prince et ses amis gagnèrent la station de ski autrichienne de Kitzbühel par le Simplon-Express. La voie passait par le col d'Augsbourg, mais une avalanche l'avait coupée devant eux. Il leur fallut attendre plusieurs heures par un froid glacial l'arrivée d'un convoi de remplacement envoyé par le gouvernement autrichien qui leur fit faire un crochet de cent soixante kilomètres. Ils arrivèrent le 5 février à Kitzbühel où les attendait une foule de journalistes et de photographes. Le prince répondit en excellent allemand aux allocutions du maire et du préfet de police. Ils s'installèrent au Grand Hôtel. Des tourbillons de neige et le ciel couleur de plomb rendaient l'atmosphère lugubre. Quinze personnes avaient été tuées par des avalanches, qui avaient balayé un hôtel et huit chalets.

Le prince et Wallis y firent la connaissance d'un homme qui plut beaucoup à cette dernière et qui devait tenir un rôle important dans leurs vies. C'était le jeune, beau et brillant Dudley Forwood, dont la moustache bien coupée, la robuste silhouette et les élégants vêtements inspiraient confiance à tous ceux qui le rencontraient. Il était attaché auprès de sir Walford Selby, ministre plénipotentiaire de Grande-Bretagne à Vienne. L'usage voulait qu'on fasse escorter par un attaché ou un premier secrétaire les membres de la famille royale en visite à l'étranger. Forwood rejoignit au Grand Hôtel la suite royale.

Wallis avait décidé de rester à l'hôtel, jouant au bridge, au backgammon et au poker avec les autres membres de la suite royale, tandis que le prince skiait du matin à la tombée de la nuit dans le vent et la neige.

Le 9 février, le soleil se montra dans un ciel limpide. Ce soir-là, une Wallis rayonnante apparut à un bal tyrolien en compagnie du prince qu'elle partagea généreusement avec plusieurs jolies Autrichiennes. Ils s'attardèrent une semaine à Kitzbühel avant de partir pour l'Autriche le 16 février, par l'express de minuit.

L'atmosphère était lourde. L'Autriche était sortie de la Grande Guerre, détruite et démoralisée. La famine, la ruine et le désespoir avaient donné naissance à la conviction qu'il n'existait pas d'autre voie d'avenir qu'une alliance avec l'Allemagne. Si à gauche qu'ils fussent, les partis social-démocrate et social-chrétien étaient tout à fait partisans de relations amicales avec les nazis. Lorsque Hitler arriva au pouvoir, il ne cacha pas un instant qu'en tant qu'Autrichien de naissance il espérait bien que l'Autriche serait absorbée dans le IIIe Reich. Quant l'Autriche comprit que l'Allemagne ne lui accorderait qu'un rôle secondaire, elle se tourna vers Mussolini. Une période de consultation permanente et d'étroite collaboration commença avec le dictateur italien. Le gouvernement parlementaire fut aboli et les socialistes furent écrasés par les fascistes. Quelques jours avant l'arrivée à Vienne du prince et de Wallis, socialistes et communistes avaient manifesté et distribué des tracts dans les faubourgs de la capitale ; dix manifestants avaient été arrêtés. Des bagarres avaient marqué l'anniversaire de la défaite du coup de force social-démocrate de l'année précédente. Il y eut d'autres arrestations ; des heurts violents opposèrent à Floridsdorf la police et les socialistes ; quarante-cinq arrestations supplémentaires furent opérées à l'occasion de meetings extrémistes. Il y eut devant le Bristol des démonstrations rivales ; certains ouvriers croyaient que le prince de Galles était de leur côté ; d'autres pensaient qu'il était pro-fasciste. Le 17, laissant derrière lui une Wallis nerveuse, il se rendit à la Chancellerie, où il devait rencontrer le président Miklas, le chancelier von Schuschnigg et le vice-chancelier von Stahremberg. George Messersmith, ministre américain en Autriche, qui avait ses espions, transmit dans le mois au département d'État un rapport sur cette rencontre. Elle avait été consacrée à l'organisation de l'Entente balkanique, alliance improbable entre les nations d'Europe méridionale autour de l'Italie, destinée à faire contrepoids à l'influence d'Hitler. Cependant, comme Messersmith le faisait remarquer dans son rapport, le prince de Galles, craignant que le parti travailliste anglais n'approuve pas ses contacts avec le gouvernement fasciste autrichien, avait insisté pour que ces rencontres soient atténuées ou ignorées par la presse. Le rapport de Messersmith signale encore la visite du prince aux logements ouvriers, construits par le précédent gouvernement socialiste.

Le prince revit à plusieurs reprises des représentants du gouvernement pour évoquer avec eux la restauration éventuelle de l'archiduc Otto de Habsbourg, qui rétablirait l'ancien Empire austro-hongrois.

Ils prirent ensuite le train pour Budapest. La capitale hongroise s'était illuminée pour les accueillir. Le gouvernement profasciste y était encore plus répressif qu'en Autriche. Entretenant avec Vienne les relations les plus ambiguës, la Hongrie était à l'époque un des piliers de l'Entente balkanique. Le prince rencontra le régent, l'amiral Horthy, et le féroce général Gombös, dont la dureté avait déjà scandalisé de nombreux observateurs. Il discuta à nouveau de la restauration des Habsbourg et de la nécessité d'un système anti-hitlérien d'alliance avec l'Italie. Le futur roi d'Angleterre scandalisa les clients de l'établissement de bains Saint-Gellert en y apparaissant nu comme un ver.

La nuit, Budapest était la capitale la plus séduisante et la plus corrompue de son temps avec ses boîtes de nuit, ses restaurants et ses cafés illuminés. Wallis adorait les csardas. Dans la nuit du 23 février, aux frénétiques applaudissements de la foule rassemblée à l'Arizona Night Club, fameux pour ses numéros d'animaux dressés, de strip-tease et de trapèze, comme par ses éclairages stroboscopiques multicolores, le prince et Wallis, qu'accompagnaient les fils du régent Horthy, se lancèrent dans un numéro de danses hongroises.

La visite fut un succès complet. Comme le prince en avait persuadé leurs gouvernements, l'Autriche et la Hongrie resserrèrent leurs liens avec l'Italie, et l'influence d'Hitler s'en trouva diminuée. À son passage à Paris, le 28 février, une foule immense l'acclama à la gare de l'Est. La police confisqua les appareils photographiques et écrasa les ampoules de flash, mais malgré cela plusieurs photos parurent dans la presse.

En net contraste avec Édouard VII, le roi George V (même si, dans le domaine de la sexualité, sa conduite personnelle n'était pas irréprochable) incarnait le puritanisme victorien tardif et ses proches lui donnaient beaucoup de soucis. Sans doute aurait-il hésité à condamner ses fils pour des liaisons discrètes mais normales, banales. En revanche il s'opposait avec force au choix de certains de leurs partenaires. Il avait fait la grimace quand le prince de Galles et le duc de Gloucester avaient partagé le lit de l'aviatrice Beryl Markham, dont les aventures amoureuses étaient notoires, il avait accepté à contrecœur les liaisons du prince de Galles et du duc de Kent avec Sandra Rambeau, la brève aventure de Kent avec David Edge, l'éphèbe parisien, le flirt de Kent et du prince de Galles avec Noel Coward, etc. Ç'avait été un soulagement pour lui quand Kent avait épousé la princesse Marina de Grèce, d'autant plus que deux des sœurs de Marina étaient mariées à des hommes qui pourraient aider à préserver une paix durable avec l'Allemagne. Mais le pire à ses yeux était la liaison du prince de Galles avec Wallis, une femme mariée de fâcheuse réputation, une aventurière à l'évidence et, comme on disait en cet âge pré-permissif, une experte en pratiques sexuelles perverses.

C'est ainsi que, à l'approche du vingt-cinquième anniversaire de son accession au trône, le Silver Jubilee, le roi George, l'époux correct d'une reine Mary dont la rectitude morale était encore supérieure à la sienne, se lança dans un projet qui, pour le moins, jurait avec son caractère. Il s'agissait de collecter toutes les rumeurs déshonorantes qui couraient sur Wallis Warfield Simpson – toute la boue, pour le dire brutalement.

Car, s'il était vrai que dans un mouvement d'humeur il avait dit un jour qu'il espérait que le prince ne se marierait jamais, il est clair qu'il souhaitait de tout son cœur une union entre son fils et la princesse Friederike – union qui préserverait son pays d'une Seconde Guerre mondiale, au moins de son vivant. L'horreur des tranchées, la boue, les rats, les obus, le sang versé, le conflit entre des familles apparentées, l'anéantissement d'un monde de grâce et de culture, la destruction de la fleur de la jeunesse anglaise, voilà ce qui hantait l'esprit du roi George comme celui des hommes de sa génération et il faut lui rendre cette justice qu'il aurait sacrifié presque tout pour que le carnage ne se renouvelle pas.

C'est pour cela, donc, qu'au début de 1935 le roi se mit en rapport avec lord Trenchard, vieil ami dévoué, qui était le préfet de police de Londres, le chef de la police métropolitaine. Trenchard, le très distingué créateur de la Royal Air Force, était comme son maître un puritain farouche. Il avait remanié la structure bureaucratique de Scotland Yard, amélioré la qualité des services, créé une école de police et organisé des stages, dégraissé les rangs de ses troupes. Il ne souhaitait absolument pas voir ses hommes suivre des dames oisives allant se livrer à des joutes érotiques dans une chambre à coucher, s'informer sur leurs partenaires en vue d'une procédure de divorce ou s'adonner à d'autres tâches sordides, plus dignes à ses yeux des services d'une agence de détectives privés.

Or le roi demandait à Trenchard de mener une enquête sur Wallis Simpson comme s'il s'agissait d'une prostituée quelconque.

Il est peu probable que Trenchard ait apprécié la mission qu'on lui confiait. De fait, en dépit de ses réformes énergiques, il était de notoriété publique que s'occuper de la répression des crimes ne lui plaisait guère. Son véritable amour, c'était l'armée de l'air.

Compte tenu de la forte criminalité londonienne, Trenchard avait déjà une lourde besogne sans le fardeau supplémentaire, de nature sordide, qu'on lui imposait. Mais c'était un vaillant soldat qui ne pouvait refuser de donner satisfaction à son royal patron. D'ailleurs il avait présenté sa démission deux ans plus tôt, voulant jouir d'une retraite bien méritée, mais le roi avait insisté pour qu'il restât à son poste. Il attendait de Trenchard qu'il se chargeât des questions de sécurité au mariage du duc de Kent, cible potentielle, ainsi que son épouse, d'un attentat terroriste, et comptait également sur lui pour organiser la préparation des cérémonies du Jubilé.

À Scotland Yard, le service des Renseignements généraux (la Special Branch) a habituellement pour mission de protéger les membres de la famille royale, plutôt que de les compromettre. Néanmoins les investigations commencèrent à la fin du printemps 1935. Le surintendant Albert Canning en prit la direction. Il découvrit assez vite que Wallis couchait avec un certain Guy Marcus Trundle, directeur commercial chez Ford.

Beau gosse, âgé de trente-cinq ans à l'époque, Trundle était une sorte de gigolo puisque Wallis le payait pour ses performances sexuelles avec l'argent du prince de Galles. Son employeur, Henry Ford, dont l'antisémitisme et la sympathie pour Hitler étaient notoires, exigeait de ses collaborateurs à la fois qu'ils ne fussent pas juifs et que leurs opinions politiques fussent d'extrême-droite. Ils devaient naturellement accepter sans discussion le fait que la société construisait des camions et des voitures blindées pour l'armée allemande, politique qui ne s'interrompit pas avec le début des hostilités. Quant à Hitler, il avait un culte pour Ford, qu'il mentionne honorablement dans *Mein Kampf* et dont il avait toujours une photographie sur son bureau. Ainsi Trundle était très probablement de sympathies fascistes et devait s'entendre très bien avec Wallis.

Trundle, que la plupart des informateurs de Canning décrivaient comme un mufle et qui semble avoir suscité une antipathie universelle, était de surcroît marié. Où donc dans ces conditions Wallis et Trundle pouvaient-ils se rencontrer ?

Les hôtels étaient exclus : le personnel n'aurait pas manqué de cancaner, et les échos auraient pu parvenir aux oreilles du prince de Galles. Exclus aussi les amis de Wallis dans la bonne société, dont on ne pouvait attendre qu'ils missent leurs résidences ou leurs appartements à la disposition des amants. Trundle, on l'a vu, ne pouvait la recevoir dans sa maison qui, d'ailleurs, appartenait à la couronne. Enfin Wallis ne pouvait certainement pas recevoir Trundle chez elle, à South Bryanston Court. Le lieu de rendez-vous le plus approprié – comme le vérifiera sa liaison ultérieure avec l'ambassadeur américain en France, William Bullitt – était une maison de couture : le seul endroit où le prince de Galles ne songerait jamais à la suivre.

Wallis s'habillait en général chez Anna Wolkoff, espionne nazie qui avait un petit magasin dans Mayfair, mais elle avait une amie en Elsa Schiaparelli, la célèbre couturière dont Wallis commença à porter les robes au milieu des années trente, et celle-ci venait d'ouvrir ses salons au 36 Upper Grosvenor Street, très près d'une des résidences antérieures de Wallis. En 1990 le cinéaste Jean Negulesco me raconta que l'immeuble en question, où il occupait un appartement depuis 1950, était bien connu dans le cercle de ses connaissances pour avoir abrité les rendez-vous galants de Mme Simpson sous l'aile protectrice de Schiaparelli – Negulesco avait connu celle-ci à Paris à la fin des années trente.

Schiaparelli était un choix idéal. Elle avait, elle aussi, des sympathies nazies : les dossiers du F.B.I. à Washington révèlent qu'elle a travaillé longtemps pour Hitler. Autre détail, plus significatif en ce qui concerne ses rapports avec Wallis, les deux femmes avaient le même avocat français, Armand Grégoire, de sympathies fascistes également. Depuis 1934 Wallis était sa cliente.

Un des aspects les plus curieux du rapport de Canning est qu'il atteste que Wallis – en dépit de ses propres amours – était, disait-on, jalouse d'une certaine Autrichienne ou Hongroise qui n'était pas indifférente au prince de Galles. Le nom de la femme n'était pas mentionné. Il n'était pas dans les habitudes de Scotland Yard, dans un rapport d'enquête, de désigner par son nom une personne de sang royal. Il ne serait donc pas impossible que la femme en question fût la princesse Friederike de Hanovre qui, à l'époque, circulait entre Vienne et Londres. La mention « austro-hongroise » ne surprendrait pas sous la plume de Canning, peu au courant des subtilités des arbres généalogiques princiers de l'Europe, s'il entendait désigner une fille du duc de Brunswick.

Au milieu de l'enquête sur Wallis Simpson, lord Trenchard remit sa démission, cette fois-ci de manière irrévocable, le 5 juin 1935. Peut-être son geste s'expliquait-il par son aversion pour la mission sordide que lui avait confiée le roi. Mais il ne quitta son poste qu'en décembre pour piloter les premiers pas de son successeur, sir Philipp Game. Celui-ci venait de terminer dans de fâcheuses conditions son mandat de gouverneur général de l'Australie et la nomination de Chef de la police londonienne ne constituait certes pas à ses yeux une promotion. Avec le concours de l'Intelligence Service, Game devait assister le roi dans une enquête qui portait maintenant sur la vie de Wallis en Amérique – le monarque espérait disposer d'informations qui lui permettraient, le moment venu, de faire échec à l'aventurière.

De son côté Wallis jouait effrontément la comédie avec le prince de Galles. Le 15 juin elle posait pour le grand photographe Cecil Beaton. Ce portrait, qu'elle offrit au prince avec une dédicace affectueuse, devait paraître le 10 juillet dans la revue *Vogue*. Le 27 juillet elle lui offrit un autre portrait, dû à Man Ray, sur lequel elle avait écrit ces mots SI GROS. Comme le prince ne passait pas pour particulièrement bien pourvu, s'agissait-il d'une plaisanterie de mauvais goût ?

L'un des rares intérêts durables du roi George V – les sports de plein air mis à part – était celui qu'il portait à la Chine, dont il avait une connaissance si remarquable qu'elle avait fait une forte impression sur lord Killearne, ambassadeur de Grande-Bretagne en Égypte, lors d'une visite qu'il avait faite à Buckingham Palace à cette époque. En outre, Stanley Baldwin, qui devint Premier ministre en juin, avait de gros intérêts en Chine qu'il avait visitée dans les années vingt. Forts de ce savoir et de cette expérience, le roi et le Premier ministre furent en mesure de donner des instructions pertinentes à Emmanuel Cohen, l'agent de l'Intelligence Service en Chine, qui fut chargé de reconstituer la carrière de Wallis dans ce pays.

C'est ainsi que les agents de Scotland Yard ou de l'I.S. récoltèrent à Hong Kong, Shanghai et Pékin toutes les informations nécessaires, tandis que leurs collègues, opérant à Baltimore, San Diego, Pensacola et New York, y déterraient de croustillants détails sur les activités de Wallis dans le monde du jeu, de la courtisanerie et du trafic de drogue. Baldwin remit les dossiers au roi. Compte tenu du caractère impressionnable de la reine Mary, on laissa à son ami très cher, le Très Honorable John Coke, gentilhomme de la chambre de la Reine, un homme d'une parfaite distinction morale, le soin de lui montrer ces dossiers. L'horreur et la consternation de la reine ne sauraient se décrire.

Quand, en janvier 1951, l'épineuse question de savoir si l'on octroierait à Wallis le titre d'Altesse royale se présenta à nouveau, Winston Churchill convoqua Coke à Marrakech (où, dans sa résidence de vacances, il travaillait à une histoire familière de l'Angleterre) pour lui demander de but en blanc la raison pour laquelle on s'obstinait à refuser ce titre à Wallis. Coke lui répondit qu'en 1936, au moment où George V était dans le dernier mois de son existence, la reine Mary avait déclaré en sa présence que, au vu du dossier qu'il lui avait montré, il était hors de question que Wallis monte jamais sur le trône. La duchesse de York et la duchesse de Kent avaient manifesté leur accord complet.

Les historiens ont depuis contesté l'existence de ce dossier – à l'exception de Kenneth de Courcy, duc de Grantmesnil, un ami de John Coke et du prince de Galles, qui en connaissait l'existence par la reine Mary et par John Coke, mais soutenait que c'était un faux. Cette assertion est absurde. Ni le roi George ni John Coke n'auraient pu fabriquer un dossier de ce genre. Ce n'étaient pas des criminels.

Il est important d'observer que la famille royale avait une confiance totale en John Coke qui n'a jamais cessé d'être à son service. S'il avait été le complice d'un faux dont Baldwin aurait pris l'initiative, on l'aurait écarté pour lui donner une affectation lointaine dans le Commonwealth, comme cela se fait d'ordinaire avec les serviteurs de la Couronne ayant commis une faute. Or Coke est resté écuyer de la reine Mary jusqu'à la fin et il a été également écuyer du roi George VI jusqu'à la mort de celui-ci. De plus, Winston Churchill, qui l'avait bien reçu à Marrakech en 1951, l'a toujours traité avec beaucoup d'égards.

Mais les sceptiques parlent haut et fort. En 1991 dans sa biographie autorisée du roi Édouard VIII, Philipp Ziegler déclare que tout le monde semble connaître quelqu'un qui a vu le dossier, mais que ce dossier, personne ne l'a jamais vu. C'est faire injure à la mémoire de Coke.

Au printemps 1935, la bonne société londonienne était surexcitée par les préparatifs du jubilé d'argent du roi George. On dépensait des sommes énormes pour donner un air de fête à la capitale encrassée ; les immeubles étaient décorés de drapeaux et de fleurs, et dans toute l'Angleterre on allumait des feux de joie. Le roi signifia à son fils dévoyé que Wallis serait indésirable au bal du jubilé ; son état de divorcée lui interdisait aussi l'accès à l'enceinte royale d'Ascot et l'écartait de tous les privilèges de la famille royale.

Il aborda carrément l'affaire avec son fils. Le prince donna à son père sa parole d'honneur qu'il n'avait jamais couché avec elle. Cela était peut-être vrai, s'ils se limitaient à des jeux fétichistes n'impliquant pas consommation de l'acte sexuel. Le prince affirma encore au roi que Wallis était « une personne d'élite », qui le rendait « suprêmement heureux », à la différence de Thelma Furness, qui, dit-il sans élégance, était « une salope ». Il répéta que Wallis n'était pas sa maîtresse et supplia qu'on l'admît dans l'enceinte royale et au bal du jubilé. Le roi lui répondit que s'il en était ainsi, si les relations de son fils avec Wallis étaient platoniques, il ferait inviter les Simpson. Lord Wigram, secrétaire privé du monarque, écrivait dans son journal :

> L'entourage du prince fut horrifié par l'audace des affirmations de S.A.R. le prince de Galles. Si l'on n'avait pas vu S.A.R. et Mrs. Simpson dans le même lit, il existait des preuves irréfutables que S.A.R. vivait bel et bien avec elle.

Le bal du jubilé eut lieu le 14 mai. Selon la tradition, le prince ouvrit le bal avec sa mère. Mais il créa un choc dans l'assistance en s'avançant droit sur Wallis, dès la seconde danse, et en l'entraînant sur la piste. Pour aggraver son cas, il vint évoluer devant ses parents, qui toisèrent l'Américaine d'un œil plein de dégoût.

Après le bal, Wallis, le prince et quelques amis allèrent danser jusqu'à 4 heures du matin à l'Embassy Club. La romancière

Mrs. Belloc Lowndes, auteur de *The Lodger*, remarqua que Wallis conservait dans son sac les cigares du prince et d'Ernest Simpson, et qu'elle les leur distribuait comme des bonbons à des enfants dissipés. Lorsque Mrs. Lowndes raconta cela à son mari, celui-ci déclara : « La honte a sans doute un prix, mais j'ignorais que ce fût un cigare. »

Wallis était décidée à ne pas manquer le spectacle de la procession du jubilé jusqu'à la cathédrale St. Paul, mais York House n'offrait pas une vue satisfaisante. Le matin de la procession, le prince de Galles téléphona à la secrétaire adjointe de son père, Helen Hardinge, qui habitait un logement de fonction à St. James Palace, avec une excellente vue sur la procession. « Deux de mes filles de cuisine ont très envie de voir le défilé, lui dit-il. Pourriez-vous leur faire une petite place à l'une de vos fenêtres ? » Mrs. Hardinge accepta. Lorsqu'elle partit pour St. Paul avec son mari, les deux « filles de cuisine » arrivèrent. Il s'agissait de Wallis et de lady Cunard.

Durant tout le mois, Londres accueillit pour les célébrations du jubilé d'argent des membres des familles royales étrangères et des parents du monarque. Hitler envoya, astucieusement, la belle-fille du Kaiser, la princesse héritière Cécilie, sa fille, Victoria, et son fils, Ernest August, ainsi que le favori du prince, Charles, duc de Saxe-Cobourg-Gotha, qui était dans les SS. De l'avis du Führer, on pouvait compter sur ces personnalités, entièrement acquises à la cause nazie, pour faire bonne impression à Buckingham Palace. Wallis les rencontra sûrement.

À la fin du mois de mai, Leo von Hoesch donna une magnifique soirée à l'ambassade pour Wallis, David, les Bismarck, la princesse Cécilie et les Wernher. Au cours du dîner, Wallis, à sa stupeur, entendit la princesse Cécilie presser le prince de Galles de rendre public son désir de rapprochement avec l'Allemagne nazie. De l'avis de la princesse, le discours qu'il devait adresser à Queen's Hall aux vétérans de la Grande Guerre, membres de la Légion britannique, serait l'occasion idéale. La Légion entretenait déjà des liens étroits avec son homologue allemand et n'aspirait qu'à réparer les dégâts de la guerre en travaillant à l'amitié des peuples d'Europe. Le prince trouva l'idée excellente.

Le 19 juin 1935, au milieu des acclamations, il s'avança vers le podium de Queen's Hall et adressa un discours à la Légion aux termes duquel il exprimait son désir de voir oubliés les antagonismes de la Grande Guerre. Il reçut l'ovation d'un auditoire encore hanté par les horreurs des tranchées, le sang, les rats, les rivières de boue, les gaz et les explosions. Tandis qu'il parlait, des vétérans allemands, porteurs de drapeaux à croix gammée et des bénédictions du Führer, étaient en route pour Brighton, où, quelques jours plus tard, ils défileraient dans les rues et seraient les hôtes à dîner du prince Otto von Bismarck, dîner au cours duquel leur serait lu un message en allemand du prince de Galles. À l'hôtel de ville, Klaus Korres, chef de la Ligue du Reich, devait proclamer : « Le prince de Galles est l'homme de la situation, non seulement dans son pays, mais aussi dans toute l'Allemagne. Heil Hitler ! »

Le discours du 19 souleva une controverse considérable. Le roi George s'en montra furieux, car ce discours contredisait directement la politique d'apaisement menée envers Mussolini pour conserver le contrôle de la Méditerranée et du canal de Suez. En outre, il était très important que les membres de la famille royale s'abstiennent d'exprimer en public leurs sentiments politiques. Une semaine plus tard, à Nuremberg, devant deux cent mille personnes, Goering, après avoir férocement attaqué les juifs, devait déclarer : « Les Allemands ont été profondément touchés par les déclarations de l'héritier de la couronne britannique. Les soldats allemands du front et le peuple allemand tout entier saisissent avec empressement la main qu'il leur tend, il peut en être sûr ! »

Et en même temps, les relations entre l'Angleterre et l'Italie, si chaudement encouragées par le prince, étaient menacées par la politique anglaise d'Anthony Eden. Après une rencontre à Rome avec Eden, raconte le comte Grandi, Mussolini lui fit signe d'approcher et dit sur un ton ferme et résolu : « Les Anglais et les Français ont déclaré leur total désintérêt pour le sort de l'Autriche... Bientôt le drapeau nazi flottera sur la frontière du Brenner. C'est malheureux, mais inévitable. “Si vous ne pouvez pas tuer votre ennemi, embrassez-le”, écrit Machiavel. Viendra un jour où nous serons obligés d'embrasser les Allemands. Ce ne sera certes pas une agréable étreinte. »

Grandi poursuit :

> L'opposition de l'Angleterre à notre action en Éthiopie n'a pas été concluante. Les Anglais n'ont dit ni oui ni non à nos projets de conquête de l'Éthiopie. En juin 1935, les intérêts britanniques étaient centrés sur la politique internationale, en raison de l'imminence des élections générales. Mais, dans les mois qui ont suivi, les sentiments hostiles à l'Italie n'ont fait que s'intensifier.

Alors que la scène politique était traversée de courants contradictoires, le prince de Galles était extrêmement nerveux. Il avait de plus en plus besoin du soutien de Wallis, mais celle-ci conservait vis-à-vis de lui une attitude ambiguë. D'une part, elle se moquait des conventions, goûtant le vedettariat et le pouvoir. D'autre part, comme le démontre une lettre révélatrice à tante Bessie, elle n'était nullement amoureuse. En vérité, elle supportait très mal les attentions maniaques du prince – bien qu'elle en fût la première responsable – ses innombrables coups de téléphone et ses visites incessantes. D'un naturel impatient et insatisfait, elle voulait l'impossible : un mari inébranlable et loyal et un prince esclave ; la respectabilité et la notoriété ; les agréments de la vie privée et les satisfactions de la prééminence sociale. L'habitude royale à voir satisfait dans l'instant le moindre de ses caprices était contagieuse.

Dans une conversation, en date du 13 juin 1938, avec Joseph P. Kennedy, l'ambassadeur américain à Londres – conversation qui figure dans le journal personnel de Kennedy – sir Edward Peacock, l'homme qui veillait sur le trésor royal, en tant qu'administrateur général du duché de Cornouailles, confirme qu'à ce moment-là le prince de Galles a commencé à envoyer, sur les fonds propres de la famille royale, de l'argent à l'étranger et surtout en Amérique où malgré la Dépression on pouvait trouver de bons investissements plus facilement qu'en Angleterre. Comme Hitler et Goering il plaçait des sommes substantielles en actions ordinaires et privilégiées des chemins de fer du Nord-Est.

En juillet, le prince projeta un autre voyage politique sur le continent, qu'il déguisa en vacances. Sous le pseudonyme de lord Chester, qui ne trompait personne, le prince gagna la France avec Wallis et quelques amis. Il arriva à Cannes, le 7 août, par le Train Bleu. Leurs amis, le vice-consul John Taylor et sa femme, les accueillirent à la gare. Apparemment indifférent aux sympathies du prince envers Hitler et son régime antisémite, sir Philip Sassoon était resté l'un de ses amis proches ; il avait fait mettre à la disposition du prince par sa sœur, lady Cholmondeley, sa villa Le Roc, voisine du fameux château de l'Horizon qui appartenait à Maxime Elliott. Cette superbe maison blanche se dressait au bord de la mer ; elle disposait d'une piscine couverte, semblable à celle d'un paquebot, ingénieusement aménagée dans les rochers sur lesquels était bâtie la maison. Elle disposait aussi d'une cale pour un yacht.

Le voyage commença une fois de plus comme des vacances. Le prince et sa suite nageaient, faisaient de l'aquaplane, jouaient au golf ; ils firent même une petite croisière le long de la côte sur le *Sister Anne*, yacht dont la propriétaire était l'héritière des machines à coudre Singer, Mrs. Reginald (« Daisy ») Fellowes. Ce séjour enchanteur fut toutefois gâché par la peur que le prince ne fût assassiné par des agents communistes. Il était protégé jour et nuit et ne pouvait quitter la villa sans l'escorte d'agents spéciaux français et britanniques et d'un détective de Scotland Yard, David Storrier.

Le 9 septembre, après des semaines de soleil, de mer et de fêtes, avec, entre autres, Herman et Katherine Rogers, le couple controversé partit pour Budapest.

Ils s'arrêtèrent brièvement à Genève et passèrent la matinée à visiter des fabriques d'horlogerie ; l'après-midi, ils rencontrèrent le secrétaire privé de sir Samuel Hoare, qui les éclaira sur les activités de Hoare à la Société des Nations. L'armée italienne était sur le point d'envahir l'Éthiopie, l'immense et misérable royaume, producteur de coton, de l'empereur Haïlé Sélassié. Pour plusieurs raisons, Hoare était prêt à laisser les mains libres à Mussolini : la protection des importants intérêts britanniques en Afrique orientale, chemins de fer et exploitations agricoles compris, et l'engagement implicite du dictateur italien de ne pas bloquer le canal de Suez et de conserver une neutralité bienveillante envers Gibraltar et les mouvements de la flotte britannique en Méditerranée.

Le 11 septembre, Wallis et le prince arrivèrent à Budapest. Le prince rencontra de nouveau le régent Horthy et déjeuna avec le président Gombös. Il persistait dans son double jeu bizarre de soutien à l'Italie, en accord avec la politique étrangère britannique, pour prévenir toute interférence entre les intérêts anglais et les visées coloniales de Mussolini. Le couple se rendit ensuite à Vienne, où le prince combina pour la seconde fois la fréquentation de l'école équestre espagnole, des thés élégants et des boîtes de nuit avec de fort sérieux entretiens à la Chancellerie.

Après un bref passage à Munich, pour apaiser les Allemands, ils regagnèrent la France en voiture par la vertigineuse route des Alpes. À Paris, le couple se fit deux nouvelles relations. Ils firent d'abord la connaissance d'Albert-Frédéric-Armand Grégoire, qu'un rapport confidentiel de la Sûreté parisienne, daté du 9 avril 1934, décrivait comme « l'un des plus dangereux espions nazis ». Wallis le prit pour avocat. Il représentait en France Simpson, Spence et Young. Il était aussi le fondé de pouvoir à Paris de Joachim von Ribbentrop et d'Otto Abetz, futur ambassadeur à Paris du Reich victorieux et le principal contact de sir Oswald Mosley dans cette ville.

Robuste, basané, la joue gauche balafrée dans un duel, Grégoire était né à Metz, en Alsace-Lorraine, en 1894. Il avait été décoré par l'empereur Guillaume II de la croix de fer de première classe et s'était lié d'une amitié étroite avec le prince héritier et son épouse Cécilie. Il était l'un des fondateurs et dirigeants du mouvement franciste de Marcel Bucard, l'une des organisations fascistes les plus importantes et fanatiques de France. Il signait Greg le Franc dans *le Franciste*, l'organe officiel du mouvement, des articles à la gloire d'Hitler.

Dans le numéro de janvier 1934 du *Franciste* il écrivait :

> Nous souhaitons naturellement de tout notre cœur une alliance avec l'Allemagne nazie. Il est parfaitement clair à nos yeux que cette alliance est la seule chance de prévenir la corruption universelle du monde. Nous la jugeons possible. Bien plus facile à établir qu'une alliance avec les Anglais, longtemps nos ennemis héréditaires, avec qui nous avons beaucoup moins en commun que nous n'avons avec les Allemands.

Le choix fait par Wallis du célèbre Grégoire pour intermédiaire et avocat (en 1937, il la défendrait dans un important procès en diffamation) se révéla désastreux. Il eut pour premier résultat d'accentuer la surveillance de Mrs. Simpson par l'Intelligence Service. Lors de ce séjour à Paris, Wallis et le prince lièrent aussi amitié avec Pierre Laval, chef du gouvernement français. Fameux pour son aspect huileux et sa cravate blanche lavable qui n'était jamais lavée, tortueux et incertain, Laval était marié à une femme élégante et charmante. Sa politique était de prétendre plaire aux pays des Balkans, aux Allemands et aux Italiens, tout en les dressant secrètement les uns contre les autres. Il rêvait de laisser à l'Allemagne les mains libres pour écraser l'Union soviétique tout en empêchant le rapprochement d'Hitler et de Mussolini pour sauvegarder l'influence française. En dépit de son accord avec eux sur ce point, il méprisait les Anglais.

Ce fut à Paris, cette fois-là, que Wallis se trouva enfin propulsée aux plus hauts niveaux du jeu politique européen. Le prince de Galles la fit inviter à un déjeuner donné pour Laval à l'ambassade d'Angleterre par sir George Clerk, le 1er octobre.

Les circonstances dans lesquelles eut lieu ce déjeuner étaient extraordinaires. Depuis des semaines, Anthony Eden, représentant de la Grande-Bretagne à la Société des Nations, discutait avec Laval la question très délicate de l'alliance secrète entre la France et Mussolini, à laquelle il s'opposait. Laval, au mois de janvier, avait passé à Rome un accord avec le dictateur italien, qui laissait à ce dernier les mains libres en Éthiopie à condition qu'il ne fasse pas la guerre. Ce fut alors que le prince de Galles décida de confirmer qu'il approuvait le soutien de Laval aux ambitions coloniales de Mussolini. Laval devait en témoigner au mois d'août 1945, lors du procès pour trahison qui lui fut intenté après la Libération [1]. L'héritier du trône accompagné de sa maîtresse à un déjeuner politique sous les auspices de l'ambassadeur d'Angleterre, la conjoncture n'avait pas de précédent. Le comte de Chambrun, gendre de Laval, juriste parisien distingué et descendant direct de La Fayette, devait révéler à l'auteur de ces lignes, en 1987, les secrets de cette rencontre [2]. Au cours de la discussion, le prince promit d'obtenir l'approbation de son père le roi George et de son gouvernement à la politique italienne de Laval. En échange, selon le comte de Chambrun, Mussolini s'engagerait à ne pas conclure

---

1. À son procès à Nuremberg, Ribbentrop essaya en vain de citer le duc de Windsor à la barre des témoins.

2. Le rapport de sir George Clerk à Londres n'a jusqu'ici fait l'objet que d'une publication fragmentaire.

avec le Führer d'accord qui pourrait menacer l'Angleterre et la France. En même temps, Laval donnait l'assurance qu'il autoriserait les Anglais à utiliser les ports français s'il éclatait un jour un conflit avec l'Italie en Méditerranée.

Aujourd'hui, le comte de Chambrun considère ces engagements comme la démonstration de la hardiesse et de l'intelligence politiques et de son beau-père et du prince de Galles. Il oublie cependant un détail. La veille de son déjeuner à l'ambassade, Laval avait reçu l'assurance d'Hitler qu'il n'entreprendrait rien contre la France quels que fussent les accords passés entre celle-ci et l'Italie. La presse internationale de l'époque accorda une grande place à cet engagement, puis les historiens l'ignorèrent. Les assurances d'Hitler avaient été transmises par le canal de sir Samuel Hoare. Il était clair, d'après cette annonce, qu'Hitler projetait déjà une alliance avec Mussolini pour s'assurer une entrée permanente en Méditerranée en même temps que le contrôle de l'Autriche et des Balkans.

Les jours suivants, Wallis, le prince de Galles et Laval, celui-ci accompagné de Mme Laval et de sa fille Josée, échangèrent plusieurs visites. Les Laval allèrent dîner à l'hôtel Meurice ; Wallis et le prince chez les Laval. Participer à pareilles entrevues tenait pour Wallis du conte de fées. Elle était traitée en princesse, en politique, en diplomate. Lors d'une rencontre où elle n'était pas, Laval suggéra au prince de tenter d'obtenir de l'Allemagne un accord qui permettrait d'organiser un rapprochement entre le Führer et Mussolini. Laval, qui s'affirmait certain des bonnes dispositions du Duce, conseilla au prince de s'en ouvrir au roi George. « Mon père, répondit le prince, ne se mêle pas de politique, mais je lui parlerai. »

Il était devenu clair pour lui qu'il n'était pas nécessaire de jouer double jeu entre les dictateurs allemand et italien, qu'il était possible de les rapprocher dans un but commun. Ce but était la rupture du pacte franco-soviétique, la lutte contre le communisme et enfin l'écrasement de l'Union soviétique, ainsi que le comte de Chambrun le fit parfaitement comprendre à l'auteur de ce livre.

Le duc de Kent avait le même programme politique et ne perdait pas son temps. Peu après que le lâche prince Paul de Yougoslavie eut désigné un Premier ministre fasciste (qui exerçait aussi les fonctions de ministre des Affaires étrangères), le sinistre Milan Stoyadinovich, et qu'il eut conclu avec Hitler un scandaleux accord en échange de bauxite, de charbon et de céréales, il se rencontra avec Laval pour approuver l'invasion de l'Éthiopie par l'Italie. À cette rencontre assistaient le prince Philippe de Hesse, dont le beau-père, Victor-Emmanuel, allait bientôt se faire proclamer, en toute illégalité, empereur d'Éthiopie, ainsi que Kent, qui séjournait alors à Munich chez le comte Toerring, son hitlérien de beau-frère. Il ne faut pas faire un grand effort d'imagination pour deviner de quelles alliances ces personnages pouvaient discuter.

Le lendemain de la rencontre à l'ambassade de Grande-Bretagne, les plans du prince de Galles et de Pierre Laval se réalisèrent. Avec l'autorisation des Anglais, Mussolini fit franchir le canal de Suez à cent cinquante mille de ses soldats. Il envahit l'Éthiopie, entraînant dévastation et destruction. Ses troupes utilisèrent le gaz moutarde, interdit par la réglementation internationale en raison de ses horribles effets : cécité, folie et mort.

Simpson, Spencer et Young s'intéressait particulièrement à cette invasion. Le commandant italien Treves était un ami proche d'un associé d'Ernest Simpson, dont la société cherchait à lever de l'argent à la Bourse de Londres pour financer le développement d'une industrie cotonnière en Éthiopie. Par l'intermédiaire de son attaché commercial à Londres, le gouvernement italien soutenait le projet. L'argument défendu pour obtenir le prêt était le suivant : en laissant un autre pays financer ce projet, l'Angleterre risquait de voir s'installer en Éthiopie un concurrent sérieux pour l'industrie cotonnière égyptienne – qui était sous contrôle britannique. Le ministère des Finances rejeta cette demande, y voyant une manœuvre de Ciano et du mari de Wallis. Il n'est pas surprenant que les services secrets britanniques se soient alors intéressés de plus près à cette dernière.

Le 7 septembre, Wallis avait écrit une phrase révélatrice à sa tante Bessie : « Si la guerre éclate entre l'Italie et l'Abyssinie, le transport maritime fera peut-être un bond et je pourrai alors venir (en Amérique). »

Selon les déclarations sous serment de Laval, lors de son procès, le prince aurait, dès son retour à Londres, évoqué Mussolini et Hitler devant le roi George V. Le monarque aurait alors reconnu qu'il ne fallait rien faire pour arrêter le dictateur italien sur le chemin de la conquête. C'est alors qu'Anthony Eden, peut-être pour se déculpabiliser d'avoir en quelque sorte facilité la destruction d'une nation infortunée, fit pression sur la Société des Nations pour qu'elle décrète des sanctions contre l'Italie. Le prince de Galles prit violemment position contre cette démarche. Six mois plus tard, le prince devait dire à l'ambassadeur Dino Grandi qu'il tenait à ce que les Italiens sachent qu'il était de leur côté et qu'il considérait comme « grotesque et criminel » le soutien du gouvernement anglais à la politique de sanctions de la Société des Nations. Il ne cessa jamais, dans les années suivantes, de soutenir qu'on n'aurait jamais dû entraver les projets de Mussolini.

Le comte Grandi raconte :

> Je rencontrai plusieurs fois des membres importants du gouvernement britannique au sujet des sanctions. Sir Robert Vansittart estimait avec Eden que l'application de sanctions n'était pas seulement destinée à témoigner de ce que nous ressentions, mais aussi à faire indirectement comprendre à l'Allemagne nazie qu'elle devrait abandonner ses ambitions territoriales. Cette politique n'eut malheureusement pour seul effet que de nous pousser dans les bras de l'Allemagne.
>
> J'essayai, mais sans succès, d'en avertir Eden. J'eus avec lui plusieurs entrevues extrêmement difficiles, à la suite desquelles j'estimais nécessaire de m'entretenir avec le prince de Galles. Je passais toujours par Mrs. Simpson. Je lui téléphonais chez elle et lui demandais de bien vouloir se charger d'organiser la chose. Elle le faisait, et les rencontres avaient lieu vers 10 heures du soir. Le prince se montrait toujours très réceptif à ce que j'avais à dire et me prêtait une oreille attentive. Il en fut de même par la suite, lorsqu'il fut devenu roi.

À l'automne de 1935, le vieux roi tomba malade. Il était usé par d'épuisantes obligations qui minaient ses forces déclinantes. Wallis était l'un de ses plus graves soucis. Le 31 octobre, George V et la reine Mary manifestèrent à propos de leur fils, devant leur vieil ami le comte Mensdorff, ancien ambassadeur d'Autriche à Londres, une grande tristesse et une grande sévérité. Ils déplorèrent devant lui l'impudence du prince de Galles amenant Wallis à Buckingham Palace contre leur volonté. « Cette femme ! Dans ma maison ! » s'exclama le roi George. Il poursuivit : « La précédente maîtresse de mon fils, lady Furness, était elle aussi impossible. La première, Mrs. Dudley Ward, avait beaucoup plus de classe, elle appartenait à la bonne société. Mon fils n'a pas un seul ami convenable et ne voit personne qui le soit. » Le comte Mensdorff répondit : « Le prince a beaucoup de qualités ; il est séduisant et doué. – Certainement, répondit le roi, et c'est justement là ce qui est dommage. S'il était un imbécile, nous n'aurions rien à dire. C'est à peine si je le vois et je ne sais rien de ce qu'il fait. »

Pourtant, le prince de Galles se rapprochait d'organisations plus douteuses encore que précédemment. Des documents détenus par la Jewish Defense League établissent ses liens avec le docteur Frank Buchman, pasteur américain qui dirigeait l'Oxford Group, plus connu sous le nom de Mouvement pour le réarmement moral, qui avait des millions d'adhérents dans le monde entier. Le docteur Buchman était un ami personnel d'Himmler, chez qui il avait séjourné en Allemagne. Il s'attirerait bientôt une certaine célébrité pour cette déclaration : « Je remercie le ciel pour l'existence d'un homme comme Adolf Hitler. »

L'Union des fascistes britanniques ne cessait d'exprimer son admiration pour le prince de Galles. L'organisation de sir Oswald Mosley était alors à son apogée. Lors des cérémonies du jubilé, ses Chemises noires avaient adressé au roi George le salut fasciste. Elles tenaient chaque semaine des centaines de meetings dans toute l'Angleterre. Le service d'ordre de Mosley passait à tabac les juifs et les communistes qui lui tombaient sous la main. Certains juifs faisaient partie de la direction du mouvement, dont le fameux champion de boxe Kid Lewis, adjoint de Mosley. Le parti nazi lui-même ouvrit une représentation à Londres, qui se répandit en amabilités envers le prince de Galles. Elle était dirigée par Rudolf Hess, chargé de mission d'Hitler, et Ernst Wilhelm Bohle, chef de l'Ausland Organisation, qui regroupait les Allemands de l'étranger (Bohle était né sujet britannique).

Comme l'année 1935 tirait à sa fin, le roi s'affaiblit encore davantage. La mort de sa sœur préférée, la princesse Victoria, l'avait profondément marqué. À cette occasion, Hitler lui avait adressé un message de condoléances. Au mois de décembre, le prince de Galles, accompagné de Wallis, prit l'avion pour Paris, pour y discuter une fois de plus avec Pierre Laval de l'Éthiopie et de la politique d'apaisement qu'il convenait selon eux de suivre envers Mussolini. Cette visite est longtemps demeurée secrète et ne fut révélée que par le comte René de Chambrun. Sir Samuel Hoare se joignit aux discussions à Rambouillet. Laval proposa de mettre fin à la guerre d'Éthiopie sur les bases suivantes : l'Éthiopie recevrait cinq mille kilomètres carrés désertiques de la Somalie italienne, tandis que Mussolini se verrait attribuer une partie importante des meilleures terres cotonnières de l'Éthiopie. Cet arrangement scandaleux devait être tenu secret jusqu'à ce que les circonstances permettent de le présenter à la Société des Nations. L'excellent Pertinax (pseudonyme d'André Géraud), correspondant de *l'Écho de Paris*, qui donnait aussi des papiers au *Daily Telegraph*, réussit à se procurer le texte de cet accord et le publia dans ces deux journaux. L'arrangement fut immédiatement dénoncé à la Chambre des communes, sans qu'aucun parlementaire ait connu le rôle qu'avait joué le prince de Galles dans son élaboration. Violemment pris à partie, Horace ne produisit pour sa défense que de méchantes explications, auxquelles le prince de Galles, soucieux de lui manifester son soutien, prit témérairement le parti d'applaudir de la tribune des étrangers de marque à la Chambre.

Le prince de Galles voyait souvent Grandi et, en la matière, il partageait totalement ses vues. Jusqu'à la fin de ses jours, il affirmerait à quiconque voudrait bien l'entendre que la façon dont l'Angleterre avait traité avec Mussolini l'affaire d'Éthiopie avait été sa plus grande erreur.

Wallis était du même avis. Et comment aurait-elle pu oublier que le ministre des Affaires étrangères d'Italie, le comte Ciano, était le père de l'enfant qu'elle avait porté ? Ses sympathies fascistes ne l'empêchèrent pas d'être très heureuse de passer Noël chez sir Philip Sassoon à Trent Park, tandis que le prince était avec ses parents à Sandringham, où l'atmosphère était encore plus lourde que d'habitude, du fait de la constitution du « dossier chinois » et de l'enquête à Baltimore. Le prince fit un effort touchant pour apaiser son père, en commandant au traiteur royal, Frederick Corbitt, une douzaine d'avocats. Corbitt se trouva donc confronté à la tâche surhumaine de se procurer ces fruits, introuvables en plein hiver anglais. D'après les Mémoires de Corbitt (certains historiens mettent l'anecdote en doute), le prince fit servir les avocats en vinaigrette. Sans manifester la moindre reconnaissance, le roi aurait lâché : « Dieu du ciel, qu'est-ce que c'est que ça ? » Le dédain de son père bouleversa le prince, qui, par téléphone et par lettre, exprima à Wallis le désespoir où le plongeait sa situation familiale.

Le prince de Galles remplaça son père à plusieurs cérémonies officielles. Il n'aimait pas qu'on l'interrogeât sur ce qui se passerait lorsqu'il serait roi. Il disait souvent à ses amis : « Mon frère Bertie ferait un bien meilleur roi que moi. » Il lui arrivait même de donner en privé à la duchesse d'York du « reine Elizabeth ». Il parlait de se retirer dans son ranch canadien des montagnes Rocheuses le reste de ses jours.

Janvier est un mois particulièrement rude en Angleterre ; et le pays était balayé par des tempêtes de neige. Le vieux monarque attrapa une bronchite, qu'aggrava sa forte consommation de tabac. Le 16 janvier, revenant d'une chasse à Windsor, le prince entra dans le salon de Fort Belvedere et tendit un message à Wallis. Il était de la main de la reine et contenait ces mots : « Je tiens à te prévenir que papa est un peu fatigué. » La reine suggérait à son fils de venir passer le week-end à Sandringham, mais lui recommandait de ne pas révéler son inquiétude à son père.

Le prince prit dans les siennes la main de Wallis. Ils savaient que le roi était mourant. Bientôt le prince serait roi d'Angleterre. Wallis divorcerait-elle alors d'Ernest Simpson pour devenir reine ?

Lorsque le prince arriva à Sandringham, il trouva son père terriblement amaigri, grelottant dans une vieille robe tibétaine devant un énorme feu de bois. C'est à peine si le roi reconnut son fils. Une équipe de médecins, dirigée par le docteur du roi, lord Dawson de Penn, avait décrété qu'outre le catarrhe bronchique dont souffrait le monarque il donnait d'inquiétants signes de faiblesse cardiaque. Lord Wigram, le premier secrétaire privé, fut informé que le roi n'en avait plus pour longtemps. Il s'entretint donc de la succession avec le prince de Galles et le duc d'York. Le lendemain, Galles et York se rendirent à Londres pour discuter avec le Premier ministre Stanley Baldwin. La reine se faisait beaucoup de souci pour l'entretien de Sandringham. On envisagea pour y subvenir la constitution d'une société par actions, où entreraient le prince de Galles et le duc d'York. Galles espérait toutefois se voir attribuer, lorsqu'il serait roi, la jouissance à vie de Sandringham et de Balmoral. Les fonds nécessaires à l'entretien des deux résidences seraient alors prélevés sur les ressources de la couronne. La reine était bouleversée à l'idée que son fils donnât à Mrs. Simpson les bijoux de la défunte princesse Victoria, dont la mort avait accablé le roi George. Elle s'assura que le testament les partageait entre la princesse royale et les duchesses d'York, de Gloucester et de Kent.

Le 17 janvier, alors que le roi était entre la vie et la mort, le prince de Galles – selon les révélations faites par Baldwin à l'ambassadeur américain Joseph P. Kennedy au cours d'une conversation en date du 13 juin 1938 –, au lieu de rester au chevet de son père avec tous les autres membres de la famille royale présents à Londres, se rendit à Downing Street pour expliquer à Baldwin qu'il avait espéré ne pas monter sur le trône mais qu'il n'avait jamais eu le courage d'en discuter avec son père. Cette déclaration avait bouleversé Baldwin, mais ce qui l'avait bouleversé encore davantage, c'était que le prince était ensuite parti avec Wallis pour une boîte de nuit.

Le 19 janvier, le roi sombra dans son dernier sommeil. Il murmura à lord Wigram : « Comment va l'Empire ? – Tout va bien, sir, pour ce qui est de l'Empire », répondit Wigram.

À midi, on parvint à faire signer au roi un document autorisant la nomination d'un Conseil d'État.

Tandis que Wallis attendait à Bryanston Court à côté du téléphone, le prince de Galles prenait l'avion pour Sandringham avec le duc d'York. Après le dîner, en accord avec ses frères York et Kent, il prit des dispositions pour les funérailles. À 10 heures du soir, le roi était dans le coma. S'il dépassait minuit, sa mort ne pourrait pas être annoncée dans l'édition du matin du *Times* de Londres ; compte tenu de cette fâcheuse éventualité et des souffrances du monarque, il fut décidé de mettre immédiatement fin à sa vie. À 11 heures, lord Dawson – contrevenant à la loi qui interdit l'euthanasie – injecta quarante-huit milligrammes de morphine et soixante-cinq milligrammes de cocaïne dans la veine jugulaire distendue du roi, l'infirmière de service ayant refusé de le faire. Le roi expira dans le quart d'heure qui suivit. Le *Times* en fut informé avant le journal parlé de la B.B.C., à minuit dix. Le prince de Galles appela Wallis, qui était à Bryanston Court avec le protégé de lady Mendl, Johnny McMullen. Le prince était dans tous ses états ; l'émotion et la tension nerveuse, refoulées depuis des semaines, éclatèrent chez lui en sanglots déchirants, ce qui n'était pas fait pour aider sa mère, modèle de maîtrise de soi et de chagrin retenu. Le nouveau roi finit par se ressaisir et dit à lord Wigram : « J'espère que je ferai aussi bien que lui. »

Au cours de la nuit et du jour suivants, le prince téléphona un nombre incalculable de fois à une Wallis inquiète et irritée, pour l'informer à mesure de tout ce qui était décidé. On évoqua l'éventualité d'une incinération, ce qui, selon certains, aurait créé un précédent, mais l'idée fut abandonnée. Tout le monde se souvenait de l'enterrement du duc de Teck, où le corps, entièrement gangrené, avait explosé avec fracas en plein cortège funèbre. À cause de ce pénible souvenir, on décida d'embaumer le roi.

Le prince de Galles regagna Londres en avion avec le duc d'York pour s'entretenir avec le Conseil de l'accession et être officiellement déclaré roi. En attendant, on plaça le cercueil du roi dans la chapelle de Sandringham. Le 22 janvier eurent lieu à Londres les proclamations officielles. À la demande du nouveau monarque, Wallis regarda, fascinée, la cérémonie, d'une fenêtre de York House. Lorsque retentit le premier coup de 10 heures à l'horloge géante, le balcon se drapa soudain de cramoisi et les officiers d'armes, les hérauts et les poursuivants surgirent, vêtus des séculaires tabards rouge et or. Les trompettes jouèrent une fanfare royale. Un canon tonna autant de coups que d'années de règne ; des nuées de pigeons affolés s'envolèrent. Sir Gerald Wollaston, le roi d'armes de la Jarretière, lut la proclamation d'accession rédigée en termes gothiques, où il était question de « notre juste et légitime lige ».

Tandis que le grondement du canon noyait pratiquement ses mots, Wallis sentit quelqu'un lui saisir fermement les mains. Le roi se tenait à ses côtés. Rompant de nouveau avec la tradition, il était venu assister avec elle à sa propre accession.

On les vit partir dans la voiture royale ; il déposa Wallis à Bryanston Court, avant de se rendre à Buckingham Palace. À 2 h 30 de l'après-midi, il était en route pour Sandrigham. Dès son arrivée, il retrouva sa mère et le reste de la famille pour entendre sir Halsey Bircham lire le testament. Horreur ! Il n'était pas fait mention de lui. Tandis qu'en étaient dévoilées les clauses, l'une après l'autre, il ne cessait de s'exclamer d'une voix angoissée : « Et moi ? Où est-ce que j'apparais ? » Sir Halsey fut obligé de lui dire qu'il n'apparaissait pas. Wigram déclara que rien n'avait été laissé au roi, car on supposait qu'il avait eu le temps de mettre de côté des sommes substantielles sur le duché de Cornouailles. Le roi était vert de rage. « Mes frères et ma sœur sont riches, et je n'ai rien ! » s'exclamait-il. À l'époque, il avait, estime-t-on, mis de côté sur les revenus de Cornouailles environ un million de livres en actions et biens immobiliers. Il avait en outre hérité de l'usufruit de Sandringham et de Balmoral.

En vérité, le nouveau roi d'Angleterre était très riche. Le duché de Cornouailles lui rapportait au moins trois cent soixante-quatre mille livres par an. Le duché de Lancastre lui en rapporterait quatre-vingt-cinq mille, il recevrait deux millions trois cent cinquante-cinq mille de liste civile, et Sandringham et Balmoral valaient à eux deux au moins cinq millions de livres. Il avait aussi la jouissance de Buckingham Palace, qui valait quinze millions de livres et contenait dix millions de livres rien qu'en vaisselle plate. La collection de peintures du palais valait cinq millions de livres. À titre personnel, le roi possédait un ranch à Calgary, dans la province canadienne d'Alberta, avec plusieurs centaines de têtes de bétail, et un important portefeuille de titres, répartis en diverses sociétés et achetés pour lui par les Rothschild.

La réaction du nouveau roi au testament de son père affecta profondément Wigram. Il lui fit clairement comprendre qu'il ne le servirait pas plus de six mois et qu'il ne remplirait pas auprès du nouveau monarque le rôle de secrétaire privé. La grande majorité du personnel de la maison du roi partageait ses sentiments, consternée que le nouveau roi parût davantage se soucier de sa situation financière que de quoi que ce fût d'autre. Deux jours plus tard, le roi fit irruption dans les bureaux du duché de Cornouailles, exigeant l'assurance immédiate que rien ne lui serait retiré des revenus du duché, lesquels provenaient pour la plupart des loyers d'immeubles habités par des Londoniens pauvres. Il lui fut froidement répondu par l'affirmative.

Pendant ce temps, le corps du roi George V avait été ramené à Londres, où il devait être porté en procession à Westminster Hall. Un sombre présage survint le jour de ce triste défilé. Les cahots de la prolonge d'artillerie qui portait le cercueil du roi ébranlèrent si bien la croix de Malte en pierres précieuses qui surmontait la couronne impériale, fixée sur le cercueil par-dessus l'emblème royal, qu'elle se détacha et tomba dans le ruisseau.

Une procession beaucoup plus solennelle eut lieu quelques jours après, devant une immense foule de citoyens en deuil. Enfin le corps atteignit Westminster Hall. Pendant plusieurs jours et plusieurs nuits, près d'un million de personnes défilèrent devant le cercueil. Des officiers de la maison du roi montaient la garde aux quatre coins du catafalque où il reposait, à la lumière glauque de cierges funéraires. À l'aube, un matin, frappé peut-être de remords, le roi eut l'attention touchante de demander à ses frères de monter avec lui la garde entre deux relèves. Un autre matin, il apparut en compagnie de Wallis par une porte dérobée et demeura là un moment en méditation. D'après Paul Schwartz, biographe de Ribbentrop, un agent allemand réussit à les filmer et envoya la bobine à Hitler, qui, à ce spectacle, fut saisi d'un immense fou rire. Il possédait déjà les films des croisières du yacht royal, l'été précédent, et, comme Eva Braun, il était hypnotisé par la coiffure de Wallis, la perfection de son maquillage et de ses vêtements. Il déclara un jour à Mme Ribbentrop qu'il admirait beaucoup Wallis.

Au milieu de ces tristes rituels et dans une capitale en deuil, le nouveau monarque se débrouilla pour rencontrer des représentants de l'Allemagne nazie. Avant même la mort de son père, il avait vu Leopold von Hoesch et lui avait dit qu'il comptait aller aux jeux Olympiques d'été, organisés par Hitler [1]. Il avait aussi trouvé le moyen d'accorder une audience à plusieurs groupes de militaires allemands et, son père à peine froid, avait reçu à York House son cousin Charles, duc de Saxe-Cobourg-Gotha. Il déclara à ce nazi, ancien d'Eton entré dans les SS, qu'il souhaitait rencontrer Hitler, qu'il avait la plus grande admiration pour Rudolf Hess et que, dans l'élaboration du pacte naval, Ribbentrop avait fait un excellent travail. Il lui dit aussi que, si von Hoesch était un « bon représentant du Reich allemand », il ne l'était pas « du IIIe Reich d'Hitler », et qu'en tant que roi il exigerait « comme ambassadeur un national-socialiste représentatif, qui appartiendrait à l'aristocratie, représenterait la politique officielle et serait le confident d'Hitler ». Cette déclaration suggérait qu'il était urgent de remplacer von Hoesch par l'ami intime des Windsor, le prince von Bismarck, qui devait prendre ses fonctions de chargé d'affaires en mars.

L'un des premiers actes du roi en tant que monarque fut de

1. Le Foreign Office l'en dissuada.

commander, en personne, à Lendrum et Hartman à Mayfair, une copie exacte de la Buick royale, qui avait été fabriquée au Canada. Cette seconde Buick, avec plaques d'immatriculation identiques et insignes royaux sur le capot, était exclusivement réservée à Wallis. Cette initiative scandalisa les cercles proches de la cour. En ce mois de janvier, Wallis se fit de nombreux ennemis. À commencer par l'honorable major Alexander Hardinge et Mrs. Hardinge. Issue de la très distinguée famille Cecil, Helen Hardinge, qui était une femme de tradition et de haute moralité, détestait Wallis. Plusieurs dames d'honneur refusèrent de lui serrer la main. Lorsque Wallis arrivait, la main tendue, vers l'une d'entre elles, elle laissait tomber son sac et se baissait pour le ramasser, évitant ainsi le contact honni.

Le 28 janvier, Hitler fit organiser à Berlin un service religieux à la mémoire de George V. Il donna la place d'honneur, à ses côtés, à la princesse Cécilie. Himmler, Goebbels, Goering et les autres membres du cabinet étaient présents. Ce soir-là, eut lieu à Buckingham Palace le grand dîner qu'il est de coutume de donner après un enterrement royal. Parmi les invités se trouvaient le prince régent Paul de Yougoslavie, le prince de Piémont et le vice-chancelier d'Autriche, Ernst von Stahremberg.

Hitler avait envoyé pour le représenter le baron Constantin von Neurath, ancien ambassadeur auprès de la cour de St. James et proche ami de la reine Mary, ainsi que Charles de Saxe-Cobourg. Avant le dîner, servi dans la salle à manger dorée, le roi avait serré plutôt distraitement la main des invités. Mais, lorsque arriva le tour de Neurath, Saxe-Cobourg et Hoesch, il les retint, sans aucun souci du protocole, se lançant dans une conversation animée en allemand. Cette attitude ne passa pas inaperçue ; mais il était bien dans les intentions du roi qu'elle fût remarquée. Le rapprochement de Mussolini et d'Hitler lui permettait d'espérer que le prince de Piémont ne se sentirait pas offensé par ce geste. Il avait bien calculé.

Il avait refusé de recevoir l'envoyé russe Maxim Litvinoff en même temps que son cousin le grand-duc Dimitri de Russie. Il l'invita à la réception donnée plus tard dans la soirée pour ceux qui n'appartenaient pas aux familles princières. Il ignora Litvinoff de façon marquée et le convoqua à Buckingham, où il lui demanda : « Pourquoi avez-vous tué mon cousin, le tsar Nicolas ? – Je n'y suis pour rien, répondit Litvinoff. J'étais conservateur. »

Le roi se débrouilla pour irriter presque tout le monde dans sa maison. Il avait déjà indisposé nombre de vieux serviteurs en remettant à l'heure normale les pendules qui avaient été avancées d'une demi-heure, du temps de ses grands-parents, afin de profiter de la lumière du jour pour chasser. Il informa Frederick Corbitt que le déjeuner ne serait plus servi à 1 heure, comme cela était le cas depuis plus d'un siècle, mais à n'importe quelle heure, selon son humeur, en général vers 2 h 30, ce dont les cuisiniers furent catastrophés. Il fit savoir que le personnel de toutes les maisons royales devait être prêt à répondre à son appel à n'importe quelle heure du jour ou de la nuit. Il consulta Wallis sur le budget royal. Elle lui conseilla de donner un bon coup de balai dans le personnel, de se débarrasser des gens inutiles et de diminuer de 10 pour 100 les gages de ceux qui n'étaient pas indispensables. Wigram et les Hardinge ne lui pardonnèrent jamais d'avoir renvoyé des domestiques vieux et malades. Wallis et le roi décidèrent de modifier les habits de cour et d'éliminer la redingote. À York House, ils apparaissaient sans crier gare, dans les cuisines, les appartements des domestiques, les celliers, les caves et les sous-sols, pour de rapides inspections qui se soldaient par des changements radicaux. Des années plus tard, le roi dira au commandant Grattidge son amusement d'avoir découvert dans les entrailles de Buckingham des hommes minuscules, ressemblant à des hommes des cavernes, et chargés d'alimenter les chaudières.

Toujours à la diète, le roi fit réduire de deux tiers les achats de nourriture de chacune des maisons royales ; il se faisait servir des salades, des fruits et de petites portions de viande. Il ne se permettait avec Wallis qu'un délicieux dessert scandinave, appelé *rødgrød*, à base de framboises écrasées, de groseilles et de riz. Il hésitait à amener Wallis à Buckingham Palace, mais, un soir, il lui fit visiter les lieux. Ils décidèrent que l'édifice suranné devait être entièrement modernisé et que, comble du scandale, il devait être redécoré de fond en comble par lady Mendl. Le projet fit long feu. Lorsque lady Mendl eut fini ses dessins, le roi n'était plus sur le trône.

Son rejet de l'étiquette était si poussé et sa soumission à Wallis si absolue qu'il en arrivait à se conduire de façon inimaginable. Quand elle quittait une des résidences royales, souvent après y avoir passé une grande partie de la nuit ou au matin, alors, sur une brève injonction de celle-ci, passant en courant devant ses domestiques, il se précipitait dehors et se mettait à héler les taxis, souvent sous la pluie et en pleine obscurité, jusqu'au moment où l'un d'eux consentait à s'arrêter. Le chauffeur, reconnaissant le monarque (qui hurlait « Arrêtez ! Je suis le roi ! »), écarquillait les yeux surtout quand il voyait ce personnage exalté ouvrir la porte du taxi et s'empresser pour sa trop célèbre maîtresse. On peut dire sans crainte de se tromper qu'aucun souverain anglais ne s'est conduit de cette façon avant Édouard VIII ou depuis.

Il chassa ou écarta plusieurs membres de la maison royale. D'abord le vice-amiral, sir Lionel Halsey, puis sir Louis Greig, autre loyal courtisan, à qui il voulut retirer la jouissance de la maison qu'il occupait dans Richmond Park – mais le roi défunt avait pris la précaution d'octroyer un bail de quatre-vingt-dix-neuf ans à Greig de sorte que le roi avait les mains liées. Une autre victime fut le général de brigade G.F. Trotter. La liste s'allongeait tous les jours.

Il était capable de méchancetés surprenantes. Même Wallis, qui ne l'aimait pas, protesta quand le roi obligea Dudley Forwood à ramasser à quatre pattes sur le tapis des papiers qu'il avait délibérément jetés là. Quand Forwood lui annonça que des membres de son personnel buvaient de l'eau d'Évian, Édouard fit communiquer aux cuisines que l'eau d'Évian ne devait être bue qu'à la table royale et que quiconque serait surpris à désobéir serait immédiatement renvoyé sans références. La sanction fut effectivement appliquée.

La coutume voulait que le roi d'Angleterre ne reçût qu'un dignitaire officiel à la fois. Cette pratique exaspérait le nouveau monarque, qui fit venir les officiels par groupes, mécontentant nombre d'entre eux. Il abandonna le wagon privé que les chemins de fer mettaient à sa disposition et décida de voyager dans des voitures ordinaires. Il renvoya la sténographe et se mit à taper lui-même son courrier avec deux doigts, jusqu'à ce que le nombre des lettres le décourageât. Les notes de téléphone du palais atteignirent des sommes monstrueuses. Lorsque Wallis s'agaçait contre le service des téléphones, il lui disait d'appeler le ministre des Postes.

Le monde entier se passionnait pour le nouveau monarque. Aux États-Unis, des millions de spectateurs regardèrent, fascinés, les films de son accession au trône. L'un de ses plus ardents admirateurs était mon père, sir Charles Higham, qui, dans une interview à l'hôtel Waldorf-Astoria à New York, accompagné de son tout jeune fils, moi en personne, déclarait :

> Le roi Édouard est le roi d'un peuple jeune. Et l'Angleterre rajeunit, car les vides causés par la guerre dans les rangs de sa jeunesse sont en ce moment même comblés par une jeunesse pleine d'intelligence. Édouard sera leur idole. Il sait monter à cheval, danser, piloter, se mêler aux petites gens, traiter avec les diplomates. Peut-on citer quelque chose qu'il ne sache faire ? Il est parfaitement préparé pour son métier, autant qu'un roi puisse l'être.

La presse allemande faisait chorus. Les Italiens surtout raffolaient du nouveau monarque. Et, au début de l'année 1936, le rêve de Laval était devenu réalité, et l'alliance Hitler-Mussolini sur le point d'être conclue.

Durant les premières semaines du règne de son amant, Wallis fut extrêmement nerveuse. Elle semblait toutefois trouver amusant d'être la maîtresse du roi ; elle écrivit à tante Bessie qu'elle en « riait toute seule ».

Rien dans ses lettres d'alors ne témoignait envers le nouveau monarque du moindre amour ou même de la moindre affection ; son sort personnel seul l'intéressait, devait-elle viser plus haut ? Malgré un emploi du temps surchargé, le roi semblait au contraire très malheureux dès qu'il était séparé de Wallis ; il lui envoyait un flot de lettres sur papier bordé de noir, émaillées de mots enfantins, leur code à eux, dans lesquelles il lui témoignait une adoration infantile, obsessionnelle. Vers la fin de l'hiver, il concrétisait sa dévotion écrite par un audacieux geste financier. Il mettait trois cent mille livres au nom de Wallis, soit l'équivalent d'un million et demi de dollars, le tiers de toutes ses économies. D'après le *Times*, il aurait été pris de panique devant l'énormité de ce don et l'aurait réduit à cent mille livres. Wallis informa sa tante Bessie Merryman que les dispositions financières, qu'elle avait probablement elle-même réclamées, avaient été prises. Le roi ne tarderait pas à dépenser pour elle des milliers de livres en bijoux.

En février, Ernest Simpson souhaita adhérer à la loge maçonnique sur laquelle le roi et le duc de Kent, qui en était grand maître, avaient une très grande influence. Sir Morris Jenks, qui exerçait les fonctions de président, refusa la candidature de Simpson. Le roi en demanda la raison. Jenks lui dit qu'il était contraire aux règles maçonniques d'accepter un cocu. Une fois de plus, le roi affirma que ses relations avec Wallis n'étaient que platoniques. Ce n'était bien sûr là qu'un détail technique. Résultat, Ernest fut admis. On lui avait aussi promis la baronnie, promesse non tenue.

Au mois de février, Ernest alla voir le roi à York House ; il était accompagné d'un témoin, Bernard Ricaktson-Hatt, de l'agence Reuter. Selon ce dernier, Ernest, qui était alors amoureux de Mary Raffray, ne se gêna pas pour dire au monarque, au cours de la soirée, que Wallis devrait choisir entre eux deux. Il demanda au roi ce qu'il comptait faire : allait-il l'épouser ? À quoi le roi répondit : « Croyez-vous que j'accepterais d'être couronné sans Wallis à mes côtés ? »

Dans la mesure où le roi promettait de se montrer loyal envers Wallis et de s'occuper d'elle, Ernest acceptait de s'en séparer.

Si cette conversation (dont la véracité a été mise en doute par certains historiens) avait été divulguée, Wallis n'aurait jamais pu obtenir son divorce l'année suivante ; une telle complicité aurait été dénoncée par le procureur du roi, appelé à statuer sur la question, et le mariage le plus célèbre du siècle n'aurait jamais eu lieu.

9

Presque la gloire

En mars 1936, le comte de Harewood, mari de la princesse royale, sœur du roi, prononça un discours à la Légion britannique, très éloigné de celui qu'avait prononcé le roi l'été précédent. Il s'en prenait à la réoccupation de la Rhénanie par Hitler, et cherchait, entre autres choses, à détacher la Légion de ses associations nazies. Selon les Mémoires de l'actuel lord Harewood, *The Tong and the Bones*, le roi dénonça en termes cinglants le discours de son beau-frère. « Comment, lui écrivait-il, pourrais-je être utile en politique étrangère, si mes propres parents se permettent des déclarations irresponsables ? »

Ce même mois, Wallis alla à Paris commander sa garde-robe de printemps chez Mainbocher. Wallis vit beaucoup Mrs. Beatrice Cartwright, héritière de la Standard Oil ; la Standard Oil, qui avait d'importantes possessions en Allemagne, continua de collaborer avec le IIIe Reich pendant la Seconde Guerre mondiale [1].

Pendant que Wallis était à Paris, la situation en Europe s'assombrissait. Le 7 mars, Hitler annonçait que des détachements militaires allemands étaient entrés dans la zone démilitarisée de Rhénanie, au mépris du traité de Versailles. Le 19e régiment d'infanterie et trois bataillons d'artillerie atteignirent la frontière

---

1. Mrs. Cartwright ne tarderait pas à rencontrer et épouser le collaborateur nazi Frederick G. McEvoy, ami intime d'Errol Flynn. Mrs. Cartwright était connue au département d'État pour ses sympathies nazies.

française, et pourtant l'opinion française, encore sous le coup des horreurs de la Grande Guerre, ne réagissait pas, comme si elle cherchait à éviter toute manifestation d'hostilité à l'encontre des forces menaçantes du Führer. Comme le révèlent les archives du ministère britannique des Affaires étrangères, le sentiment des milieux financiers de Londres était en majorité pro-allemand et anti-français. D'après une lettre adressée à tante Bessie, où elle exprimait l'espoir que les Allemands maltraiteraient les couturiers français et ceux qui lui causeraient des ennuis, il était clair que Wallis partageait leur point de vue. En fait, son attitude vis-à-vis de la France était ambiguë : d'un côté, elle adorait la nourriture française, l'hôtel Meurice, le salon de Mainbocher et l'éclat de la haute société française ; mais elle trouvait le pays irrémédiablement corrompu, faible, inefficace, et victime désignée de la puissance germanique.

En ce qui concerne le roi d'Angleterre, dans un rapport classé « strictement confidentiel », le correspondant du *Berliner Tageblatt* à Londres écrivait, le 18 mars, par l'intermédiaire de l'ambassade d'Allemagne, à son rédacteur en chef : (Le monarque) devant plusieurs membres importants du gouvernement a déclaré en commentaire à la réoccupation de la Rhénanie : "Voilà un heureux commencement de règne !" » Wallis s'inquiétait de son côté auprès de sa tante du sort que la détérioration de la situation internationale pourrait valoir à Ernest Simpson. Ses affaires avec les compagnies de navigation de Hambourg, contrôlées par les nazis, risquaient, craignait-elle, de le faire interner.

Mary Raffray arriva à Londres. Elle avait beaucoup vu Ernest à New York l'automne précédent et ils y étaient devenus secrètement amants. Elle s'intéressait tout particulièrement aux relations de Wallis avec Ribbentrop, qui était bel et bien, affirmait-elle à sa famille, l'amant de celle-ci. Elle en haïssait Wallis, écrivit-elle à sa sœur Anne. Wallis, pour sa part, curieux dédoublement, prenait ombrage de la liaison de son mari avec Mary Raffray, mais se félicitait aussi, de concert avec le roi, du prétexte merveilleux qu'elle lui donnait pour rompre son mariage et être libre. À la mi-mars, le monarque s'intéressa au divorce afin d'agir au mieux, il consulta plusieurs spécialistes de confiance qui ne manquèrent pas de le décourager ; maintes fois, au dire de ses conseillers, il perdit son sang-froid devant les difficultés qu'il rencontrait à faire de Wallis une reine. L'honnête et tout dévoué « G. » Trotter fut l'un des premiers à en subir les conséquences ; le roi le congédia ce printemps-là. Les relations que le pauvre homme était soupçonné d'entretenir avec Thelma Furness précipitèrent son renvoi. D'après diverses sources, Trotter ne devait pas se relever de ce coup ; il en aurait été réduit à devenir chef de rayon dans un grand magasin. Et le roi ne leva jamais le petit doigt pour l'aider.

L'accroissement de son pouvoir accrut l'impudence de Wallis.

Ainsi, le 9 avril – le Jeudi saint, occasion solennelle chaque année pour le monarque régnant de venir à Westminster Abbey distribuer des aumônes aux pauvres – Édouard provoqua la fureur de l'archevêque de Canterbury en faisant asseoir Wallis au fond de l'église dans la section réservée aux membres des familles royales de passage.

Une extravagante situation prévalut bientôt entre elle-même, le roi, Ernest et Mary. Ils constituèrent à cette époque un ménage à quatre. Ernest et Mary étaient reçus ensemble à Fort Belvedere chez le roi et à Himley Hall, chez lord Dudley ; le roi passait ses soirées à Bryanston Court, tandis qu'Ernest et Mary occupaient la chambre d'amis. Le 23 avril, Mary écrivait à sa sœur Anne, à Saint Louis :

> Je vois souvent le roi. J'ai dîné à York House et passé un week-end à Fort Belvedere... Samedi soir, il nous a tous emmenés à Windsor ; chez le comte de Dudley, nous avons vu lady Oxford (Margot Asquith), lady Cunard, Ribbentrop et lady Diana Cooper... Wallis est la vedette, tout le monde la reçoit et lui lèche les bottes à cause de son influence sur le roi. (Pas un mot de ceci à quiconque.)

Ce printemps-là, Ribbentrop séjourna souvent à Londres. Il continuait d'envoyer tous les jours dix-sept roses rouges à Wallis, à Bryanston Court ; il était indubitablement le convive le plus populaire de Londres. Emerald Cunard, Laura Corrigan, lord et lady Londonderry – la bande de Wallis – le recevaient constamment, si bien qu'il fut surnommé « le Herr des Londonderry ». Ribbentrop était très proche aussi de « Chips » Channon et de sa femme, qui lui faisaient littéralement la cour. Channon avait beau être un écrivain talentueux, il n'était guère perspicace envers les dignitaires nazis ; l'idée d'avoir à dîner chez lui un membre du gouvernement allemand le grisait. Il écrivait le 10 juin 1936 dans son journal que

Ribbentrop ressemblait à « un jovial représentant de commerce ». Mrs. Ronald Greville, amie de la reine Mary, et plus tard du roi George VI et de la reine Elizabeth, recevait aussi le ministre nazi. Où qu'il aille, il était encensé pour la double victoire qu'avec Hitler il avait remportée sur le chômage et le bolchevisme ; on alla même jusqu'à le féliciter de la nouvelle politique allemande envers les juifs.

Nombreux étaient ceux qui étaient persuadés (notamment Mary Kirk Raffray) que Wallis avait une liaison avec Ribbentrop et que celui-ci lui faisait envoyer directement des fonds de Berlin pour influencer – s'il en était besoin – le roi en faveur de l'Allemagne. Il est certain que Ribbentrop était trop souvent à Bryanston Court ; Mary Raffray devait en témoigner dans une longue lettre à sa sœur Buckner, transmise plus tard à la biographe d'Édouard VIII, Frances Donaldson [1] ; il est bien difficile à croire que dans ce cas précis l'épaisse fumée de la rumeur n'ait pas eu de feu. Les dossiers officiels ne pouvaient faire mention de pareille liaison, de peur que la riche épouse de Ribbentrop, Annelise Henkell, héritière d'une marque de champagne, n'en prît connaissance et ne compromît la position de son mari par un scandale public. Frau Ribbentrop avait de jeunes enfants ; elle était jalouse et possessive, et on ne pouvait pas courir le risque qu'elle ruinât la carrière de son mari. Quant à Wallis, nous savons par ses lettres qu'elle n'était pas amoureuse du prince de Galles ; elle aimait le pouvoir qu'il lui procurait, mais redoutait qu'il voulût l'épouser. Il n'existe pas de preuve absolue de sa liaison avec Ribbentrop, mais tous ses amis de l'époque la tenaient pour certaine.

Le 27 mars, Édouard offrit à Wallis son plus beau bijou : un bracelet en rubis et diamants de chez Van Cleef et Arpels, dans le fermoir duquel étaient gravés *Tiens bon* et la date. Allusion discrète peut-être à la *Pince de Casanova*, technique employée pour améliorer la qualité d'érections médiocres en serrant fortement le pénis avec le poing au moment de la pénétration et en pratiquant ensuite certaines contractions. Selon sir Dudley Forwood, Wallis avait atteint dans ce domaine à une maîtrise de virtuose.

---

1. Le contenu de ce rapport a été communiqué par Kirk Hollingsworth, neveu de Mary Kirk Raffray, qui en avait hérité. Lady Donaldson a reconnu avoir perdu ce document dans le *London Spectator* du 7 septembre 1988.

Le 2 avril, Wallis donna une grande soirée à Bryanston Court pour l'écrivain Harold Nicolson. Dans une débauche d'arums et d'orchidées blanches, elle reçut ses invités, dont le roi, le spirituel journaliste américain Alexander Woollcott (« Le roi lui mange dans la main », notait-il dans son journal) et les deux inexplicables rivales, lady Cunard et lady Colefax, qui, toutes deux, se disputaient l'attention du monarque. Elles enrageaient de se retrouver là, tandis que Wallis, d'évidence, était enchantée de la bonne farce qu'elle leur avait faite. Cette malice était typique du caractère de Wallis.

Ce même mois, Wallis et le roi invitèrent à prendre le thé à Fort Belvedere le duc de Connaught, grand-oncle du souverain, et son amie lady Leslie. D'après les souvenirs de la fille de lady Leslie, Anita, ils allèrent faire quelques pas dans le parc ; en rentrant, les chaussures de Wallis étaient pleines de boue. De but en blanc, elle ordonna au roi : « Débarrassez-moi de ces petits souliers sales et donnez-m'en une autre paire ! » À la stupeur des deux invités, le roi mit un genou à terre et s'exécuta avec le sourire.

Une autre fois, chez lady Cunard, le roi n'ayant bu que de l'eau de Vichy pendant tout le repas décida au café de se permettre un peu de cognac. Ne trouvant pas de tire-bouchon, il se tourna vers Wallis, qui se tourna vers Ernest et lui demanda d'ouvrir la bouteille avec le tire-bouchon de son trousseau de clés.

À Fort Belvedere, le roi exaspérait souvent ses invités et Wallis en leur jouant de la cornemuse après le dîner. Un soir, devant une assemblée choisie, Wallis lui adressa un tel regard, tandis qu'il s'escrimait sur son instrument, qu'il s'arrêta net, rougissant comme un petit garçon. Il était clair qu'il avait abdiqué toute volonté. Wallis réussit même à se faire emmener à l'Opéra de Covent Garden. L'arrivée du roi dans la loge de lady Cunard avec Wallis et quelques amis souleva un murmure dans la salle. Édouard détestait l'opéra et s'éclipsa plusieurs fois pendant la représentation pour fumer nerveusement cigarette sur cigarette, tandis que Wallis, en vérité totalement insensible à la musique, jouait les amateurs extasiés. Cette extase venait surtout de ce que la salle, oubliant de regarder la scène, restait les yeux fixés sur elle.

Le roi réunit à plusieurs reprises, ce printemps-là, le comité de la Liste civile pour discuter des sommes qui seraient allouées à la « future reine ». Il se heurta à une solide résistance, mais, à l'exaspération de tous il insista. L'honorable major Alexander Hardinge et Mrs. Hardinge étaient décidés à empêcher à tout prix ce mariage. Ils essayèrent de prendre contact avec le conseiller juridique du roi, Walter Monckton, pour qu'il fît cause commune avec eux, mais il était en Inde. Ils continuèrent malgré tout à manœuvrer en coulisses.

À la longue liste de ses ennemis le roi ajouta sir Robert Johnson, sous-directeur de la Monnaie. Sir Robert était responsable des pièces anglaises. Il était entendu qu'à chaque nouveau règne le monarque serait représenté du côté opposé à celui de son prédécesseur. C'était une tradition vieille de plusieurs siècles. George V avait offert son profil gauche. Mais, lorsque Édouard VIII découvrit que le dessin destiné à ses pièces était tiré d'une des rares photos montrant son profil droit, il entra dans une violente colère, car il le trouvait hideux ; il exigea une modification immédiate et l'obtint.

Il suscita de nouvelles critiques lorsque, le 20 avril, à l'occasion de l'anniversaire d'Hitler, il télégraphia au Führer en lui souhaitant « toutes sortes de bonheur ». Cinq jours plus tôt, l'ambassadeur von Hoesch était mort d'une crise cardiaque. Il avait été immédiatement remplacé par l'ami intime de Wallis et du roi, le prince Otto von Bismarck, qui avait rempli la fonction de chargé d'affaires jusqu'à ce que Ribbentrop le remplace, l'automne précédent. Bismarck était fréquemment invité à Fort Belvedere, ce qui pouvait entraîner des fuites. Whitehall avait tout lieu de le craindre.

Jour après jour, depuis le début du règne, Londres envoyait à Fort Belvedere des boîtes de dépêches rouges, pleines de documents secrets provenant des diverses ambassades de Grande-Bretagne de par le monde et relatives à la situation internationale. Ces documents, réservés aux ministres et au monarque, n'étaient pas destinés à être vus par n'importe qui. Au scandale général, le roi, que la paperasserie ennuyait et qui avait la vue fatiguée, laissait traîner des documents de première importance, sans se soucier qu'ils fussent maculés de taches de thé ou de café. Certaines informations cruciales, contenues dans ces documents, auraient été transmises à Berlin. On soupçonnait Wallis d'être à l'origine de ces fuites. Dans la biographie du Premier ministre Stanley Baldwin, par Keith Middlemas et John Barnes, on peut lire le passage suivant :

De gros soupçons pesaient sur Mrs. Simpson. On la suspectait de relations étroites avec les cercles monarchistes allemands... Elle était étroitement surveillée par sir Robert Vansittart (secrétaire général aux Affaires étrangères) ; le roi et Mrs. Simpson n'auraient pas été très contents d'apprendre que les services de sécurité avaient des dossiers sur elle et certains de ses amis. Les boîtes rouges envoyées à Fort Belvedere étaient soigneusement filtrées au Foreign Office, afin d'éviter que ne soient détournées des informations hautement secrètes. Le gouvernement considérait tout différemment du public auprès duquel la popularité du roi était grande l'hypothèse d'un mariage avec Wallis.

Les archives du F.B.I. à Washington possèdent un rapport, intitulé « l'espionnage international et l'abdication d'Édouard », où l'on trouve cette précision :

Certains soi-disant secrets d'État transmis à Édouard furent connus de Ribbentrop, aussi Baldwin dut-il admettre que l'origine de la fuite ne faisait plus de doute.

Le même rapport accuse Wallis de ces détournements de documents.

Dans sa biographie, *This Man Ribbentrop*, Paul Schwartz, fonctionnaire au ministère allemand des Affaires étrangères, dirigé par Ribbentrop, prétend que les secrets contenus dans les boîtes à dépêches étaient connus de tout Berlin, et que des documents relatifs à la sécurité britannique, expédiés par l'ambassadeur britannique en Allemagne, sir Éric Phipps, revenaient dans la capitale allemande. Schwartz, lui aussi, semble imputer ces détournements à Wallis.

Sir Robert Vansittart, éminence grise, controversée, de l'Intelligence Service, prit l'affaire en main. Grand, large d'épaules, athlétique, respirant l'équilibre et un chaleureux bon sens, Vansittart succédait au très efficace sir Ronald Lindsey, qui avait été secrétaire général dans les années trente. Il était sans doute le plus audacieux, le plus libre, le plus brillant et le plus pénétrant de tous les personnages politiques de son temps, en dehors de son voisin et ami intime Winston Churchill. Comme l'écrit John Connell dans son ouvrage *The Office*, sur la diplomatie britannique :

> Il conjuguait étroitement rapidité d'analyse... et rapidité d'action. Tout retard à l'action qu'il croyait nécessaire, après estimation d'une situation donnée, le mettait hors de lui. Cette impatience lui valait une réputation d'imprudence et de précipitation auprès des timorés et des indécis.

Poète, joueur et bon vivant, Vansittart était un ami intime d'Alexander Korda ; patron et associé de Korda dans la London Films, à la fin des années trente, il enrôla ce dernier dans les services de renseignements en même temps que d'autres employés hongrois et germanophones de cette compagnie. La carrière diplomatique de Vansittart l'avait conduit à Paris, à Téhéran, au Caire et à Stockholm, et il était de tout Londres l'homme qui avait l'idée la plus nette de ce que représentait la menace allemande. C'était lui le vrai patron de l'Intelligence Service, devenue MI 6, dont le responsable officiel, jusqu'en 1939, fut l'amiral sir Hugh Sinclair. D'après Connell, c'était « un léopard dont le destin fut d'être attelé à des chats de gouttière, domestiques peut-être, mais sournois et vindicatifs ». Du jour où il fut convaincu qu'elle travaillait pour les nazis, il s'avéra l'ennemi implacable de Wallis.

Comment Vansittart parvint-il à la conclusion que Wallis était bien la responsable des fuites qui alimentaient le gouvernement allemand ? D'après l'historien John Costello, ce fut l'agent russe Anatole Baïkalov qui lui avait fourni cette information. Cette assertion est confirmée par le livre de Richard Deacon, *The British Connection* (Londres, Hamish Hamilton, 1979), qui est le fruit de recherches d'un sérieux indiscutable. L'auteur écrit :

> Baïkalov avait une carte maîtresse dans sa manche ; il s'en est servi avec beaucoup d'adresse pendant les dernières années du gouvernement Baldwin et c'est ce qui a ouvert la voie à l'abdication... Baïkalov a informé le MI 5 que Mme Simpson était un agent secret du gouvernement allemand. Il soulignait qu'on la voyait souvent à l'ambassade d'Allemagne... Cette information fut transmise à Baldwin par son ministre chargé de la liaison avec le Secret Service, J.C.C. Davidson.

Se prétendant Russe blanc, Baïkalov faisait partie du même cercle que la couturière de Wallis, Anna Wolkoff, ce qui expliquerait la chose. Il semblerait qu'il ait joué l'agent double auprès des Britanniques.

Vansittart disposait de deux agents sûrs à l'ambassade d'Allemagne qui l'informaient de toute arrivée par la valise diplomatique de documents destinés à être transmis à Berlin. L'un de ces espions s'appelait Wolfgang zu Putlitz ; plus tard en poste à La Haye, il révélerait la communication par le duc de Windsor aux services allemands du compte rendu d'une réunion du conseil de guerre anglais. Putlitz travaillait de concert avec un autre espion britannique, l'attaché de presse allemand Ustinov, père de l'acteur et auteur de théâtre Peter Ustinov. Dans son livre *MI 6*, ouvrage de référence, Nigel West écrit : « Pendant des années, zu Putlitz... informa Ustinov de tout ce qui se passait à l'ambassade d'Allemagne à Londres. »

Pour transmettre des renseignements, Wallis avait dû passer par l'ambassade d'Italie, comme Baïkalov le détermina. Mais quels auraient pu être ses motifs ? Sir Éric Phipps, ambassadeur de Grande-Bretagne à Berlin, avait grandement excité le mécontentement du roi, en manifestant dans ses dépêches et télégrammes une profonde méfiance envers le régime d'Hitler. Wallis ne se serait pas risquée à agir sans l'autorisation royale ; et il paraît vraisemblable que le roi lui-même souhaita que ces renseignements reviennent en Allemagne pour confronter l'opposition à Phipps et miner sa politique.

Le 4 mai 1936, Wallis écrivait à tante Bessie une longue lettre mélancolique, où elle se plaignait d'être écartelée depuis un an et demi entre le roi et Ernest ; elle racontait combien il était difficile de satisfaire deux hommes à la fois, de s'adapter à leurs vies respectives ; elle se disait constamment fatiguée, nerveuse et irritable. Bien que le roi, Ernest et elle-même, poursuivait-elle, aient discuté en toute amitié de leurs curieuses relations, et bien qu'Ernest paraisse se contenter de sa position de cocu, elle ne pouvait pas continuer à endurer une telle tension physique et psychologique. Elle reconnaissait s'être détachée d'Ernest, et si elle devait renoncer au roi, elle le regretterait ; et si le roi tombait amoureux d'une autre femme, elle n'aurait plus ni le pouvoir ni les biens dont elle jouissait à présent.

Le 27 mai, le roi invita le Premier ministre Baldwin à York House pour le présenter à la « future reine ». Parmi les invités se trouvaient Charles et Anne Lindberg. Lindberg arrivait d'Allemagne, où il avait accompli une tournée triomphale, à l'invitation de son ami le maréchal Goering. Après le dîner, Lucy Baldwin dit à son mari : « Mrs. Simpson nous a volé le prince Charmant. » Walter Monckton revint à Londres. Les Hardinge firent pression sur lui, mais il se montra inébranlable dans sa fidélité au roi. Il refusa d'ajouter foi aux accusations d'espionnage portées contre Wallis ; seule lui importait la volonté du roi. Il savait qu'aucune puissance au monde ne pourrait ébranler la passion du roi pour Wallis. Un jour de ce printemps-là, alors que Monckton inspectait avec le roi un immeuble du duché de Cornouailles dans un quartier déshérité de Londres, il remarqua le souverain en contemplation devant une fenêtre. « Sire, que regardez-vous ? » demanda-t-il. « Wallis est là-bas », répondit le roi en indiquant une direction.

Il ressentait la moindre séparation comme un supplice.

Un autre incident fit beaucoup de bruit à Londres. Pour essayer de réconcilier Wallis avec son frère et sa belle-sœur, le duc et la duchesse d'York, le roi décida de l'emmener à la Royal Lodge, à Windsor. Wallis causa avec eux et ils parurent s'adoucir. Elle se confondit en amabilités sur leurs enfants, les princesses Elizabeth et Margaret Rose. Cependant elle détruisit sur-le-champ tout le bon effet qu'elle avait produit. Devant ses hôtes et leurs filles, raconte Marion Crawford dans ses Mémoires, Wallis se dirigea vers la fenêtre et déclara que le paysage gagnerait beaucoup à l'abattage de plusieurs arbres et à l'arasement d'une colline. Le conseil ne fut pas apprécié.

Durant l'été 1936, toute mention de Wallis fut soumise à une censure sévère. Les patrons de journaux, fidèles au roi, décidèrent d'écarter tous les articles et les photos pouvant dévoiler sa liaison avec le souverain. Les journaux et les périodiques étrangers étaient envoyés par leurs distributeurs à un bureau spécial, où certains passages relatifs à Wallis et au roi étaient tout bonnement découpés. Lorsque l'hebdomadaire anglais *Cavalcade* osa publier la vie de Mrs. Simpson sur cinq colonnes, le numéro s'arracha tout de suite, mais fut très vite retiré des kiosques et confisqué. Cependant, les journaux continentaux, achetés au marché noir, s'infiltraient dans les foyers de la bonne société, suscitant des ricanements furtifs autour des tables du petit déjeuner.

Le 30 juin le surintendant Albert Canning qui enquêtait toujours sur Wallis, conformément aux ordres donnés par lord Trenchard et sir Philipp Game, informa Game que le parti communiste anglais était très préoccupé par la liaison entre le roi et Wallis et qu'au cours d'une réunion de la conférence de la paix à Leeds l'agitateur politique Harry Pollitt avait crié, déclenchant une ovation et des rires dans le public : « Si on nous donne des masques à gaz (dans une future guerre) nous devrions exiger qu'on donne à Mme Simpson le même masque à gaz qu'à nos épouses. » Ceci à une époque où les barons de la presse anglaise, menés par lord Rothermere du *Daily Mail* et lord Beaverbrook du *Daily Express*, appliquaient la politique dictée par le roi et le Premier ministre : faire comme si l'Américaine n'existait pas, et n'en parler jamais.

L'un des actes les plus caractéristiques du roi cet été fut de convoquer son Conseil privé à la fin de juin pour discuter de la situation résultant de la conquête et du pillage de l'Éthiopie par Mussolini. Il lui fallut à peine dix minutes pour suspendre les sanctions décidées par son père à l'encontre du commerce italien. Cette mesure qui devait prendre effet le 15 juillet favorisait grandement les intérêts d'Ernest Simpson. Édouard ordonna à sir Samuel Hoare, le premier Lord de l'Amirauté, d'éloigner des eaux italiennes les vaisseaux de la flotte. De même il s'abstint de toute réaction quand Mussolini força la Turquie, la Grèce et la Yougoslavie du prince régent de retirer leurs sanctions.

Dès le milieu de l'été, les documents confidentiels n'étaient plus transmis au roi : le major Hardinge ne les recevait même plus du Foreign Office. Le ministre des Affaires étrangères, Anthony Eden, en avait pris la décision avec sir Robert Vansittart. Eden et le roi ne s'entendaient pas.

Profondément contrarié par la politique d'apaisement envers Mussolini, et mécontent qu'aucune punition n'ait été infligée au dictateur italien par le gouvernement dont il faisait partie, Eden n'avait qu'une alternative : accepter la décision de la majorité du cabinet ou démissionner. Il ne fait pas de doute qu'il aurait dû démissionner, mais, comme la suite de sa carrière devait le démontrer, il était irrésolu. Ce ne fut qu'en 1938 qu'il se résigna à quitter le gouvernement. Le cabinet contribua à cette politique d'apaisement en abrogeant les pactes navals conclus avec la Grèce, la Turquie et la Yougoslavie, pactes censés assurer la sécurité collective contre Mussolini. Pendant ce temps-là, Mussolini et Hitler ne cessaient de se rapprocher jusqu'à conclure une alliance qui se révélerait fatale. Enfin, comme s'il eût voulu s'assurer que l'Italie avait désormais carte blanche en Méditerranée, où elle était engagée dans une guerre sous-marine secrète avec l'Union soviétique, le roi projeta un voyage politique en Europe.

Peu avant le départ du roi avec Wallis, sir Louis Greig, l'ancien courtisan écarté par le roi, découvrit que le couple résidait à Blenheim Palace, la demeure ancestrale des ducs de Marlborough, en compagnie d'Ernest Simpson qu'on avait logé seul dans une chambre à part. C'est là, d'après les recherches de Greig, que les trois complices mirent au point les détails de la mise en scène qui devait préluder au divorce prochain – pour lequel Simpson toucherait une grosse somme d'argent. Mary Raffray, sous le pseudonyme de Buttercup, prêterait son concours à l'opération contre rétribution, et serait la partenaire de Simpson pour la nuit. On se procurerait des témoins qui déposeraient au procès. Le roi ne savait toujours pas que Wallis continuait à coucher avec Trundle.

Les préparatifs de ce voyage allaient bon train, lorsque survint un incident extraordinaire. Le 16 juillet, le roi, qui assistait à une parade militaire dans Hyde Park, passait en revue un magnifique déploiement de gardes en uniformes rouges. Il leur rappela leurs traditions héroïques qui remontaient à deux siècles et demi, lorsque le chef de ces mêmes gardes était le duc de Marlborough, et évoqua les horreurs de la guerre, laissant espérer à ses troupes qu'elles ne souffriraient jamais du feu ni de la mitraille qu'avaient connus leurs aînés. « J'espère de tout mon cœur et je prie pour que jamais notre génération et notre siècle n'aient à faire face à une épreuve aussi terrible. L'humanité aspire à la paix », dit-il. Cette cérémonie n'avait lieu que tous les quinze ans.

Sous un soleil éclatant, les bataillons défilèrent devant le roi, puis le monarque prit la tête des brigades des gardes derrière leur musique pour regagner Buckingham Palace en contournant Hyde Park Corner. Comme la parade s'engageait sous Wellington Arch, un homme, au second rang des spectateurs, brandit un revolver et le pointa sur le roi. Un policier à cheval s'interposa dans sa ligne de mire et abattit d'un grand coup l'arme qui roula sous les sabots du cheval du roi. « Imbécile ! » s'exclama le roi, tandis que quelqu'un hurlait : « À l'assassin ! Arrêtez-le ! » Trois policiers s'emparèrent du meurtrier en puissance et l'emmenèrent. Blême, mais maître de soi, le roi poursuivit son chemin jusqu'au palais.

L'agresseur était un certain Jerome Bannigan, Irlandais résidant à Glasgow, qui se dissimulait sous le nom de George Andrew MacMahon. Alcoolique, irascible, instable, Bannigan avait déjà été condamné à douze mois de prison pour avoir accusé de chantage deux officiers de police. Le cas avait été jugé par la cour criminelle d'appel. Il n'était pas, dit-on, dans son état normal au moment des faits, car les autorités venaient de censurer *The Human Gazette*, magazine qu'il publiait, lui portant un coup fatal. Il se lança devant le tribunal dans une histoire extravagante, aux termes de laquelle un groupuscule politique d'origine nazie lui aurait commandé de tuer le roi. Cette absurdité fut traitée par le mépris et, après un bref procès, il fut condamné à douze mois de prison [1].

Édouard VIII projetait de passer quelque temps sur la Côte d'Azur au château de l'Horizon, ancienne propriété de Maxine Elliott, étoile de Broadway, avant d'entreprendre sa croisière méditerranéenne. Léon Blum, chef socialiste de la coalition du Front populaire, était devenu président du Conseil, au terme de la vacance qui avait suivi la chute du gouvernement Laval au mois de janvier précédent. On redoutait que des éléments communistes, infiltrés dans l'administration Blum, ne tentent de tuer le roi, et le Foreign Office lui conseilla de brûler l'étape de la Côte d'Azur. Il loua donc le *Nahlin*, somptueux yacht de treize cent quatre-vingt-onze tonneaux, qui appartenait à lady Yule, excentrique milliardaire dont la maison était remplie d'animaux empaillés et le jardin en partie occupé par un cimetière d'animaux. Sous le commandement du capitaine Doyle, le yacht sillonnerait la Méditerranée orientale, où les Italiens et les Soviets menaient leur guerre sous-marine secrète (les sous-marins italiens se camouflant sous les couleurs espagnoles).

L'époque n'était pas sûre. La guerre d'Espagne faisait rage. La situation dans les Balkans était explosive. Mais rien ne put détourner le roi d'embarquer vers de nouvelles aventures politiques,

---

1. Il n'est pas impossible que Bannigan ait été manipulé par l'I.R.A. qui était alors sous contrôle communiste.

déguisées en vacances maritimes. Il demeurait décidé à prodiguer de nouveaux apaisements à l'Italie, bien que la politique impérialiste de cette nation continuât de heurter de façon flagrante les intérêts britanniques en Méditerranée. Son principal souci en matière de politique étrangère demeurait la route des Indes par le canal de Suez et, si maladroit, si amateur qu'il se montrât, il n'en était pas moins bien intentionné. Peu avant son départ, il reçut le prince Farouk, héritier adolescent du trône d'Égypte, avec qui il s'entretint du canal de Suez. Et il approuva avec satisfaction la nomination, par Stanley Baldwin, de son ami sir Samuel Hoare, au poste de premier lord de l'amirauté. Cette nomination était importante pour lui, car Hoare allait l'aider à renforcer la coopération engagée avec l'Italie, à assurer à Mussolini toute liberté de poursuivre sa guerre sous-marine contre les Soviets et à renforcer les points d'appui de Gibraltar, Malte et Chypre. Le roi pourrait aussi inspecter les armements lourds installés par Vickers en Yougoslavie. En Grèce, il rencontrerait le roi Georges, qui devait beaucoup à l'Angleterre, et le général Jean Metaxas, tout nouveau dictateur et admirateur de Mussolini. Il projetait encore une rencontre avec Kemal Ataturk, le dictateur turc, pour s'assurer que l'armée et la marine ottomanes resteraient *sine die* alliées de la Grande-Bretagne [1]. On craignait que les Turcs ne se mettent en tête de se constituer une flotte de sous-marins pour aider leurs alliés russes contre l'Italie.

Comme d'habitude, le roi gagna Calais par avion, tandis que Wallis et sa suite prenaient le bateau. Le roi utilisa pour la première fois son titre héréditaire de duc de Lancastre. Tout le monde embarqua à bord de l'Orient-Express dans un wagon spécial fourni par Mussolini et, *via* Salzbourg, en Autriche, atteignit la frontière yougoslave à Jessenice en fin d'après-midi. Les voyageurs furent accueillis par le prince-régent Paul et par John Balfour, chargé d'affaires britannique à Belgrade. Le roi descendit du train pour bavarder avec le régent et Balfour. Demeurée dans le wagon privé, Wallis eut la surprise de le voir aiguillé sur une voie de garage puis accroché au train royal. Les autorités étaient très inquiètes de la menace que les communistes et terroristes croates représentaient

1. Les bruits selon lesquels il aurait répugné à se rendre en Turquie et qu'il y fut forcé par sir Percy Loraine, ambassadeur à Ankara, n'ont pas pu être confirmés.

pour le roi d'Angleterre. Aussi, lorsque Édouard et Wallis interrompirent brièvement leur programme pour aller prendre le thé à la campagne avec le prince Paul et la princesse Olga – qui désapprouvait la présence de Wallis –, le chauffeur reçut-il l'instruction de rouler à tombeau ouvert, épouvantant poulets et chèvres. Les autorités craignaient que les Croates ne passent à l'action si la voiture roulait lentement.

La courtoisie n'était pas le seul motif de la rencontre. Dans leurs Mémoires, Wallis et le roi peuvent bien soutenir que cette halte n'eut pour motif que l'insistance du prince Paul, elle avait été bel et bien prévue. Deux mois plus tôt, le docteur Hjalmar Horace Greeley Schacht, principal économiste nazi et prodige financier, avait discuté avec le prince Paul de massifs contrats d'armements ; en même temps, Mussolini avait étudié de très près avec le prince un rapprochement politique et économique. Si bien que, à l'arrivée en Yougoslavie du roi et de Wallis, la moitié du commerce extérieur du pays se faisait avec l'Allemagne et l'Italie. Il était donc important pour le roi d'Angleterre de s'assurer que les alliances conclues à Bucarest entre puissances totalitaires ne menaçaient pas les intérêts britanniques en Europe et surtout dans le Bassin méditerranéen. Le prince Paul n'eut pas de peine à lui donner cette assurance.

Wallis et le roi gagnèrent ensuite la côte dalmate, où le *Nahlin* les attendait à Sibenik. Il faisait un temps magnifique et le yacht, qui venait d'être adapté aux désirs royaux et peint en blanc de la proue à la poupe, se détachait, splendide, dans le port, sur la mer et le ciel bleus. Vingt mille personnes en costumes traditionnels acclamèrent le roi et ses amis tandis qu'ils roulaient vers les quais. La presse locale avait publié de nombreux articles sur Wallis et nul n'ignorait qu'elle était la maîtresse du roi. Le blanc navire quitta enfin son mouillage et s'éloigna sur la mer scintillante aux cris de « Vive le roi ! » qui retentirent longtemps dans l'air humide et chaud.

Pendant les trois jours suivants, la politique fut oubliée. Escortés par deux torpilleurs, le roi et ses amis visitèrent les petits ports de l'Adriatique et admirèrent les beautés d'une côte superbe. Wallis n'oublierait jamais cette soirée où le *Nahlin* était amarré à l'ombre d'un pic majestueux. Des milliers de paysans s'approchèrent du yacht pour lui souhaiter la bienvenue, portant des torches en procession le long des sentiers vertigineux et remplissant la nuit de leurs chansons. À Dubrovnick, une autre foule entoura Wallis et le roi descendus faire des courses aux cris de « Vive l'amour » ! Malgré la chaleur et l'humidité, l'étroitesse des cabines et le manque de vent qui gênait les mouvements du bateau, Wallis se délectait dans son rôle de reine subrogée ; quant au roi, il rayonnait de la faire goûter à une vie royale.

Parmi les invités, se trouvaient Duff et Diana Cooper, qui avaient rejoint en chemin. Ni l'un ni l'autre n'éprouvait pour Wallis d'affection particulière, ce qui était réciproque. Ils jugèrent lugubrement prophétique de la voir porter un bracelet composé de copies exactes des deux croix que portait le roi autour du cou.

Le roi tenait à agir en touriste ordinaire. Lorsque le *Nahlin* embouqua le canal de Corinthe, il se tenait sur le pont, en short et torse nu, provoquant le déclenchement de centaines d'appareils de photo et de vives critiques à Londres quand les clichés y parvinrent. Le roi Georges passa deux heures à bord pour faire la connaissance de Wallis. Proche parent de la famille royale britannique, il connaissait Édouard depuis toujours. Édouard et Wallis débarquèrent ensuite avec Georges, qui leur présenta sa maîtresse anglaise, Mrs. Jones. La situation en Grèce était des plus tendues. Quinze jours auparavant, le général Jean Metaxas avait pris le pouvoir s'attribuant les postes de Premier ministre, de ministre des Armées et de ministre des Affaires étrangères. Il avait coupé le téléphone et le télégraphe, établi la censure et lancé la police contre les syndicats. Quelques jours plus tard, il dissoudrait le Parlement. Le roi Georges et lui avaient resserré les liens de la Grèce avec l'Italie et l'Allemagne ; il était donc important pour le roi Édouard d'obtenir l'assurance que les intérêts britanniques ne souffriraient pas de ce nouveau régime. Il l'obtint.

L'équipée royale se rendit à Athènes, où le roi et son ministre de la guerre, Alfred Duff Cooper, allèrent prendre le thé avec le général Metaxas, chez qui ils passèrent deux heures. D'après l'élégant magazine américain *Living Age*, il fut décidé au cours de cette rencontre l'octroi d'un prêt substantiel de la Grande-Bretagne à la Grèce par le canal de la Hambro's Bank. Ce crédit devait contribuer à rapprocher l'Angleterre de l'Allemagne et de l'Italie.

De retour à bord, lady Diana Cooper assista à une scène bizarre. Le roi tomba soudain à genoux pour retirer de dessous le pied d'une chaise l'ourlet de la robe du soir de Wallis. Loin de l'en remercier, Wallis toisa le monarque et lâcha : « Voilà bien la chose la plus extraordinaire que j'aie jamais vue ! » Puis, à l'étonnement général, elle se lança dans une critique acerbe du roi, et notamment de la façon dont il s'était comporté avec le roi de Grèce et sa maîtresse. Dans une lettre, Diana écrivait : « Wallis se conduit vraiment très, très mal. Sa vulgarité, son côté Becky Sharpish sont exaspérants. » Ce n'était pas la première fois que Wallis était comparée à l'héroïne de *Vanity Fair*. Diana notait dans son journal que Wallis ne cessait de rabrouer le roi.

Pique-niques, escalades, ramassages de coquillages et baignades dans une mer tiède et ensoleillée se succédèrent, tandis que se rapprochait la Turquie, où ils reçurent un accueil tumultueux. Les torpilleurs turcs *Adapepe* et *Kojapepe* apparurent au large d'Imbros, le 4 septembre, à 8 heures du matin, pour escorter le yacht royal. Le général Altay monta à bord, porteur d'un message de bienvenue du dictateur Kemal Ataturk. Wallis et le roi parcoururent pendant deux heures le cimetière militaire britannique et australien de Gallipoli. Cette visite provoqua un vif mécontentement en Australie et Nouvelle-Zélande, car ces deux pays éprouvaient encore un grand ressentiment envers les Anglais et surtout Winston Churchill du gaspillage des troupes Anzac, sacrifiées là contre les Turcs pendant la Grande Guerre.

À midi, le *Nahlin* jeta l'ancre devant le palais de Dolma Bathe. Puis tout le monde s'installa dans des voitures découvertes pour gagner à vive allure, au milieu de foules enthousiastes, l'ambassade d'Angleterre, où les attendait sir Percy Loraine. Une fois de plus, une apparente visite de courtoisie s'avérait très importante pour la défense des intérêts britanniques dans la région. Au terme de plusieurs mois de négociations, la Société des Nations avait enfin autorisé les Turcs à refortifier le Bosphore, effaçant les accords qui avaient conclu la Première Guerre mondiale. Compte tenu de l'alliance de la Turquie avec l'Union soviétique et de la proximité de l'Égypte et du canal de Suez, cette décision était dangereuse pour l'Angleterre. Pendant son entrevue avec le dictateur turc, le roi réussit à obtenir que les travaux de fortification des Dardanelles soient confiés à des entreprises britanniques, et cela à la barbe du docteur Schacht et de Skoda, la firme tchécoslovaque, qui était censée ne rien pouvoir refuser à Moscou.

Le soir même, Ataturk donna en l'honneur du roi des régates vénitiennes devant toute la flotte turque illuminée, et un feu d'artifice qui fit étinceler le dôme de Sainte-Sophie d'un flamboiement multicolore. Cette nuit inoubliable fut le couronnement d'une inoubliable visite.

Poursuivant leur voyage, le roi et Wallis arrivèrent en Bulgarie dont le roi Boris était lui aussi un admirateur d'Hitler. La visite devait se dérouler incognito ; c'était absurde et, comme on pouvait s'y attendre, elle devint une succession de fêtes publiques. En l'occurrence la conduite du couple fut scandaleuse. Pour commencer ils couchèrent ensemble dans le wagon privé du train impérial que Boris avait mis à leur disposition pour voyager de la frontière à Sofia, Boris se plaçant lui-même aux commandes de la locomotive. Ensuite ils refusèrent de sortir de leur lit le matin quand, dans une gare de campagne, on leur annonça que des centaines d'enfants des écoles avec des fleurs et une fanfare voulaient les saluer.

Les enfants essayèrent d'entrevoir le couple par la vitre de leur wagon-lit mais fort heureusement les volets résistèrent. Le roi ordonna à un valet à son service, d'origine africaine, de se montrer à la foule et de lui parler. Dans un pays connu pour son racisme, c'était une insulte délibérée, qui se retourna contre son auteur. Les enfants n'avaient jamais vu de « nègre » et quand le serviteur apparut ils sautèrent de joie. Comme devait l'écrire en décembre 1965, dans la *Monthly Bulgarian Review* publiée à Buenos Aires, Stoyan Petrov-Tchomakov, le chef du protocole du roi Boris : « Les gosses furent ravis de saisir cette occasion unique de voir un spécimen vivant de la race noire d'Afrique. »

Le roi étonna ses hôtes en photographiant avec son Leica les jolies filles du pays. Durant une visite au Palais impérial il fit une allusion discrète aux relations particulières qu'il avait avec Wallis en répondant à la fillette de quatre ans de Boris qui se plaignait de devoir retourner à sa nursery : « Moi aussi je dois y retourner. » Il n'arrangea pas les choses en surnommant « Petrol » Hélène Petrov-Tchomakov, la dame d'honneur de la reine, « Handkerchief » (mouchoir) Georghi Hanscief, le secrétaire du roi, et « Bugger off » (Fous le camp !) Alexei Bugharov, l'aide de camp et ami intime du roi. Pendant la Seconde Guerre mondiale, le Secret Service utilisa ces surnoms pour désigner ces trois personnes.

À Vienne, Édouard et Wallis descendirent au Bristol, leur hôtel favori. La journaliste américaine Elsa Maxwell était dans le vestibule de l'hôtel, lorsqu'ils firent leur entrée avec un nombre impressionnant de valises et de malles. Miss Maxwell remarqua l'expression dure et volontaire de Wallis.

Le 9 septembre au matin, Wallis et le roi visitèrent la foire de Vienne, s'attardant au pavillon anglo-indien. Ils rendirent ensuite visite au président Miklas et au chancelier von Schuschnigg. La situation politique en Autriche était extrêmement volatile. Au mois de juin, Hitler et von Schuschnigg avaient signé des accords, approuvés par l'Italie, qui établissaient une véritable association politique, au grand mécontentement des juifs et des socialistes autrichiens. Jusqu'alors, le roi Édouard pouvait toujours prétendre s'être entendu avec von Schuschnigg, afin d'éviter une alliance entre l'Autriche, l'Italie et l'Allemagne. Mais il apparaissait maintenant comme le soutien direct d'un gouvernement qui était totalement soumis à Hitler. Ils assistaient le soir même à une représentation du *Crépuscule des dieux*, de Wagner, qui était l'opéra préféré d'Hitler, en compagnie de la fille du compositeur, Winifred Wagner, ardente hitlérienne. Édouard chassa le chamois, consulta Heinrich Neumann (professeur juif qui avait refusé de soigner Hitler) pour ses ennuis d'oreille que les bains de mer avaient aggravés, se montra enfin dans un bain turc en compagnie d'un David Storrier de Scotland Yard fort gêné et de six des principaux policiers de Vienne, tous les huit tout nus, avec leurs pistolets, à l'ébahissement des patrons de l'endroit.

Wallis et le roi retournèrent à l'Opéra pour entendre un autre opéra de Wagner, *le Vaisseau fantôme* ; Édouard passa la plus grande partie de la représentation à fumer nerveusement des cigarettes hors de la loge royale. Il était plus à son aise au fameux restaurant des *Trois Hussards*, au Rotter Bar, retrouvé avec délice, et au Bristol à écouter des valses.

Au bout d'une semaine, ils prirent le train pour Zurich, d'où le roi s'envola pour Londres, tandis que Wallis et les autres continuaient en train. Le 6 septembre, George Weller, correspondant du *New York Times* à Athènes, écrivait :

> Le voyage d'Édouard en Méditerranée a eu pour résultat que quatre nations se sont demandé si l'Angleterre n'allait pas adopter

> une politique plus énergique. La conjugaison de la sincérité d'Édouard et de l'activisme d'Hitler ne pourrait-elle leur assurer, s'interrogent-elles, une protection plus efficace que celle de la Société des Nations ? Ces nations-là ne considèrent pas forcément d'un mauvais œil une domination anglo-germanique.

Weller avait touché du doigt le véritable but de la croisière du *Nahlin*.

À son retour à Londres, Wallis se sépara enfin d'Ernest, qui s'installa à son club, tandis qu'elle prenait une chambre au Claridge. Elle consulta son avocat, Theodore Goddard, qui avait déjà entamé la procédure de divorce. Goddard l'informa qu'il avait décidé de ne pas porter le cas devant les tribunaux de Londres, dont le calendrier était si chargé qu'il se passerait peut-être un an avant qu'il ne soit jugé. Aussi s'était-il adressé au tribunal d'Ipswich, petite ville du Suffolk. Wallis serait représentée par le célèbre avocat Norman Birkett.

Le roi invita à Balmoral Wallis ainsi qu'Herman et Katherine Rogers. S'y retrouvèrent aussi le duc et la duchesse de Kent, lord et lady Mountbatten, le duc et la duchesse de Marlborough, le duc et la duchesse de Sutherland. Annulant une inauguration, prévue à l'hôpital d'Aberdeen, le roi s'éclipsa pour aller chercher à la gare d'Aberdeen Wallis et les Rogers. Le train avait du retard ; bien qu'il se fût dissimulé sous d'énormes lunettes de chauffeur, le roi fut reconnu de tous, excepté d'un policier qui l'apostropha pour avoir garé sa voiture en stationnement interdit. Wallis n'était jamais allée à Balmoral. Le château était impressionnant avec ses tourelles, ses pignons et son donjon de trente mètres se détachant dans un paysage magnifique de montagnes et de forêts traversé par la Dee. L'intérieur était typique d'une folie royale avec ses sièges en pitchpin recouverts de tartan, ses rideaux de tartan, ses tapisseries de tartan. Une statue grandeur nature du prince Albert, mari de la reine Victoria, se dressait au pied du grand escalier.

Wallis paraissait ravie d'occuper l'appartement où avaient habité la reine Victoria, la reine Alexandra et la reine Mary. L'incongruité de la situation ne manquait certainement pas de l'amuser, lorsqu'elle sortait le matin en short avec le roi, pour aller faire des courses dans le village voisin de Crathie. Pendant que le roi et ses invités partaient chasser le cerf, Wallis se promenait dans la campagne, admirant les forêts dans leurs couleurs d'automne. Tous les soirs après le dîner, cinq joueurs de cornemuse paradaient autour de la table, menés par le roi en tartan Black Watch. On passait des films, dont *Strike Me Pink* avec Eddie Cantor, l'acteur préféré de Wallis, qui ajoutait à l'atmosphère une touche américaine, en préparant pour les invités des *club sandwiches*.

Là non plus le personnel n'aimait pas Wallis. On savait qu'elle avait fait renvoyer ou mettre à la retraite de vieux serviteurs du roi. L'américanisation des menus n'était pas non plus faite pour plaire aux domestiques.

Elle retrouva Londres de fort bonne humeur, tandis que le roi demeurait à Balmoral pour y tenir son premier conseil privé, alors qu'allaient bon train les préparatifs du couronnement, qui était fixé au 12 mai 1937. Tout le long des dix kilomètres du trajet que devait emprunter le cortège, les hôtels étaient complets. Les grands magasins avaient prévu de dépenser en décoration des centaines de milliers de dollars. Aux Lloyd's, on se démenait pour couvrir les risques d'un report de la cérémonie. On annonça la fermeture au public de l'abbaye de Westminster à partir du 4 janvier, afin de préparer pour la cérémonie le vénérable édifice, dont l'orgue avait été démonté pour être réparé.

À son retour à Londres, au début d'octobre, Wallis envoya ses félicitations à sir Oswald Mosley et à sa nouvelle épouse, Diana, sœur de cette Unity Mitford qui s'était entichée d'Hitler, à l'occasion de leur mariage chez le docteur Goebbels à Berlin. Après un bref séjour au Claridge, Wallis s'installa dans une maison Regency, située 16, Cumberland Terrace, qui était propriété de la couronne, et qu'elle avait sous-louée à son occupant, lequel devait partir faire une croisière autour du monde. Immense et magnifiquement meublée, cette maison dessinée par Nash avait un gigantesque salon dominant Regent's Park, que Wallis emplit de ses fleurs favorites. Avec l'aide de lady Mendl, elle s'employa à tout remettre à neuf. Au même moment, Neville Chamberlain louait à Ribbentrop sa maison d'Eaton Square.

L'Associated Press annonça que le roi avait jusqu'à présent donné à Wallis pour un million de dollars de bijoux et qu'une compagnie anglaise venait d'importer de chez Julius Green à New York pour cinquante mille dollars de renards argentés, cadeau du roi à sa maîtresse. Le 11 octobre, le roi s'installait officiellement à

Buckingham Palace. Il détestait ses interminables couloirs de marbre et ses grandes pièces sinistres ; il aménagea ses appartements dans la « suite belge » du XVIIIe siècle. Meublé en Louis XIV et en Chippendale, cet appartement dominait la terrasse de l'est et les jardins du palais. Grâce aux bons offices de sir George Clerk, ambassadeur encore loyal, le roi débaucha à Paris le chef de chez Maxim's. À peine arrivé, M. Legros fut informé de la nature des repas qu'il aurait à préparer pour Wallis et le roi : au petit déjeuner, thé au citron, pain grillé et omelette d'un œuf ; au déjeuner, thé et pomme ; au dîner, grillade de viande ou de poisson avec melon et fromage. De désespoir, Legros leva les bras au ciel.

Le roi appela personnellement les propriétaires des différents journaux de Londres et réussit à en obtenir la promesse que l'imminente audience du divorce de Wallis à Ipswich serait traitée avec la plus grande discrétion. Mais la presse américaine ne s'était engagée à rien, si bien que dès la deuxième semaine d'octobre tous les hôtels de la ville étaient bondés de reporters de toutes les grandes villes des États-Unis. Les envoyés des journaux européens ne trouvèrent à se loger que dans les villages avoisinants.

Durant son bref séjour à Cumberland Terrace avant son départ pour le Suffolk, Wallis demeura protégée par les services royaux. Le 20 octobre, elle décida d'aller chez son coiffeur, Antoine, dans Dover Street. L'inspecteur Storrier avait garé sa Buick toute neuve, copie exacte de celle que le roi avait commandée au mois de janvier, derrière Cumberland Terrace, mais cette timide tentative de déjouer la curiosité générale échoua complètement. Lorsque Wallis sortit de chez elle, une foule l'attendait. Et c'est suivie d'un vrai cortège de voitures et de bicyclettes qu'elle arriva chez son coiffeur ; puis, quand elle en ressortit, très rouge et l'air mal à l'aise, pour regagner sa voiture afin de se rendre à la banque, l'inspecteur dut faire dégager le trottoir. Le soir même, elle se rendait dans un cottage de Felixstowe, non loin d'Ipswich, rébarbative résidence qui donnait sur une plage de galets et une mer gris ardoise.

Le 23 octobre, le roi se rendit à Londres pour dîner avec sa mère à Marlborough House. Il la trouva consternée, dans la plus grande dignité, à la perspective de son mariage avec Wallis. Il s'avéra impossible de l'en distraire.

L'audience du tribunal d'Ipswich était fixée au samedi 24. Torturée par mille pensées, Wallis passa la nuit précédente à arpenter sa chambre de Felixstowe. Elle n'était pas contente de perdre Ernest ; elle ne l'était pas davantage à l'idée de devenir reine. Elle aurait préféré se cantonner dans le rôle de maîtresse royale, comme Mrs. Fitzherbert pendant le règne du roi George IV ou Mrs. Keppel pendant celui du roi Édouard VII. Dans sa folle quête de rang, de pouvoir et d'argent, malgré tout son sang-froid et toute sa maîtrise, elle avait perdu pied. Où donc allait l'amener le plan qu'elle avait si bien monté ?

Pour prolonger son angoisse, son cas fut reporté du samedi au mardi 27 octobre. Mr. Justice Hawke était trop encombré de délits mineurs, du genre braconnage de lapins, pour s'occuper en priorité de cette affaire capitale, d'autant qu'il pâtissait d'un mauvais rhume et d'un exécrable caractère. Tandis que Wallis souffrait mort et passion à Felixstowe, les bars d'Ipswich débordaient de reporters assoiffés, que la frustration de l'attente rendait de plus en plus irritables. Enfin, à 2 h 15 de l'après-midi, le 27 octobre 1936, Mr. Justice Hawke, précédé de deux trompettes jouant une fanfare dans leurs instruments d'argent, fit son entrée dans le tribunal. Un huissier en uniforme noir et rouge annonça le juge emperruqué, qui toussait à fendre l'âme et se mouchait dans un gigantesque mouchoir. Très pâle, l'air épuisé, habillée d'un tailleur croisé bleu marine et d'un petit chapeau de feutre de même couleur, Wallis descendit de sa Buick et se fraya un chemin parmi la foule jusqu'à la barre des témoins. Norman Birkett l'accompagnait.

Hawke, l'air sinistre, le visage rouge et les lèvres pincées au-dessus d'une lourde mâchoire, marmonna plusieurs minutes derrière son mouchoir, au milieu de rafales d'éternuements et de quintes de toux. Les nerfs déjà tendus de Wallis en furent mis à rude épreuve. Elle se tenait très droite, s'étant déjà dégantée de la main droite pour prêter serment. Son accent américain détonna dans l'atmosphère archibritannique du tribunal. Un grand effort de volonté empêchait ses mains de trembler, mais sa nervosité se trahissait par un intermittent mouvement de langue, qu'elle se passait autour des lèvres.

Elle répondit sous serment aux questions de son conseil, raconta qu'elle avait vécu un mariage heureux jusqu'à l'automne de 1934 où Ernest avait commencé à s'absenter le week-end. Elle évoqua un incident qui s'était produit le jour de Noël de cette année-là où elle avait trouvé sur sa coiffeuse un billet d'une écriture féminine. Elle n'en révéla point le contenu ; le billet fut passé au juge. Il s'agissait d'une lettre de deux pages de Mary Raffray, en remerciement d'un bouquet de roses, très certainement confectionnée pour la circonstance. Wallis déclara que cette découverte l'avait « plongée dans la détresse ».

À Pâques, l'année suivante, elle avait trouvé dans son courrier une lettre du même papier bleu adressée à son mari. Elle risqua que Mary Raffray avait sans doute écrit deux lettres du midi de la France où elle se trouvait : l'une, banale, à elle-même, l'autre, d'amour, à Ernest, et qu'elle s'était trompée d'enveloppe avant de les poster.

Deux serveurs qui avaient travaillé à l'Hôtel de Paris, à Bray, témoignèrent que les 22 et 23 juillet 1936 ils avaient servi le petit déjeuner au lit à Ernest Simpson et à une femme. C'était Mary Raffray. Là-dessus, Norman Birkett se leva et demanda au juge une décision provisoire. Hawke, qui était visiblement de mauvaise humeur, avait interrompu plusieurs fois le témoignage de Wallis sans raisons valables, sinon l'évidente antipathie qu'elle lui inspirait. Il ne répondit pas sur-le-champ à la requête de Birkett. Wallis jeta à son avocat un regard de détresse.

– Je me doute bien de ce que Votre Honneur a en tête, dit Birkett.

– Et qu'est-ce que j'ai en tête ? demanda le juge.

– Qu'il ne s'agit là que d'un banal témoignage d'hôtellerie, répondit Birkett. Mais le nom de la dame a été divulgué dans la requête adressée à Votre Honneur, et elle en a été avertie.

– Je suppose que je dois donc conclure à l'adultère, dit le juge. Eh bien, soit, jugement provisoire.

Il fallut attendre six mois le jugement définitif.

Entourée de policiers dépêchés là par Scotland Yard, sur instructions royales, pour l'abriter des photographes, Wallis quitta le tribunal, descendit rapidement les escaliers et s'engouffra dans sa voiture. L'épreuve avait duré moins de dix-neuf minutes et elle avait même échappé à l'audience publique. Le roi y avait veillé, et ne s'était pas adressé en vain aux propriétaires de journaux : c'est à peine si le jugement de divorce fut mentionné dans la presse britannique. Le roi, qui ce soir-là était à Buckingham Palace, téléphona à Wallis pour la féliciter.

Cette même nuit, il lui offrit une bague de fiançailles. Elle connaissait l'existence de la fabuleuse émeraude du Grand Moghol, l'une des plus belles pierres de sa catégorie, qui avait appartenu aux anciens maîtres de l'Inde. Il la lui fallait, et le roi avait pris contact dans ce but avec le grand bijoutier parisien Cartier. Celui-ci avait recherché la pierre dans le monde entier, ce qui l'avait amené à Bagdad, où un syndicat de propriétaires se déclara disposé à la céder, pourvu qu'il y mît le prix. Une fois montée par les joailliers de chez Cartier, l'émeraude fut apportée à Londres. Selon certaine version de l'histoire, le roi l'aurait déclarée trop chère ; il n'en paierait, aurait-il dit, que la moitié. Aussi Cartier reprit-il son émeraude, la coupa en deux et en apporta la moitié au roi.

Wallis retrouva Cumberland Terrace, où l'attendaient sa cuisinière et sa femme de chambre. Ce soir-là, elle dîna chez elle avec le roi. Il l'informa d'un incident inquiétant. Quelques jours avant le divorce, le Premier ministre Baldwin s'était présenté à Fort Belvedere dans sa petite voiture noire et, après avoir longtemps tourné autour du pot, avait enfin dévoilé ses batteries et demandé au monarque de persuader Wallis d'abandonner la procédure. Wallis fut effondrée. Non seulement elle n'avait jamais eu l'intention d'épouser le roi, mais, en dépit de tout son culot, elle ne se sentait pas d'attaque à s'opposer directement au Premier ministre de l'Angleterre. Encore était-elle loin de se douter de l'orage qui allait éclater.

10

L'abdication

Pendant ce temps, Wallis couchait toujours avec Guy Trundle : cocufier un prince était une chose, cocufier un roi, une bien différente. Le 13 juin 1938 sir Edward Peacock déclara à l'ambassadeur américain, Joseph P. Kennedy, que Wallis avait couché avec « un jeune homme » pendant toute la durée du règne et que « rien n'avait causé plus d'amertume au cabinet ».

Lorsque le roi procéda à sa première ouverture d'une session du Parlement, Wallis se trouvait dans la tribune des étrangers de marque. Le roi s'adressa à l'assemblée depuis son trône. Dans son discours, il passa en revue les événements de la session précédente. Il évoqua le couronnement, la conférence de l'Empire, le traité d'alliance avec l'Égypte, la conférence internationale de Montreux, les tragiques événements d'Espagne, les graves soucis que provoquaient les hostilités entre le Japon et la Chine, les accords navals bilatéraux entre l'Angleterre et l'Allemagne et le renforcement de la défense du Royaume-Uni. Il mentionna aussi la croissance du commerce, l'emploi, le *Physical Training and Recreation Act*, les progrès accomplis dans l'élimination des taudis, l'amélioration des conditions de travail dans les usines, les emprunts pour la défense et les subventions à la marine de commerce. Il annonça qu'il partirait pour l'Inde immédiatement après les cérémonies et renouvellerait le splendide Durbar de Delhi, qui avait vu en 1911 ses parents proclamés empereur et impératrice de l'Inde. Annonce symbolique de son souci permanent de maintenir l'Empire ; ainsi se trouvait tacitement confirmé le point de vue de ceux qui pensaient que le roi n'avait d'autre souci, en apaisant Hitler et Mussolini, que de maintenir ouvertes les routes des Indes.

Un orage de mauvais augure bouleversa l'organisation de la procession du monarque de Buckingham Palace au Parlement. Le roi célébra l'occasion par l'envoi à Wallis d'une énorme corbeille, composée de ses chers chrysanthèmes blancs, de roses rouges et roses et de feuilles d'automne. Elle fut livrée par un camion, qui portait l'emblème des fournisseurs royaux au lion et à la licorne, suivi, une heure plus tard, d'un véhicule identique qui livra chez Wallis tout un assortiment d'alcools et d'autres boissons. Le roi en était arrivé au point qu'il ne se souciait nullement que ces livraisons soient observées ou même photographiées.

De même se moquait-il que l'on remarquât que la maison de Wallis se remplissait peu à peu d'argenterie, de tableaux, de miroirs et même de porcelaine provenant de Buckingham Palace et de Fort Belvedere. Le roi avait-il le droit de disposer ainsi de biens familiaux pour Wallis ou pour quiconque ? Plus tard, beaucoup de ces objets seraient transportés en France dans les résidences qu'il y occuperait avec elle. Il avait ainsi dépensé chez des bijoutiers plus de cent mille livres de ses économies sur le duché de Cornouailles pour satisfaire la passion de Wallis pour les pierres précieuses. D'aucuns estimaient ces extravagances tout à fait contradictoires avec son apparente compassion pour les souffrances du prolétariat britannique à l'époque de la dépression.

Le 6 novembre, Wallis fit sensation à Covent Garden, lorsqu'elle apparut dans la loge d'Emerald Cunard, en satin noir et brocart vert et or et couverte d'émeraudes, pour s'asseoir avec les Channon, lady Diana Cooper et sir Victor Warrender, ancien vice-chambellan et contrôleur de la maison du roi George V. Le murmure qu'elle provoqua la laissa de marbre. La semaine fut attristée par le départ pour Berlin du prince Otto et de la princesse Ann-Mari von Bismarck. Influencé sans doute par le fait que Bismarck demeurait sous la surveillance constante de l'Intelligence Service et de sir Robert Vansittart, Hitler avait décidé de le remplacer par Ribbentrop.

Tante Bessie arriva en novembre pour apporter un soutien moral à Wallis. Le 12 novembre, le roi s'en fut à Portland inspecter la *Home Fleet* sur le navire amiral *Nelson*. Il regagna Fort Belvedere dans la nuit du 13. Il n'eut que le temps d'embrasser tante Bessie et Wallis avant d'être rappelé à Buckingham Palace par un message comminatoire. Il n'en informa Wallis que le lendemain après-midi. Alexander Hardinge en était l'auteur ; ce qu'il avait à dire au roi était des plus graves. La presse allait rompre sa promesse de silence à propos de Wallis, ce n'était qu'une question de jours. Le Premier ministre et son gouvernement devaient se réunir, poursuivit-il, le jour même, pour discuter de la situation, et il n'était pas impossible qu'ils démissionnent en bloc. Il serait dès lors très difficile au roi de former un autre gouvernement, et il n'aurait d'autre choix que de dissoudre le Parlement, provoquant des élections générales qui causeraient, à n'en pas douter, un tort considérable à la couronne. Pour éviter d'en venir là, il serait préférable que Wallis partît à l'étranger.

Cette manœuvre avait été mise au point par les Hardinge. Le roi laissa éclater sa colère. Et lorsque Wallis lui déclara qu'elle quitterait volontiers le pays, il lui répliqua qu'il n'en était pas question et que rien ne l'empêcherait de l'épouser. Elle le supplia de changer d'avis. Il refusa. Si le gouvernement n'approuvait pas ce mariage, il était prêt à quitter le trône. Alors Wallis se mit à pleurer. Elle lui assura que c'était folie que raisonner de la sorte. Il se montra inflexible. Il décida de consulter aussitôt sir Samuel Hoare et Duff Cooper, après quoi il convoquerait le Premier ministre. Wallis le laissa faire. Elle devait toute sa vie regretter cette décision.

Le 16 novembre, le roi partit visiter le bassin charbonnier du sud du pays de Galles, qui constituait l'une des régions les plus sinistres de l'archipel britannique, ravagée depuis des années par le chômage et la pauvreté. Acclamé partout, anxieux d'améliorer les conditions de vie des populations rencontrées, il bouleversa le gouvernement par cette déclaration publique : « Il faut faire quelque chose. » Les rois n'étaient pas seulement censés s'abstenir de se mêler de politique internationale et de décider d'épouser des femmes divorcées deux fois, ils devaient encore se garder d'exprimer à leurs ministres leurs opinions en matière sociale.

On ne s'attendait pas non plus à les voir emmener leurs maîtresses sur le train royal. Dans ses Mémoires *Three Cornered Heart* (New York, Viking, 1971) Anne Freemantle, riche Américaine de la bonne société, rapporte une conversation qu'elle eut avec le lord lieutenant du Monmouthshire au cours de laquelle celui-ci lui dit combien il était scandalisé par le fait que Wallis partageait le lit du roi dans le wagon royal. Plus tard elle et son mari avaient évoqué cette question devant l'archevêque de Canterbury qui leur avait déclaré que ces relations sexuelles illicites dans le train royal lui rendaient impossible de présider à la cérémonie de mariage du couple à Westminster Abbey ou en toute autre église. À côté de ce détail scandaleux, l'habitude qu'avait le roi de frapper à la porte de cottages de mineurs misérables en annonçant : « Je suis le roi. Puis-je entrer ? » choquait à peine.

Le troisième jour de cette visite en province, Wallis quitta le train et retourna à Londres en voiture. Elle avait été invitée à déjeuner au Claridge par Eamond Harmsworth, fils de lord Rothermere qui devait bientôt être le voisin de Wallis sur la Côte d'Azur.

Il lui conseilla d'abandonner toute idée de devenir reine. Elle le rassura : jamais cette pensée ne lui avait traversé l'esprit. Alors il évoqua l'idée d'un mariage morganatique, qui lui permettrait de rester dans le pays – ce qui serait avantageux à plusieurs points de vue. Il y avait eu des précédents dans l'histoire de l'Angleterre. Si les choses prenaient ce tour, Wallis pourrait être faite duchesse ou recevoir tout autre titre. Il lui serait cependant impossible de figurer sur la liste civile dont dépendait le revenu des membres de la famille royale. Aurait-elle des héritiers, ils ne pourraient en aucun cas prétendre à la succession. Quant au trône lui-même, il demeurerait à jamais interdit à ses éventuels enfants.

Le conseil surprit Wallis, et l'intrigua. À la fin du déjeuner, elle n'avait pas pris parti. Elle ne s'était pas prononcée sans pour autant rien rejeter.

Lorsque le roi revint du pays de Galles pour une réception chez les Channon, Wallis lui demanda ce qu'il pensait du plan Rothermere. Il s'y montra d'abord hostile. Puis, lors d'une discussion postérieure avec Harmsworth, il commença de manifester un certain intérêt. Mais, lorsqu'il convoqua le Premier ministre à

Buckingham Palace pour discuter avec lui de la question, Baldwin ne lui cacha point que la solution envisagée se heurtait à des obstacles formidables, peut-être insurmontables. Il serait très difficile de conclure un mariage morganatique. D'abord, le gouvernement devrait l'approuver, puis le Parlement devrait voter une loi. Enfin, même s'il jugeait impolitique de l'exprimer, Baldwin ne pouvait pas ne pas avoir en tête le danger qu'impliquerait pareille solution pour la stabilité de la nation. Les cercles informés de Whitehall connaissaient ce danger, mais personne n'en parlait.

D'après le journal de Chips Channon, un autre incident survint la même semaine. Le roi convoqua les ducs de Kent et de Gloucester pour leur faire part de son intention d'épouser Wallis. Le duc de Kent se serait exclamé : « Comment s'appellera-t-elle ? – Comment veux-tu qu'elle s'appelle ? La reine d'Angleterre, bien sûr, aurait répondu le roi avant d'ajouter : Oui, et impératrice des Indes, tout le tremblement. »

Kent et Gloucester en restèrent sans voix.

L'un des rares partisans du roi pendant cette crise fut Walter Monckton, procureur général du duché de Cornouailles, fonction qui l'associait de très près à la gestion d'une importante source du revenu royal. Ce soutien était capital, car le roi, qu'obsédait l'argent, était terrifié à l'idée de perdre, en cas d'abdication, des sommes importantes. Avec ses lunettes, Monckton avait l'air d'un universitaire qui aurait passé sa vie dans des salles enfumées, mais, lorsque son sourire rayonnant et plein d'humour illuminait sa figure ascétique, il était un autre homme. D'une loyauté inébranlable, humaniste achevé, royaliste jusqu'au bout des ongles, il se faisait une affaire personnelle du bien-être du roi et refusait de croire un mot des soupçons qu'exprimaient Vansittart et Hardinge sur les liens de Wallis avec les nazis.

La dernière semaine de novembre, le roi convoqua tous les jours Monckton à Buckingham dans une atmosphère de quasi-clandestinité.

Au fil de ses rencontres supposées secrètes avec Monckton, le roi se révéla à ce point captivé par Wallis – mainmise sentimentale, physique et intellectuelle – que rien au monde ne pourrait l'en séparer. D'emblée, il fut clair pour Monckton qu'il ne servirait à rien d'en discuter avec son vieil ami. « S'ils veulent la copie de mon père, qu'ils prennent le duc d'York », dit le roi, laissant par là entendre qu'il était tout prêt à abdiquer en faveur de son frère.

Monckton s'en serait voulu de ne point respecter la dévotion extraordinaire du roi envers cette femme, dévotion qui surpassait son amour de l'Empire et son désir de pouvoir. En outre, il avait le plus grand respect pour Wallis. C'était elle, il le savait, qui avait amené le roi à cesser de boire, à s'arrêter de fumer et à se maintenir en bonne forme physique. Il savait aussi, tout comme Winston Churchill, combien le roi, avant de rencontrer Wallis, avait été un homme torturé, névrosé, misérable. Aujourd'hui, libéré grâce à elle de ses difficultés sexuelles et émotives, c'était un homme plein de confiance en soi.

Monckton prodigua de sages conseils. Il suggéra au roi de ne rien précipiter avant le jugement définitif du divorce de Wallis, qui devait être prononcé en avril 1937. Le couronnement s'ensuivrait, après quoi il pourrait se décider plus sagement, avec davantage d'autorité. Le roi repoussa ces arguments. Il ne pouvait laisser s'accomplir une solennelle cérémonie religieuse en tant que chef de l'Église, de l'État et du Commonwealth, sachant que les serments qu'il aurait prêtés pourraient perdre toute valeur du fait de sa décision d'épouser Wallis contre l'opinion du monde et contre son gouvernement.

À partir de là, Monckton eut bon espoir de parvenir à un accord entre le 10, Downing Street, et le palais. La tâche n'était pas facile. L'angoisse de la reine Mary, que torturait la perspective de l'abdication de son fils aîné, laissant le trône à son cadet, Albert, si timide, fragile et dépourvu de séduction qu'il serait très mal à l'aise sur le trône, n'arrangeait rien. Pourtant la reine ne manquait pas d'humour. Recevant Baldwin le 15 novembre, elle lui dit : « Nous voilà dans de beaux draps ! » Pendant toute la crise, le duc et la duchesse d'York se montrèrent extrêmement contraints. Toujours très montée contre Wallis, la duchesse aurait souhaité lui voir quitter complètement la scène, mais la chose n'était pas possible. L'idée que son fragile époux soit soumis à toutes les tensions qui assaillent un monarque ne lui souriait pas du tout. Les ducs de Kent et de Gloucester ne se réjouissaient pas davantage de l'hypothèse d'une abdication.

Winston Churchill décida que Wallis devait partir. (« Cette salope », l'appela-t-il plus tard.) Il était persuadé de servir l'intérêt supérieur du roi, aussi, dans l'intention de sauver le trône, il manigança un complot pour expulser Wallis d'Angleterre, aidé en cela par lord Beaverbrook, propriétaire du *Daily Express* de Londres. Déjà en route vers des vacances en Arizona, Beaverbrook fit demi-tour à la demande du roi et feignit de lui offrir son soutien, lequel ne représentait guère plus que la discrétion dont son journal pouvait faire preuve dans le traitement de cette crise, tandis que l'un de ses adjoints préparait une conjuration, que l'on aurait prétendu émaner d'Amsterdam, au terme de laquelle un tueur à gages australien aurait perpétré contre Wallis un attentat à la bombe. Elle reçut de la même source des lettres anonymes qui la menaçaient de vitriolage.

Ce fut alors qu'entra dans le jeu Kenneth de Courcy, ami du roi et de Wallis. Il était secrétaire honoraire de l'Imperial Policy Group, organisation royaliste fondée en 1934 par sir Reginald Mitchell-Bank. Depuis sa fondation, l'I.P.G. s'efforçait de faire pression à tous les niveaux du gouvernement pour convaincre la France, l'Italie, l'Autriche et l'Espagne qu'en dépit de ses prises de position officielles la véritable, sinon secrète, politique étrangère britannique était de maintenir la Grande-Bretagne à l'écart de tout conflit européen, de manière à laisser les mains libres à Hitler et Mussolini contre l'Union soviétique. Il va sans dire que ce dessein favorisait les relations entre le roi, Wallis et de Courcy, tandis qu'il causait beaucoup d'irritation chez Vansittart et Hardinge. De Courcy prévint tante Bessie du projet d'assassinat et la pauvre Bessie, épouvantée, fondit en larmes. « Elle appela le roi qui était à Fort Belvedere. Il lui dit de ne pas s'inquiéter. Mais Wallis fut terrifiée lorsqu'on l'eut informée. »

Une nuit, réveillée en sursaut par un fracas de verre cassé, Wallis se mit à hurler. Un sbire de Beaverbrook avait lancé une brique dans une fenêtre de la maison voisine. De cet instant, elle vécut dans la terreur. Même tante Bessie ne parvenait plus à apaiser ses nerfs torturés. Des amis amenés la voir par Sibyl Colefax la trouvèrent les larmes aux yeux. Elle comprenait enfin que la témérité de ses ambitions l'avait peut-être menée au bord d'un gouffre. Quant au roi, il explosait de rage, vouant ses ennemis aux gémonies et protestant de son éternel amour pour elle. Alors Wallis envisagea sérieusement de quitter l'Angleterre. Mais elle tomba si malade à Fort Belvedere qu'il lui fut impossible de décider quoi que ce fût.

Lorsqu'elle évoqua la possibilité de retourner aux États-Unis, le roi la prévint qu'il prendrait le bateau suivant. Puis, le 30 novembre, elle écrivit à son amie Foxy Gwynne qu'elle souffrait du cœur et ne recevrait plus personne. Elle ne viderait les lieux, dit-elle, et ne rentrerait que « lorsque cette foutue couronne aura été fermement coiffée ».

Le 1er décembre, le révérendissime A.W.F. Blunt, évêque de Bradford, prit la parole devant la conférence diocésaine annuelle. Il invoqua la grâce de Dieu en faveur du roi, afin qu'elle lui inspire d'accomplir fidèlement son devoir. Il formula l'espoir que le roi était bien conscient d'avoir besoin de la grâce de Dieu et ajouta : « Nous sommes quelques-uns à souhaiter que le roi montre davantage de signes de cette conscience. » Il critiqua la déclaration de l'évêque de Birmingham, lequel avait exprimé le désir que le plus grand nombre possible de religieux de toutes obédiences assiste au couronnement. Selon lui, dans les circonstances présentes, le sens religieux du couronnement risquait d'être bafoué. Ce discours fut mal interprété, on y entendit une critique des relations du roi avec Mrs. Simpson. Et cela déclencha dans la presse du pays tout entier un torrent de critiques. Malgré l'influence que le roi était censé exercer sur les journaux, de nombreux éditoriaux le rappelèrent à son devoir sacré. D'évidence, il n'était pas parvenu à persuader les patrons de presse de se ranger à son opinion, ils étaient trop attentifs aux sentiments chrétiens de leurs lecteurs et à leur souci des valeurs morales.

Le roi avait un espion au gouvernement qui l'informa que Baldwin avait définitivement écarté le projet de mariage morganatique, sans même évoquer devant le cabinet son éventuelle présentation devant le Parlement. Le Premier ministre avait donc forcé le gouvernement au choix suivant : ou bien celui-ci devait accepter Wallis comme reine, ou bien le roi devait abdiquer. C'est à la suite de cette réunion qu'une grave crise constitutionnelle éclata en Angleterre.

Le 3 décembre, dans la soirée, le duc et la duchesse d'York arrivèrent à Fort Belvedere pour discuter de ce qu'il se passerait si le roi devait abdiquer dans les vingt-quatre heures. La même nuit, Baldwin rencontra le roi, qui était venu à Buckingham Palace. L'entrevue fut orageuse et le roi affirma qu'il ne varierait pas d'un pouce. Le lendemain, les hauts-commissaires du Canada, de l'Australie et de l'Afrique du Sud exercèrent sur Édouard VIII une pression considérable. Entraînés par le commissaire australien qui représentait un Premier ministre catholique romain, Joe Lyons, les trois hommes firent savoir au roi que les dominions n'accepteraient jamais Wallis ni comme reine ni comme épouse morganatique. Wallis elle-même, exaspérée d'être ainsi rejetée, ne demandait qu'à s'en aller.

Dans tous les pays du Commonwealth, la presse se déchaînait, blessant profondément Wallis et le roi, qui ne s'étaient pas attendus à cela ; ils s'étaient réjouis de voir Baldwin poser ouvertement la question de leur mariage à l'Empire. D'heure en heure, la position d'Édouard VIII devenait plus inconfortable et, le 3 décembre, les coûteux préparatifs du couronnement furent interrompus.

Le duc d'York était accablé par la perspective horrible de ce qui l'attendait. Comme son frère aîné, il détestait l'idée de devenir roi, et commençait à parler vaguement d'abdiquer par anticipation, et (son frère le duc de Gloucester, trop terne, étant mis de côté) lançait la suggestion de faire soumettre à un plébiscite la désignation, comme successeur au trône, de l'inévitable duc de Kent, éternel joker dans le jeu royal. Kent, qui multipliait ses vols à Munich pour garder ses contacts avec les nazis par l'intermédiaire de son beau-frère, le comte Toerring, était, depuis des années, un nom qu'on avançait pour les trônes les plus différents : trônes de Roumanie, Grèce, Hongrie, Pologne… la liste n'est pas exhaustive.

Que cela lui plût ou non, et quelque inquiétude pour sa santé, pour sa raison même, que cet avenir lui inspirât, York devait envisager très sérieusement la perspective d'avoir prochainement à assumer de lourdes responsabilités et une existence écrasée par le cérémonial. Quand le 3 décembre, revenant d'Écosse par le train, il vit à la gare, sur les placards des journaux, les mots redoutés MARIAGE DU ROI, il se rendit aussitôt chez sa mère, la reine Mary, qui le trouva tellement désemparé qu'elle fit tous ses efforts pour lui rappeler qu'il ne pouvait pas se dérober. York la quitta dans un état de désespoir quasi suicidaire. Six jours plus tard, lors d'un nouvel entretien avec sa mère, il s'agenouilla devant elle et se mit à sangloter comme un enfant.

Il y eut une ruée sur les timbres. Des milliers d'acheteurs se disputaient les séries complètes déjà gravées pour commémorer la cérémonie, car son annulation éventuelle en déclassant les timbres en multiplierait la valeur. Berlin demeurait ferme aux côtés du roi. Sur instructions expresses d'Hitler, le docteur Goebbels publia un communiqué interdisant à toute radio et à tout journal allemands de seulement faire allusion à la crise constitutionnelle britannique. Hitler se montra profondément troublé par les développements de la situation, car il comptait beaucoup sur le roi pour maintenir entre l'Allemagne et l'Angleterre des relations particulières. Mussolini, de son côté, exprimait un grand désappointement, déception que le comte Grandi transmit à Londres à Édouard VIII. La publication par la presse américaine des dispositions des puissances de l'Axe ne lui fut d'aucun secours face à Whitehall.

L'Imperial Policy Group tenait réunion sur réunion, de jour comme de nuit. Kenneth de Courcy ne devait pas oublier l'extrême tension que subissaient les membres du groupe qui s'efforçaient de trouver une sortie honorable à la crise. Une première réunion de pairs et de députés influents s'était tenue chez la mère de Kenneth de Courcy, et les suivantes eurent lieu à son bureau d'Old Queen Street. Le groupe envoya des délégations à l'évêque de Londres, à lord Salisbury et à Walter Monckton, tous trois jugés susceptibles de faire progresser les choses. Le but était clair : l'I.P.G. voulait obliger le roi à demander la démission du gouvernement, ou, au moins, à le placer dans une situation telle qu'il serait acculé à la démission. Après quoi le roi appellerait Winston Churchill – lequel ignorait tout de ce plan – à former le gouvernement. L'I.P.G. était convaincu que la manœuvre disposerait d'un soutien suffisant à la Chambre des communes et à la Chambre des pairs. De Courcy est toujours persuadé que Winston Churchill aurait obtenu une majorité triomphale. Puis, fort d'un soutien public massif, il aurait renforcé la position de la Grande-Bretagne face à Hitler et à Mussolini.

Ce plan était voué à l'échec. Monckton s'y révéla hostile. Puis le député Thomas Dugdale informa de Courcy et lord Mansfield, autre membre de l'I.P.G., qu'il y avait dans le divorce de Wallis une irrégularité qui pouvait tout rendre impossible. Il leur apprit aussi que l'Intelligence Service détenait sur Wallis un dossier qui bouleverserait leur point de vue s'ils y avaient accès. L'honorable parlementaire faisait là allusion directe au dossier chinois et aux liens de Wallis avec l'Allemagne et l'Italie. Si l'Intelligence Service soupçonnait Wallis d'être liée aux nazis, il fallait s'attendre à lui voir abattre cet atout au moment le mieux choisi, alors les efforts du groupe en faveur du mariage royal comme de l'accession au pouvoir de Winston Churchill seraient perdus.

Wallis et le roi étaient accablés de pressentiments sinistres. Le puissant *Times* de Geoffrey Dawson ne leur laissait pas de répit. Un soir qu'ils marchaient sur le chemin dallé de Fort Belvedere, par un brouillard bien anglais qui montait de la Virginia, le roi expliqua à Wallis qu'il n'existait pas de moyen terme : c'était soit l'abdication, soit la séparation permanente. Wallis n'en pouvait plus. Incapable d'en supporter davantage, elle ordonna à son personnel de Londres de faire ses malles. Elle regrettait de n'être pas partie dès les premiers signes avant-coureurs du désastre. Le samedi 5 décembre, elle prit ses dispositions pour aller s'installer dans la villa de Cannes d'Herman et Katherine Rodgers qui avait accepté par téléphone de lui offrir, comme tant de fois auparavant, le refuge et la sécurité dont elle avait besoin.

Le roi lui annonça avoir choisi pour elle un compagnon et garde du corps pour la durée du voyage, le mince, dépressif et très riche Peregrine (« Perry »), quatrième baron Brownlow. C'était le plus dévoué des hommes de confiance et un véritable ami. Le chauffeur royal, George Ladbroke, les conduirait à Newhaven, où ils s'embarqueraient pour Dieppe. Comme l'inspecteur Storrier allait quitter le service, il serait remplacé par l'inspecteur Evans, de Scotland Yard, qui serait son garde du corps officiel. Se demandant si elle ne trouverait pas la mort en chemin, Wallis augmenta en hâte la prime d'assurance de ses bijoux et rédigea son testament dans sa chambre à Fort Belvedere, laissant la plupart de ses biens à tante Bessie, à ses deux dévouées femmes de chambre et à quelques amis.

En fin d'après-midi, le roi mettait la dernière main à son message d'abdication. Wallis partit si vite qu'elle eut à peine le temps de dire au revoir au roi, qui lui donna une coccinelle où était gravé : *Fly away home*. À son grand désespoir, il lui fallut partir sans son chien Slipper. Blême d'angoisse, elle embrassa le roi et le tint serré dans ses bras. Il lui demanda de l'attendre le temps qu'il faudrait, car il ne l'abandonnerait jamais.

Wallis partie, le roi se rendit à Buckingham Palace pour y voir Baldwin. Il l'informa du contenu de l'allocution qu'il prononcerait à la radio et lui en fit lire le texte. Pendant ce temps, Wallis refusait, malgré le brouillard, que le chauffeur ralentisse l'allure. Enveloppée dans des zibelines, elle fixait la nuit d'un air lugubre. Le ferry levait l'ancre à 10 heures du soir. Elle savait qu'elle ne pourrait pas fermer l'œil de la nuit. Pendant le trajet, elle adjura lord Brownlow de trouver le moyen de convaincre le roi d'oublier son idée de mariage, de mettre un terme à la crise et de conserver son trône. Elle avait très nettement en tête le projet de reparaître après le couronnement et de retrouver sa position de maîtresse royale.

La traversée de la Manche s'effectua dans le brouillard. En France, il sévissait toujours. Wallis et Brownlow s'arrêtèrent à 11 heures du matin le 4 décembre à Blois, à l'Hôtel de la Poste. Elle prit une chambre pour quelques heures et s'allongea. Selon lord Brownlow, elle fut prise d'un accès de cafard et lui demanda de s'étendre sur le second lit de la chambre pour lui tenir compagnie. Elle pleurait, se souvint-il, des larmes « primaires ». Il lui prit la main gentiment sans que ces larmes cessent de couler.

Ladbroke emprunta pour gagner le Sud un itinéraire compliqué de manière à déjouer d'éventuelles poursuites ou embuscades. À Évreux, en Normandie, ils s'arrêtèrent à l'hôtellerie du Grand Cerf ; elle demanda à Brownlow de téléphoner à Fort Belvedere. Elle était convenue avec le roi d'un système codé au cas où leurs conversations seraient écoutées. Après une longue attente, Brownlow réussit à obtenir la communication. Mais Wallis put à peine entendre le roi tant il y avait de parasites sur la ligne. Elle dit : « En aucun cas Mr. James ne doit descendre », ce qui voulait dire que le roi ne devait pas abdiquer. Elle poursuivit : « Demandez conseil. Adressez-vous à vos vieux amis. Voyez Duff Cooper, parlez à lord Derby, parlez à l'Aga Khan [1]. Ne faites rien de précipité. Quant à moi, je vais aller en Amérique du Sud ou ailleurs. » Le roi l'entendait si mal qu'elle devait hurler dans l'appareil. En quittant l'auberge, elle s'aperçut avec horreur qu'elle avait oublié ses notes dans la cabine téléphonique. Brownlow la mit en garde : si elle retournait sur ses pas pour les chercher, elle serait reconnue. C'était miracle si elle ne l'avait pas déjà été. Aussi décida-t-elle avec consternation de laisser ses notes derrière elle. Un gérant plein d'égards les enferma dans le coffre de son bureau, sans même

1. Tous ces noms étaient codés.

céder, semble-t-il, à la tentation de les lire. Elles lui furent rapportées l'année suivante par Harold Nicholson.

De retour en Angleterre, sir Oswald Mosley, de plus en plus discrédité, apporta au roi le plus inutile soutien en se déclarant parfaitement d'accord avec lui et demandant que la question de l'abdication soit soumise au peuple par référendum. Le seul effet de cette prise de position fut de renforcer celle de Baldwin, de sir Robert Vansittart et d'Alexander Hardinge. Le 5 décembre, Winston Churchill fit parvenir un mémorandum au roi, lui conseillant de ne pas quitter le pays, quelles que fussent les circonstances ; aucune décision définitive ne serait prise avant Noël, et plus probablement avant février ou mars. Toujours le 5 décembre, Winston Churchill écrivit à Neville Chamberlain, Chancelier de l'Échiquier (ministre des Finances), pour lui raconter le dîner avec le roi auquel il avait assisté la veille à Buckingham Palace. Le roi qui, disait-il, était d'humeur gaie au début du repas s'était vite assombri et il avait eu deux longues absences, au cours desquelles il avait perdu le fil de la conversation. Il était visiblement au bord d'une dépression nerveuse. Le même jour, l'archevêque de Canterbury réclamait « silence et prudence », jusqu'à ce que la décision du roi soit rendue publique.

D'après le journal de Mrs. Thomas Dugdale, femme du sous-secrétaire de Baldwin chargé des relations avec le Parlement, le roi « était à bout de nerfs et menaçait de se faire violence ». Le *Times* de Geoffrey Dawson était plus virulent que jamais contre le monarque. Le Premier ministre, accompagné de Dugdale, s'était rendu, malgré le brouillard, en voiture à Fort Belvedere pour conférer une fois de plus avec Édouard VIII.

Des années plus tard, sir Edward Peacock a évoqué, devant l'ambassadeur Kennedy, une rencontre qui eut lieu le 6 décembre entre le Premier ministre Baldwin et le roi à Fort Belvedere. Nous avons un autre compte-rendu de cette rencontre dans un livre d'Harold Nicolson : Baldwin la lui aurait décrite comme d'une sentimentalité larmoyante : les deux hommes se seraient quasiment noyés dans un déluge de larmes. Peacock dit, et c'est infiniment plus convaincant, que selon Baldwin les deux hommes se seraient violemment querellés. Quand Baldwin eut souligné que Wallis n'était pas de ces femmes « dont on fait une reine », et que le monarque eut répliqué : « Alors je puis l'avoir comme maîtresse mais pas comme épouse. Belle hypocrisie ! », Baldwin, hors de lui, se serait écrié, faisant allusion au dossier chinois : « Si le roi veut coucher avec une putain, c'est son affaire. Mais s'il veut en faire une reine, cela concerne l'Empire. »

Après cet échange la réaction du roi fut caractéristique : il fit de nouveaux investissements en Amérique en faveur de Wallis. Il expliqua à Peacock qu'il ne voulait pas qu'elle « finisse comme Lady Hamilton », la maîtresse de lord Horatio Nelson, qui était morte dans la misère. Quand il tenta de lui transmettre les droits de propriété sur certaines possessions du royaume comme le New Gallery Cinema de Regent Street, le restaurant Criterium, le His Majesty's Theatre et les hôtels Regent Palace et Strand Palace, Peacock lui fit clairement comprendre que ces biens ne pouvaient pas être cédés et qu'il ne serait pas possible de faire approuver ces opérations par la Chambre des communes ni par la Chambre des lords. Furieux, le roi y renonça.

Le même jour, Baldwin avait tenu au 10, Downing Street, un conseil de cabinet. Sous la pluie battante, une foule regardait les ministres s'extraire de leurs voitures pour entrer dans la maison brillamment éclairée. Sir Samuel Hoare arriva le premier, suivi du chancelier de l'Échiquier, Neville Chamberlain, de sir Kingsley Wood, de Duff Cooper et d'Anthony Eden. À leur sortie, les badauds crièrent : « Édouard a raison ! Baldwin a tort ! » Des centaines de personnes massées devant les grilles de Buckingham Palace scandaient : « Nous voulons Édouard ! » Une bande apparut à Piccadilly devant la maison du duc et de la duchesse d'York en criant : « C'est Eddie que nous voulons et nous voulons sa dame aussi ! » Un imposant groupe de femmes débouchait de Marble Arch et se rendait au palais, portant d'immenses banderoles où était peint en lettres rouges et bleues : *On ne peut pas laisser tomber après ce qu'il a fait pour le pays de Galles. Tous au palais pour l'acclamer ! Que le roi sache que nous sommes avec lui !* Dans l'après-midi, la foule devant Buckingham entonna *For he is a jolly good Fellow !* À la nuit tombée, deux cents personnes stationnaient encore au coin de Whitehall et de Downing Street en criant : « Nous voulons garder notre roi ! » Ce rassemblement fut rapidement dispersé par la police. Tandis que les journaux de lord Rothermere paraissaient barrés en première page d'un énorme titre : « Dieu sauve le roi ! » le monde retenait son souffle. L'humoriste américain H.L. Mencken définit ces événements en ces termes : « la plus belle histoire de presse depuis la Résurrection ».

Les autres membres de la famille royale demeuraient reclus à leurs domiciles. Le roi éludait avec obstination toute rencontre avec son frère le duc d'York, qui se rongeait d'angoisse devant les immenses responsabilités qui le menaçaient. Insomniaque, perdu, le roi n'avait plus l'énergie de recevoir quiconque, excepté le Premier ministre.

Wallis poursuivait son chemin vers le sud de la France. Un seul journaliste, Jean Bouvard, de *Paris-Soir*, réussit à obtenir une déclaration de Wallis à son arrivée au restaurant de la Pyramide à Vienne. Elle s'exprimait en un français scolaire, à peine amélioré depuis son passage à Oldfields. « Vous autres Français, vous êtes très sympathiques, mais vous êtes trop indiscrets. Je n'ai pas dormi une minute depuis deux jours. La nuit dernière, dans l'hôtel où je suis descendue, il y avait vingt-quatre journalistes. Je voudrais pouvoir me reposer, me reposer beaucoup… Et je ne peux faire aucune déclaration. Le roi est le seul juge. Je n'ai rien à dire sinon que j'aimerais bien qu'on me laisse tranquille. »

Wallis entra dans le restaurant par une porte dérobée, par où la guida sa vieille amie Mme Point, directrice de la Pyramide, qui l'installa dans un salon particulier au premier étage. Là, Wallis put téléphoner aux Rogers et leur annoncer que son arrivée n'était plus qu'une question d'heures. Mme Point était une maîtresse femme. Elle réunit les journalistes et leur dit qu'elle songeait à débaptiser son restaurant pour lui donner le nom de Mrs. Simpson.

Wallis parvint enfin à semer la presse d'une façon qui aurait fait honneur au comte de Monte-Cristo. Au-dessus de l'évier de la cuisine, il y avait une fenêtre, juste assez large pour qu'elle puisse s'y faufiler. Pour ce faire, il lui fallut monter sur la table de la cuisine que maintenaient lord Brownlow et Mme Point. L'inspecteur Evans et M. Point s'étaient postés à l'extérieur pour lui faciliter l'atterrissage. Puis ils se précipitèrent tous jusqu'à la Buick et démarrèrent dans un épais grésil.

Le 6, à 2 heures du matin, tandis que le roi se débattait dans les affres à Fort Belvedere, la Buick stoppa devant la grille en fer forgé de la villa Lou Viei à Cannes. Des centaines de curieux attendaient et la voiture eut toutes les peines du monde à se frayer un chemin au milieu de la foule hystérique qui avait passé des heures sous la pluie pour apercevoir Wallis et que la police parvenait difficilement à contenir. Wallis s'était agenouillée sur le plancher de la voiture, dissimulée sous une couverture.

Ce fut avec un immense soulagement que les Rogers la virent entrer chez eux avec lord Brownlow. Ils n'avaient pas cessé une minute pendant tout le voyage de redouter quelque accident et leur angoisse était presque égale à celle de Wallis. Pâle, épuisée, l'air fragile sous son chapeau brun, dans son manteau trois-quarts de zibeline, Wallis fut cependant soulagée d'apprendre que Mary Burke était arrivée sans encombre et que ses bagages avaient été déposés dans son appartement.

À Londres, les manifestations continuaient dans la rue. La jeunesse dans son ensemble en tenait pour le roi et pour Wallis. Les partisans du parti travailliste se trouvaient ainsi curieusement d'accord avec les fascistes. Berlin gardait toujours le silence et les Allemands, anxieux du dénouement de la crise, devaient faire venir des journaux d'Autriche pour être informés.

Lorsque le roi proposa d'en appeler au peuple à la radio, pour lui demander d'approuver son amour pour Wallis, Baldwin refusa. Une nouvelle fois le Premier ministre écarta la solution du mariage morganatique et ne voulut pas davantage envisager d'aménager le statut des consorts royaux de façon à assurer certains privilèges à Wallis. Il informa de sa position les pays du Commonwealth, lesquels, avec le *Times* de Geoffrey Dawson, appuyèrent sa détermination d'empêcher Wallis de devenir la femme du roi. Beaverbrook et Rothermere persistaient à réclamer que l'on ne précipite pas les choses et qu'un délai raisonnable permette de juger plus froidement la situation, après le couronnement par exemple. Winston Churchill conseilla au roi de faire retraite à Windsor et d'en interdire l'entrée au Premier ministre pour se donner un peu de répit. Après quoi il écrivit à Baldwin pour le conjurer de ne point pousser le roi à une décision hâtive et lui démontrer la nécessité d'un délai. Et, tandis que Churchill manœuvrait en ce sens, le roi, seul dans sa chambre où il tournait en rond, prit enfin sa décision. Il laisserait tomber. Il n'était pas question de s'opposer à Baldwin. Tout délai n'aurait d'autre effet que causer d'autres souffrances à Wallis et à lui-même. Il ne pouvait pas non plus s'opposer au Commonwealth. L'hypothèse d'une guerre civile n'était peut-être pas folle. Il était désormais hors de question qu'il puisse régner sur une nation unie. L'amertume, la fureur, la polémique domineraient son règne s'il s'obstinait. Enfin, s'il imposait le mariage avec Wallis, non seulement il mettrait sa vie en danger, mais son impopularité auprès des partis politiques et des personnalités les plus rigides de l'Église d'Anglcterre rendrait sa position intenable.

Le 6 décembre, Wallis lui écrivit pour le dissuader d'abdiquer. Elle craignait d'être blâmée « par le monde entier, car on me rendrait responsable de cette décision ».

Au terme d'une nuit blanche, le roi avait enfin décidé d'abdiquer le 7 décembre au matin. Une fois son choix arrêté, un délicieux sentiment de soulagement l'envahit. Deux jours auparavant seulement, il était au bord du suicide et voilà qu'il reconnaissait du fond de son cœur avoir pris la bonne décision. Les deux choses qui lui importaient le plus au monde étaient l'Empire britannique et Wallis. Choisissant Wallis, il sauvait le Commonwealth. Il convoqua Monckton et lui dit : « Allez à Londres immédiatement et informez le Premier ministre que lorsqu'il viendra cet après-midi à Fort Belvedere je lui communiquerai dans les formes ma décision d'abdiquer. »

Monckton lui rappela ce que cela signifiait. Il lui représenta que dans quelques jours il ne serait plus qu'un simplc citoyen et que, puisqu'il avait l'intention de s'exiler, il serait sans trêve pourchassé par la presse. En outre, il lui faudrait s'abstenir de voir Wallis jusqu'à ce que son divorce soit définitif, faute de quoi ses ennemis pourraient tenter de faire pression sur le procureur royal, si bien que le jugement final pourrait bien être très différent de ce qu'ils attendaient.

Le 7 décembre, Winston Churchill prit la parole aux Communes pour défendre la cause du roi, ne s'attirant que ces clameurs : « Assis ! » et « C'est une honte ! » Bien que Baldwin eût perdu une partie de ses notes au cabinet et qu'il en eût laissé tomber une autre partie, se cognant violemment la tête contre un coin de table en se relevant après les avoir ramassées, il prononça probablement le meilleur discours de sa carrière. Il évoqua sans une faute tous les problèmes moraux et politiques que soulevaient les amours du roi, et avec une dignité qui lui valut jusqu'à l'hommage de ses nombreux ennemis, à l'exception d'une poignée de dévots travaillistes et de l'unique député communiste aux Communes, Willie Gallacher.

Wallis se consumait de honte et de frayeur. Lorsqu'elle apprit l'intention d'abdiquer du roi, elle lui écrivit une lettre passionnée, le pressant de reconsidérer l'offre qu'elle lui avait faite de se retirer complètement de la scène. Ses ennemis furent convaincus qu'elle ne cherchait par là qu'à s'assurer encore un peu plus la dévotion du monarque. Ils lui dénièrent toute sincérité lorsqu'ils furent informés de son geste. Elle envoya sa lettre par avion et, le 7 décembre, téléphona au roi à Fort Belvedere pour lui lire une déclaration qu'elle se réservait de faire à la presse, déclaration rédigée avec l'aide de lord Brownlow et d'Herman Rogers. Tristement, elle y proposait de « se retirer sur-le-champ d'une situation qui avait été rendue à la fois malheureuse et intenable ». Tandis que lord Brownlow lisait ce texte à l'hôtel Majestic de Cannes devant une horde de journalistes du monde entier, l'Associated Press publiait le texte suivant : « Dans le havre de la villa Lou Viei, une faible lumière brillait dans la chambre de Mrs. Simpson. En ombre chinoise devant cette lueur, une mince silhouette passait et repassait. La divorcée américaine attendait l'acte suivant – le consentement d'Édouard, ou son refus de renoncer à son amour, fût-ce au prix de son trône. » L'auteur de ce morceau d'anthologie ne savait pas que le roi avait déjà pris sa décision et que personne, pas même Wallis, ne le ferait revenir là-dessus.

Entre-temps sir Horace Wilson, conseiller spécial du nouveau roi et responsable également des contacts avec différents groupements politiques peu d'accord entre eux (parti travailliste, Union britannique des fascistes, Amitiés anglo-germaniques, communistes...), avait préparé un rapport de soixante-quatre pages pour Neville Chamberlain, le Chancelier de l'Échiquier, sur le duc et la duchesse de Windsor et les circonstances de l'abdication. Sa conclusion était accablante.

> Le Premier ministre ne pouvant être joint, je crois qu'il m'appartient de revenir sur la question à laquelle j'ai fait allusion, celle des « plans » de Mme Simpson pour l'avenir. Pour moi il est clair que son intention n'est pas seulement de retourner en Angleterre mais (assistée, comme elle l'espère, d'une généreuse dotation

de fonds publics) d'y instaurer une véritable « Cour » personnelle et – on ne saurait en douter – de faire de son mieux pour rendre inconfortable la situation du nouvel occupant du trône. On ne doit pas supposer qu'elle a renoncé à l'espoir d'être reine d'Angleterre. Il est bien connu qu'elle a des ambitions illimitées, et en particulier le désir de jouer un rôle politique. Elle est en contact avec le mouvement nazi et professe des vues très précises sur la dictature.

Pour arriver à ses fins deux conditions sont essentielles : (a) qu'elle obtienne le divorce et (b) qu'elle dispose de revenus suffisants.

En ce qui concerne le premier point, qui la préoccupe considérablement, je ne crois pas qu'un commentaire de ma part soit nécessaire. En ce qui concerne le second point, nous avons du moins les moyens d'épargner à notre pays de graves ennuis à l'avenir.

Pourtant, le 8 décembre, le roi n'avait pas encore abdiqué. Et l'on n'avait pas non plus annoncé qu'il le ferait, mais le bruit s'en était déjà répandu. Les Chemises noires de Mosley montaient la garde autour de Buckingham Palace, tandis que l'avocat de Wallis, Theodore Goddard, prenait l'avion pour Cannes afin de tenter un dernier effort pour persuader Wallis de se retirer totalement de la vie du roi. Baldwin et sir Horace Wilson, allié du Premier ministre en l'occurrence, avaient imaginé cette tentative. Lorsqu'il l'apprit, le roi entra dans une violente colère et interdit à Goddard de partir, mais celui-ci dut se conformer aux ordres du Premier ministre. Accompagné du docteur William Kirkwood, son médecin personnel, qui était aussi gynécologue, Goddard, malgré une maladie de cœur, prit un avion officiel, dont le moteur hésitant menaçait à chaque instant de rendre l'âme, pour un vol harassant au milieu d'une succession d'orages.

Il était en route lorsque le roi accepta enfin de voir son frère le duc d'York qui s'était présenté à Fort Belvedere sans y être invité. Il fallait bien discuter avec ce personnage timide et emprunté des responsabilités qui allaient lui échoir quelques jours plus tard. Les deux hommes étaient désespérément las. L'arrivée impromptue du Premier ministre n'améliora pas l'atmosphère. Baldwin, escorté de Dugdale et de Monckton, fit irruption à 5 heures et demie. Le roi avait décidé de ne rien ajouter à ce qu'il lui avait déjà dit. Après un dîner morose, Baldwin repartit, pâle et déprimé ; c'était la dernière fois qu'il prenait congé d'un roi pour l'intégrité morale duquel il s'était tant dépensé.

Dans la soirée, le roi se montra détendu et presque joyeux. L'esprit enfin libre, il dormit comme cela ne lui était pas arrivé depuis longtemps, tandis que la presse continuait de soutenir qu'il n'avait pas encore fait son choix.

À Cannes, dans la nuit du 8, Wallis recevait Goddard. Lord Brownlow ne décolérait pas de son arrivée. Sa présence dans la maison ne pouvait qu'accréditer le bruit que Wallis était enceinte. Goddard dit à Wallis qu'elle ferait mieux d'abandonner sans délai sa demande de divorce contre Ernest Simpson. Ce simple geste suffirait à résoudre la crise. Le docteur n'eut pas de grands efforts à déployer pour la persuader. Au stade d'épuisement nerveux où elle était parvenue, elle n'aurait été que trop heureuse de disparaître n'importe où, en Nouvelle-Zélande ou en Argentine, pour toujours. Elle répondit qu'elle ferait n'importe quoi pour que le roi conserve son trône. Goddard exprima tout le plaisir que lui faisait cette réponse. Wallis se tourna vers lord Brownlow pour lui demander son avis. Brownlow répondit : « Si le roi abdique, c'est pour vous épouser et si vous annulez votre divorce cela le mettra au désespoir et n'aboutira qu'à une tragédie. » Wallis demeurait cependant prête à faire ce que Goddard lui demandait. Elle essaya de téléphoner à Fort Belvedere. En vain. Le roi la rappela vers midi. Wallis lui dit : « J'ai accepté de retirer ma demande de divorce. » Le roi lui répondit lui-même et lui fit répéter par l'avocat George Allen que la situation avait atteint le point de non-retour. On était en train d'établir les documents d'abdication. Le roi lui dit encore : « Allez où vous voulez, en Chine, au Labrador, dans les mers du Sud, où que vous alliez, je vous suivrai. »

Le 10 décembre au matin, le roi évoqua avec son frère le duc d'York, Monckton et d'autres conseillers sa future situation financière. Il disposait sa vie durant de l'usufruit de Sandringham et de Balmoral. Il lui fut suggéré de rendre à la couronne la disposition de ces propriétés lors de son abdication, mais il se montra réticent. Il voulut obliger son frère à lui verser vingt-cinq mille livres par an en contrepartie de la rétrocession de ces deux domaines – l'équivalent de six cent mille livres en monnaie de 1987. On lui demanda de payer une part de la pension des serviteurs de Balmoral et de Sandringham qu'il avait congédiés ou qui avaient pris leur retraite. En échange de ces accommodements financiers, Baldwin lui fit imposer une condition draconienne : il ne devait plus remettre les pieds en Grande-Bretagne sans la permission expresse du gouvernement. S'il refusait, ses revenus pourraient être considérablement réduits, compte tenu du système de la liste civile. Le roi se montra fort mécontent. Apprenant qu'à l'avenir les revenus du duché de Cornouailles ne lui seraient plus versés, le mécontentement devint consternation. Il avait apparemment oublié qu'un monarque déchu n'avait plus droit à ces émoluments. Il fut alors tout près de renoncer à abdiquer, la chose est établie. Il ratifia pourtant les instruments d'abdication.

> Moi, Édouard VIII, roi de Grande-Bretagne, d'Irlande et des dominions britanniques au-delà des mers, empereur de l'Inde, déclare par les présentes mon irrévocable détermination de renoncer au trône, pour moi-même et pour mes descendants, et mon désir est que cette décision prenne effet immédiatement.

En signant ce document face aux signatures de ses frères, York, Gloucester et Kent, le roi éprouva la sensation délicieuse « d'un plongeur qui remonte d'une grande profondeur », écrivit-il dans ses Mémoires.

Dans la même nuit, trente fascistes, dont trois ou quatre en chemise noire, apparurent dans Regent Street. Ils éclatèrent en groupes de deux ou trois individus et se dirigèrent vers Buckingham Palace. Vers 9 heures, cinq cents de leurs congénères les avaient rejoints. Quelque deux cents garçons et filles chantaient sur l'air des lampions : « C'est Édouard que nous voulons ! » et « Un, deux, trois, quatre, cinq, mort ou vif, nous voulons Baldwin ! » Ils faisaient le salut fasciste, chantaient des hymnes patriotiques et l'hymne national. 10 heures allaient sonner lorsque plusieurs jeunes gens, commandés par un homme en tenue fasciste, emmenèrent environ huit cents manifestants devant le 10, Downing Street, tandis que d'autres trublions de même obédience portaient des pancartes devant la Chambre des communes, où l'on pouvait lire : *Baldwin à la porte ! Vive le roi !* Ils faisaient aussi à intervalles réguliers le salut fasciste. Vers minuit, ils se mirent à scander : « Vive le roi !

Vive Bessie Warfield ! » Le lendemain, trois mille d'entre eux, selon Scotland Yard, assistaient à un meeting à Stepney au cours duquel sir Oswald Mosley demanda que la question de l'abdication soit soumise au peuple. Dans Bancroft Road des vitrines volèrent en éclats et des bagarres opposèrent dans les rues fascistes et antifascistes.

Selon sir Edward Peacock, dans ses conversations avec l'ambassadeur J.P. Kennedy en 1938, et aussi selon sir Dudley Forwood et feu la duchesse de Marlborough, le roi eut une réaction de panique quand Peacock lui signala que l'acte d'abdication lui ferait perdre, il le craignait tout au moins, une part importante de son héritage – héritage dont Peacock avait la tutelle – du fait qu'il n'avait pas d'héritier mâle et que toute somme à lui due suivant les clauses ne lui serait versée qu'avec l'accord de son frère, qui détestait Wallis.

Le parti travailliste était particulièrement désireux de voir le roi revenir sur son abdication. Le roi déclara à Peacock qu'il réfléchirait et qu'il n'était pas exclu qu'il accepte finalement l'idée d'un mariage morganatique. John Strachey, le dirigeant socialiste, approcha alors Claude Cockburn, le célèbre rédacteur en irlandais de *The Week*, journal d'un libéralisme agressif, et lui fit une curieuse proposition. Il lui annonça que lord Louis Mountbatten, cousin du roi, et lui-même, se proposaient, avec l'autorisation du roi, de lui communiquer une information sensationnelle qui mettrait fin aux rumeurs d'abdication. Ce serait un scoop sans précédent. Le document devait être remis à Cockburn un certain soir à minuit par un motocycliste officiel venu tout droit de Fort Belvedere.

À l'heure et au jour fixés Cockburn et ses collaborateurs, dans un état de grande surexcitation, attendirent le motocycliste. Mais le messager annoncé ne se manifesta pas. Fort ennuyé, Cockburn dut faire imprimer son journal sans le gros titre qu'il se promettait. La question qui se pose c'est : quel était donc ce mystérieux scoop ?

Dans ses Mémoires, *A Discord of Trumpets*, Cockburn assure qu'il n'en a pas la moindre idée. Son fils Alexandre Cockburn, journaliste politique, ne sait pas non plus de quoi il s'agit. Enfin les papiers de Cockburn sont en Irlande et on ne peut les consulter. On ne peut formuler que des hypothèses. La plus probable est que le roi, en fait, n'était au courant de rien, mais que Mountbatten et Strachey avaient décidé de rendre publique la liaison de Wallis avec

Guy Trundle. Ils comptaient se servir d'un messager déguisé en courrier du palais pour plus de crédibilité. Leur objectif était de forcer le roi à renoncer à épouser Wallis. Ainsi resterait sur le trône le « roi du peuple », le roi populaire auprès des classes travailleuses, lequel rendrait plus de services aux travaillistes qu'aux conservateurs. Mais à la dernière minute les comploteurs avaient pris peur et renoncé à leur plan.

Le même jour, le roi déjeuna avec Winston Churchill, qui prenait dans le désert politique une importance proportionnelle à sa totale loyauté envers Édouard VIII. Churchill l'aida à apporter quelques changements à son allocution d'abdication, à laquelle Walter Monckton avait déjà beaucoup travaillé. Quittant son souverain, Churchill, au bord des larmes, citait ces vers du poète Andrew Marvell qui évoquent la décapitation de Charles Ier : « Il ne fit ni ne pensa jamais rien de bas, lors de cette scène mémorable… » Après le déjeuner, le roi eut un nouvel entretien avec le duc d'York, qui cherchait une fois de plus à dominer sa nervosité et la crainte que son bégaiement ne lui cause beaucoup de difficultés lorsqu'il aurait à s'exprimer en public ou à la radio. Il suggéra aussi à son frère de prendre le titre de duc de Windsor, ce qui enchanta le roi, qui accepta aussitôt.

Monckton revint de Londres tard dans l'après-midi, il était allé y porter le texte de l'abdication à Baldwin, pour approbation. Baldwin lui avait demandé l'ajout d'une phrase disant qu'il avait donné au roi pendant la crise « toute la considération » qui lui était due. L'audace de son ennemi juré irrita le roi, mais il n'accepta pas moins cette adjonction pour respecter les convenances. Avant de quitter Windsor pour annoncer à 10 heures à la radio son abdication, le roi appela Wallis et l'informa qu'il partirait pour la Suisse et descendrait dans un hôtel proche de Zurich. Wallis se déclara scandalisée que le gouvernement anglais ne lui ait pas fourni une retraite sûre, à l'abri de la curiosité publique. S'il allait à l'hôtel, il subirait le même cauchemar qu'elle-même : il vivrait en état de siège. Ni la presse ni le public ne lui laisseraient une minute de paix. Lord Brownlow pourrait organiser pour lui un séjour chez ses vieux amis, le baron et la baronne Eugène de Rothschild, dans leur château d'Enzesfeld, près de Vienne. Wallis le rappellerait dès que les dispositions nécessaires seraient prises.

Elle rappela. Les Rothschild avaient tout de suite accepté de le recevoir. Kitty de Rothschild, superbe Américaine, trouvait l'idée merveilleuse.

Suivi de son chien favori, Slipper, le roi fit ses adieux au personnel de Fort Belvedere. Les valises furent portées dans la Buick royale. Tandis que la voiture descendait la route du fort, Ladbroke au volant, le roi se retourna pour revoir cette demeure qu'il aimait tant et qu'il ne reverrait peut-être jamais. Quelques jours plus tard, le mobilier serait mis au garde-meuble ; il y resterait près de dix ans. Douloureux arrachement ! Le fort était sa maison depuis si longtemps, il avait dépensé tant de temps et d'énergie à en faire l'oasis qu'il était devenu, un havre protégé des duretés du monde ! Il se rendit à Royal Lodge, à Windsor, où sa mère, la reine Mary, ses frères et sa sœur la princesse royale l'attendaient. La conversation pendant le dîner fut étrange ; très émotif, le duc de Kent craqua et éclata en sanglots ; le duc d'York était au bord des larmes. À la fin du repas, Monckton arriva pour accompagner le roi au château de Windsor.

Dans la tour Augusta, le directeur de la British Broadcasting Corporation (B.B.C.), sir John Reith, entouré d'une équipe technique, attendait, avec ce qu'un témoin devait qualifier de « regard de basilic ». La tour avait été transformée en studio provisoire. À 10 heures, plein de sérénité chaleureuse et libéré de ses tourments, le roi prit la parole. La décision d'abdiquer, fit-il clairement comprendre, était la sienne et la sienne seule. La femme qu'il aimait avait essayé jusqu'à la dernière minute de lui faire prendre une autre voie. Son frère, le duc d'York, le remplacerait sur le trône « sans interruption ni dommages pour l'Empire. Et (ces mots étaient de Winston Churchill) il connaît le bonheur sans prix – que partagent tant d'entre vous et qui ne m'a pas été donné – d'un foyer heureux avec sa femme et ses enfants ». Le roi déclara ensuite, n'en pensant sans doute pas moins, que les ministres de la couronne, « et en particulier Mr. Baldwin », l'avaient traité avec la plus complète considération. Il conclut :

> Je quitte donc les affaires publiques et je dépose mon fardeau. Je ne reverrai peut-être pas ma terre natale avant un certain temps, mais je m'intéresserai toujours de près au sort de la race et de l'Empire britanniques et si je peux un jour, en tant que personne privée, être utile à Sa Majesté, je n'y faillirai pas. Et maintenant que

nous tous avons un nouveau roi, je lui souhaite, et à vous aussi, son peuple, bonheur et prospérité, de tout mon cœur. Dieu vous bénisse tous. Dieu sauve le roi.

Wallis écouta cette allocution dans le salon de la villa Lou Viei en compagnie des Rogers. D'après ses dires, elle l'accueillit avec une tristesse résignée, mais Katherine Rogers raconta à son amie Fern Bedaux qu'elle se mit en fureur, hurlant et brisant plusieurs objets autour d'elle. L'idée d'abdication lui faisait horreur. Elle aurait voulu rester la maîtresse du roi et garder son mari, elle aurait voulu le pouvoir sans ses inconvénients ni sentiments de culpabilité. Élevée comme tant d'Américains dans la croyance qu'il n'est pas d'ambition inaccessible et que le monde lui appartenait, elle avait bu, écrivit-elle : « jusqu'à la lie la coupe de l'échec ». Elle avait découvert sa complète impuissance face à la coalition d'un Premier ministre, d'un gouvernement et de services secrets acharnés à sa perte. Et elle serait en outre accusée jusqu'à la fin de sa vie d'avoir détruit le roi et ruiné son règne. C'est très consciente de tout cela qu'elle gagna sa chambre, où elle passa une nuit affreuse.

11

L'exil

Le duc de Windsor – tel serait désormais son nom, encore que les journaux ne l'aient pas imprimé avant le mois de mai – eut une dernière entrevue avec sa mère et ses trois frères. Comme toujours, la reine Mary fut un modèle de retenue, mais le duc de Kent demeurait visiblement bouleversé et déclara : « C'est de la folie. » La pensée de ne plus voir son frère pendant un temps indéterminé le rendait malade. En quittant les lieux, Windsor se rappela son éducation et s'inclina devant le nouveau roi.

Puis il reçut deux visiteurs de dernière minute. Le premier fut Winston Churchill, qui lui fit les plus chaleureux adieux. Le second fut le comte Grandi, qui lui exprima la sympathie du gouvernement italien. Ni l'une ni l'autre de ces visites ne furent rapportées dans la presse d'aucun pays. Le comte Grandi les a récemment révélées à l'auteur de ces lignes.

Le trajet jusqu'à Portsmouth, où le duc devait s'embarquer pour Boulogne à bord du ferry de nuit, fut interminable en raison d'un temps de plus en plus affreux – Ladbroke conduisait la Buick. Le duc tua le temps en parlant avec Monckton, à qui il avait demandé de l'accompagner jusqu'au bateau, de la façon dont il organiserait sa vie en Europe. Il lut aussi une lettre de sa belle-sœur la duchesse d'York, qui, malgré sa haine de Wallis, lui souhaitait toutes les prospérités possibles. Et il dit à Monckton combien il aimait sa mère, sans aucun accent d'amertume pour son attitude envers la femme qu'il aimait.

Le brouillard, le crachin, des rafales de pluie retardèrent l'arrivée à Portsmouth.

Le duc monta à bord du *Fury* en compagnie du major Ulick Alexander, gardien de la Privy Purse (cassette du souverain), à qui l'on avait confié la charge de veiller à ses affaires financières, et de son nouvel écuyer, sir Peirs Legh. Il fut accueilli à bord par sir William Fisher, le contre-amiral de la flotte, et deux autres amiraux. Dans sa cabine, le duc fit ses adieux à son secrétaire privé adjoint, sir Geodfrey Thomas. Le duc serra enfin les mains de Monckton dans les siennes ; jamais il n'avait eu d'ami plus dévoué.

Le bateau leva l'ancre à 2 heures du matin. La traversée de la Manche fut agitée et le duc demeura enfermé dans sa cabine. L'*Orient-Express*, qui avait été spécialement détourné pour lui, l'attendait à Boulogne. Le contrôleur du train, Roger Tibot, le salua à son arrivée. Le duc avait demandé à disposer non pas d'un wagon privé mais d'un simple compartiment de première classe ; cette précaution, combinée au détournement du train, trompa les journalistes. Le duc avertit Tibot qu'il ne prendrait aucun repas au wagon-restaurant et lui demanda de les lui faire servir dans son compartiment par le garçon chargé du wagon-lit. Il prit donc un petit déjeuner, un déjeuner et un dîner très simples sur des plateaux posés sur les valises qui remplissaient l'intervalle entre les sièges, à la grande détresse de Tibot, accoutumé à voir l'ancien roi s'installer au wagon-restaurant, après le départ des autres clients, pour déguster un repas exquis.

À la villa Lou Viei, Wallis se trouvait beaucoup moins bien qu'en 1928 où son séjour lui avait laissé un très agréable souvenir. La maison avait plus de six cents ans. Les chambres d'amis étaient situées à des niveaux différents et une ancienne muraille partageait les étages. Les murs épais retenaient l'humidité hivernale de la Méditerranée. Le salon, qui en été demeurait sombre, était en cette saison caverneux et sinistre en dépit de ses fauteuils couverts de chintz et des plantes vertes disposées sur des tables rustiques. Il y avait même un fantôme, découvrit Wallis. Herman jurait avoir vu le bâtisseur de la maison flotter sous forme d'ombre dans les couloirs et les chambres. La résidence, qui jadis avait été pour elle un merveilleux refuge, lui apparaissait de plus en plus comme une geôle de luxe.

Les Rogers faisaient l'impossible pour la réconforter. Mais tout ce qu'elle pouvait découvrir lorsqu'elle s'attardait, morose, à une fenêtre, c'était cinq gendarmes et trois policiers britanniques qui faisaient les cent pas, et, au-delà du potager impeccable d'Herman, les pentes brumeuses et ruisselantes de pluie qui descendaient sur Cannes. La cuisine elle-même était déprimante. Le vieux couple qui faisait office de maître d'hôtel et de cuisinière s'affairait dans une pièce mal tenue pour un résultat médiocre. Aussi Wallis souhaita-t-elle bientôt se trouver ailleurs. Entre-temps, sa cuisinière, sa femme de chambre et son chauffeur étaient arrivés à Dieppe avec une douzaine de valises et de malles, et avaient aussitôt pris la route pour Cannes. Ils y arrivèrent deux jours plus tard, procurant au moins à Wallis la satisfaction de disposer d'une partie supplémentaire de ses affaires. L'arrivée le lendemain d'un sac de courrier la contraria extrêmement, car il contenait de nombreuses lettres de menaces dont plusieurs témoignaient que le projet de l'assassiner n'avait pas été abandonné. Le patron de la police de Cannes fut appelé en consultation. Il prit le parti de monter personnellement la garde devant les pièces qu'elle occupait, conscient que, s'il arrivait quoi que ce soit à Wallis, lui-même et ses hommes en supporteraient les conséquences.

Le 12 décembre, Wallis écrivit au duc qu'elle avait entendu parler d'une « organisation de femmes » qui avait juré de la tuer. Elle le pressait de lui assurer une protection permanente ; on détacha auprès d'elle des gardes armés.

Le duc arriva à Vienne le 13 décembre. À son arrivée à bord de l'*Orient-Express*, il fut accueilli par son vieil ami le ministre d'Angleterre à Vienne, l'affable sir Walford Selby, et par un groupe de journalistes qui témoignèrent envers lui d'une réserve inhabituelle. Parmi eux se trouvait Douglas Reed, plus tard auteur du fameux *Insanity Fair*, lequel observa qu'en dépit de tout le duc quadragénaire avait l'air étonnamment jeune, innocent, insensible aux années comme aux soucis.

Se trouvait aussi là l'attaché Dudley Forwood qui avait fait la connaissance de Wallis et du prince de Galles à Kitzbühel.

À la requête du duc, Forwood allait bientôt devenir son écuyer et secrétaire privé. En attendant, sir Walford Selby lui confia la mission d'organiser la vie du prince. Le duc souhaitait se rendre immédiatement chez les Rothschild au Schloss Enzesfeld, mais cela n'était pas possible, le protocole exigeant qu'il présentât ses respects au président Miklas. La duc se plia, avec Forwood, à cette obligation qui avait pour contrepartie une visite du président à la légation britannique afin de rendre les respects qui lui avaient été présentés. Ce rituel fastidieux fut scrupuleusement suivi.

Sir Dudley se souvient :

> Lorsque j'informai le duc de cette dernière obligation, il dit : « Oh ! Il vaudrait mieux inviter Miklas à déjeuner ! » Mais cela posait un problème. Lady Selby était une excellente hôtesse, mais elle était très pingre. Ses invités quels qu'ils fussent n'avaient jamais à manger plus d'une côtelette d'agneau par personne. L'importance de l'occasion exigeait, à mes yeux, d'aller au-delà. Mais le chef avait pour instruction de ne jamais acheter plus de quatre côtelettes. Il était donc impossible de transcender l'ordinaire. Informé, le duc me répondit que je n'avais pas besoin de déjeuner !

Les Rothschild envoyèrent leur chauffeur prendre le duc et sa suite pour les conduire à Enzesfeld. Forwood était du lot. Il apprit très vite à servir un maître royal – terme qu'il utilise toujours pour désigner le duc. Le matin, celui-ci était réveillé par son valet, puis Forwood entrait dans sa chambre et lui communiquait le programme du jour. Ce faisant, il devait s'incliner et, lorsqu'il oubliait de le faire, le duc le réprimandait sereinement. L'une des tâches les plus importantes qui revenait au valet, contrôlé par Forwood, était l'habillement du duc. Lorsqu'il allait jouer au golf, il se mettait en tenue de golf, mais il se changeait pour déjeuner, revêtant alors un costume et une cravate ; s'il voulait jardiner l'après-midi, il se changeait encore. Et le soir, naturellement, il passait un smoking ou, en certaines occasions, un habit.

Cela dit, Forwood s'avéra dès le début, malgré toutes les contraintes, tout dévoué au duc. En 1987, il ne supportait pas d'entendre un seul mot contre son maître. L'un de ses plus vifs souvenirs du séjour à Enzesfeld est que le duc téléphonait à Wallis plusieurs fois par jour. Il répugnait à abréger ces conversations au cours desquelles il déversait sur elle sa détresse, et les factures de téléphone oscillaient entre trois cents et quatre cents dollars par semaine. Lui parlant, il voyait dans sa chambre autour de lui des dizaines de photos d'elle qu'il avait apportées de Fort Belvedere. Bien que ravis de lui rendre service, ses hôtes éprouvaient pour lui des sentiments mitigés, tout comme lui envers eux. Kitty de Rothschild était une femme encore très séduisante, mais le duc ne la trouvait pas très intelligente. Il plaisantait souvent de ses conversions successives : elle était devenue protestante pour son premier mari, catholique pour le deuxième, juive pour lc troisième.

Wallis, de son côté, souffrait toujours mort et passion. Elle écrivait au duc : « Il s'est murmuré à mon propos tant de choses scandaleuses, on a été jusqu'à dire que je suis une espionne que tout le monde fuit et que je dois me cacher jusqu'à ce que votre nom m'assure protection. » Elle exprimait le désir de toujours plus d'obscurité, souhait alors pathétiquement vain. Mais elle exprimait aussi l'espoir que leur amour triompherait de tous les obstacles.

En Angleterre, l'archevêque de Canterbury prononça à la B.B.C., le 13 décembre, une allocution moralisatrice autant qu'interminable, où il faisait notamment remarquer à propos de l'ex-roi :

> Plus étrange et triste encore est qu'il ait aspiré au bonheur sans tenir compte des principes chrétiens du mariage et dans un milieu dont les idéaux et le mode de vie sont totalement étrangers aux instincts les meilleurs de son peuple. Que les membres de ce milieu sachent qu'aujourd'hui le jugement d'une nation qui avait aimé le roi Édouard ne leur est pas favorable.

Ces commentaires furent très mal reçus et non pas seulement chez les partisans du duc. Ce discours radiodiffusé sentait beaucoup trop son clerc vertueux allongeant à l'homme à terre le coup de pied de l'âne. Deux jours plus tard, Ellen Wilkinson, députée travailliste à la Chambre des communes, allait encore plus loin, aux Communes mêmes et dans un article publié par *The Sunday Referee* :

> Les opinions politiques de l'entourage de Mrs. Simpson causent un malaise croissant, ou peut-être serait-il plus juste de dire : les options politiques de groupes qui se servent de son influence sur le roi Édouard.

> Se rassemble avec empressement derrière Mrs. Simpson une faction qui ne fait guère mystère de son enthousiasme pour les doctrines politique et sociale d'une puissance qui ne s'est jamais montrée très amicale envers la Grande-Bretagne. Le Premier ministre Baldwin a récemment dénoncé l'effet d'une mentalité dangereuse en politique : « profiter du pouvoir sans en assumer les responsabilités ».

Concession au public (et peut-être pour éviter des suites judiciaires), miss Wilkinson ajoutait qu'elle ne voulait nullement dire que le roi ou Wallis savaient ce qui se tramait dans leur ombre. Cette réserve ne satisfit guère les deux principales victimes et du discours et de l'article.

Un nouveau choc les atteignit. Un ancien et obscur employé judiciaire, Francis Stephenson, s'éleva contre la procédure, apparemment inattaquable, du divorce de Wallis. Le divorce définitif était, selon lui, entaché d'irrégularité et il se faisait fort de démontrer qu'il n'aurait jamais dû être accordé. De quelle information disposait-il pour montrer tant d'assurance ? La chose ne fut jamais éclaircie et Stephenson battit en retraite.

Le choc ébranla profondément Wallis. Elle écrivit au duc : « Je ne pensais pas que le monde puisse s'acharner à ce point sur deux êtres dont le seul crime est de s'aimer. » Elle ajoutait qu'elle avait l'air d'avoir cent ans et qu'elle ne pesait plus que cinquante kilos. Elle écrivait encore : « Le monde entier est contre moi et contre moi seule. » Et elle se demandait si elle pourrait survivre à l'épreuve.

Wallis aurait dû s'inquiéter davantage de voir révélés la vérité sur son divorce avec Spencer, la preuve de sa naissance illégitime et le fait qu'elle n'avait pas reçu le baptême, car ces circonstances auraient empêché un mariage religieux avec le duc, quand bien même elles invalidaient son mariage avec Simpson. Elle se promenait des heures, sans but, en voiture sur les routes sinueuses des Trois Corniches ; les virages en épingle à cheveux et les apparitions soudaines de la mer la distrayaient brièvement de son angoisse. Elle fut un peu soulagée à la nouvelle que tante Bessie viendrait passer Noël avec elle.

En ce temps de solitude et de détresse, il est certain que Wallis finit par éprouver de la tendresse pour le duc. Les lettres qu'elle lui envoyait alors expriment de l'attachement et de la loyauté, loin il est vrai des accents passionnés de sa correspondance à lui. À cette époque, Newbold Noyes, qui avait épousé la cousine de Wallis, Lelia de Wakefield Manor, publia aux États-Unis (ils devaient bientôt paraître en France) une série d'articles fondés sur des conversations privées, datant du mois de novembre, entre le duc et Wallis, à Fort Belvedere et à Cumberland Terrace. Ces papiers se composaient surtout de révélations sans portée sur leurs goûts et leurs dégoûts (Wallis avait horreur des chats, elle aimait les feux de cheminée et les grands vents). Wallis n'en ressentit pas moins très vivement cette atteinte à sa vie privée. Elle lui accorda une importance si disproportionnée qu'elle poursuivit Noyes en diffamation.

Et elle commit là une lourde erreur. Au lieu de prendre un respectable avocat français, elle confia à nouveau ses intérêts à l'activiste nazi Armand Grégoire, agent notoire d'Hitler en France – classé comme tel par le Deuxième Bureau et la Sûreté. Les dossiers que détiennent sur son compte les Archives diplomatiques à Paris et les Archives nationales de Washington révèlent qu'en dépit de sa position d'avocat important installé place Vendôme et de la situation sociale de sa femme Crystal, américaine de naissance, les autorités françaises le tenaient sous constante surveillance.

Herman Rogers, qui était toujours agent américain, surveillait la situation avec intérêt ; la décision de Wallis d'engager Grégoire renforça les soupçons de collusion avec les nazis qu'éprouvaient déjà envers elle les agents du MI 6 à Paris. En fait, croyant se défendre, elle aggrava son cas.

Le duc se rendait fréquemment à Vienne pour s'y faire soigner les oreilles par le professeur Neumann et resserrer ses liens avec le chancelier von Schuschnigg et le président Miklas. N'étant plus roi, il prenait grand soin de limiter ses relations aux convenances mondaines. Il renoua aussi avec l'intelligent et raffiné ministre des États-Unis en Autriche, George Messersmith, qui, grâce à un réseau d'informateurs et à l'interception des télégrammes et des appels téléphoniques des autres ambassades, accumulait un dossier détaillé des activités du duc. Le 15 décembre en fin d'après-midi, le duc quitta son lit où l'avaient cloué de violents maux d'oreilles et un méchant mal de tête, pour aller dîner avec Fritz Mandl. Mandl, découvreur et époux de l'actrice de cinéma Hedy Lamarr, était un fabricant d'armes qui, malgré ses origines, était fournisseur d'Hitler. Le duc devait aussi rencontrer Louis de Rothschild, frère d'Eugène, qu'il aiderait un jour à s'échapper d'Europe.

Deux questions dominaient toutes les autres dans les esprits de Wallis et du duc, indépendamment du tourment continuel que leur causait la séparation. La première : où vivraient-ils une fois mariés ? Ils avaient discuté d'une éventuellc installation dans la propriété que le duc de Westminster possédait en France ; celui-ci leur avait déjà prêté son yacht. Mais il ne leur parut pas sage de s'arrêter à cette idée. Westminster était notoirement partisan des nazis, il avait avec eux des liens nombreux et étroits. Le prince Roman Francuszko leur offrit son château de Pologne ; ils songèrent un instant à acheter les douze cents hectares du comte Bela Zichy en Hongrie. Rien de tout cela n'était réaliste. Une autre idée parut plus sérieuse. Les Rogers avancèrent qu'il y avait en France une résidence qui pourrait leur convenir, au moins un certain temps. C'était le château de Candé, non loin de Tours, à deux cent cinquante kilomètres de Paris, qui appartenait au capitaine d'industrie naturalisé américain Charles Bedaux et à sa femme américaine, Fern.

La seconde question qui les obsédait était celle du nerf de la guerre. De quels revenus disposerait le duc sur la liste civile pour mener jusqu'à sa mort une existence confortable ? Son frère, encore duc d'York, lui avait donné l'assurance verbale qu'il ne serait pas oublié, mais il se passerait plusieurs semaines et peut-être plusieurs mois avant que la question ne soit soumise au comité ad hoc. Et le duc n'avait aucune garantie que les choses se passeraient comme il le souhaitait et que l'arrangement serait approuvé. Pour le moment, le duc, bien qu'il le gardât secret, disposait des sommes très substantielles qu'il avait épargnées sur les revenus du duché de Cornouailles. Mais, si importants que fussent ces fonds, ils ne suffiraient pas à lui assurer indéfiniment le niveau de vie auquel il était habitué. C'est alors que Wallis accepta d'abandonner contre une pension de dix mille livres par an le capital de trois cent mille livres qu'il avait placé à son nom. Malgré cette rétrocession, le duc se faisait du mauvais sang. À Londres, Winston Churchill faisait des pieds et des mains pour que cette question soit réglée au plus tôt. Membre du comité de la liste civile, Churchill se dépensait pour écarter les objections de ses collègues. Il se considérait encore et se considéra toujours vis-à-vis du duc comme un subrogé père ou un oncle attentif.

Les tracas s'accumulaient. Le duc appela Wallis pour lui annoncer, presque hystérique, que son bien-aimé Slipper avait été malmené par les chiens du baron de Rothschild et qu'il avait fallu faire venir un vétérinaire. Noël approchait et il était d'une humeur exécrable. Les piles de lettres qui s'entassaient sur son bureau surpassaient celles que recevait Wallis. Huit cents femmes répondirent à l'annonce qu'il avait fait passer pour recruter une secrétaire. Ce fut toussant, éternuant et torturé par une migraine aiguë qu'il finit par en choisir une, en buvant du vin rouge renforcé de sucre, de clous de girofle et de cannelle.

Le 19 décembre, tante Bessie arriva enfin à Lou Viei. Wallis en larmes la serra dans ses bras. De son côté, le duc s'affairait à préparer Noël. Il envoya à Wallis une cape de vison ; à son tour, elle lui envoya un manteau d'opossum. Guéri de son refroidissement, il reprit sa gymnastique matinale, le golf et le jeu de quilles ; il s'exerça même à iodler lors d'un petit dîner donné dans la nouvelle salle à manger-bar du château. Il montra enfin une joie extrême quand Slipper, remis de ses blessures, éveilla la maison tout entière pour célébrer son triomphe : il avait coincé et occis une grosse souris grise.

La veille de Noël, Wallis résolut d'ignorer la presse et, traversant une foule curieuse, elle se rendit avec les Rogers au casino du Palm Beach, à Cannes, alors qu'il avait été annoncé qu'elle restait chez elle. Il n'y eut pas d'arbre de Noël, mais elle se donna beaucoup de mal pour composer des décorations de houx et de mimosa. Déplaisant cadeau de Noël, Buckingham Palace publia un communiqué qui annonçait la réintégration dans leurs emplois antérieurs de soixante employés de Sandringham renvoyés par le duc. Celui-ci apparut à l'église le jour de Noël, avec George Messersmith. Sir Walford Selby fit la première lecture et le duc, d'une très bonne voix, quoique chargée d'intonations américaines et cockney, lut les vingt premiers versets du deuxième chapitre de l'évangile selon saint Luc. L'après-midi, il fut assailli par des centaines d'enfants, comme il distribuait des cadeaux de Noël à ceux d'Enzesfeld. Dans la neige qui tombait dru, il semblait détendu et heureux de vivre.

Le soir de Noël, à l'invitation de sa vieille amie Sibyl Colefax, qui lui était restée fidèle pendant la crise, Wallis alla dîner avec les

Rogers chez Somerset Maugham, alors au sommet de sa gloire de romancier et d'auteur de théâtre, à la villa La Mauresque. Il lui dédia l'un de ses fameux sourires de crocodile. La soirée n'alla pas sans quelque gêne, provoquée par les saillies de son « secrétaire » et surtout amant, Gerald Haxton, qui, complètement ivre, interrompait la conversation. Comme on demandait à Wallis après un robre au bridge pourquoi elle ne s'était pas servie de son roi de cœur, elle répondit : « Mes rois à moi ne font pas de levées, ils ne savent qu'abdiquer. » Wallis ne se trouva guère d'atomes crochus avec son hôte et réciproquement. Mais il avait quelque chose en commun avec elle et avec Herman Rogers : ils avaient tous trois travaillé dans le renseignement, Maugham pendant la Première Guerre mondiale.

Le jour du nouvel an, le duc, une fois de plus, exprimait dans une lettre à Wallis son désespoir d'être séparé d'elle. Le soir, en lui parlant au téléphone, il sanglota comme un enfant. Wallis, touchée au vif, lui expédia un mot griffonné à la hâte: « Je ne peux pas supporter de vous entendre pleurer. »

Le 3 janvier, elle lui écrivait pour lui faire part du souci que lui causait le roi George VI, l'accusant d'être une marionnette aux mains du gouvernement, et de se servir d'elle comme « d'un outil bien commode », pour écarter son bien-aimé du trône. Elle exprimait aussi la contrariété que lui causait la certitude que son mariage avec le duc ne serait pas mentionné dans le *Bulletin de la Cour* ; cela la désappointait beaucoup, car elle détestait l'idée d'être assimilée « aux innombrables individus titrés qui hantent l'Europe, sans que leurs titres signifient rien ». La perspective d'un pareil déclassement lui faisait horreur. Elle voulait que le duc écrive à son frère pour lui exposer toutes les raisons qui empêchaient qu'il soit traité en paria et lui demander de donner officiellement à celle qui serait sa femme le titre auquel elle avait droit. Elle dévoilait enfin son aversion pour cette famille royale qui lui déniait toute dignité.

Janvier avançait et Wallis s'inquiétait toujours de son divorce, craignant qu'il ne lui soit point accordé. Le duc était si anxieux et irritable qu'il se claquemurait. On ne le voyait nulle part à Vienne, pas même au Rotter Bar. Le 21 janvier, « Fruity » Metcalfe appela de Kitzbühel, proposant sa visite au duc qui accepta sans réfléchir.

Wallis écrivit plusieurs fois au duc pour le conjurer de ne pas le recevoir seul. Mais ce dernier ignora ces conseils.

Il s'en alla skier à Semmerin avec Fruity. Dans ses lettres à sa femme, lady Alexandra, restée à Londres, Metcalfe écrivit qu'Édouard était heureux comme un collégien. Toujours aussi insomniaque, il allait rarement se coucher avant 4 heures du matin, épuisant Fruity.

Enfin, le 3 février, le duc se produisit en public, à l'occasion d'un concert donné à Vienne par la jeune soprano australienne Joan Hammond, en compagnie de Messersmith, des Selby et de Mme Miklas. Le choix du programme n'était pas très heureux, c'était le moins qu'on puisse dire. Il se composait notamment d'un lied d'Hugo Wolf intitulé *la Retraite* qui comportait ces mots : « Ô monde, laisse-moi seul / Laisse mon cœur demeurer seul avec sa douleur et sa félicité. » Quant à la *Dédicace* de Richard Strauss, elle commençait ainsi : « Tu sais, chère âme, comme loin de toi je souffre / L'amour me blesse le cœur ». Mais le sommet du mauvais goût fut une chanson de Cyril Scott, *la Petite Étrangère*. Son héroïne y déclarait être venue à Londres d'une campagne lointaine « pour mettre le feu à la Tamise ». Le coup final fut assené à un duc mal à l'aise par la chanson *les Vertes Collines du Somerset* qui avait pour refrain : « Jamais plus nous ne marcherons dans nos vertes collines, jamais plus. »

Deux jours plus tard, la princesse royale, sœur tendrement aimée du duc, et son mari le comte de Harewood quittaient Londres pour Enzesfeld. D'après le *New York Times*, ils auraient fait le voyage pour discuter avec Édouard de sa situation financière. Baldwin persistait à affirmer que le duc ne recevrait rien de la liste civile. La princesse et son mari devaient signifier cette désagréable obstination à l'infortuné exilé et tâcher de le consoler. À leur arrivée, le duc les emmena déjeuner à l'hôtel Bristol et les conduisit dans plusieurs musées. Contrarié par la nouvelle que son argent restait bloqué, il rappela à sa sœur qu'il était encore possesseur de Sandringham et de Balmoral et qu'il ne les lâcherait pas tant qu'il ne serait pas payé. Faisant allusion à l'ancien palais des empereurs d'Autriche, il déclara avec amertume : « En mettant les choses au pire, je pourrais toujours gagner ma vie en faisant visiter Schönbrunn. » Et il offrit à sa sœur et à son beau-frère la visite de cet édifice délabré, leur faisant remarquer la petite carriole ayant appartenu à l'archiduc Rodolphe qui avait tué sa maîtresse avant de se suicider d'un coup de pistolet. Il leur montra aussi les immeubles ouvriers où, deux ans auparavant, il avait tant embarrassé ses amis fascistes.

Le 12 février, se sentant un peu mieux, Wallis fit ses débuts dans la société de la Côte d'Azur en se rendant à une réception donnée par un New-Yorkais fortuné, Henry Clews Jr. L'atmosphère de la soirée s'enfiévra quelque peu au casino du Palm Beach, lorsque les touristes resquilleurs qui étaient parvenus à s'introduire dans la place tentèrent d'apercevoir Wallis à travers les rideaux qu'on avait tirés autour de la table où elle était assise avec les Rogers et les maîtres de maison. En collier de perles, cadeau du duc, et superbe robe de dentelle noire, elle dansa deux fois avec Nicolas Zographos, propriétaire grec du casino.

Le lendemain, la princesse royale et le comte de Harewood quittaient Vienne par le train. La princesse était en larmes ; le duc, furieux, apostropha les photographes qui les avaient suivis sur le quai et la police saisit les appareils et les détruisit. On raconta un peu partout qu'à la dernière minute les Harewood avaient tenté de convaincre Édouard de rompre avec Wallis. Comme on pouvait s'y attendre, toute suggestion de ce genre était rejetée sans appel. Néanmoins ils étaient parvenus à lui faire repousser son mariage après le couronnement, et ils avaient bien dû lui confirmer, après avoir téléphoné à Londres, que son avenir financier n'était toujours pas résolu. Édouard devait dire à Messersmith qu'il avait été « misérablement » traité.

À Londres, Joachim von Ribbentrop se rendit à Buckingham Palace pour y présenter ses lettres de créance avec les bons vœux d'Hitler. Il informa le roi George de la politique allemande du logement et des réformes sociales entreprises dans son pays. À la fin de l'entrevue, Ribbentrop adressa au roi le salut nazi. Hitler, la chose était évidente, voulait s'assurer le soutien de la famille royale britannique, quel que fût celui de ses membres qui occupait le trône.

À Vienne, les ducs de Kent et de Windsor visitèrent plusieurs musées et le palais de Schönbrunn. Kent devait passer plusieurs jours en Autriche. Lord Brownlow arriva le lendemain 26 février de Londres où on lui avait battu froid parce qu'il avait choisi le mauvais cheval. On l'avait informé qu'il ne serait pas gentilhomme de la chambre, comme il s'y attendait, et qu'en outre il était *persona non grata* à la cour ; quand il arrivait à son club, les membres quittaient le bar. Son nom enfin était banni du *Bulletin de la Cour.*

Le duc de Kent se trouva bien obligé de dire à son frère qu'il n'avait rien à attendre de la liste civile. Cette nouvelle, s'ajoutant à ce qui venait de se passer avec sa sœur, déprima profondément le duc. Il passa des heures au téléphone avec Wallis à ressasser cette situation, hurlant tour à tour dans l'appareil.

Le 2 mars, Wallis assista à son premier défilé de mode depuis un an, à l'occasion de la présentation à Cannes de la collection de printemps de Molyneux. Elle acheta treize robes et tailleurs, dont une étonnante robe du soir en crêpe de soie bleu-gris, accompagnée d'une veste à trois boutons de glace ; l'article qui lui coûta le plus cher fut un manteau de renard argenté fait de dix peaux coupées en bandes montées dans le sens de la longueur. Elle le porta ce week-end-là à une soirée chez Somerset Maugham.

Wallis et le duc songèrent à s'installer aux États-Unis. Le duc ouvrit même des négociations pour l'achat des Cloisters, immense résidence crénelée, propriété de Mr. et Mrs. Summer A. Parker, non loin de Baltimore. Les pourparlers demeurèrent sans suite et, le 9 mars, Wallis quittait Lou Viei avec les Rogers pour gagner le château de Candé, suivie de sa femme de chambre, Mary Burke, et de vingt-sept bagages. Le reste de ce qu'elle avait apporté d'Angleterre restait entreposé à la villa Lou Viei. Charles Bedaux était aux États-Unis, dans son appartement de la Ve Avenue. Fern Bedaux avait annulé un voyage à Londres et travaillé toute une semaine sans désemparer à préparer sa maison pour son illustre invitée. Une armée de domestiques, grossie de villageois voisins, avait astiqué, nettoyé, repeint le vieil édifice près de vingt-quatre heures sur vingt-quatre. La Buick, qui n'avait pas été utilisée depuis des semaines, Wallis s'étant servie à Cannes de la voiture des Rogers, gravit la colline pour s'arrêter devant l'énorme porte sculptée à poignées de fer du château. À peine la cloche avait-elle été tirée que la porte s'ouvrait en grinçant sur un vaste vestibule où étaient alignés vingt-deux domestiques en tenue. À leur tête se distinguait Hale, le maître d'hôtel anglais, impeccablement habillé par un tailleur de Savile Row. Les valets étaient en livrée bleu roi et or, pantalons noirs et souliers à boucles dorées. Les femmes de chambre avaient des robes de soie noires qui descendaient jusqu'au sol, des bonnets et des tabliers brodés. Quant à l'intendante, elle arborait un énorme trousseau de clés. Des lustres illuminés et une profusion de fleurs égayaient l'atmosphère de cet humide après-midi. Wallis était logée dans la chambre de Fern, qui était tendue de soie orchidée et dominait la campagne et de sombres bois.

Épuisée par le voyage, Wallis demeura toute une journée dans sa chambre. Lorsqu'elle se résolut au crépuscule à mettre un pied dehors, il pleuvait si fort qu'elle fit promptement demi-tour. Elle téléphona plusieurs fois au duc pendant ces premières vingt-quatre heures.

Elle donna une conférence de presse dans la bibliothèque du château, évitant soigneusement d'évoquer ses projets de mariage. Comme on lui demandait, assez bizarrement dans ces circonstances, de donner son avis sur la guerre civile espagnole, qui opposait dans une lutte à mort fascistes et communistes, elle eut la sagesse de répondre : « Je suis consternée pour les deux camps. Cette guerre est la ruine de la splendide Espagne. » Plusieurs journalistes remarquèrent l'énorme saphir qu'elle portait au majeur de la main gauche. Elle s'était apparemment lassée de l'émeraude du Grand Moghol que le duc lui avait donnée pour bague de fiançailles ; elle avait voulu une pierre dont la couleur rappelât celle de ses yeux.

Pendant les quelques jours qui suivirent, Wallis s'accoutuma au château de Candé. Elle étudia les faits et gestes de Fern Bedaux, qui veillait à tout avec un soin inégalable, et lui dit enfin que son château était la maison la mieux tenue qu'elle eût jamais vue. Fern était de Grand Rapids, dont elle était un produit merveilleusement racé, élégant et raffiné par la grâce d'une vieille fortune, et elle menait en effet sa maison avec une science consommée. Et une autorité indéniable : si l'une des femmes ou l'un des valets était surpris en train de rire ou parler en dehors de la cuisine, elle l'envoyait en pénitence sous l'escalier. Majordome autant que maître d'hôtel, Hale était maniaque mais compétent. Très sec, il commandait, à grand renfort de claquements de mains, aux deux valets de pied, aux femmes de chambre des dames, à la femme de chambre de l'étage, à celle du rez-de-chaussée et à la fille chargée de l'arrière-cuisine. La seule partie de la maison qui échappait à son autorité était la cuisine, domaine de Legros, qui avait été chef chez le duc d'Albe, l'un des principaux financiers de Franco. Legros était jugé sans rival et sa cuisine trois étoiles aurait fait honneur à n'importe quel grand restaurant de Paris. Cela changeait heureusement Wallis de la médiocre tambouille qu'elle avait dû absorber chez les Rogers.

Bedaux et ses architectes avaient modernisé le château. Le mobilier avait été recouvert de tissus à motifs du XVIIIe siècle trouvés en rouleaux dans le grenier après que Bedaux eut acheté le château à des aristocrates français ruinés. Il avait fait changer toute la plomberie, installer le chauffage central avec d'énormes chaudières dans le sous-sol. La salle de bains de Wallis était équipée d'un porte-serviettes-séchoir recouvert de platine et d'une baignoire gigantesque à robinets d'or massif. Il y avait même un bassin alimenté par une fontaine dorée où l'on conservait frais le poisson. Le château de Candé n'achetait jamais que du poisson vivant.

Les dîners au château ne rassemblaient que peu de convives mais ils étaient de la plus grande élégance. On disposait deux nappes l'une sur l'autre, la première de fils d'or, la seconde de dentelle de Bruxelles. L'effet était splendide, l'or scintillant à la lumière mouvante des bougies. Les repas étaient servis par Hale et les valets en livrée. La porcelaine et l'argenterie au chiffre étaient sans pareilles. Les invités disposaient d'un menu placé devant eux sur un support en argent. Si la tête d'un convive ne revenait pas à Hale, il présentait le plat de telle sorte que l'invité se trouvait contraint de prendre le plus mauvais morceau de viande ou de poisson et il ne remplissait jamais les verres de ceux qu'il détestait, à moins d'y être formellement convié. Les volailles étaient présentées à table « habillées » (avec toutes leurs plumes). Après quoi elles étaient découpées et servies.

Après le dîner, lorsqu'on était dans l'intimité, Hale passait des disques de danse sur un radiogramophone. En des occasions plus solennelles, Marcel Dupré, qui était l'organiste le plus célèbre de son temps, venait exécuter sur l'énorme orgue Skinner du salon, dont les tuyaux de bronze étaient dissimulés derrière des panneaux de chêne, de la musique de Bach ou de Haendel qui jaillissait d'une grille. Quelquefois, Fern Bedaux emmenait ses invités dans le petit pavillon du parc. Là, Wallis et ses amis jouaient aux cartes ou dansaient au son d'un phonographe à manivelle. Fern restait un peu à l'écart. Wallis était comblée par ce faste. Ses goûts les plus dispendieux se trouvaient satisfaits.

Le 18 mars, la question du divorce avança quelque peu. Sir

Thomas Barne, procureur du roi, annonça que l'affaire serait discutée le lendemain au tribunal. Sir Boyd Merriman, président du tribunal des divorces, devait entendre la cause à 10 heures et demie. L'avocat général, sir Donald Sommerwell, présenterait les résultats de l'enquête du procureur du roi. Chose assez surprenante, on ne demanda ni à Wallis ni à Ernest de se trouver là. Wallis passa une nuit blanche, mais elle n'aurait pas dû s'inquiéter. Sommerwell déclara au tribunal qu'il n'avait point trouvé de motif d'intervention et que rien n'indiquait qu'il y eût complicité entre les deux parties concernées. Le juge demanda si Francis Stephenson, l'employé qui avait déposé plainte pour irrégularités dans les procédures originelles, était présent. « Présent », répondit Stephenson. Petit, voûté, pourvu d'une moustache grise tombante, il déclara avoir intenté une action en justice le 9 décembre. Mais il assura ne plus avoir motif à se plaindre et demanda que ses accusations premières soient retirées du dossier.

La décision définitive n'allait pas être signifiée de sitôt, mais Wallis ne fut pas moins soulagée d'apprendre qu'il n'y avait désormais plus d'obstacles. La nouvelle satisfit aussi le duc, sans pour autant atténuer sa nervosité ; il avait quasiment obligé Kitty de Rothschild à évacuer sa propre maison, et les problèmes que posait la vie quotidienne à Enzesfeld l'accablaient au point qu'il songeait à s'en aller.

Sir Walford Selby et Dudley Forwood lui trouvèrent une nouvelle résidence, Appesbach House, petit hôtel proche de Saint-Wolfgang, au bord du lac Salzkammergut. L'hôtel disposait d'une plage privée, d'un embarcadère, d'un court de tennis et d'une belle vue sur le lac et les montagnes avoisinantes.

En mars, les lettres d'Édouard à Wallis manifestaient déjà une véritable frénésie : « Dieu maudisse ces salauds d'Anglais qui osent vous insulter ! » écrivait-il.

Le 22, il récidivait, écrivant à Wallis qu'un jour il « retrouverait ces porcs » et saurait leur faire comprendre « à quel point leur conduite avait été répugnante ».

Le 29 mars, le duc gagna Saint-Wolfgang. À son arrivée à Appesbach House, le duc s'avança sur le balcon de sa chambre, considérant, l'air lugubre, les montagnes enveloppées de brouillard. Son nouveau chien, un Cairn terrier nommé Schnuki, l'accompagnait ; Slipper avait été expédié à Wallis par le train.

Le 31 mars, Wallis attaquait une fois de plus dans une lettre au duc « son misérable frère ». Si les choses ne s'arrangeaient pas, elle lui conseillait de prendre le monde à témoin des mauvais traitements qu'il recevait. Le duc, disait-elle, « devait faire honte au roi, la plus grande honte possible, s'il était capable d'en éprouver ».

Le 8 avril, Slipper, qui avait tendance à s'éloigner pour chasser les rats et les souris, fut mordu par une vipère sur le golf voisin du château de Candé et mourut. « Voilà que le plus important des invités à notre mariage n'est plus », écrivait Wallis, désespérée, au duc. Il répondit : « J'ai ce matin le cœur brisé de tendresse, ma chérie. » La perte de ce chien les accabla ; Wallis ne pouvait supporter l'idée d'enterrer l'animal, ce fut Herman Rogers qui s'en chargea. Lady Mendl et son favori, Johnny McMullen, firent le voyage de Candé pour la consoler [1]. Le départ pour Paris et Londres de Fern Bedaux, la laissant seule avec le personnel, affecta aussi Wallis. Elle était en outre tourmentée par la question de son extrait de naissance. Pendant plus d'un mois, elle avait harcelé tante Bessie pour qu'elle lui obtienne un certificat qui en tienne lieu, ainsi que l'exigeait la loi française, mais le document se faisait attendre. L'entreprenante tante Bessie trouva enfin une solution. Elle retrouva le médecin, tout jeune alors – il s'appelait Lewis M. Allen – qui s'était précipité à Blue Ridge Summit pour mettre Wallis au monde. Il signa un certificat qui confirmait la date et l'heure de la naissance.

Le 14 avril, elle écrivait au duc la plus révélatrice de toutes ses lettres. Elle y disait du roi : « Qui se soucierait de le voir chassé du trône ? » Elle ne s'exprimait certainement pas autrement dans les dîners de la Côte d'Azur, s'assurant de la sorte la permanente hostilité du palais, qui ne devait jamais désarmer contre elle. Rapprochée des menaces du duc – n'évoquait-il pas dans une lettre antérieure son retour en Angleterre, sa remontée sur le trône (« NOUS retrouverons toute notre gloire plus tôt que NOUS ne pensons ») et son intention, bientôt dévoilée à un journaliste anglais, d'installer dans son pays une république dont il serait président, Wallis à ses côtés – cette déclaration séditieuse ne pouvait pas être prise à la légère.

À la fin du mois d'avril, lord Wigram informa Winston

1. Wallis omit de les inviter à son mariage.

Churchill que le roi s'engageait personnellement à assurer au duc un revenu convenable. La même assurance fut donnée à Lloyd George, si bien que les deux hommes s'abstinrent désormais de soulever la question devant le comité de la liste civile. Ces nouvelles causèrent au duc un grand soulagement. Mais la question n'était pas pour autant réglée. Selon la loi britannique, les mariages des ressortissants anglais devaient se faire dans les consulats ; il n'était pas admis que les citoyens britanniques se marient dans une résidence privée. De surcroît, il se révélerait presque impossible de trouver un ministre anglican pour officier. À ce stade, l'enquête menée par les hommes de Baldwin devait avoir découvert la naissance illégitime de Wallis et l'absence de tout certificat de baptême la concernant. Et ce n'était pas tout : d'après la loi britannique, il fallait laisser passer six mois entre un divorce et un remariage. Néanmoins, Wallis poussa ses feux. Elle se fit envoyer de Paris les dernières créations de plusieurs grands couturiers afin de constituer son trousseau. Ce fut un déferlement. Tout le jour on lui présentait une incroyable variété de vêtements pour le matin, l'après-midi et le soir. Schiaparelli, Mainbocher et Chanel étaient du nombre des postulants à habiller la future duchesse de Windsor. Mainbocher l'emporta pour la noce elle-même ; Wallis lui commanda des vêtements qu'elle porterait le grand jour. Ses rivaux se partageaient le trousseau.

Mainbocher nomma « bleu Wallis » la couleur de sa robe de mariée. Elle avait acheté soixante-six robes en tout, dont plusieurs d'un style hardi pour ne pas dire vulgaire, coupées dans un tissu où figuraient des homards et des papillons, sur fond blanc ou argent. Ces vêtements-là semblaient s'inspirer d'un souci délibéré de contraste avec le bon goût qui l'avait rendue célèbre.

Une note confidentielle, expédiée de Buckingham Palace par Alexander Hardinge à sir Robert Vansittart, en date du 1er mai 1937, résume ce qu'éprouvaient les acteurs les plus importants de l'affaire Windsor à l'époque.

Mon cher Van,

Comme je vous le disais hier, Phipps et Selby ont tous deux demandé au roi ses instructions quant à l'attitude qu'ils devraient adopter dans leurs relations avec le duc de Windsor et Mrs. Simpson après leur mariage.

Ils voulaient connaître les souhaits de Sa Majesté quant au traitement qui devait leur être réservé, officiellement et en privé, et quant à leur participation des cérémonies officielles, quelles qu'elles fussent.

Le roi est conscient qu'à l'avenir ses représentants pourront se trouver confrontés sans préavis à des problèmes de cette nature, et, dans l'esprit de Sa Majesté, il serait préférable de leur donner autant que possible les instructions qui leur permettraient d'y faire face, à l'avance.

Le roi vous serait donc obligé des suggestions que vous voudrez bien lui soumettre pour traiter comme il convient ces situations inévitables.

La réponse de Vansittart, le 4 mai, fut la suivante :

Mille mercis pour votre lettre du 1er relative au duc de Windsor.

Je suis entièrement d'accord avec le roi, si je puis me permettre pareille expression, et je pense donc qu'il faudrait à Son Altesse royale les instructions les plus précises possibles en cette matière sans précédent et susceptible de poser toutes sortes de problèmes.

Cela dit, je n'ai pas besoin de m'étendre sur la difficulté de donner de tels avis, non plus que de m'excuser de la brutalité des suggestions dont je me sens capable en l'occurrence.

Les circonstances qui nous occupent peuvent se diviser en deux catégories : 1° officielles ; 2° privées. Dans le premier cas – par exemple lorsque le duc et la duchesse (future) se trouveront dans une capitale où devra se donner une réception officielle et que la question se posera de la conduite à tenir envers eux, faut-il les inviter ou ne pas le faire – je dirais que la procédure possible pour les représentants concernés de Sa Majesté serait de demander, cas par cas, les instructions nécessaires, ce qui nous amènerait évidemment à vous consulter.

Dans le second cas, mon sentiment est que l'appréciation de la conduite à tenir devrait être laissée à la discrétion du représentant de Sa Majesté sur place à ce moment-là, qui pourra toujours, s'il l'estime nécessaire, demander conseil... Ce qu'il nous faudrait éviter, à mon avis, ce sont les situations qui pourraient inciter le duc à demander à un ambassadeur ou à un ministre de le loger lors d'une visite. Je ne pense pas que le cas se présente, mais il faut prévoir les malentendus auxquels il pourrait donner lieu, tout spécialement s'il

> était question d'interviews ou de contacts avec des personnalités politiques... En règle générale, Eden estime que nos représentants devraient traiter le duc et la duchesse de Windsor à peu près comme ils traiteraient des membres de la famille royale en vacances, mais, si quoi que ce soit survenait qui puisse transformer le caractère de leur passage en une affaire plus sérieuse, il va de soi qu'il faudrait en référer à Londres... Dans tous ces cas, il nous faudrait des instructions ou confirmation du roi.

Le 2 mai, les habitants de Saint-Wolfgang participèrent en masse à une cérémonie en l'honneur du duc. Ils organisèrent un défilé historique en costumes traditionnels, puis la montagne entière fut illuminée d'un brasier géant en forme de svastika. Quand le duc demanda, avec quelque hypocrisie, la raison de ce symbole nazi, on lui répondit, non sans humour cynique : « C'est une démonstration de nos sentiments. » Le 3 mai, sir Boyd Merriman prononça sans tapage le divorce définitif. Ce fut une ruée de journalistes vers le téléphone pour appeler le duc en Autriche. Rayonnant, celui-ci fit aussitôt faire ses bagages et, sans perdre une minute, il gagna Salzbourg en voiture pour y prendre l'express de Paris. Il y monta à 4 h 45 de l'après-midi, deux cadeaux pour Wallis sous le bras : un bouquet d'edelweiss et un dirndl. Les dix-sept valises, qu'il avait refusé que l'on mette dans le fourgon à bagages, avaient été entassées dans sa voiture, où il était presque impossible de remuer. Il partit avec son garde du corps, Storrier, un valet de chambre ; le reste du personnel suivait dans un autre train. Le certificat de naissance de Wallis fabriqué par le docteur Allen parvint le même jour à la légation britannique, *via* le consulat français. Le même jour encore, la liste civile était publiée à Londres, sans qu'y figurât le duc de Windsor.

Une foule se pressait aux grilles du château, lorsque le duc les franchit. Bientôt il étreignait Wallis avec passion. Charles Bedaux était arrivé de New York une semaine auparavant. Trapu, avec une tête de boxeur malmené et les oreilles en chou-fleur, Bedaux séduisit immédiatement Wallis et le duc. D'un charme et d'une énergie prodigieux, il était parti de rien ; perceur de tunnel à New York, il aurait bâti une affaire qui valait des millions de dollars. Inventeur d'un système de gestion très controversé, le « Bedaux B-unit system », censé améliorer la productivité dans les usines et les bureaux, il avait en effet perfectionné la gestion des nombreuses et importantes sociétés, s'attirant en même temps de très vives critiques dans les milieux syndicaux, dont les éléments les plus à gauche l'accusaient d'épuiser les travailleurs. Fréquemment accusé de sympathies nazies, Bedaux ne se souciait probablement pas davantage d'Hitler ou de Mussolini que de Franklin Roosevelt ou de Stanley Baldwin. Il était typique de ces hommes d'affaires pragmatiques et internationalistes qui ignoraient les frontières, considéraient les guerres comme des embarras provisoires et faisaient des affaires avec qui voulait. La société qu'il possédait en Allemagne ayant été confisquée, il s'efforçait alors de la récupérer. Ce faisant, il s'était lié avec un autre cosmopolite de son genre, qui avait été le chef direct d'Hitler pendant la Première Guerre mondiale, l'astucieux et courtois Fritz Wiedemann.

Ce fut par ce dernier, durant les premières semaines de son séjour au château de Candé, que le duc inaugura des contacts directs avec Hitler, à qui il demanda s'il lui serait possible de se rendre en Allemagne pour y étudier les conditions de travail. Pareille intention était caractéristique du culot du duc et de sa défiance envers Buckingham Palace. Ribbentrop était reçu à Londres par le roi comme tous les ambassadeurs, et Anthony Eden, toujours ministre des Affaires étrangères, était toujours attaché à ne pas provoquer Hitler, mais il n'était pas un membre de la famille royale qui ne sût que pareille visite au Führer causerait la plus grande confusion à Whitehall. Les Anglais cherchaient à gagner du temps. Ils espéraient renforcer leurs armées en conservant des relations convenables avec le régime nazi. Et l'on craignait beaucoup qu'amer comme il l'était envers les siens le duc ne se laissât aller à proclamer une approbation que l'on ne voulait pas donner à Berlin.

En même temps qu'il faisait ces avances au Führer, le duc choisissait, pour passer sa lune de miel, le château de Wasserleonburg, au sud de l'Autriche.

Il demanda à sir Éric Phipps d'obtenir du gouvernement français l'autorisation de procéder au mariage civil dans le château, plutôt qu'à la mairie de Monts, afin de réduire au minimum la publicité et l'afflux des curieux. L'ambassadeur eut gain de cause.

À Candé, Wallis et le duc, dont les chambres se trouvaient à deux extrémités du château pour respecter les convenances, passaient leur temps à jouer au golf, aux cartes et à bavarder avec leurs hôtes. Maintenant qu'ils s'étaient rejoints, tous les observateurs s'accordaient à leur trouver l'air très heureux. Les Bedaux les laissèrent seuls plusieurs jours, leur permettant ainsi de profiter l'un de l'autre en toute tranquillité. Ils allèrent jusqu'à poser sur la pelouse pour les photographes et s'entretinrent le plus gracieusement du monde avec les journalistes.

12

Le mariage de la décennie

Le duc espérait encore follement que le duc de Kent, le duc de Gloucester et sa sœur Mary assisteraient à son mariage. Il avait réservé au duc de Kent le rôle de premier garçon d'honneur. Le 11 mai, la veille du couronnement de son frère à Westminster Abbey, il annonça officiellement ses fiançailles avec Wallis, qui portait en bague de fiançailles l'émeraude du Grand Moghol. Mainbocher et son équipe arrivèrent pour procéder au troisième essayage de la robe de mariée. Le couple avait été informé que, par mesure de courtoisie envers le gouvernement britannique, le gouvernement français ne permettrait pas que leur mariage soit retransmis à la radio. Lorsque les équipes de la C.B.S. et de N.B.C. se présentèrent, on leur déclara que la police s'opposerait à toute installation de micros dans le château. Le soir du 12 mai, Wallis et le duc écoutèrent à la radio l'hésitant discours du roi George VI après son couronnement ; dehors, une lourde pluie d'orage fouettait le château, tandis que le duc, qui tricotait un chandail bleu pour Wallis, jouait des aiguilles sans lever la tête. Ni Wallis ni lui n'éprouvèrent la moindre envie de porter un toast comme le faisaient à ce moment des millions de personnes dans le monde.

Les jours suivants fut débattue la question de la position de Wallis. Faudrait-il lui donner de l'« Altesse royale » ? Le duc avait harcelé le palais durant des semaines dans ce but. Walter Monckton faisait de son mieux, de même Winston Churchill, mais la cause était perdue d'avance. Le duc voulut aussi obtenir que le mariage soit annoncé dans *The London Gazette* qui publiait la liste des unions approuvées par le roi. Il n'obtient en la matière aucune réponse du palais.

Le 19 mai, il rendit visite à Paris au président de la République française, qu'il connaissait bien depuis les funérailles du président assassiné Paul Doumer et un déjeuner au château de Rambouillet, résidence du président. Il discuta ce jour-là avec lui des moyens de maintenir la paix en Europe.

Le même jour, parvint de Buckingham Palace la réponse du roi et du Premier ministre aux invitations lancées par le duc : aucun membre de la famille royale n'était autorisé à assister à son mariage. Triste conclusion à des négociations qui avaient duré près de trois mois et demi. De son côté, Wallis décida, sans guère s'expliquer, qu'elle n'inviterait personne de sa famille, tante Bessie exceptée.

Le mariage fut fixé au 3 juin. Malheureuse coïncidence, du moins l'espère-t-on, c'était le jour de la naissance du roi George V. Le 16 mai, Wallis et le duc signèrent leur contrat de mariage, sous le régime de la séparation de biens. Ni l'un ni l'autre des conjoints ne pourraient réclamer quoi que ce soit des biens de son alter ego en cas de divorce. Herman Rogers annonça qu'il n'y aurait pas de cérémonie religieuse, mais seulement un mariage civil célébré par Charles Mercier, maire du village voisin de Monts. Mais cette décision fut promptement rapportée.

Le 25 mai, Mercier fit répéter leurs rôles à Wallis et au duc dans la salle de musique du château. Le couple n'avait toujours pas de ministre pour l'unir religieusement. Lorsqu'un pasteur de Liverpool se proposa à le faire, l'archevêque d'York le lui interdit formellement. Tante Bessie arriva. Elle avait été retardée à Paris par un rhume, mais elle ne s'en activa pas moins dans le château avec la dernière énergie, à la consternation du personnel. Elle osa même usurper les pouvoirs du tout-puissant Hale. Une vieille amie de Wallis, Constance Coolidge, arriva de Baltimore. Elle écrivait à une amie le 28 mai : « Je n'ai jamais vu personne d'aussi heureux que le duc – on dirait un collégien en vacances. Il est gai, insouciant, rieur et terriblement amoureux. » Au déjeuner, où il paraissait rarement (« Son Altesse royale, Constance, te fait un grand honneur, car d'habitude il ne déjeune jamais », dit Wallis), il se plaignit joyeusement du temps qui l'avait empêché de jouer au golf, et déclara qu'il ne s'était pas plu chez les Rothschild parce qu'il n'aimait pas Kitty. Lorsque Constance lui demanda s'il aimerait avoir des chevaux de course, il répondit : « Je ne peux pas, je suis trop pauvre. Mais, si j'avais beaucoup d'argent, ce que j'aimerais avoir, c'est un beau yacht. » Après le café, Hale et deux valets arrivèrent porteurs de plateaux d'argent surchargés de lettres. « Combien y en a-t-il aujourd'hui ? » demanda Wallis. « Quatre cent cinquante seulement », répondit Hale. Ces lettres contenaient des poèmes, de la musique, des photographies, des insultes, des menaces, des requêtes inimaginables, dont celle d'une vieille paire de souliers. En deux heures, le téléphone sonna quarante fois. Des envoyés de Van Cleef et Arpels arrivèrent de Paris, avec des plateaux de bijoux et une boîte de pierres précieuses, une boîte gravée en or, cadeau d'Hitler, une pendule d'onyx et de diamant, cadeau d'Herman et de Katherine Rogers et d'autres présents coûteux, de Mussolini, de Ciano et d'Alberto da Zara. Ce soir-là, le dîner se composa de hot-dogs et de soda au gingembre. Randolph Churchill était là. Constance Coolidge écrivit :

> Le duc était en Écossais, il portait le tartan Black Watch, plaid et kilt noir et vert, avec une drôle de chemise blanche – c'était très élégant ; quant à elle, elle avait de ces bijoux... Deux immenses feuilles ou plumes au côté gauche de sa robe, l'une de diamants, l'autre de rubis, des boucles d'oreilles de diamant et de rubis, des bracelets des mêmes pierres et une bague en rubis. Après le dîner, nous sommes allés dans le salon.
>
> ... Soudain le duc remarqua que la chaussure de Wallis était dénouée, il s'agenouilla et la lui renoua. Je croisai à cet instant le regard de Randolph Churchill, le moins qu'on puisse dire est que son expression était amusante.

Constance était allée se coucher à une heure et demie, épuisée par cette longue soirée. À peine était-elle dans son lit que le duc et Wallis cognaient à sa porte. Ils venaient voir si tout allait bien. Ils s'assirent au bord de son lit et la conversation repartit de plus belle. Le duc décréta que la lampe était mal placée pour une lecture commode et partit à quatre pattes trouver une autre prise. Comportement typique d'un naturel presque enfantin en complet contraste avec son raffinement et sa capacité de ruse.

Le 29 mai, *The London Gazette* publiait le terrible communiqué suivant :

> Par lettres patentes sous le grand sceau du royaume en date du 27 mai 1937, le roi s'est plu à déclarer que le duc de Windsor, nonobstant l'instrument d'abdication du 10 décembre 1936 et la déclaration de Sa Majesté lors de l'acte d'abdication de 1936, par laquelle prit effet ledit instrument, sera seul à détenir et à jouir du titre, du traitement et des attributs d'Altesse royale ; ainsi, sa femme et ses descendants éventuels ne détiendront ni ce titre, ni son traitement, ni ses attributs.

Jusqu'à son dernier jour sir Dudley Forwood devait se souvenir du moment où le duc fut informé de la décision du gouvernement britannique – et de son frère le roi. « (Mon maître) appuya sa belle tête aux cheveux dorés sur mes genoux et sanglota interminablement. Il avait le cœur brisé et on peut dire que la blessure ne s'est jamais cicatrisée. Je n'ai jamais vu une douleur plus déchirante, même chez des gens qui viennent de perdre un être cher, même chez des gens à qui l'on vient d'apprendre qu'il ne leur reste plus que quelques instants à vivre. »

Comme les journaux de Joseph P. Kennedy le montrent clairement, dans cette affaire, l'influence déterminante fut celle des femmes de la famille royale : la reine Mary, la reine, les duchesses de Gloucester et de Kent et la princesse royale, qui toutes considéraient Wallis – selon la formule de Kenneth de Courcy, duc de Grantmesnil – « comme une femme de petite vertu ». Elles se fondaient sur la lecture du dossier chinois.

Personne n'a encore pu produire de documents sérieux par lesquels se serait légalement trouvé justifié le refus du titre d'Altesse royale à Wallis. De fait, les Windsor devaient ignorer jusqu'à la fin de leurs jours le communiqué de la gazette. Le duc persista – avec une insistance que beaucoup jugeaient irritante – à faire donner à Wallis du « Votre Altesse royale » et il tenait à ce qu'on lui fasse la révérence, en privé comme en public. Les femmes ne lui obéissaient le plus souvent que pour lui faire plaisir, sachant bien que, ce faisant, elles provoquaient le mécontentement du palais. Les membres de la maison de la reine ne firent jamais la révérence à Wallis. Quant aux membres des familles royales étrangères, il leur

Wallis à vingt-cinq ans, par Lee Goodale Bigelow, San Diego, 1921 *(collection de l'auteur).*

Le capitaine de frégate Earl Winfield Spencer, premier mari de Wallis, en son âge mûr *(AP/Wide World Photos).*

Wallis, à droite, avec une amie, à San Diego en 1922 *(collection de l'auteur).*

Le Pensacola Country Club, où Wallis rencontrait Earl Winfield Spencer aux débuts de leur amour *(Pensacola Historical Society/collection de l'auteur).*

Wallis, à droite, avec des amis, au terrain de polo de Coronado en 1922 *(collection de l'auteur).*

Wallis (au centre) lors d'un bal costumé à Coronado en 1926 *(UPI/Bettmann Newsphotos).*

Ernest Simpson *(UPI/Bettmann Newsphotos).*

Mrs Ernest Simpson à Bryanston Court, à l'époque où elle fit la connaissance du prince de Galles *(Pictorial Parade).*

De gauche à droite : Lord Brownlow, Mrs Herman Rogers, Mrs Simpson et Mr Rogers au château de Candé, au mois de décembre 1936 *(The Photo Source, Ltd. London).*

Wallis habillée pour être présentée à la cour *(Topham Picture Library, Kent, England).*

Le roi Edouard VIII lisant son discours d'abdication en 1936 *(The Times, London/Pictorial Parade).*

Le duc de Windsor et Mrs Simpson au château de Candé au mois de mai 1937. A ce moment-là, le duc réclamait pour sa future épouse le titre d'Altesse Royale, honneur qui ne lui fut jamais accordé *(UPI/Bettmann Newsphotos).*

Le duc et la duchesse le jour de leur mariage au château de Candé, le 3 juin 1937 *(Central Press/Pictorial Parade).*

La duchesse de Windsor, par Cecil Beaton *(Pictorial Parade).*

Le duc et la duchesse à Venise *(L'Illustration/ Sygma).*

Berchtesgaden, octobre 1937. Le duc et la duchesse en visite chez Adolf Hitler *(Popperfoto/Pictorial Parade).*

Le duc et la duchesse devant un Messerschmitt à l'aéroport de La Guardia, à New York, en juin 1942 *(UPI/Bettmann Newsphotos).*

Sir Harry Oakes et sa femme, lady Eunice *(Keystone Press Agency, London).*

Harold Christie, meurtrier de Sir Harry Oakes *(Topham Picture Library, Kent, England).*

Le duc en conversation avec sa sœur tendrement aimée, la princesse royale Mary, en mars 1953 *(S&G from Pictorial Parade).*

La duchesse redressant une mèche de cheveux du duc, qui tient dans ses bras leur carlin favori, à bord du paquebot *United States*, en route vers l'Europe en mai 1953. Lors d'une conférence donnée à bord, le duc devait annoncer qu'il n'assisterait pas au couronnement de la reine Elisabeth II *(UPI/Bettmann Newsphotos).*

La duchesse entre le comte Bernadotte et Elsa Maxwell *(Pictorial Parade).*

Le duc et la duchesse (à droite) au Palm Beach Polo Club, à West Palm Beach, en mars 1955 *(Bert Morgan/Pictorial Parade).*

La duchesse de Windsor avec la fille du général Franco, la marquise de Villaverde, à Madrid en novembre 1959 *(Central Press/Pictorial Parade).*

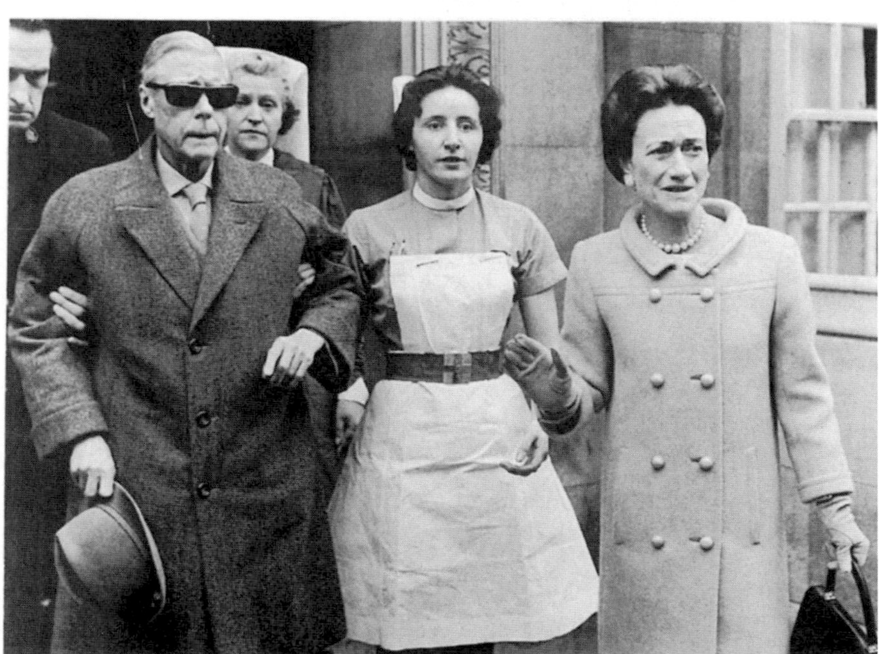

Le duc de Windsor à sa sortie d'une clinique de Londres après une opération des yeux, en mars 1965. Le duc et la duchesse avaient reçu à la clinique la visite de la reine, qui ne les avait pas vus depuis de nombreuses années *(Central Press/Pictorial Parade).*

Le duc et la duchesse revenant à Londres, à bord du paquebot *United States* en 1967 *(Pictorial Parade).*

La duchesse dansant, lors d'une soirée à la Bastille, à Paris, en octobre 1968 *(Pictorial Parade).*

Le duc et la duchesse en compagnie du président Nixon à l'occasion d'un dîner à la Maison Blanche, en avril 1970 *(Topham Picture Library, Kent, England).*

L'empereur Hiro-Hito et l'impératrice Nagako en visite chez le duc et la duchesse de Windsor, au Bois de Boulogne, en octobre 1971 *(Central Press/Pictorial Parade).*

La duchesse et la reine, en mai 1972 *(London Daily Express/ Pictorial Parade).*

Le prince Philip, la duchesse, la reine et le prince Charles en mai 1972. Le duc, malade, n'était pas autorisé à quitter sa chambre *(London Daily Express/Pictorial Parade).*

La duchesse ravagée par les ans est admise à l'Hôpital Américain à Neuilly, en mai 1980 *(AGIP/Robert Cohen/ Pictorial Parade)*.

Le prince Charles, la princesse Diana, la reine Elisabeth et le prince Philip aux funérailles de la duchesse en 1986 *(Sygma)*.

était interdit de le faire. Wallis utilisait les emblèmes royaux, soit une couronne surmontée d'un lion rampant, soit un monogramme composé de deux W enlacés sous une couronne fermée sur son papier à lettres. Le duc et elle-même estimaient que son mariage lui donnait droit à utiliser tous les symboles royaux qu'il lui plairait. Nombreux étaient ceux qui n'étaient pas d'accord. Il lui fallut attendre 1972 et la mort du duc pour que le College of Arms l'autorise officiellement à utiliser la couronne fermée.

« Le mariage sera très intime, écrivait tante Bessie le 31 mai à Corinne à Washington. Wallis est très en forme. Mince, mais superbe et le moral au plus haut. » Le 30 mai, Helena Normantan, du *New York Times*, interrogea carrément Wallis sur ses relations nazies. Wallis répliqua, contredisant complètement Mary Kirk Raffray : « Je ne me souviens pas m'être trouvée plus de deux fois en compagnie de Herr von Ribbentrop. La première lors d'une réception chez lady Cunard avant qu'il soit ambassadeur, la seconde dans une autre grande soirée. Je n'ai jamais été seule en sa compagnie et n'ai jamais échangé plus de quelques mots avec lui – les mots les plus banals et voilà tout. La politique ne m'intéresse pas du tout. »

Le 1er juin, de nouveaux invités arrivèrent. Hugh Lloyd Thomas, premier secrétaire à l'ambassade de Grande-Bretagne à Paris, lady (Walford) Selby, Walter Monckton, Fruity et Alexandra Metcalfe, les Eugène de Rothschild, George Allen et Dudley Forwood. On avait trouvé un religieux à la dernière minute, le révérend R. Anderson Jardine, vicaire de l'église Saint-Paul de Darlington, dans le comté de Durham. Bien qu'on ait prétendu que Charles Bedaux avait acheté Jardine, celui-ci s'était porté volontaire par lettre. Malgré les fulminations de son évêque et de l'archevêque d'York, il se présenta au château et commença à préparer la cérémonie. L'annonce par la presse que le duc allait épouser Wallis sans célébration religieuse avait mis Jardine hors de lui ; abandonnant son petit déjeuner, il s'était mis à arpenter nerveusement la pièce, puis, sortant dans son jardin, il était entré sous une vieille tente militaire qui se trouvait dressée là et il était tombé à genoux pour prier. Lorsqu'il s'était relevé, sa décision était prise, il écrirait à Herman Rogers pour adresser ses félicitations au duc et lui proposer de le marier religieusement. Le dimanche suivant dans la matinée, alors qu'il célébrait le service des enfants, on lui apporta un télégramme de George Allen lui demandant de téléphoner. Le lendemain, il rencontrait à Londres Allen qui, dans le plus grand secret et avec une promptitude prodigieuse, lui fit obtenir un passeport. Le lendemain matin, il prenait le train pour la France. À peine était-il arrivé à Paris que le chauffeur du duc venait le prendre à la gare et le conduisait au château de Candé.

Cecil Beaton était sur place, photographiant le duc et Wallis. Les Rogers lui avaient projeté plusieurs films qui montraient Wallis à Pékin, à bord du *Nahlin* et à Balmoral. L'arrivée de Constance Spry, la célèbre fleuriste de Londres, et de son assistante, chargées de la décoration florale, avait mis le château en émoi. Bien qu'épuisée par la tension de ces préparatifs, Wallis avait l'œil à tout. Bronzé et rayonnant, le duc était pour sa part en pleine forme. Le révérend Jardine arriva. Les Rogers l'accueillirent sur le perron. Rogers lui dit en lui serrant la main : « Grâce à Dieu, vous voilà. J'ai enfin quelque chose à dire à la presse. »

Quelques minutes plus tard, face à une foule de journalistes, Rogers lisait, en français et en anglais, une déclaration pour beaucoup surprenante : la cérémonie civile serait suivie d'un mariage religieux. Ainsi se trouva retourné un canular de presse que les journalistes avaient combiné entre eux, au cours duquel l'éditorialiste Logan Glendenning devait apparaître en habit religieux et célébrer une imitation de cérémonie. On avait même prévu des photographes pour immortaliser cette farce perverse. Mais les farceurs se trouvèrent confondus par la déclaration de Rogers.

George Allen présenta Jardine au duc et à Wallis. Le duc, en short et chemise ouverte, lui dit : « Pourquoi voulaient-ils nous priver de cérémonie religieuse ? Nous sommes chrétiens tous les deux… Vous êtes le seul qui ait le courage de faire ça pour moi. » Jardine donna à Wallis un livre de prières, après quoi on se mit en quête d'une « sainte table » convenable puisque l'on ne disposait pas d'un autel. Les fausses sculptures Renaissance dont ce meuble était orné représentaient des nymphes dévêtues. Révoltée par cette incongruité, Wallis extirpa de l'une de ses malles une petite nappe de soie brodée, de couleur crème. Et elle entreprit aussitôt, aidée de Katherine, d'en draper les offensantes nudités du meuble. George Allen apporta deux bougeoirs d'argent, mais Wallis les refusa car ils devaient servir au dîner. Jardine demanda une croix. Charles Bedaux l'informa qu'il en possédait plusieurs, mais qu'elles représentaient toutes le Christ. Jardine ne voulut pas d'un crucifix. Alors le duc suggéra de prendre contact avec l'ambassade, qui disposait peut-être d'une croix adéquate. Quelqu'un apporta un autre crucifix, qui fut refusé comme les autres. Charles Bedaux réussit enfin à se faire prêter par l'église du village une croix nue.

Il fallut ensuite trouver des coussins sur lesquels les mariés pourraient s'agenouiller. Beaton photographia le duc dans la chambre de Wallis, puis le duc et Wallis ensemble. La séance reprit après le déjeuner et se poursuivit tard dans l'après-midi. Le duc et Wallis posaient devant la fenêtre d'une tourelle lorsque arriva un message de Walter Monckton : le roi avait rejeté l'ultime demande de son frère pour faire conférer à Wallis le titre d'Altesse royale. Quittant Candé cette nuit-là, Beaton fut consterné de découvrir qu'un photographe de l'*Evening Standard* de Londres avait publié une photographie du couple avant lui. Forwood subissait de la part des journalistes une pression constante. L'un d'eux, se souvient-il, lui demanda : « Pensez-vous que le duc ait déjà baisé Mrs. Simpson ? – Je n'ai jamais été dans le même lit », répondit-il, à la grande joie des journalistes. « Jusqu'à la dernière minute, poursuit Forwood, le duc espéra que ses frères les ducs de Kent et de Gloucester viendraient, que la famille royale se laisserait fléchir, mais il n'en fut rien et cela le blessa profondément. »

Un dîner précéda le mariage. À table, chacun se montra d'excellente humeur. Charles Bedeaux était assis à un bout de la table, le duc à l'autre. Après la séparation rituelle des hommes et des femmes, les premiers s'isolant pour boire du cognac et fumer des cigares, les secondes pour bavarder, tout le monde se retrouva dans la bibliothèque pour écouter Marcel Dupré à l'orgue. La musique, comme toujours, ennuya le duc et il quitta la pièce, prenant Jardine à part pour le questionner, avec des précisions qui démontraient une étonnante connaissance de la question, sur les problèmes de la misère et du chômage à Durham.

Le jeudi 3 juin arriva enfin. Le temps était superbe. « Un temps royal », imprima la presse, sans grand souci d'exactitude. Dès 7 heures du matin, un cordon de police cernait le château. Il y avait partout des hommes de la Sûreté. Le gouvernement avait interdit le survol de la propriété. Toute la population du village de Monts s'était alignée dans l'allée de pins qui conduisait aux grilles.

Jardine vint voir le duc à 7 h 15. Il devait écrire plus tard que celui-ci « était heureux comme un enfant ». « Il me faut, je suppose, un livre de prières », dit le duc, et il se précipita à la recherche d'un recueil que sa mère lui avait donné lorsqu'il était enfant. Les larmes aux yeux, il montra à Jardine le tendre envoi qu'elle avait rédigé sur la page de garde. L'attitude de Wallis, se rappela plus tard lady Metcalfe, était bien différente : dure, froide, elle trahissait le serein triomphe de quelqu'un dont l'heure est venue.

Le mariage civil eut lieu à 11 h 42. Quatre journalistes seulement avaient été admis. Le cadeau de mariage du duc à Wallis était une tiare de diamants. Le duc était en jaquette noire et pantalon rayé, un œillet blanc à la boutonnière. Wallis semblait très raide et compassée dans son ensemble bleu de Mainbocher. Elle portait une parure de diamants et de saphirs : broche, bracelet, boucles d'oreilles. Le maire, Charles Mercier, qui était myope, était des plus nerveux. Le duc ne cessait de se tordre les doigts derrière le dos. Le service religieux suivit. Deux candélabres dorés de soixante-deux bougies chacun avaient été posés sur la sainte table. Deux bougies supplémentaires flanquaient le miroir doré qui formait le fond de cet autel improvisé. Marcel Dupré attaqua la marche nuptiale du *Judas Macchabée* de Haendel. Au moment de la bénédiction, il joua *O parfait amour*. Seul le « I will » du duc, prononcé d'une voix aiguë, perturba la solennité de la cérémonie. L'alliance en or des collines du pays de Galles [1] fit enfin Wallis duchesse de Windsor. Il n'y eut ni encens ni chœur ni pompe d'aucune sorte, aucun de ses témoins n'oublierait pourtant cette scène.

Lorsque Herman Rogers apparut sur le porche du château pour annoncer que le mariage avait eu lieu et que le couple eut rejoint ses invités vers le buffet du déjeuner qui se composait de homards, de salades, de poulet à la royale et de fraises, la vieille gardienne prit une bouteille de champagne et la brisa contre la grille, comme le voulait la tradition locale. Elle balaya ensuite soigneusement les éclats de verre, tandis que Rogers parvenait à arracher aux reporters la promesse qu'ils ne poursuivraient pas les nouveaux mariés jusqu'à la gare.

---

1. D'après le *New York Times*. Mais, d'après certains responsables de la succession Windsor et de Sotheby à Genève, l'anneau aurait été en platine.

Forwood ne devait jamais oublier les événements qui suivirent le mariage. Le duc et la duchesse et leur nombreuse suite gagnèrent en convoi la gare de Laroche-Migennes pour y prendre l'*Orient-Express*. Deux motocyclistes armés de la gendarmerie et un car de gendarmes les escortaient. Une autre voiture était pleine de policiers anglais, dont l'inévitable Storrier. Les habilleuses, les valets, l'intendant M. James, les femmes de chambre de la duchesse et beaucoup d'autres suivaient. Forwood n'avait pas tenu compte des habitudes de l'escorte de gendarmerie, qui étaient de rouler lentement, aussi avait-il mal estimé le temps nécessaire à atteindre la gare. Déjà tourmenté à l'idée de manquer le train, il entendit, horrifié, le duc lui annoncer : « Nous allons faire un charmant pique-nique. » Forwood n'osa pas prendre sur lui de déclarer que cela ferait sans doute manquer l'express. Obéissant au désir royal, le convoi s'arrêta et Wallis, le duc et leur cortège partirent à travers les champs. Le duc demanda à Forwood de détacher les chiens afin qu'ils puissent se détendre. Mais Forwood répliqua qu'ils pourraient se perdre et la duchesse lui donna raison.

Alors le duc ordonna à Forwood de les conduire, en laisse, jusqu'à un champ de maïs et, devant tout le monde, leva plusieurs fois la jambe pour les exhorter à faire de même. Entre-temps, on avait dressé les tables d'un banquet qui ne pouvait être que royal. Mais, quand M. James ouvrit les paniers de pique-nique, on n'y trouva que des pêches. Les cuisines du château de Candé avaient envoyé par erreur le reste de la chère directement au train et seuls les fruits accompagnaient la caravane royale. Chacun dut se contenter de pêches, ce dont plusieurs se trouvèrent malades. La scène aurait été digne du journal de Saint-Simon à la cour de Louis XV.

Le temps que s'achève ce piètre festin, il apparut évident, même au duc, que l'*Orient-Express* allait être manqué. Alors on s'empila derechef dans les voitures et les chauffeurs se mirent en devoir de gagner Laroche-Migennes à tombeau ouvert. Par bonheur, encore que certains des passagers en aient été marris, le train avait attendu. Commença donc la tâche ingrate d'y transborder les deux cent soixante articles du bagage royal, le duc exigeant que cinquante valises et malles soient placées dans son wagon, ce qui laissait à peine la place d'y remuer. Ce wagon flamboyait d'un bout à l'autre de roses rouges et jaunes.

Le départ du train fut encore retardé car l'un des Cairn terriers s'était échappé et il fallut le rattraper. Dans sa hâte, la duchesse avait laissé son chapeau dans sa voiture, et une autre voiture chargée de nombreuses valises arriva trop tard.

En route pour l'Autriche, l'*Orient-Express* s'arrêta à Venise. Une immense foule acclama le couple à la gare en faisant le salut fasciste. Auquel le duc répondit de même. D'après Forwood, Mussolini avait prévu l'escorte de toute une flottille de gondoles jusqu'au Lido, où le cortège royal s'installa à l'hôtel Excelsior. Les Windsor passèrent trois heures et demie en ville, parmi un peuple en liesse. Leur popularité en Italie semblait immense. Dans une embarcation peinte de couleurs éclatantes, les gondoliers leur firent descendre le Grand Canal. Ils se promenèrent place Saint-Marc où ils donnèrent à manger aux pigeons, ils visitèrent la basilique Saint-Marc et le palais des Doges. Puis ils prirent le thé à l'Excelsior et regagnèrent leur train dans la soirée. À l'instant où ils agitaient la main en signe d'adieu, le train allant s'ébranler, cent œillets arrivèrent, envoyés de Rome par Mussolini. Debout à la fenêtre de son wagon privé, le duc, une nouvelle fois, fit le salut fasciste.

Le train arriva en Autriche à 11 h 45 dans la nuit du 4. On accédait à Wasserleonburg par une route escarpée et dangereuse. Le château datait du XVe siècle. Cette imposante masse gothique de quarante pièces se détachait vers le sud contre les escarpements d'une montagne. Comme ils arrivaient sous l'énorme porche de pierre grise, le duc éclata de rire, prit Wallis dans ses bras et la porta dans le hall, où trente serviteurs les attendaient. La vieille intendante des lieux remarqua d'un ton solennel que le duc n'avait pas trébuché et que le ménage serait donc très heureux.

Comme la villa Lou Viei, Wasserleonburg avait un fantôme. D'après la légende, Anna Neumann avait assassiné six maris, lors d'autant de lunes de miel. Elle faisait faire un portrait de chaque nouvel époux et, en l'affaire de quelques jours, il périssait par le poison. Son dernier meurtre accompli, à l'âge de quatre-vingt-deux ans, la rougissante épousée fut arrêtée et exécutée, après confession complète. Nombreux étaient ceux qui l'avaient vue – dont les Munster – sous la forme d'une silhouette grise et translucide qui flottait dans les corridors du château.

Wallis apporta immédiatement de nombreux changements au décor de la demeure. Elle fit monter au grenier les massacres innombrables d'hippopotames, d'éléphants et de bêtes à cornes variées qui encombraient les murs, disposa différemment l'affreux mobilier gothique et engagea une armée de femmes de ménage. Cependant elle conserva à sa place l'énorme et sinistre portrait à l'huile d'Anna Neumann qui contemplait d'un air menaçant l'enfilade des salons.

Le couple paraissait heureux. Le temps était magnifique. La vue était splendide à travers la vallée que dominait le château jusqu'aux Alpes Juliennes enneigées de la frontière italo-yougoslave ; il y avait un jardin en terrasses qui débordait de chrysanthèmes et de rhododendrons. Le village voisin de Noetsch était bienheureusement vide de photographes ; il était d'ailleurs presque vide, car tous les hommes s'étaient lancés dans les montagnes à la poursuite d'un loup meurtrier qui avait tué cinq enfants. Les nouvelles du reste du monde apparaissaient dérisoires dans cet endroit grandiose et perdu. Quelques bribes d'informations en provenance de l'extérieur franchirent les murs de la forteresse. À Londres, Ernest Simpson poursuivait en diffamation une femme qui l'avait accusé d'avoir touché beaucoup d'argent pour ne pas faire obstacle à la demande de divorce de Wallis. L'affaire prit fin par des excuses. Les journaux britanniques et américains suivaient le combat interminable du révérend Jardine contre l'Église d'Angleterre. Par ailleurs, Wallis inaugura alors de reprocher au duc d'avoir abdiqué et de l'avoir frustrée du rôle de maîtresse royale. Le 8 juin, le couple envoyait un télégramme à Hitler, le remerciant tardivement de ses vœux de bonheur et de son cadeau de mariage. Le lendemain, ils remerciaient Winston Churchill et sa femme du « ravissant objet d'argent » qu'ils leur avaient donné. Ils exprimaient aussi l'admiration que leur avait inspirée l'article sur leur mariage de Randolph Churchill qui avait paru dans le *Daily Express* à Londres. Ils posaient, l'air heureux, pour les photographes et écrivaient à George Allen pour lui demander ce que devenait Fort Belvedere. Celui-ci répondit que la maison resterait inhabitée un temps indéfini. Les lieux où se seraient produites tant de fuites de documents officiels, endroit hanté par la présence d'une femme discréditée aux yeux de l'Église et des tribunaux, s'enfonçaient ainsi dans un lamentable délabrement.

Le 20 juin, les Windsor arrivaient à Vienne où Sam Gracie, ministre honoraire du Brésil à Vienne, et son épouse britannique donnaient un dîner en leur honneur à la légation du Brésil. Parmi les invités se trouvaient un jeune secrétaire d'ambassade italien et George Messersmith. Pendant le dîner, rapporta Messersmith à Washington, Wallis exprima beaucoup d'amertume envers la presse américaine. Le duc était suspendu à ses lèvres. Là-dessus se produisit un événement extraordinaire. Au café, le secrétaire du chancelier von Schuschnigg arriva impromptu. Il prit Messersmith à part et lui remit une dépêche cachetée aux termes de laquelle un train reliant l'Allemagne à l'Italie avait déraillé, dans les wagons disloqués duquel on avait trouvé des obus de marine expédiés par l'amirauté allemande à l'intention de la flotte de Mussolini. L'information était ultra-secrète. Pour l'Autriche neutre, elle était des plus graves et elle l'était aussi pour les États-Unis, car elle apportait la preuve que l'Allemagne équipait les forces italiennes. Quand Messersmith rejoignit les autres invités à l'issue de son aparté avec l'envoyé du chancelier, le duc lui demanda pourquoi von Schuschnigg lui avait dépêché quelqu'un. Stupidement, Messersmith livra au duc le secret qui venait de lui être confié. Quelques minutes après, il remarqua que le duc parlait au secrétaire italien, qui prit aussitôt congé. Le lendemain, l'attaché militaire à la légation des États-Unis apportait à Messersmith le texte en clair d'un message expédié la nuit précédente par l'ambassadeur italien Prezziozi au ministère des Affaires étrangères de Rome, télégramme qu'il avait intercepté et déchiffré. Ce message informait Rome que le duc avait transmis la nouvelle de l'accident de chemin de fer et que, en ce qui concernait les obus de marine, « les carottes étaient cuites ». Le duc avait donc livré aux Italiens les informations secrètes obtenues par les États-Unis sur les menées clandestines de Berlin avec Rome.

Les Windsor demeurèrent à Vienne jusqu'au début de juillet. Ils y fêtèrent tous les deux leur anniversaire et furent submergés de cadeaux en provenance du monde entier. Le 30 juin, à Londres, l'*Evening Standard* publiait une interview du roi d'armes de la Jarretière, sir Gerald Wollaston, où il déclarait que le duc « avait précipité les funérailles de son père ». La lecture de cet article bouleversa le duc. De retour à Wasserleonburg, le 1er juillet, il démentit formellement cette accusation devant la presse locale et téléphona au directeur de l'*Evening Standard* pour lui dire que Wollaston avait été le seul à vouloir retarder les obsèques du roi.

Tante Bessie arriva au château le 22 juillet. Les Windsor l'accompagnèrent au festival de musique de Salzbourg et leur chauffeur entra en collision avec un tramway dans le centre de la ville, sans que personne fût blessé. La nuit suivante, ils allèrent tous trois écouter le *Fidelio* de Beethoven, dirigé par Arturo Toscanini, devant un parterre éblouissant. Son ouverture déclencha des acclamations comme il n'en avait que rarement entendu. Lotte Lehmann tenait l'un des rôles-titres, surmontant les faiblesses notoires de sa voix par la puissance de son tempérament dramatique. Lorsque à l'entracte les Windsor et tante Bessie se frayèrent un chemin jusqu'au buffet, une rafale d'applaudissements les salua. La mère du président des États-Unis, Mrs. Sarah Delano Roosevelt, âgée de quatre-vingt-trois ans, s'en trouva reléguée au second plan, tandis que deux cents Américains sidérés ne pouvaient détacher les yeux d'une Wallis merveilleuse dans une robe en taffetas blanc de Schiaparelli, éclairée d'une profusion de sequins.

Le 28 juillet, les Windsor retournèrent à Venise, par le train. Une fois de plus, les Italiens leur réservèrent un triomphe. Ce fut à peine s'ils purent descendre le Grand Canal au milieu des centaines de gondoles qui les entouraient, tandis que des centaines d'autres s'étaient massées au Lido pour les voir entrer à l'Excelsior. Lorsque le lendemain ils se baignèrent et prirent un bain de soleil, ils furent mitraillés par des hordes de photographes surexcités.

Le même soir, Barbara Hutton et son féroce mari, le comte Haugwitz-Reventlow, donnèrent une soirée en leur honneur sur la terrasse du Grand Hôtel. Parmi les invités, il y avait de vieux amis de Wallis, le producteur de théâtre Gilbert Miller et sa femme Kitty Bache, le maharajah et la maharanée de Jaipur et, ce qui n'était pas sans intérêt, le comte Ciano et sa femme, Edda Mussolini. Wallis n'avait pas eu connaissance de la liste des invités et il est aisé d'imaginer ses sentiments lorsqu'elle reconnut son ancien amant, le père de l'enfant dont elle n'avait pas voulu, et qu'elle le vit se lever pour la saluer. Comment se comporta-t-elle pendant cette soirée, on ne sait. Cependant, Barbara Hutton nota dans son journal à cette occasion que Wallis et le duc vantèrent beaucoup le fascisme à leurs interlocuteurs et que Wallis reprenait constamment le duc à propos de ce qu'il devait dire et de ce qu'il devait manger. Le lendemain, Wallis et Barbara dépensèrent à elles deux environ vingt-cinq mille dollars de linge dans le magasin à la mode d'Olga Asta.

Le 7 août, les Windsor étaient de retour à Wasserleonburg. Le projet d'un voyage en Allemagne prenait bonne tournure. Le personnage clé de l'affaire était encore Fritz Wiedemann. Anglophile de façade, Wiedemann tenait beaucoup au maintien d'une paix durable entre la Grande-Bretagne et l'Allemagne. Il faisait partie de ceux qui souhaitaient rendre ses pouvoirs à la famille impériale allemande. Il croyait autant que le duc de Windsor à la nécessité de recimenter les alliances entre familles royales que la Première Guerre mondiale avait brisées. D'opinions politiques modérées, il était loin de l'extrémisme nazi, mais, malgré ses dénégations, il était un fidèle serviteur du Führer. Il avait d'étroites relations à Londres, dont sa maîtresse, la fameuse princesse Stéphanie de Hohenlohe, qui, pour être à demi juive, n'en était pas moins agent nazi. Hitler éprouvait pour cette femme un intérêt sexuel étonnant, en dépit de son ascendance, mais il est vrai qu'il savait passer sur ses préjugés ethniques lorsqu'il s'agissait de loyaux serviteurs du IIIe Reich. Il lui ferait un jour cadeau du château du metteur en scène Max Reinhardt.

Sur instructions directes du Führer, ce fut à Wiedemann et non à Charles Bedaux que fut confiée la responsabilité du voyage en Allemagne des Windsor. Le docteur Robert Ley, responsable de la main-d'œuvre pour le Reich, en supervisa tous les détails. Il fut décidé avec le duc que toutes les dépenses du voyage seraient prises en compte par les fonds spéciaux de la Reichsbank, contrôlée par Hitler. Il va sans dire que le duc préférait qu'il ne soit pas dit que c'était lui qui avait financé le voyage.

À Washington, dans les dossiers du F.B.I. sur les Windsor, se trouve un long rapport qui nous apprend qu'un agent secret américain, Helga Stultz, installée dans le bureau des archives de la résidence d'Hitler à Berchtesgaden, put entendre une conversation entre Hitler et Robert Ley, le dirigeant syndical. Les deux hommes discutaient de la prochaine visite royale en Allemagne. Ley signala qu'il gardait le contact avec l'ancien premier britannique, David Lloyd George, qui venait lui-même de rendre visite à Hitler. La conversation portait sur le parti que l'Allemagne pouvait tirer du passage des Windsor.

Hitler demanda à Ley de faire passer le message suivant aux Windsor et à Lloyd George : la seule chose qui puisse servir l'avenir du monde serait le retour sur le trône du duc de Windsor avec Lloyd George comme Premier ministre. Il avait ajouté :

> Ceci ne se produira que s'il y a une guerre. Bien que les Britanniques n'aient pas envie de se battre et manquent de courage, je crains qu'une bévue ne les entraîne dans la guerre. Si la guerre a lieu, ils s'effondreront en moins d'un an. Nous aurons en face de nous de nouveaux dirigeants et je suis certain, d'après nos entretiens, que Lloyd George nous restituera nos colonies sans faire de difficultés. Il m'a donné sa promesse qu'il accepterait de le faire.

Le 19 août 1937, Charles Bedaux, qui se trouvait à Budapest, appela Howard K. Travers, chargé d'affaires à la légation des États-Unis, pour lui demander un rendez-vous. Il lui annonça qu'il agissait pour le compte du duc de Windsor et lui apprit que celui-ci désirait s'informer des conditions de vie des classes les plus pauvres et projetait « une enquête complète des conditions de travail dans plusieurs pays ». L'affaire semblait anodine, jusqu'à ce que Bedaux laissât imprudemment tomber : « Il a dans l'idée de revenir un jour en Angleterre et de s'y poser en champion des classes laborieuses. » Ces quelques mots étaient de la dynamite. Ils impliquaient que le duc avait en tête de reléguer le roi George VI au second plan et de jouer en Grande-Bretagne un rôle politique. Fort du soutien enthousiaste des peuples d'Europe et d'Amérique, il espérait rallier ainsi ses partisans anglais.

Les informations données par Bedaux furent transmises à Londres par le département d'État auquel Howard Travers les avait communiquées, le 19 août, sous la mention « strictement confidentiel ». Entre-temps, George Messersmith était rentré à Washington pour occuper le poste de secrétaire d'État adjoint responsable des Balkans. Lorsque la dépêche de Howard Travers arriva le 10 septembre à sa connaissance, il ne lui vint pas un instant à l'idée de ne pas en informer les autorités britanniques appropriées. L'avenir tout entier du duc de Windsor devait s'en trouver sérieusement affecté.

Le duc avait une autre raison de vouloir visiter l'Allemagne. Dudley Forwood le confirme en ces termes :

> Pourquoi allèrent-ils en Allemagne ? J'ai là-dessus une opinion précise. Il ne s'agissait pas pour lui d'apporter aux nazis son soutien public. Il y alla parce qu'il voulait que sa femme bien-aimée fût au moins une fois reçue officiellement en pays étranger. Et Hitler était le seul avec qui la chose fût possible.

Sir Dudley ne dit pas pourquoi une visite à Mussolini n'aurait pas été possible. Visite dont les conséquences auraient été peut-être un peu moins lourdes.

Il poursuit :

> Il faut bien reconnaître que le duc, la duchesse et moi ne nous doutions pas une seconde que les Allemands massacreraient les juifs ou avaient commencé à le faire et nous n'étions pas opposés à Hitler. Nous estimions tous que le régime nazi convenait mieux à l'Allemagne que la république de Weimar, qui était très socialiste, et sous laquelle, pensions-nous, l'Allemagne aurait pu basculer dans le socialisme. Les nationaux-socialistes nous paraissaient un moindre mal.

Le 2 septembre, Hardinge écrivait à Vansittart pour préciser le statut des Windsor :

> Son Altesse royale le duc de Windsor et la duchesse ne devront pas être traités par les représentants de Sa Majesté dans les pays qu'ils visiteront comme des personnalités officielles. C'est pourquoi le roi estime qu'excepté instructions particulières les représentants de Sa Majesté devraient s'abstenir d'organiser pour eux des interviews officielles comme d'encourager leur participation à quelque manifestation officielle que ce soit.

Il poursuivait en précisant que le roi souhaitait que ni le duc ni la duchesse ne fussent invités à séjourner dans les ambassades ou légations de Grande-Bretagne. Les ambassadeurs et les ministres ne devaient pas les accueillir dans les gares et, s'ils les recevaient, ce ne pourrait être qu'à l'occasion de réceptions privées, sans aucun caractère officiel. Dans ces cas-là, la duchesse de Windsor devait toujours être placée à la droite du représentant de Sa Majesté. « Tout ce qui pouvait avoir un caractère officiel devait être évité. »

Le même jour, Vansittart écrivait à sir Geoffrey Knox, ambassadeur en Hongrie :

> Son Altesse royale le duc de Windsor et la duchesse doivent recevoir le même traitement que les membres de la famille royale en vacances. Si quoi que ce soit était envisagé qui puisse donner à leur séjour un caractère plus sérieux, vous devriez en avertir aussitôt le ministère. On ne juge pas utile que vous vous déplaciez pour les accueillir à la gare, mais vous pouvez y envoyer l'un de vos adjoints, d'un rang convenable. S'ils manifestent le désir de déjeuner ou dîner à la légation, il n'y aurait pas d'inconvénient à les inviter, mais il vous faudrait éviter de convier en même temps des hommes politiques hongrois de quelque importance.

Les Windsor arrivèrent en Hongrie le 9 septembre. Ils y furent reçus par Charles Bedaux dans son château de Borsodivanka. Washington et l'Intelligence Service surveillaient étroitement leurs mouvements. Messersmith n'avait pas oublié l'incident de Vienne au cours duquel le duc avait révélé aux Italiens qu'il était au courant de l'envoi à l'Italie d'armes allemandes.

Le 14 septembre, Bedaux revenait à la légation des États-Unis à Budapest, conseillant à Travers d'informer le département d'État que le duc ferait le 3 octobre une déclaration publique dans laquelle il annoncerait qu'il effectuerait en Allemagne avec la duchesse, à l'invitation d'Hitler, un voyage de douze jours à compter du 11 octobre. Il révélerait aussi que le gouvernement allemand « avait mis deux avions et huit automobiles à leur disposition ». L'ambassadeur de Grande-Bretagne à Berlin, sir Eric Phipps, allait en être informé le même jour. Les Windsor s'embarqueraient pour New York le 11 novembre à bord du paquebot allemand *Bremen* et le duc aimerait « être reçu par le président afin de discuter avec lui du bien-être social ». Dans son mémorandum au secrétaire d'État adjoint Wilson, Travers écrivait : « Le duc désire que le programme de sa visite soit tenu secret, mais il télégraphiera à l'ambassadeur de Grande-Bretagne à Washington en même temps qu'il informera son homologue à Berlin, le 3 octobre. Le gouvernement britannique n'est pas encore informé de ces projets de visites et il désire les garder confidentiels jusqu'à son communiqué du 3 octobre. »

Pendant ce temps, ignorant les grands airs mystérieux de

Bedaux, le duc informait sir Ronald Lindsay, ambassadeur de Grande-Bretagne à Washington, qui était en congé en Angleterre, de son intention d'aller en Amérique. Dans un mémorandum au Foreign Office, Lindsay avertissait ce ministère, qu'il se pourrait que le duc tente « une rentrée en Angleterre de caractère semi-fasciste, en s'appuyant sur la classe ouvrière américaine ».

Sir Robert Vansittart convoqua Lindsay au Foreign Office pour lui montrer le dossier secret de la duchesse où se trouvaient consignés les rapports relatifs à ses activités d'espionne. Lindsay fut épouvanté de ce qu'il apprit. Vansittart lui dit alors que des instructions avaient été données aux représentants diplomatiques britanniques du monde entier sur la manière de traiter les Windsor.

Pour Vansittart, le degré de collaboration des Windsor avec les nazis (comme avec les Italiens) dépassait de beaucoup la simple sympathie ou approbation. Le duc et la duchesse arrivèrent à Bucarest, en Roumanie, le 13 septembre. Le 14, ils étaient à Vienne ; de là, ils se rendirent en Tchécoslovaquie, où ils prirent contact avec des membres de l'Association pour les sports et le tir d'Autriche qui avaient demandé à les voir. Le 1er novembre de l'année suivante, les services de renseignements de Ribbentrop (*Dienstelle*) annonçaient que le duc de Windsor était président de cette association qui regroupait petits princes et mondains fortunés d'Europe centrale, souvent bisexuels ; jugée dangereuse et illégale, elle était surveillée par la Gestapo et la police autrichienne.

Le 18 septembre, Cordell Hull, secrétaire d'État américain, fit transmettre par le consul Hugh Wilson un mémorandum à Budapest, selon lequel le président des États-Unis serait heureux de recevoir le duc de Windsor. Mais le général Watson, secrétaire de la présidence, avait ajouté à la main : « cela dépendra des consultations avec l'ambassade d'Angleterre que nous aurons en temps voulu ». Watson avait aussi barré les mots : « qui ne veut pas que l'affaire soit rendue publique ». Le mémorandum de Hull poursuivait : « Il est difficile et même quelque peu embarrassant de prendre une position définitive avant que le gouvernement se soit entendu là-dessus avec l'ambassade de Grande-Bretagne. » Toutes les dépêches relatives à l'affaire étaient chiffrées et réservées. La question était explosive, compte tenu de la popularité du duc aux États-Unis, et de ce que le gouvernement américain ne voulait en aucun cas sembler lui faire un affront. Mais, par ailleurs, les dossiers que détenaient les services secrets sur les Windsor étaient si compromettants que Washington craignait aussi d'offenser Whitehall en les recevant. La volonté nettement exprimée du duc de se faire accompagner tout au long de sa visite par un dirigeant d'Eastman Kodak qui était en relations constantes avec la filiale allemande de cette société n'arrangeait pas les choses.

Le 29 septembre le duc, hors de la présence de Wallis, organisa à l'hôtel Meurice une réunion d'un caractère extraordinaire que le Secret Service britannique put écouter grâce à des micros dans les murs. Y assistaient le représentant d'Hitler, Rudolf Hess, le secrétaire privé d'Hitler, Martin (Marlin) Bormann, et la vedette de cinéma, Errol Flynn, qui était également un agent nazi. Flynn venait de faire un voyage en Espagne avec un espion allemand, le docteur Hermann Erben ; les deux hommes s'étaient rendus derrière les lignes républicaines pour rapporter des informations à Hitler et à Franco – comme le démontrent des ouvrages importants tels *L'histoire de la guerre civile espagnole* de Peter Wyden et *Witness to the Century* de George Seldes.

Après la réunion Hess écrivit à Hitler : « Le duc est fier de son sang allemand. Il dit qu'il est plus allemand que britannique. Nous n'aurons pas besoin de perdre une seule vie allemande quand nous envahirons l'Angleterre. Le duc et sa femme nous livreront le pays. » Le procès-verbal de cette réunion est un document confidentiel. Toutefois on peut imaginer que Flynn s'engagea à apporter son concours pour l'organisation de la tournée du duc aux États-Unis (il avait d'excellents contacts avec les groupes nazis de New York – il assistait régulièrement aux réunions secrètes du Bind germano-américain – ainsi qu'en Californie où fonctionnait un réseau germano-nippon). On peut penser aussi que Hess et Bormann promirent une chaleureuse réception de la part d'Hitler et des chefs du parti.

Le 30 septembre, du Foreign Office à Londres, Oliver Harvey envoyait à Vansittart un mémorandum exhaustif à propos du voyage en Allemagne. Il y révélait que le Premier ministre jugeait impossible d'empêcher le duc de l'accomplir, mais qu'il importait de prévenir les représentants du gouvernement britannique contre toute action qui pourrait être interprétée comme approbation de cette visite. Harvey révélait dans ce même rapport que le roi connaissait les dispositions que le gouvernement allemand avait prises pour cette visite et que le palais jugeait « tout à fait inconvenant que le gouvernement allemand ait pris sur lui de l'organiser sans nous en informer ».

Le 1er octobre, Vansittart envoyait à Hardinge un mémorandum lui confirmant que « rien ne pouvait être fait pour empêcher la visite, mais que les représentants de Sa Majesté devaient s'abstenir de toute action qui paraîtrait la cautionner. » Il ajoutait : « Je pense personnellement que ces voyages, organisés dans notre dos, vont un peu loin. Et j'espère que nos missions à l'étranger recevront l'instruction de s'en mêler le moins possible. Si l'on s'attend que nous soyons présents, alors nous avons le droit d'être consultés. S'adresser directement à nos missions, sans nous en informer, n'est pas convenable. »

Le 3 octobre, de sa maison du Dorset, Ronald Lindsay écrivait à Vansittart ; il lui disait entre autres choses : « ... le projet de visite à Washington du duc et de la duchesse de Windsor me remplit d'horreur... Bien entendu, je conformerai ma conduite aux instructions du palais et du Premier ministre et je ne ferai rien que je n'aie reçu de vous les indications nécessaires à répondre à ces souhaits, mais il ne vous aura pas échappé qu'il y a dans cette affaire tout un côté qui ne dépend que des Américains. »

Il ajoutait :

> La visite va causer une sensation monstre – il est certain pour moi que, dès leur arrivée, les Windsor attireront partout où ils iront tous les projecteurs de la publicité et d'énormes foules. L'attitude de l'ambassade suscitera la plus grande curiosité. À mon avis, il sera très important de ne rien laisser qui puisse laisser croire que *la visite à l'Amérique en elle-même* est si peu que ce soit désapprouvée. Je pense donc qu'il me faudra certainement loger à l'ambassade le duc et la duchesse de Windsor pendant leur séjour à Washington. Je pense aussi qu'il faudra les présenter à la Maison-Blanche et qu'il me faudra donner au moins un balthazar en leur honneur.
>
> En revanche, j'imagine qu'il me faudra tacitement me dissocier des buts implicites de cette visite – c'est-à-dire de la plupart des activités du duc en Amérique en dehors de Washington.

Tandis que les Windsor regagnaient Vienne après un bref passage à Paris, l'embarras du gouvernement américain allait croissant. Hugh Wilson, qui suivait la question au département d'État, écrivit à Cordell Hull pour l'informer que le voyage des Windsor en Allemagne avait « un but politique précis ». Le gouvernement ne prenait pas parti dans ce qui était « après tout une affaire purement britannique ».

Le 4 octobre, Vansittart écrivait à Hardinge qu'il serait préférable que le couple royal ne soit pas reçu à l'ambassade britannique. En outre, le personnel de l'ambassade devrait recevoir l'instruction de refuser toute invitation de caractère officiel pendant la visite.

Le 6, il câblait à sir George Ogilvie-Forbes à Berlin les instructions suivantes : le roi lui interdisait catégoriquement d'accueillir à la gare les Windsor, aucun membre de l'ambassade ne devait accepter d'invitation qui serait liée à la visite du duc, Ogilvie-Forbes devait s'abstenir de toute intervention dans les rendez-vous et interviews du duc, les Windsor ne devaient être reçus par aucun membre de l'ambassade, et ceux-ci devaient décliner toutes les invitations du duc ; quant aux personnels consulaires, interdiction leur était faite d'accueillir où que ce soit le duc et la duchesse. Par-dessus tout : « L'ambassade devait scrupuleusement éviter tout ce qui pourrait laisser croire que Sa Majesté le roi et le gouvernement de Sa Majesté approuvaient le voyage. »

Le lendemain, Forbes répondait en ces termes :

> Les instructions seront soigneusement suivies. Il me semble cependant de mon devoir de vous dire que l'attitude de l'ambassade produira ici une impression défavorable qui rejaillira sur le gouvernement de Sa Majesté. Selon toute probabilité, les Allemands y verront une réponse dédaigneuse à un geste amical. Ils suivront de près le traitement que les autres missions de Sa Majesté à l'étranger réserveront au duc.

Enfin tout fut prêt pour la visite en Allemagne. Le *New York Times* du 9 octobre annonçait qu'une conversation était prévue entre Hitler et « l'invité anglais » où seraient « franchement abordées les questions qui intéressaient le duc ». Au nombre de ces sujets, il y aurait : « les différentes faces de la nouvelle Allemagne, ses espérances et ses aspirations et les espoirs d'Hitler ». Les Windsor visiteraient neuf cités allemandes. Le but principal de leur voyage était d'étudier les conditions de vie de la classe ouvrière.

Le 9 octobre, sir Ronald Lindsay était convoqué à Balmoral par le roi, pour une conférence extraordinaire au sujet des Windsor. La reine était présente ainsi que les deux pires ennemis du duc, Alan Lascelles et sir Alexander Hardinge (il venait d'être fait chevalier). Lindsay fit remarquer que si les Windsor n'étaient pas logés à l'ambassade, des millions d'Américains y verraient une rebuffade et une marque de désapprobation envers l'intérêt que le duc portait aux masses laborieuses. En termes variés, le roi, Hardinge et Lascelles déclarèrent que la conduite du duc était odieuse ; il était de son devoir de ne pas mettre le roi dans l'embarras ; or il lâchait une bombe après l'autre. Quelle serait la prochaine ?

La reine participa à la conversation. Elle exprima de la douleur plutôt que de l'indignation. « Il a tellement changé…, dit-elle, évoquant le duc, il était si agréable avec nous ! » Mais elle n'eut point de paroles aimables pour Wallis. D'évidence, la famille royale faisait bloc dans sa résolution de ne concéder aucun privilège aux Windsor, lors de leur voyage en Amérique. Le roi et la reine ne consentirent même pas à ce que Lindsay les accompagne lors de leur visite à la Maison-Blanche. Lindsay écrivait à sa femme le 17 octobre : « On en est venu à faire du duc un parfait nazi… sans que l'on puisse cependant nier qu'il n'ait un penchant pour eux. » Un peu plus tard, Lindsay devait obtenir de l'Intelligence Service deux lettres de Bedaux qui avaient été interceptées et transmises à l'ambassade. Destinées à des amis américains, ces lettres indiquaient que le duc projetait de s'instituer chef d'un mouvement pacifiste international. La chose était beaucoup plus grave qu'il n'y paraissait.

Les Windsor quittèrent Paris par le train pour gagner Berlin. Trois cents personnes leur souhaitèrent bon voyage. Lorsque le *Nord-Express* entra dans la gare de la Friedrichstrasse à Berlin, une foule bien plus considérable les attendait. Cette foule criait « Heil Windsor ! » et « Heil Edouard ! » tandis qu'ils descendaient de leur wagon.

Les Windsor descendirent à l'hôtel Kaiserhof où, de nouveau, une immense foule les attendait, qui chantait une chanson spécialement composée par le ministère de la Propagande. Défiant le

Foreign Office, sir George Ogilvie-Forbes, chargé d'affaires responsable de l'ambassade en l'absence de l'ambassadeur, sir Neville Henderson, qui avait sagement préféré s'éclipser, s'en vint présenter ses respects. Il remarqua que la suite des Windsor donnait sur la chancellerie d'Hitler.

Sir George Ogilvie-Forbes expliqua au duc que le roi considérait sa visite comme purement privée, aussi avait-il prescrit de ne pas le recevoir officiellement, etc. Forbes câbla à Harvey à Londres : « Je serai... très heureux de voir s'achever cette visite, car l'absence de l'ambassade est très remarquée et provoque de nombreux commentaires. L'ambassadeur a de la chance de ne pas se trouver là. »

Wallis resta à l'hôtel pour se reposer, tandis que, peu après midi, le duc s'en allait visiter l'usine de mécanique Stock, à Grünewald. Des svastikas flottaient sur les toits. Le duc parcourut les bâtiments ultramodernes où trois mille ouvriers disposaient d'un restaurant perfectionné, d'une salle de réunions et de concert, d'une piscine et de superbes pelouses décorées de plates-bandes de fleurs. Il posa des questions en allemand, et plusieurs ouvriers, qui lui étaient présentés un par un par le docteur Ley, lui donnèrent des détails sur le travail et la vie dans l'usine. Avec de grands rires et de lourdes tapes dans le dos, Ley les encourageait à ne rien cacher, à dire au duc comment les conflits étaient résolus et comment les travailleurs et la direction conféraient ensemble, débarrassés de tout esprit de classe. Plusieurs de ses interlocuteurs se félicitèrent de leurs salaires, des séances matinales d'entraînement physique et de la qualité de la nourriture servie au restaurant. L'après-midi, le duc, avec mille ouvriers, assista à un concert Wagner et Liszt donné par l'orchestre du Front du Travail de Berlin. L'aria du Graal était au programme, tirée de *Lohengrin* et chantée par le ténor favori d'Hitler, l'Américain F. Eyvind Laholm. À la fin du concert retentirent le *Deutschland über alles*, le *Horst Wessel Lied* et le *God Save the King*. De retour à l'hôtel à 4 h 30, le duc s'en alla faire des courses avec Wallis.

Le soir, Robert Ley donna une superbe réception dans sa maison de Grünewald qui comptait trente-sept pièces. On y remarqua le docteur Goebbels, Ribbentrop, Georlitzer, Himmler et Hess. Goering avait dû se décommander parce que son beau-frère venait de se tuer dans les Alpes bavaroises. Le lendemain, tandis que Wallis restait à l'hôtel, ne rompant sa solitude que par un bref aller et retour à Potsdam, le duc fut entraîné dans une série d'inspections épuisantes. Une voiture perfectionnée d'observation, qui ressemblait, selon Frederick T. Birchall du *New York Times*, à « un canard aérodynamique », fut mise à sa disposition. L'engin avait neuf sièges, un bar, une petite salle à manger, un téléphone sans fil et un salon. Ley veilla à ce qu'il ne dépasse pas soixante-cinq kilomètres/heure sur les autoroutes, afin que le duc puisse admirer le paysage (la vitesse de croisière du véhicule était de cent trente kilomètres/heure). On fit halte à la frontière poméranienne pour embarquer le gouverneur du lieu avant de gagner Grossensee où se trouvaient les quartiers généraux de l'école d'entraînement de la division Tête de mort, unité d'élite de la Waffen SS. La musique de la division accueillit le duc par l'hymne britannique, puis celui-ci passa minutieusement en revue la garde qui lui présentait les armes et la gratifia d'un superbe salut hitlérien. Les bâtiments du camp étaient éparpillés dans la nature et recouverts de chaume. L'ensemble était dominé par une tour imposante à la porte monumentale. C'est là que la crème des Jeunesses hitlériennes travaillait et s'entraînait pendant quatre ans ; un entraînement physique rigoureux leur était dispensé cinq heures par jour. Les hôtes du duc l'informèrent que les bases de l'enseignement étaient la biologie raciale, l'archéologie germanique, l'histoire et la politique. Après le déjeuner, on lui fit visiter l'aéroport militaire de Stargard. Dans l'avion du docteur Ley qui comptait douze places, il survola la côte de la Baltique où lui furent montrés une plage de plus de six kilomètres de long et un hôtel de luxe en construction qui logerait les membres de la Jeunesse hitlérienne. À 6 heures du soir, il était de retour à Berlin.

Ce soir-là, l'Aga Khan, qui venait de présider l'assemblée de la Société des Nations, passa à l'hôtel après le dîner. Il partageait les sympathies des Windsor pour le régime allemand. Trois ans plus tard, le 25 juin 1940, des documents du Foreign Office allaient révéler qu'il projetait de rejoindre Hitler au château de Windsor (où celui-ci se vantait de bientôt s'installer) et qu'il recommandait de nouveaux bombardements de l'Angleterre, quelques jours avant que les bombardements ne reprennent. Le lendemain 14 octobre, les Windsor allèrent prendre le thé chez les Goering, à Karinhall, le célèbre pavillon de chasse du ministre de l'Air. On leur montra le formidable train électrique du gros maréchal et ils bavardèrent joyeusement avec leurs hôtes. Frau Goering ne devait jamais oublier cette rencontre ; des années plus tard, elle l'évoquerait chaleureusement dans ses Mémoires.

Forwood se souvient :

> On nous servit un repas à Karinhall. Goering, le duc et la duchesse prirent place à une table particulière, sur une estrade surélevée, tandis que nous nous installions à un niveau inférieur. Il y avait derrière le bureau de Goering une carte en marqueterie. Angleterre exceptée, tout ce que représentait cette carte était désigné comme possessions allemandes. Mon maître regarda Goering et lui dit : « N'est-ce pas un peu impertinent ? Un peu prématuré ? » Goering répliqua : « C'est le destin. Cela doit être. » Je me souviens encore du maréchal disant : « Ma femme est enceinte. Si c'est un fils, mille avions survoleront cette maison. Si c'est une fille, cinq cents. » Je me rappelle aussi une vulgarité : un tableau au-dessus de son lit qui représentait des femmes nues.

Ce soir-là, les Windsor reçurent deux très intéressants visiteurs, Ernst Wilhelm Bohle [1] et le docteur Goebbels. La journée fut décidément bien remplie. L'année précédente, Goebbels avait hébergé chez lui les Oswald Mosley. Il regretta toujours l'abdication d'Édouard VIII. Pendant la Seconde Guerre mondiale, il nota dans son journal qu'il considérait comme une tragédie l'échec de l'Allemagne à s'entendre avec le duc en vue d'une alliance permanente avec l'Angleterre. Son entrevue avec ce dernier lui procura « l'une des grandes impressions » de sa vie. Le duc de Windsor lui était apparu « intelligent, moderne et clairvoyant ». Il reconnaissait

---

1. Né à Bradford, en Angleterre, Bohle avait été élevé en Afrique du Sud et avait renoncé à la citoyenneté britannique. Intelligent et ambitieux, il s'était inscrit au parti nazi en 1932. En 1933, il devint chef de l'Auslands Organisation, l'A.O., qui s'occupait des Allemands de l'étranger. En novembre 1933, il fut élu au Reichstag. Il se consacra à l'édification d'une alliance permanente de tous les peuples d'origine allemande contre l'Union soviétique. Ce fut lui qui plus tard organisa dans le secret le vol de Rudolf Hess en Écosse et assura la traduction des lettres de Hess au duc de Hamilton concernant une paix négociée. Les historiens ont toujours pensé que Hess s'était lancé dans cette aventure sans l'aide de son gouvernement.

l'importance capitale de la question sociale en Allemagne. « Il était trop intelligent, trop progressiste, trop sensible aux problèmes des déshérités et trop pro-Allemand » (pour conserver le trône), écrivait encore Goebbels, avant de conclure : « Ce personnage tragique aurait pu sauver l'Europe de sa malédiction. Au lieu de quoi, gouverneur des Bahamas, il devait assister en spectateur à la désintégration de l'Empire britannique et peut-être de l'Europe et de l'Occident. »

Le 16, les Windsor passèrent par Düsseldorf où ils visitèrent une exposition qui se prétendait de création folklorique. Entouré d'une foule réjouie et surexcitée, dont le protégeait une escorte de SS, le duc répondait aux « Heil » sur le même registre. Il se montra très impressionné et même fasciné par ce que lui montra son guide, le docteur Maiwald, qu'il avait connu à l'exposition universelle de Paris. La duchesse, en revanche, comme on ne lui faisait grâce d'aucune réalisation allemande, s'ennuya ferme. On leur présenta des textiles artificiels, du caoutchouc synthétique et toutes sortes de dérivés du charbon, du sable, de la pierre et du bois. Des années plus tard, le docteur Maiwald devait déclarer n'avoir jamais rencontré quelqu'un qui fût aussi informé que le duc des techniques industrielles. Le duc, une fois de plus, prodigua le salut nazi, lors de sa promenade dans les rues bondées de la ville[1]. Il fallut arrêter une Anglaise qui proférait des menaces à son passage. Puis les Windsor furent conduits dans un hôpital pour mineurs, où ils s'entretinrent avec des blessés, après quoi le duc s'en alla visiter seul une maison de retraite de Krupp, où il discuta avec plusieurs pensionnaires âgés. Enfin ils gagnèrent leur hôtel. Ils demeuraient complètement ignorés des représentants diplomatiques locaux de Sa Majesté.

On leur fit visiter un camp de concentration qui leur parut entièrement vide. Forwood raconte : « Nous vîmes un énorme bâtiment de béton, dont je sais aujourd'hui qu'il contenait des détenus. Le duc demanda : "Qu'est-ce que c'est que ça ?" On répondit : "C'est là qu'ils stockent la viande froide." Et en un sens, horrible, c'était vrai. »

Le 17 octobre, les Windsor étaient à Leipzig. Plusieurs milliers de personnes les accueillirent une fois de plus à la gare avec le salut

---

1. En Angleterre, les photos étaient retouchées pour cacher son bras levé.

nazi ; quarante drapeaux à croix gammée flottaient sur les têtes. Le meilleur hôtel de la ville était fermé, car son propriétaire était juif, aussi leur fallut-il se rabattre sur un hôtel de seconde catégorie. Comme des milliers d'Allemands demeuraient massés sous ses fenêtres, le duc les remercia en allemand de leur sympathie, les salua et leur souhaita bonne nuit. Ce même soir, il déclara à Ley qu'il n'avait pas l'intention de rencontrer Julius Streicher, responsable du parti pour Nuremberg ; plusieurs mois auparavant, le journal de Streicher, le *Sturm*, avait publié un article accusant la duchesse d'être juive.

Le 20 octobre, le cousin et le vieil ami des Windsor, Charles, duc de Saxe-Cobourg-Gotha, donna en leur honneur un grand dîner d'une centaine d'invités, au Grand Hôtel de Nuremberg. Parmi eux, il y avait beaucoup des aristocrates que le duc avait traités de pair à compagnon à l'occasion du jubilé et des obsèques de son père. Au cours de ce dîner, Cobourg dit aux Windsor que le droit de Wallis au titre d'Altesse royale était pour lui imprescriptible. Sa femme et toutes les invitées lui firent de profondes révérences. Le carton déposé à sa place mentionnait l'équivalent allemand du H.R.H. britannique.

Les Windsor visitèrent ce que le *New York Times* appelait « les autels et les temples du culte national-socialiste ». Le couple poursuivit son voyage jusqu'à Stuttgart, où survint un curieux incident. Revenant d'une visite d'usine, le duc, qui avait laissé Wallis à l'hôtel, décida soudain d'aller voir le palais des rois de Wurtemberg, au visible embarras du docteur Ley. En entrant, il tomba en arrêt devant un immense planisphère illuminé où les anciennes colonies allemandes étaient précisées avoir été « injustement » prises au Reich à l'issue de la Première Guerre mondiale. Le duc ne put réprimer une grimace de déplaisir, car certaines de ces anciennes colonies étaient devenues possessions anglaises. Il vit aussi des montages photographiques qui représentaient les troupes d'assaut allemandes défilant à Chicago et dans le New Jersey. On lui montra d'autres cartes où était indiqué en rouge le nombre des Allemands installés dans certains pays. Dans la soirée, le duc et la duchesse assistèrent à un festival de « La Force par la Joie », donné au grand auditorium municipal. Un défilé et une pièce illustraient les gloires de la jeunesse allemande. Leur arrivée et leur départ furent salués d'acclamations frénétiques et de salut nazis en rafales.

Et le 22 octobre ce fut enfin l'apogée du voyage : l'entrevue avec Adolf Hitler, vingt-cinq jours exactement après la réception de Mussolini par Hitler à Berlin, rapprochement qui avait anéanti tous les rêves originels du duc de Windsor, qui avait cru si fermement qu'apaiser Mussolini c'était l'éloigner d'Hitler. Trois jours avant l'arrivée du duc, lord Halifax était venu voir Hitler, espérant garantir les intérêts britanniques en Europe occidentale en feignant d'approuver les ambitions à présent déclarées du Führer. L'Angleterre pourrait concéder à Hitler certaines colonies d'Afrique et lui laisser les mains libres en Europe de l'Est. Il ne sortit pas grand-chose de cet entretien. Comme l'avenir devait le prouver, Hitler s'était déjà secrètement décidé à la guerre pour obtenir « l'espace vital » qu'il jugeait indispensable. De son point de vue, les dates de voyage du duc de Windsor ne pouvaient pas mieux tomber. Il savait que le duc, obsédé par le bolchevisme, ne serait que trop heureux de l'encourager à frapper la Russie. Hitler était prêt à soutenir toutes les folies, fussent-elles d'un monarque déchu, qui lui permettraient de réussir son bluff suprême en matière de politique étrangère.

Éva Braun, la maîtresse d'Hitler, attendait avidement l'arrivée du duc et de la duchesse. Son biographe, Nerin E. Gun, raconte :

> Éva supplia Hitler d'être présentée à la duchesse de Windsor. Elle avait accablé son amant d'interminables éloges de l'ex-roi « qui avait renoncé à un empire pour l'amour d'une femme »... Selon certains, elle se flattait de points communs avec Mrs. Simpson ; un amoureux sincère pouvait, selon elle, accepter un petit sacrifice – non pas, comme Édouard, la perte d'une couronne, mais le risque d'une légère perte de prestige – en épousant la femme qu'il déclarait aimer. Hitler fit semblant de ne pas comprendre et, pour ne pas aggraver la situation, prétendit que les exigences du protocole excluaient la présentation.

Hitler attendait beaucoup de la rencontre. À 1 h 10, le train parvint au pied de la montagne de l'Obersalzberg, d'où, en compagnie du docteur Ley et de Paul Schmidt, interprète du Foreign Office, ils se rendirent au lac Konigssee. À 2 h 30, le couple gravit la montagne avec Dudley Forwood ; trois voitures de policiers et de SS les escortaient jusqu'au pavillon de chasse. Les routes avaient été débarrassées de tous les touristes qui par milliers gravissaient ces pentes pour voir le repaire d'Hitler. Ce jour-là, vingt seulement, plus influents que les autres, attendaient à la grille, par permission spéciale, le passage du convoi royal.

Entouré des dignitaires, Hitler reçut les Windsor au bas d'une volée de marches, vêtu de la veste brune des dirigeants du parti nazi, d'un pantalon noir et de souliers vernis. Il conduisit les Windsor dans le hall d'entrée où trônait un portrait de Bismarck, grand-père du prince Otto, ami intime du duc et de la duchesse. Dans le corridor où ils avancèrent derrière leur hôte s'alignaient au garde-à-vous des colosses blonds en uniforme à boutons de cuivre. Les Windsor furent débarrassés de leurs manteaux dans une antichambre, puis descendirent trois marches de marbre pour pénétrer dans une immense salle dont l'un des murs ne faisait qu'une seule baie dominant l'Unsterberg. D'un bras, Hitler désigna la vue, immense panorama de pics et d'alpages où travaillaient des paysans.

Tandis que le Führer commandait du thé, les Windsor en profitèrent pour examiner les détails de la pièce. Les murs étaient blancs, rehaussés de panneaux de chêne fumé. Il y avait une énorme cheminée de marbre de part et d'autre de laquelle des stères de bois étaient rangés. Des tapisseries représentaient des personnages du temps de Frédéric le Grand, montés sur d'immenses chevaux blancs. Le tapis était cerise, les marbres d'un rouge assorti. Le tissu qui recouvrait les meubles était brodé de croix gammées et de devises nazies. Un grand piano supportait un buste de Richard Wagner et un grand globe. Il y avait partout des fleurs blanches et jaunes, hortensias, pensées, zinnias, roses et œillets. Walter Hewel, conseiller, Paul Schmidt, interprète officiel, et Heinrich Hoffman, photographe d'Hitler, étaient présents.

La visite dura deux heures pendant lesquelles, vingt minutes exceptées, Hitler ne quitta pas les Windsor. Tandis qu'on préparait le thé, il fit visiter à ses invités la maison entière et le jardin. De l'un des balcons il montra la direction de Salzbourg. Albion Ross, du *New York Times*, fut l'un des rares journalistes à avoir été autorisés à entrer dans le bâtiment. Il rapporta que le Führer manifesta pour ses hôtes un intérêt intense.

Biographes et historiens successifs n'ont cessé de soutenir qu'en dehors des quelques généralités rapportées par Paul Schmidt rien n'a été conservé de la conversation entre Hitler et les Windsor. C'est inexact.

Il reste même un témoin de cette rencontre, sir Dubley Forwood. Il raconte :

> Je me rappelle avec précision comment la conversation commença. Mon maître dit à Hitler : « Les races allemande et britannique ne font qu'une. Elles ne devraient jamais faire qu'une. Elles sont l'une et l'autre d'origine hunnique. » Je crains que mon maître n'ait oublié la conquête normande.
>
> La présence de Schmidt contrariait beaucoup mon maître. Il parlait, nous le savons, un excellent allemand. Il dit à Hitler, en allemand : « Je n'ai pas besoin de cet homme. » Hitler ne répondit pas comme il aurait dû le faire, au contraire, il dit au traducteur, en allemand, que la conversation aurait lieu comme prévu et qu'il s'attendait à ce que le duc parlât anglais. L'infortuné Schmidt dut traduire cette déclaration à mon maître. Et il en fut ainsi. Toutes les cinq minutes, le duc, irrité, disait à Schmidt : « Ce n'est pas ce que j'ai dit au Führer ! » Ou bien : « Ce n'est pas ce que le Führer m'a dit. » Ils évoquèrent aussi les conditions de vie des mineurs allemands et gallois. Hitler était très attentif.

Le 4 novembre, William Bullitt, ambassadeur des États-Unis en France, rapporte, dans une dépêche au président Roosevelt, la conversation de la duchesse avec Hitler. « Les bâtiments nazis, lui avait dit le Führer, feront un jour des ruines plus belles encore que celles des monuments grecs. » Il semble évident que la grande part des propos d'Hitler aux Windsor demeurèrent délibérément d'ordre général, aimablement mondains et anodins. Il prit cependant le duc à part pendant vingt minutes, dans une pièce attenante, et là, ce fut tout autre chose. Le duc lui-même, dans un article publié le 13 décembre 1966 par le *Daily New* de New York, en donna la substance :

> J'ai voulu aller en Allemagne pour me rendre compte par moi-même des réalisations du national-socialisme en matière de logements sociaux et, en général, pour le bien-être des travailleurs, et je me suis efforcé de maintenir sur ce terrain ma conversation avec le

> Führer, ne souhaitant pas aborder avec lui de sujets politiques. Hitler, quant à lui, parla beaucoup, mais je compris qu'il ne me montrait que le sommet de l'iceberg allemand. Il profita d'un tour d'horizon pour m'encourager à dire que l'Union soviétique était le seul ennemi, et qu'il était de l'intérêt britannique et européen de pousser l'Allemagne à frapper à l'Est pour écraser le communisme à jamais. Hitler était alors au sommet de son pouvoir. Il avait un regard perçant, magnétique. Je le confesse franchement, il m'impressionna. Je le crus lorsqu'il laissa entendre qu'il ne cherchait pas la guerre avec l'Angleterre... Je croyais alors que nous pourrions tous demeurer spectateurs quand les nazis et les rouges se taperaient dessus.

Il est donc clair que le duc encouragea Hitler à s'en prendre à la Russie. Le duc avait d'autres suggestions à faire. D'après les documents obtenus par l'historien David Irving, Hitler déclarait le 13 mai 1942 : « Le roi (*sic*) m'a proposé de satisfaire les besoins coloniaux de l'Allemagne en autorisant les Allemands à s'installer dans le nord de l'Australie, où ils auraient constitué face aux menaces japonaises un puissant bouclier pour les intérêts anglais. » Étrange déclaration. Selon d'autres documents, l'Angleterre redoutait une alliance soviéto-japonaise et, en 1939, plusieurs hommes d'affaires britanniques, qui s'adonnaient au renseignement, furent arrêtés à Tokyo, jugés et emprisonnés pour espionnage. D'après Irving, le duc aurait été jusqu'à dire à Hitler que son frère George VI était « faible, vacillant et entièrement coiffé par de mauvais conseillers anti-allemands ». Allusion transparente à sir Alexander Hardinge et à sir Robert Vansittart. Le duc évoqua aussi avec Paul Getty ses entretiens avec Hitler ; Getty était l'un de ses amis et comme lui avait des liens avec les nazis. Dans ses Mémoires, Getty se souvient avoir demandé au duc : « Est-ce qu'Hitler vous écoutait quand vous lui parliez ? – Oui, répliqua le duc, je pense que oui. Si peu que ce fût, la voie était ouverte. Si l'affaire avait un tant soit peu été suivie à Londres ou à Paris, des millions de vies auraient pu être sauvées. » Il signifiait par là qu'il avait proposé une paix permanente avec l'Allemagne en même temps (d'après Getty) que l'organisation d'une émigration massive des Juifs allemands, idée soutenue aussi par Charles Bedaux et sir Oswald Mosley, émigration qui aurait été préférable au massacre dont ils furent victimes.

Getty ajoutait ce paragraphe révélateur :

> Bien que le duc ne m'en ait jamais rien dit, j'avais des raisons de soupçonner qu'il n'agissait pas de son propre chef lorsqu'il alla en Allemagne et rencontra Hitler et d'autres chefs nazis. Je ne serais guère surpris qu'un beau jour un dossier ultrasecret surgisse de quelque coffre-fort et qu'une lumière entièrement nouvelle en soit jetée sur cet épisode.

Le duc et Wallis avec lui n'ont jamais paru approuver le génocide perpétré par Hitler contre les juifs ni même leur emprisonnement en masse, malgré le climat antisémite de l'époque, dont on pouvait croire qu'il était fait pour leur plaire, puisqu'ils ne se privaient pas de l'exprimer. Ce rejet du pire peut être imputé, au moins en partie, à leurs amitiés et relations personnelles. La rencontre tant critiquée avec le Führer, qui devait être jugée insignifiante par les ennemis du duc comme par ses partisans, s'acheva sur de chaleureux adieux. Le *New York Times* relevait :

> Les membres de l'entourage du duc et de la duchesse de Windsor ont rapporté après ce voyage… que la duchesse avait été visiblement impressionnée par la personnalité du Führer qui de son côté se conduisit comme s'il éprouvait de l'amitié pour elle, en lui adressant d'affectueux adieux. Il lui prit les deux mains dans les siennes, lui disant un long au revoir, après quoi il se raidit dans un rigide salut nazi, que le duc lui rendit.

Hitler se tourna ensuite vers Schmidt et lui dit : « Elle aurait fait une bonne reine. »

Le soir même, les Windsor dînaient avec Rudolf Hess et sa femme à Munich. Mme Hess écrivit à des amis qui habitaient Alexandrie en Égypte qu'elle avait été très impressionnée, surtout par la duchesse. Elle était très nerveuse à l'idée de les rencontrer, car elle craignait d'être gauche, mais, une fois en leur présence, elle s'était détendue et avait trouvé Wallis très agréable. Hess partageait la préférence des Windsor pour une émigration massive des Juifs allemands plutôt que pour leur massacre.

Après avoir donné un dîner pour l'adjoint du docteur Ley, le stabsleiter Simon, et les quatre officiels allemands qui les avaient accompagnés au long du voyage, les Windsor retournèrent à Paris, le 23 octobre.

Le 24 octobre, du château de Candé, Bedaux envoyait à sir Ronald Lindsay, au Traveller's Club de Pall Mall à Londres, un premier canevas du voyage que le duc comptait accomplir aux États-Unis. De Washington, où il arriverait le jour de l'armistice, il irait à Los Angeles où la visite prendrait fin vers la mi-décembre.

Les Windsor épuisés se reposèrent plusieurs jours à l'hôtel Meurice.

Dans une conversation avec l'ambassadeur Kennedy, Peacock rapporte un entretien téléphonique que, cette semaine-là, il eut avec les Windsor. Il s'agissait d'une question pressante. Bien qu'à contrecœur, le roi George VI, qui craignait que l'opinion ne lui reprochât sa ladrerie à l'égard des Windsor, avait versé au duc le revenu annuel du duché de Lancastre (environ 20 000 livres soit 5 millions de dollars d'aujourd'hui) ; il ne lui avait pas réclamé le montant de l'impôt sur cette somme mais l'avait payé lui-même.

Toutefois, irrité de cet arrangement, le roi avait prié Peacock d'appeler Windsor et de lui demander d'acquitter l'impôt. Cette requête était raisonnable. Le duc était au téléphone et Wallis écoutait sur un autre appareil. Peacock transmit la proposition du roi. Le duc répondit que son accord n'était pas acquis. Peacock insista sur le fait qu'en cas de refus il y aurait probablement des fuites dans la presse (il laissait entendre qu'il veillerait à ce qu'il y en eût) et que cela entraînerait un scandale public. Nerveux, le duc pria Peacock de bien vouloir garder la ligne et se tourna vers Wallis pour la questionner. Wallis cria : « Nous ne céderons pas ! » assez fort pour que Peacock entende clairement les mots. Reprenant l'appareil, le duc signifia à Peacock qu'il refusait son accord. Peacock en informa le roi, que ce refus exaspéra. Cette exaspération fut partagée par la reine, la reine Mary, et les duchesses de Gloucester et de Kent. Si l'on avait envisagé de rouvrir la question de l'octroi du titre d'Altesse royale à Wallis, cet incident mettait fin à pareille éventualité.

Lorsque le duc eut retrouvé assez de forces, il se remit au golf, tandis que Wallis perfectionnait les plans du voyage américain avec un escadron de secrétaires. Le 27, le duc se produisit au déjeuner hebdomadaire de la presse anglo-américaine à Paris, déniant avec assez d'audace quand on connaît la vérité tout sens politique à son voyage allemand. Comme on lui demandait pourquoi il avait choisi le paquebot allemand *Bremen* pour se rendre à New York, il répliqua que la seule raison de ce choix était qu'il s'était engagé à ne point pénétrer dans les eaux territoriales britanniques et que le *Bremen* était le seul navire qui ne fît point escale à Portsmouth ou Southampton, après le départ de Cherbourg.

Le 28, Winston Churchill écrivait au duc :

> J'ai suivi votre voyage en Allemagne avec grand intérêt. On me dit qu'aux actualités, les images de Votre Altesse royale sont toujours très applaudies dans les cinémas. Je redoutais avant votre voyage en Allemagne qu'il ne choque beaucoup les nombreux antinazis de ce pays, parmi lesquels vous avez beaucoup d'amis et d'admirateurs ; mais je dois reconnaître qu'il ne semble pas avoir eu cet effet. Et je suis heureux que vous l'ayez accompli avec autant de distinction et de succès.

Les Windsor préparaient de plus belle le voyage en Amérique. Le département d'État à Washington publiait sur la question un flot de rapports et de notes. L'affaire embarrassait beaucoup le gouvernement américain, et spécialement le secrétaire à l'Intérieur, l'antinazi Harold I. Ickes. D'après Charles Bedaux Jr., Mrs. Roosevelt alla jusqu'à prendre contact avec les responsables syndicaux de Baltimore, ville natale de Wallis, les pressant de boycotter la visite, sous prétexte qu'elle était financée par Bedaux dont le système d'amélioration de la productivité qui avait fait sa fortune était inacceptable ; il fallait en conséquence censurer tous ceux envers lesquels il jouait les mécènes. Le 2 novembre, sir Ronald Lindsay alla voir Summer Welles, sous-secrétaire d'État et opposant au nazisme, pour lui communiquer les détails de l'attitude royale envers les Windsor.

> Au moment où la situation du nouveau roi est difficile, alors qu'il s'efforce de gagner la confiance et l'affection de ses compatriotes, sans posséder la popularité du duc de Windsor, le roi et la reine trouvent malheureux que le duc ne cesse d'attirer l'attention sur lui. Dans toutes les sphères gouvernementales d'Angleterre j'ai constaté une véhémente indignation contre la conduite du duc de Windsor, en partie fondée sur le ressentiment qu'a soulevé l'abandon

> de ses responsabilités, mais bien davantage encore par l'apparente incorrection de son attitude présente envers son frère le roi... À la cour, au Foreign Office, dans les états-majors des partis, ce sentiment frôle l'hystérie... Et ce sentiment d'indignation s'est d'autant plus répandu que les partisans les plus actifs du duc de Windsor en Angleterre sont connus pour leurs inclinations envers les dictatures fascistes. Le récent voyage du duc de Windsor en Allemagne et son ostentatoire réception par Hitler et son régime ne peuvent s'interpréter que par la volonté du duc de Windsor d'encourager ces tendances en les cautionnant de sa personne.

Exprimant son opinion personnelle, Lindsay disait ne pas croire que le duc avait conscience de l'exploitation ainsi faite de ses faits et gestes et cela montre qu'il ne comprenait pas bien le véritable but du duc : se poser en homme d'État sans portefeuille. Le gouvernement britannique, poursuivait Lindsay, était soucieux de ne pas faire du duc de Windsor un martyr, cela dit, lui, Lindsay, ne serait pas autorisé à présenter le duc au président des États-Unis, les instructions royales étaient formelles sur ce point. Welles, en réponse, lui apprit qu'aucun représentant du gouvernement américain n'accompagnerait les Windsor dans leur tournée ; dans chacune des villes par où il passerait, le duc serait accueilli par les autorités ; on lui montrerait ce qu'il désirerait voir et les choses n'iraient pas plus loin. Welles se montra aussi net sur un autre point : le duc serait reçu à la Maison-Blanche, mais cette réception serait soigneusement dépourvue de tout ce qui pourrait la faire apparaître comme une visite officielle. Et George T. Summerlin, chef du protocole au département d'État, qui le recevrait à Washington, ne lui accorderait aucun privilège particulier. On aborda la question de la duchesse. Fallait-il lui donner de l'« Altesse royale » ? Le duc avait fait savoir qu'il le désirait. Sir Ronald Lindsay insista pour qu'il n'en soit rien. La question demeura en suspens.

Le 3 novembre, tandis que le duc travaillait à son discours pour la N.B.C., se remettant des fatigues que lui avait causées l'inspection d'un projet de logements modèles pour remplacer des taudis parisiens, que Wallis dépensait des fortunes dans les magasins et faisait des essayages chez Mainbocher et que Charles Bedaux donnait une conférence de presse à New York, la Fédération du Travail de Baltimore adoptait à l'unanimité une résolution condamnant la visite des Windsor et dénonçant en Charles Bedaux « l'archi-ennemi du syndicalisme ». Durant l'orageux meeting qui s'était tenu là-bas, le chef de l'American Federation of Labour de Baltimore, Joseph P. McCurdy, s'était laissé aller à déclamer : « Quand la duchesse habitait Baltimore, jamais elle n'a montré le moindre intérêt pour les classes laborieuses de sa ville natale. » Pendant qu'il prononçait ce discours, la B.B.C. annonça qu'elle ne retransmettrait pas celui du duc devant les micros de la N.B.C., même si la Canadian Broadcasting Corporation participait à l'opération.

Le 4 novembre, le docteur William E. Dodd, fils de l'ambassadeur des États-Unis en Allemagne, qui était passionnément antinazi, déclarait à Philadelphie devant une assemblée du comité des citoyens, déclaration renouvelée devant les micros d'une station de radio locale, que le duc de Windsor pourrait bien « tâcher de convaincre les Américains des bienfaits du national-socialisme en Allemagne ».

La défection soudaine de Charles Bedaux troubla les Windsor. Bedaux s'effondra devant les attaques dont il était l'objet, allant jusqu'à proposer d'abandonner toute responsabilité dans l'organisation du voyage. Le duc déclina la proposition, mais la déclaration suivante de Bedaux lui donna à réfléchir : « Si les Windsor, dit-il, avaient cent chances de faire le voyage, quatre-vingt-dix se sont envolées. » Bedaux venait d'être informé que le département d'État, à la demande de sir Ronald Lindsay, n'accorderait pas à la duchesse le titre d'Altesse royale.

Cette déclaration de Bedaux leur parvint de la façon la plus désagréable, par la radio. Elle les blessa profondément. Il est certain que, si Bedaux avait tenu bon, ils ne se seraient pas découragés. Du reste, le 5 novembre, leurs malles étaient encore faites.

La nuit suivante, les Windsor publièrent un communiqué annonçant le report du voyage. Cherchant par tous les moyens à se défaire de leur réputation pro-nazie, ils annoncèrent leur intention de se rendre en Union soviétique. Un commentaire de l'Associated Press, approuvé par le duc, précisa que le but du voyage russe était d'« équilibrer le voyage allemand » et de « prouver au monde que le duc de Windsor ne faisait pas de politique ».

Mme Roosevelt devait plus tard raconter à Lindsay une curieuse histoire. Le bateau qui aurait dû transporter les Windsor était supposé accoster le 11 novembre, jour de l'armistice. Les Windsor seraient arrivés à temps pour se rendre à Arlington et déposer une gerbe sur la tombe du Soldat inconnu. Décidée à empêcher la chose, Mme Roosevelt avait pris des dispositions pour que le train soit délibérément retardé.

13

Les ténèbres extérieures

C'est alors que Wallis se lança dans l'aventure sentimentale la plus dangereuse de toute sa vie. Abandonnant Guy Trundle, elle devint la maîtresse de William Christian Bullitt, l'ambassadeur américain en France.

Bullitt commença à s'intéresser à Wallis le 22 février 1935. À cette date il écrivait à Roosevelt que, passant par Londres, il avait reçu une invitation à Fort Belvedere « d'une très charmante dame du Maryland », mais qu'il avait dû décliner l'invitation parce qu'on l'attendait à Moscou. Il ne prévoyait pas alors qu'il allait tomber dans les filets de la charmante dame du Maryland et se lancer dans une liaison qui aurait pu ruiner sa carrière diplomatique.

Bullitt appartenait à une grande famille de Philadelphie ; il était le fils d'un opulent négociant en charbon et comptait parmi ses ancêtres, prétendait-il, George Washington, des Indiens Pocahantas et Fletcher Christian, célèbre par sa participation à l'affaire des Mutinés du *Bounty*. Élevé dans le luxe par des parents qui l'adoraient, il était devenu brillant, superficiel et retors. Qualités qui peut-être le désignaient pour le métier de diplomate.

Chauve dès son plus jeune âge, il ne manquait pourtant pas de séduction : des traits réguliers, des yeux bleus pleins de vie, une élégante silhouette dans des vêtements parfaitement coupés par un tailleur de Savile Row... Ce politicien de carrière était une personnalité connue dont la richesse et le charme considérable renforçaient l'ascendant. Sa passion pour l'Allemagne avait commencé en

1916 lorsqu'il avait été reçu avec sa première femme, Ernesta Drinker, par le Kaiser et ses généraux. Plus tard il avait gagné la sympathie du jeune Hitler, encore au début de son ascension, par ses attaques publiques contre le traité de Versailles qui avait dépouillé l'Allemagne de ses colonies et de sa puissance. Son langage était presque aussi incendiaire que celui de Hitler.

Au début des années trente ses initiatives personnelles pour annuler ou réduire de 80 % la dette allemande avaient failli le faire arrêter aux termes du Logan Act qui interdisaient à tout citoyen américain de négocier avec un gouvernement étranger sans autorisation présidentielle.

Désireux d'obtenir des informations sur l'Union soviétique (et convaincu que Bullitt, qui cachait son anticommunisme, pourrait les lui fournir) Roosevelt le nomma ambassadeur à Moscou, où les Russes eurent la sagesse de ne pas lui faire confiance. Le 23 décembre 1923, Bullitt épousa Louise Bryant, la veuve du journaliste communiste américain John Reed (Warren Beatty a tourné un film sur les Reed : *Reds*). Louise Bryant était lesbienne – c'était l'amante d'une grande star de Broadway, Éva La Galienne. Dans un roman inspiré par leur mariage et intitulé *It's not done*, Bullitt a décrit un héros rendu impuissant par la frigidité de sa femme, roman que, sans faire preuve de la plus élémentaire délicatesse, il a dédié à Louise Bryant.

À la vérité son impuissance avait en l'occurrence une cause différente : la découverte de sa bisexualité. Il était tombé amoureux, en 1934, de son jeune et séduisant secrétaire privé, Carmel Offie, comme lui originaire de Philadelphie et affichant des sympathies nazies, qu'il avait rencontré à Washington et fait transférer d'un poste au Honduras à son ambassade à Moscou. Comme en Russie l'homosexualité était un crime qui pouvait vous coûter la vie, la liaison avec Offie se déroula dans le cadre de l'ambassade ; Bullitt l'installa à la résidence sous prétexte qu'il avait besoin de consulter Offie à n'importe quelle heure du jour et de la nuit.

Torturé par sa double nature, Bullitt chercha à se soigner ; il s'adressa au célèbre docteur Sigmund Freud de Vienne qui était son ami et partageait sa haine pour l'architecte du traité de Versailles, Woodrow Wilson. Dès 1925 les deux hommes avaient écrit ensemble un ouvrage sensationnel qui ne fut publié qu'en 1956 et condamnait Wilson sans réserves.

Les relations entre Bullitt et le groupe de comploteurs royalistes allemands à la tête duquel se trouvait la famille de Hesse commencèrent au moment du projet de livre sur Wilson et continuèrent pendant des années. Bullitt se lia avec Wolfgang, prince de Hesse, sa femme Marie Alexandra, et son frère jumeau, le prince Philippe ; il fit de nombreux séjours à Friedrichshof, le château de la famille à Kronberg, où il lut les papiers laissés par le chancelier allemand pendant la Première Guerre mondiale, Maximilian von Baden, le père d'Alexandra de Hesse. La correspondance de Wilson avec le chancelier, qui y figurait, lui parut établir clairement la volonté, chez le président américain, de détruire complètement l'Allemagne.

En 1934 Bullitt divorça de Louise et quitta la Russie. Nommé ambassadeur en France en 1935, il se déclara en faveur de la rupture du pacte franco-soviétique qui, selon certains, aurait pu empêcher la Seconde Guerre mondiale. Il ne ménagea pas ses efforts contre le Front populaire, noua des relations avec la cinquième colonne à Paris, poussa les Français à envoyer 350 000 hommes en Irak, en Syrie et en Turquie, ce qui réduisait les ressources de la défense nationale, appuya sans réserves des personnages dont les sympathies nazies étaient flagrantes, tels que le journaliste Stéphane Lauzanne, rédacteur en chef du *Matin*, qui rendait souvent visite à Hitler, et le patron de Lauzanne, Maurice Bunau-Varilla, ou l'avocat de Wallis, Armand Grégoire, lequel représentait Bullitt, Elsa Schiaparelli et l'ex-amant de Wallis, von Ribbentrop.

Rappelons aussi qu'une tante de Bullitt avait épousé un personnage qui occupait un rang élevé dans la société italienne promussolinienne, le duc d'Assergio, et tenait un salon mussolinien à Rome, salon où Bullitt faisait de fréquentes apparitions.

On ne sait pas exactement quand la liaison de Wallis avec Bullitt commença, mais son absence au mariage, en soi étonnante compte tenu de sa présence à Paris comme ambassadeur à l'époque, pourrait indiquer qu'à tout le moins un attachement romantique existait déjà entre eux. Feu Charles Bedaux Jr., le fils de l'ami et hôte de Wallis, croyait que la liaison avait débuté en novembre 1938. La première question que l'on peut se poser, c'est : pourquoi Bullitt, qui avait de l'argent, du charme et une position diplomatique incomparable et pouvait choisir entre les plus belles femmes de Paris, risquait-il sa carrière en s'embarquant dans une liaison avec la femme dont on parlait le plus en Europe ? Cocufier le duc de Windsor pouvait donner lieu à des articles retentissants et entraîner un divorce qui ferait encore plus sensation.

La réponse doit évidemment être cherchée dans le fait que Bullitt – toujours amant de Carmel Offie, avec lequel Wallis jouait souvent au gin rummy à l'ambassade américaine – avait de nouveau besoin d'une femme, mais se trouvait menacé d'impuissance, cette impuissance dont il avait souffert avec sa femme Louise Bryant et pour laquelle il se faisait traiter par Freud. Grâce aux techniques sexuelles chinoises qu'elle maîtrisait, Wallis pouvait l'exciter, le satisfaire, et lui rendre confiance en sa virilité. Après tout n'avait-elle pas rendu le même service à son mari ?

La vraie question, comme avec Guy Trundle, c'était de savoir où les amants pouvaient se rencontrer sans que le duc, mari jaloux et possessif, soit mis au courant. Sans doute dans la bonne société un adultère discret était-il acceptable, voire désirable, mais le duc manquait de la souplesse et du raffinement requis pour avoir ce point de vue. À tout prix il fallait qu'il ne sût pas la vérité.

La réponse fut à nouveau Elsa Schiaparelli. Son somptueux salon de couture place Vendôme comportait de nombreuses pièces pour les essayages et il n'était pas difficile d'en transformer une en chambre à coucher. On ne pouvait pas compter sur la discrétion du couturier Mainbocher, trop bavard, avec lequel Wallis faisait souvent ses achats, mais il y avait d'autres personnes dont le concours pouvait être précieux pour dissimuler cette intrigue : Otto Abetz, ami et représentant d'Hitler à Paris, et sa femme, la Française Suzanne de Bruyker, mécène des artistes.

Une autre complice fut la jeune avocate Suzanne Blum, amie de Bullitt, qui deviendrait un jour l'avocate de Wallis.

Compte tenu des sympathies fascistes de Bullitt, sir Robert Vansittart et sir Alexander Cadogan du Foreign Office chargèrent le représentant de l'Intelligence Service à Paris, Wilfred Alfred Dunderdale, de trouver une espionne capable d'observer de près les amours de Wallis et d'éviter un scandale royal en prenant toutes les mesures nécessaires pour que le duc de Windsor ne découvre pas le pot aux roses. Dunderdale choisit pour cette tâche une de ses agentes favorites dans la bonne société, la remarquable lady Jane Williams-Taylor, que Wallis connaissait bien.

Fille d'un magnat canadien du bois, lady Williams-Taylor

régnait sur la société de Montréal et celle des Bahamas, mais elle était aussi une personnalité en vue à New York, Londres, Paris et Palm Beach. Grande et imposante, ayant une belle voix aux riches modulations, dotée d'une volonté et d'une résolution indomptables, elle avait soixante-douze ans quand Dunderdale la recruta pour cette importante mission.

Née au Québec en 1865 dans une famille très distinguée – l'un de ses oncles avait été le tuteur des enfants de la reine Victoria – cette femme alliait une autorité impressionnante à de surprenantes pointes de vulgarité (dans une réception il lui arrivait de désigner la braguette de certains invités et de faire des remarques d'un goût douteux sur ce que celle-ci dissimulait – suscitant des frissons horrifiés ou des éclats de rire). Elle était également connue pour son écurie d'amants. Tous étaient beaux, mais s'ils ne lui donnaient pas vite satisfaction, elle s'en débarrassait promptement comme on écarte un cheval boiteux d'un élevage d'étalons.

Elle avait choisi un mari plutôt pauvre pour pouvoir toujours le contrôler à sa guise. Frederick Williams-Taylor était un bel homme, vigoureux et bien proportionné, comme elle les aimait. Cet employé modeste de la Banque de Montréal avait, grâce à l'influence de sa femme, accompli une ascension rapide et, comme il avait le sens de la finance, il était parvenu au sommet. De surcroît excellent cavalier, bon nageur, bon joueur de tennis, de badminton et de bridge, il brillait dans la société comme sa femme et nul n'avait été surpris quand on l'avait anobli en 1913 pour services rendus à la couronne anglaise.

En 1934 lady Jane avait rencontré Adolf Hitler à Munich. Quand elle était entrée dans le Secret Service que dirigeait l'amiral Sinclair, ce fut sa carte de visite : elle se présenterait comme une ardente admiratrice du Führer. Pendant des années elle eut toujours dans ses différentes résidences – au Claridge à Londres, au Ritz à Paris, à Star Acres, sa célèbre propriété des Bahamas – un grand portrait de Hitler accroché au mur.

Sa réputation internationale était en partie due à sa petite-fille, Brenda Frazier, sans doute une des femmes qui fit le plus parler d'elle à l'époque. C'était une beauté de légende dont la photographie et les interviews apparaissaient dans les revues féminines du monde entier. Brenda, avec la collaboration de son époux, John

Kelly, travaillait pour les services secrets britanniques comme sa grand-mère.

Sur les instructions de Wilfred Dunderdale, et avec la coopération de Millard B. Tydings, sénateur du Maryland, et de Marjorie Merriweather Post, héritière d'une fortune céréalière, lady Williams-Taylor prit ses dispositions pour assister aux réceptions, chez Schiaparelli et ailleurs, auxquelles les Windsor étaient conviés et rendre compte régulièrement des différents prolongements de l'affaire Bullitt. En même temps elle jouait son rôle de leurre : elle invitait le duc de Windsor à des thés dans l'après-midi (ou à d'autres réceptions) pour l'empêcher d'accompagner Wallis à ses séances d'essayage chez Schiaparelli.

Avec le concours de Constance Coolidge, grande amie de Wallis, elle s'arrangeait pour que Wallis pénètre dans le salon de couture par une porte dérobée sous la protection de la police, loin des yeux de la foule toujours à l'affût des célébrités.

Durant tout le cours de cette liaison, l'ambassadeur, avec une parfaite duplicité, recevait souvent le duc et la duchesse à sa résidence en ville, 2 avenue d'Iéna – qu'il partageait avec Carmel Offie – et à sa maison de campagne de Saint-Firmin, près de Chantilly. Dans une de ses lettres à Roosevelt, il écrivait avec une chaleureuse sympathie que « le duc était encore très amoureux de sa femme ».

Poursuivant sa politique d'apaisement des nazis (et d'opposition aux Russes) Bullitt rencontra à Berlin Goering et un vieil ami de sa tante Louise, l'ambassadeur Bernardo Attolico. Le résultat de cette rencontre, nous le découvrons dans une lettre à Roosevelt où après avoir exposé longuement et sournoisement les sentiments de vive antipathie (partagés par Bullitt) des autorités nazies à l'égard de William Dodd, l'ambassadeur américain à Berlin, homme de tendances libérales, il formulait cette recommandation :

> Je ne vois pas d'autre moyen, si l'on veut que la puissance renforcée de l'Allemagne serve à des fins constructives et non pas destructrices, que de faire collectivement… des concessions à l'Allemagne, dans le cadre d'un plan général d'unification de l'Europe.

Les concessions auxquelles il faisait allusion étaient l'annexion imminente de l'Autriche et de la Tchécoslovaquie. Bullitt ajoutait :

« Les Allemands ont le plus profond désir d'améliorer leurs relations avec nous et nous pouvons exercer une influence sur eux. » Le lendemain soir, les Windsor qu'il recevait à dîner étaient tout prêts à écouter ce discours. Wallis lui fit part d'une remarque d'Hitler qu'elle avait retenue : les civilisations futures, avait-il dit, compareront les ruines de l'Allemagne contemporaine à celles de la Grèce. Cette observation absurde fut écoutée avec approbation par l'ambassadeur.

L'échec du voyage américain pensé par Bullitt fut un désastre pour les Windsor. Ils avaient commis deux fautes. La première avait été de ne pas se rendre aux États-Unis avant d'aller en Allemagne. La seconde avait été de céder au tapage d'une poignée de syndicats. L'un des principaux responsables du syndicalisme américain, John L. Lewis, était, selon Charles Bedaux Jr., un admirateur convaincu de son père et n'aurait certainement pas déclenché de grèves générales dans les villes où les Windsor seraient passés. Toujours est-il que leurs ennemis furent enchantés de l'abandon du projet.

À Noël, les Rogers, qui avaient gagné l'Amérique, prirent des dispositions pour prêter Lou Viei aux Windsor. Dudley Forwood et le personnel y furent dépêchés en voiture pour tout préparer, tandis que les Windsor rejoignaient par le train. Le duc emportait dans ses bagages un jeu complet de photos de sa visite à Hitler. Deux ans plus tard, lorsque la nièce par alliance des Rogers, Mrs. Edmund Pendleton Rogers, vint en France, le duc lui montra fièrement ces photos, tandis que la duchesse y semblait parfaitement indifférente.

Après avoir réveillonné, la nuit de Noël, avec des amis canadiens, le duc se rendit chez un fleuriste où il acheta pour près de trois cents dollars d'orchidées, de violettes blanches et de lilas pour la duchesse, qui se montra ravie. Le jour de Noël lui-même fut raté, car le duc souffrait d'une ulcération maxillaire consécutive à une dent négligée et il lui fallut subir l'intervention d'un chirurgien dentiste.

Les Windsor s'attardèrent dans le midi de la France. Le 7 janvier, ils assistèrent à un dîner donné par Maxine Elliot au château de l'Horizon. Lloyd George et Churchill en étaient aussi.

Les Windsor furent accueillis à la porte de la propriété par un neveu par alliance de Maxine, le journaliste politique Vincent Sheean. Maxine, dont la beauté américaine avait été légendaire, était encore belle avec ses cheveux blancs remontés au sommet de la tête et sa robe blanche de Chanel. La duchesse, ayant été informée que Maxine serait en blanc, réussit à la surclasser en portant du noir. Maxine lui fit la révérence et Vincent Sheean, dûment instruit, s'inclina devant elle. Le duc présida le dîner et la conversation ne languit pas un instant. Sheean devait noter dans ses Mémoires, *Between the Thunder and the Sun*, qu'elle porta surtout sur les conditions de vie des mineurs gallois et la nécessité de les améliorer par des mesures législatives. Ignorant que Sheean était de gauche, ou machiavélique – Sheean était notamment un ferme partisan de la république espagnole – le duc louangea beaucoup la législation sociale des nazis.

> Le docteur Ley avait assuré aux Windsor que toutes les mines allemandes étaient équipées de vastes et luxueux bains. Ils en avaient visité lors de leur voyage en Allemagne, quelques mois auparavant. M. Churchill ne goûta pas particulièrement l'éloge du régime nazi, et, bien qu'il se soit montré remarquablement silencieux pendant le repas (manifestant une déférence de petit garçon au duc et à Lloyd George), lorsqu'il parla enfin, ce fut pour dire qu'il avait depuis longtemps proposé d'installer des bains-douches dans les mines.

Sheean observa aussi que la sincérité de chacun des convives était indubitable, et pourtant « elle se confondait avec une incurable frivolité, compte tenu de la distance astronomique qui séparait leur style de vie de celui de ceux dont ils parlaient ». Le duc voulait le plus sincèrement du monde voir les mineurs « propres, sains et heureux, comme vous pourriez le souhaiter à vos chevaux ou à vos chiens ; pour lui, les mineurs n'étaient pas des hommes, quant à parler de frères… » Sheean ajoutait, avec la même acuité :

> La duchesse, si mince et élégante, vivante émanation d'innombrables magasins à la mode, de couturiers, de manucures et de coiffeurs, était vraiment à mille lieues d'un carreau de mine, et je m'efforçai de l'imaginer aux côtés du docteur Ley, quand celui-ci, tout bouffi du snobisme d'un officiel allemand, lui montrait les bains des hommes dans la Ruhr.

Le côté surréaliste de la soirée ne fit que s'accentuer pour ce journaliste coriace lorsque, pouvant à peine en croire ses oreilles, il entendit Churchill, Lloyd George, le duc, la duchesse et les autres invités s'embarquer dans des considérations sur la pauvreté et les difficultés de la vie, entourés de meubles magnifiques, de cristaux et d'argenterie.

> On aurait dit que nous déjeunions dans une guérite de policier au centre d'un carrefour. Il y suffit de fermer les yeux et de mâcher son sandwich pour en oublier le trafic.

Le 26 janvier 1938, après des recherches prolongées, les Windsor trouvèrent enfin une résidence qui leur plaisait à tous deux : le château La Maye, à Versailles, appartenant à la veuve américaine d'un politicien français, Paul Dupuis. Merveilleusement meublé, il disposait d'un tennis, d'un parcours de golf et d'une piscine. Ils signèrent un bail de six mois et emménagèrent le 7 février. Au bout de deux mois, ils en étaient fatigués, bien qu'ils y eussent fait venir une grande partie des meubles de Fort Belvedere, de York House et de l'ancienne maison de Wallis, Cumberland Terrace.

En mars, William Bullitt fut convoqué à Washington par Roosevelt, mécontent des liens de son ambassadeur avec les nazis et les fascistes italiens. Sans cacher son irritation, il suggéra à Bullitt de se porter candidat au poste de gouverneur de la Pennsylvanie. Bullitt eut besoin de faire appel à tout son talent pour persuader Roosevelt de le maintenir à Paris.

En France la situation était orageuse. Le président du Conseil Camille Chautemps, personnage peu fiable, qui dirigeait un cabinet composé d'éléments appartenant à la droite et à la gauche, démissionna devant la colère populaire soulevée par ses mesures contre les travailleurs, et il y eut une série de grèves qui paralysèrent le pays. Léon Blum fut obligé de former un gouvernement à la hâte pour éviter une grave crise nationale. Pendant plusieurs jours l'administration française se trouva sans directives.

Wallis avait les passe-temps d'une femme riche et oisive. L'une de ses principales distractions était d'aller sur le champ de courses d'Auteuil où avec le duc ils étaient les invités du président du club de steeple-chase, le comte Delaire de Cambacérès, et du marquis de Crozet. Là Wallis rencontrait fréquemment une amie en qui elle avait toute confiance, Constance Coolidge, l'ancienne maîtresse du romancier H. G. Wells.

Constance Coolidge était charmante, mais un peu écervelée ; elle appartenait à une vieille famille de Boston, et John Singer Sargent nous a laissé d'elle un remarquable portrait. Cette belle brune, de mœurs aussi libres que Wallis, recevait souvent les Windsor dans son appartement luxueux de la rue Maspéro.

Ses très nombreuses liaisons avec des hommes séduisants ne l'avaient pas empêchée de contracter de brefs et malheureux mariages. Elle avait épousé d'abord un diplomate américain Ray Atherton, qui l'avait emmenée en Chine, où son séjour précéda celui de Wallis. Un deuxième mariage l'unit à un personnage flamboyant, le comte Chapelle de Jumilhac (lequel épousa plus tard une autre Américaine, Ethel Barbey). Le troisième mariage moins élégant, plus banal fit d'elle brièvement l'épouse d'un journaliste californien, Eliot Rogers, dont elle se débarrassa quand elle eut constaté que les performances conjugales de Rogers étaient inférieures à son attente.

En mars 1938 Constance couchait avec un journaliste politique français de renom, au reste fort séduisant, longtemps correspondant à Berlin du *Matin*, journal de sympathies pro-hitlériennes. Ce journaliste, Philippe Barrès, était le fils du grand écrivain Maurice Barrès.

Constance Coolidge était profondément opposée au nazisme. Dans son journal, ce même mois, elle exprimait toute l'horreur que lui inspirait la progression conquérante d'Hitler à travers l'Europe – ce sentiment, elle ne l'avait pas confié aux Windsor, peut-être parce qu'elle désirait savoir quel but ils visaient. Quant à Barrès, il avait été un ardent partisan des nazis. *Sous la Vague hitlérienne*, publié chez Plon en 1933, retraçait, parfois de façon critique, mais en général avec enthousiasme la montée au pouvoir d'Adolf Hitler. Mais en 1938, l'année où il rencontra Constance et en tomba amoureux, ses illusions n'existaient plus et il voyait dans le nazisme une menace pour la puissance de la France, à laquelle il était d'autant plus sensible que, comme son père, c'était un ardent patriote.

Philippe Barrès avait abandonné son poste de correspondant à Berlin quand il avait constaté que ses critiques à l'égard d'Hitler, si nuancées, si atténuées fussent-elles, étaient reléguées en dernière page. Il se préparait d'ailleurs à démissionner de la rédaction parisienne où il était en conflit ouvert avec le rédacteur en chef, Stéphane Lauzanne, et le propriétaire du journal, le dictatorial Maurice

Bunau-Varilla, tous deux ardents défenseurs d'Hitler. Comme Constance, il s'accommodait des sentiments fascistes des Windsor probablement parce qu'il voulait, lui aussi, les sonder.

Lors d'un dîner chez Constance, rue Maspéro, le duc irrita son hôtesse en déclarant, à propos des bruits qui couraient sur l'annexion prochaine de la Tchécoslovaquie par Hitler, qui venait de procéder à celle de l'Autriche : « C'est un pays ridicule. Ce n'est pas une nation, mais une invention de Woodrow Wilson. Comment pourait-on faire la guerre à propos d'un pays de ce genre ? » Windsor faisait allusion à l'accord du 3 septembre 1919, par lequel Wilson reconnaissait l'indépendance à la Tchécoslovaquie, conséquence, parmi d'autres, de la dissolution de l'Empire austro-hongrois. Bullitt avait déjà critiqué vivement cette décision dans le livre qu'il avait écrit en collaboration avec Sigmund Freud.

Le 22 mars, les Windsor quittèrent Paris en voiture pour se rendre dans le sud de la France chez Ogden Codman, millionnaire américain, et discuter là-bas de l'éventuelle location d'une propriété de celui-ci, le Château Leopolda, du nom de son précédent propriétaire, le roi Léopold de Belgique. Le lendemain Constance déjeunait à Paris avec le comte de Cambacérès qui lui apprit qu'elle devait d'urgence s'occuper d'un problème qui concernait les Windsor.

En effet Cambacérès avait été contacté par une certaine Mme Maroni qui souhaitait parler à Constance sur-le-champ. Cette dame habitait avenue Émile-Augier, au 36, à quelques minutes de marches de la résidence de Constance.

Cette dernière, mal à l'aise, essaya de se dérober. Deux fois la dame Maroni téléphona chez elle et Victor, son majordome, répondit qu'elle était sortie. Finalement Constance consentit à passer en fin d'après-midi le 23 mars mais commit l'erreur de ne pas vérifier l'adresse donnée : elle aurait vu dans le Bottin Mondain ou un annuaire que le seul Maroni figurant dans ces répertoires habitait ailleurs et d'ailleurs qu'il n'était pas marié.

Elle se rendit dans un immeuble qui lui fit peu d'impression : concierge décoiffée, absence d'ascenseur. L'appartement où l'introduisit un maître d'hôtel en veste blanche ne l'impressionna pas non plus. Cet appartement, si elle avait cherché à s'informer, était au nom, non de Maroni, mais d'un certain Bardollet, du Touquet. Constance fut reçue par une Italienne fardée outrageusement qui lui parut une aventurière. Cette femme laissa entendre confusément qu'elle représentait une femme haut placée, une duchesse, dont, sottement, Constance ne demanda pas le nom. Enfin Mme Maroni lui dit que cette dame détenait des lettres, des documents et des photographies dont la divulgation ferait le plus grand tort aux Windsor et à la famille royale d'Angleterre. Tout cela avait un parfum de chantage incontestable.

Mme Maroni à qui Constance n'eut pas le bon sens de demander pourquoi, si la détentrice des papiers était une duchesse, elle ne s'adressait pas directement aux Windsor, lui dit qu'un certain groupe voulait acheter les papiers pour les publier aux États-Unis – il fallait déjouer cette manœuvre en les acquérant sans délai pour protéger les amis de Constance. Elle ajouta pourtant qu'elle demandait seulement un entretien avec le duc en tête à tête et qu'elle brûlerait les papiers devant lui. Encore une fois le climat de chantage s'accentuait avec un arrière-plan pseudo-dostolevskien.

À cet instant la sonnette de la porte d'entrée se mit à retentir avec insistance. Comme le bruit continuait et que personne n'intervenait, l'hôtesse s'excusa et alla ouvrir. C'était le majordome de Constance, Victor, qui s'inquiétait pour sa maîtresse et voulait savoir si rien ne lui était arrivé. Constance se leva alors, déclara qu'elle ne voulait pas se mêler de l'affaire et s'en alla en laissant entendre qu'elle y voyait une tentative de chantage.

De retour chez elle Constance écrivit une lettre à Wallis où elle racontait la déplaisante entrevue – mais n'envoya pas cette lettre. Elle voulait disposer de davantage d'informations.

Le lendemain elle reçut la visite d'un ami, le docteur Edmund Gros, directeur de l'hôpital américain à Neuilly, à qui elle raconta tout. Gros, très secoué, en parla aussitôt à son beau-frère, Stéphane Lauzanne du *Matin*. Décision intelligente : si Mme Maroni voulait faire chanter les Windsor avec des documents les compromettant dans un scandale fasciste, c'étaient les fascistes qui lui imposeraient silence (sans que Windsor ait à l'acheter). De fait, d'après Philippe Barrès, qui venait de remettre sa lettre de démission au *Matin*, la question fut soulevée au journal le matin même, à une réunion de rédacteurs, par Stéphane Lauzanne. L'embargo sur l'histoire fut décidé aussitôt, sans doute par Bunau-Varilla.

Constance appela le comte de Cambacérès et déjeuna avec celui-ci et le marquis du Crozet. Elle lui reprocha sévèrement de l'avoir embarquée dans une affaire aussi louche. Elle ne rapporte pas la réaction du comte.

De retour chez elle Constance se trouva en présence d'un « inspecteur de police », qu l'attendait à son domicile. Elle ne mentionne pas son nom mais c'était sans doute le commissaire Gilbert Roches du Quai des Orfèvres, le quartier général de la Sûreté, auquel Bunau-Varilla avait demandé d'intervenir, ou l'un de ses adjoints.

Constance lui raconta l'histoire. Le commissaire ou l'inspecteur lui expliqua qu'il n'y avait qu'un Maroni à Paris, Fernand Maroni, le directeur du *Journal des Débats*. Le comte de Cambacérès l'avait involontairement conduite dans un traquenard. La femme n'était pas Mme Maroni, mais une nièce obscure de Maroni. Le lendemain, l'inspecteur devait ajouter que cette femme avait été en service chez les Windsor et qu'elle était elle-même la mystérieuse duchesse détentrice des papiers et des photographies. Elle aurait précédemment suivi le duc de Vienne au Touquet – où le duc se rendait parfois – et lui aurait déjà envoyé deux lettres qu'il avait remises à la police. Ces lettres évidemment étaient une première tentative de chantage. L'inspecteur ajouta qu'il avait convoqué Fernand Maroni au Quai des Orfèvres, et que celui-ci avait nié toute connaissance de l'affaire. Il refusait que la police interrogeât sa femme divorcée, Mathilde Maroni. Il avait le bras assez long pour que la police ne pût passer outre.

Mis au courant de tous ces détails par Constance, Philippe Barrès ne se tint pas pour satisfait. Il se rendit avec un autre journaliste avenue Émile-Augier pour parler avec la dame Maroni.

Il lui posa la question qu'aurait dû poser Constance : quels étaient ces documents compromettants sur les Windsor qu'elle détenait ? La réponse, surprenante, fut qu'il s'agissait de lettres et de photos concernant les rapports du duc et de la famille royale avec le prince de Hesse.

C'était de la dynamite et Constance, quand Philippe Barrès lui fit part de sa découverte, aurait dû être bouleversée, si elle avait eu le moindre sens politique. Si l'on avait rendu public le fait que Windsor et Kent avaient eu une relation intime avec Philippe de Hesse et avaient échangé avec lui des lettres compromettantes témoignant de leur sympathie pour Hitler et Mussolini, alors que jamais la presse n'avait mentionné jusqu'alors (pas plus qu'elle ne l'a fait depuis) cette liaison si intime, les conséquences auraient pu en être catastrophiques pour la monarchie anglaise – d'autant plus qu'aux yeux du monde Kent passait pour un héros et pour un modèle de patriotisme anglais. Le pire peut-être était que la femme avait la preuve que le roi George VI avait personnellement sanctionné l'entente entre Kent et Hesse (comme le laisseraient entendre les documents Neville Chamberlain de l'année suivante). Ceci signifiait que le roi d'Angleterre était d'accord avec Windsor et Kent, prêt comme eux à sauvegarder la paix à n'importe quel prix.

À la demande du commissaire Gilbert Roches, Constance envoya à Wallis une lettre où elle informait les Windsor de toute l'affaire. Le télégramme dans lequel, du Cap-d'Antibes, Wallis accuse réception de la lettre figure dans le dossier Coolidge de la Massachusetts Historical Society. Wallis et le duc durent être bouleversés car ils se lancèrent sur les routes encombrées d'une France paralysée par la grève générale et, évitant leurs résidences habituelles, maison de Versailles ou hôtel Meurice, s'installèrent le 4 avril à l'hôtel Crillon, où ils n'étaient jamais descendus auparavant.

Le duc prit immédiatement contact avec sir Philip Game de Scotland Yard en le priant de venir le retrouver au Crillon. Game s'envola aussitôt pour Paris. Le duc convoqua également le préfet de police, Roger Langeron. Quant à Constance, le commissaire Roches revint prendre sa déposition. Après cela elle n'entendit plus parler de l'affaire.

Pour l'historien qui a pu examiner le journal de Constance Coolidge, le problème le plus important qui reste posé est celui de l'identité de la mystérieuse nièce de Fernand et de Mme Maroni.

D'après un passage du journal de Constance, le commissaire Roches aurait dit que Fernand Maroni n'était pas seulement patron d'un journal mais architecte. Cette confusion entre Fernand Maroni et son cousin l'architecte italien Gian-Carlo Maroni nous met sur la voie. Car ce Maroni était un grand architecte fasciste qui, à ce moment-là, participait aux cérémonies en l'honneur de Gabriele D'Annunzio, le célèbre poète qui venait de mourir et dont il avait construit la fameuse villa Il Vittoriale. Ce Maroni était lié à Philippe de Hesse, lui-même architecte ; les deux hommes avaient travaillé l'un et l'autre pour la princesse Mafalda, femme de Philippe, et pour le père de la princesse, Victor-Emmanuel III.

Gian Carlo Maroni avait plusieurs nièces, toutes pauvres. Il est probable que l'une d'elles avait travaillé comme femme de chambre chez Philippe de Hesse à Friedrichshof et y avait volé les documents et les photos – et peut-être en vola-t-elle d'autres chez les Windsor lors d'un séjour en Allemagne...

Dernière question : qu'est-il advenu de ces documents ? Normalement la victime d'une tentative de chantage poursuit le maître chanteur. Ici, comme on pouvait s'y attendre, il n'y eut pas de poursuites. Un procès aurait fait courir trop de risques aux intéressés.

On laissa donc la femme en liberté et elle retourna en Italie... Quant aux documents, ils restèrent entre les mains de la police pour dix ans au moins, toute latitude étant laissée aux plaignants de changer d'avis et d'engager des poursuites contre la présumée coupable.

Le gouvernement britannique était convaincu que les Allemands, après juin 1940, avaient mis la main sur le dossier et l'avaient expédié au prince de Hesse. En 1945 le Secret Service chargea l'agent double Anthony Blunt de récupérer le dossier au château de la famille. Nous verrons que le frère jumeau de Philippe, le prince Wolfgang, a confirmé l'existence de liens étroits entre les ducs de Kent, de Windsor et Philippe de Hesse.

Le 20 avril, les Windsor étaient de retour sur la Côte d'Azur, où ils décidèrent de louer une maison qu'on leur avait recommandée lorsqu'ils cherchaient un endroit où se marier. C'était le château La Croë, au Cap-d'Antibes, qui appartenait à sir Pomeroy Burton, magnat britannique de la presse et associé de Hearst. Modernisé en 1928 pour deux millions de dollars, le château possédait une baignoire dorée en or à vingt carats, douze chambres, une piscine, deux pavillons de bains, un tennis, une grande salle à manger où l'on tenait à vingt-quatre et un splendide salon dont les murs étaient recouverts de tapisseries et de panneaux peints.

Le duc se tourmentait toujours de sa situation vis-à-vis de sa famille. Il harcelait sir Walter Monckton et le palais de demandes de subsides, rêvait de retourner en Angleterre avec Wallis, où enfin elle serait reconnue comme Altesse royale. Cette obsession était si profonde et si absolue l'ignorance des réalités du duc, que ceux qui en traitaient avec lui ne pouvaient guère faire autre chose que tenter d'apaiser cette espèce de folie en feignant de s'y prêter. Monckton, cette année-là, vint voir les Windsor deux fois et fit tout ce qui était en son pouvoir pour calmer leur amertume, mais, de retour auprès du roi et de la reine, les faibles assurances qu'il avait pu leur donner en leur promettant de plaider leur cause perdaient tout sens : les demandes de considération qu'il adressait à Buckingham en faveur de ses amis étaient rejetées avant même d'avoir été entendues.

La raison de l'intransigeance royale était claire. La situation européenne s'était rapidement détériorée en faveur d'Hitler au cours des derniers mois. Pendant que les Windsor se perdaient dans les détails du déménagement à La Croë, l'Autriche s'était effrondrée, jusqu'à ne pas même réagir à l'entrée d'Hitler à Vienne, après qu'il eut acculé à la démission le vieil ami des Windsor, le chancelier von Schuschnigg. Une fois identifiés, les adversaires des nazis n'avaient le choix qu'entre le suicide ou le camp de concentration. Le chancelier von Schuschnigg fut condamné sans jugement. Le duc n'ayant pas protesté contre les violences faites au pays d'Europe qu'il préférait et comme d'autre part il continuait de fréquenter à Paris des nazis, il ne pouvait guère s'attendre à beaucoup d'indulgence de la part du roi et de la reine. Monckton et l'inébranlable Winston Churchill semblaient quant à eux tout pardonner. Le gouvernement de Neville Chamberlain se montrait par ailleurs totalement impuissant face à Hitler.

L'une des sinistres conséquences de la mainmise d'Hitler sur l'Autriche fut que le baron Louis de Rothschild, frère du grand ami des Windsor, Eugène, qui se partageait alors entre Zurich et Paris, se trouva arrêté par la Gestapo et assigné à résidence en compagnie de von Schuschnigg, au dernier étage de l'hôtel Métropole de Vienne. Louis de Rothschild avait été président de la banque Creditanstalt lors du krach de 1931 où s'étaient engloutis les fonds de nombreux clients allemands. Le gouvernement nazi avait décidé de ne pas le relâcher avant qu'il n'eût remboursé la totalité des dépôts en question. Ses propriétés de Basse-Autriche et sa maison de Vienne avaient déjà été confisquées. Les Windsor étaient très chagrinés par sa détention. À peine l'avaient-ils apprise qu'ils avaient entamé des démarches pour le faire relâcher contre paiement d'une « rançon ». Rançon qui devait comprendre la cession à Himmler d'un complexe industriel en Tchécoslovaquie avec des sommes en numéraire déposées en France et en Suisse. Comme il était exclu pour le gouvernement allemand de négocier avec aucun membre de la famille Rothschild, les Windsor, qui jouissaient d'une excellente réputation à Berlin, étaient idéalement placés pour mener à bien la tâche délicate de l'élargissement du captif de marque qu'était Louis de Rothschild. D'autres personnes s'entremirent dans l'affaire, on cita notamment les noms de Fritz Wiedemann et de la princesse de Hohenlohe. Au mois de mai 1939, Louis de Rothschild, les cheveux complètement blancs et la santé délabrée, s'envolait pour Paris où il devait rencontrer ses bienfaiteurs.

Les Windsor voyageaient et, pendant ce temps, le duc de Kent jouait son rôle d'instrument d'une politique de pacification envers Hitler et Mussolini. Des pièces des archives du Foreign Office, qui viennent d'être rendues accessibles au public et qui sont datées du 15 juillet 1938, établissent clairement que l'on approuvait en haut lieu les visites fréquentes du duc à Munich et que l'on jugeait désirable qu'il effectue une nouvelle visite en Allemagne où « un geste personnel de cette nature serait apprécié par Herr Hitler ». En retour le maréchal Goering, tenu pour un personnage d'importance équivalente à Kent, serait invité à Londres. Le Foreign Office n'allait pas jusqu'à suggérer que soient exposées à la National Gallery des peintures allemandes récentes. On craignait apparemment que leur qualité ne donne pas au public anglais une haute opinion du pays dont elles émanaient.

Entre-temps, éclipsant temporairement même les Windsor, le roi George VI et la reine Elizabeth avaient effectué une visite triomphale à Paris. Sagement ils se gardèrent de prendre contact avec les Windsor auxquels le Foreign Office conseilla fermement de rester dans le sud de la France. Cette visite royale faillit tourner à la tragédie : un groupe catalan allié aux phalangistes espagnols avait projeté d'assassiner le roi et sa femme et de rejeter la responsabilité de l'attentat sur le gouvernement républicain espagnol.

Le complot avait été tramé dans l'arrière-salle du célèbre Bœuf sur le Toit, au restaurant La Cour et au Café George V. Le marquis Ramès, chef de l'antenne des services d'espionnage du gouvernement espagnol à Saint-Jean-de-Luz, le découvrit juste à temps et, en dépit de l'indifférence des bureaucrates de l'ambassade britannique quand il le leur signala, il réussit à avertir le chef de la Sûreté, Gilles Riches, lequel opéra une descente dans les lieux où se réunissaient les conspirateurs qui furent tous arrêtés.

Peu de jours s'écoulèrent avant qu'un excellent prétexte ne se présente pour la visite de Kent que souhaitait le Führer. La reine Marie de Roumanie mourut et Kent et sa femme prirent aussitôt l'avion pour assister à ses funérailles à Bucarest, auxquelles se rendirent aussi, avec leurs épouses, Goering, Mussolini, Ribbentrop, le prince Philippe de Hesse et le prince héritier Paul de Yougoslavie. Il y eut sans doute alors d'utiles discussions sur la nécessité de préserver la paix puis Kent partit visiter Munich et sa belle-sœur la comtesse Toerring.

Les délices de l'Italie fasciste firent oublier aux Windsor une partie de l'irritation que leur avait inspirée l'accueil triomphal du couple royal dans la cité qu'ils avaient adoptée. Semoncés par le Foreign Office, ils renoncèrent à la fin de leur croisière en yacht ; le 14 août, ils congédièrent le capitaine et l'équipage et embarquèrent sur le paquebot *Conte di Savoia* qui les déposa à Cannes le lendemain. Ils retournèrent à La Croë où ils passèrent quinze jours que Wallis employa à redécorer la maison. C'est alors que le duc reçut une nouvelle alarmante : le Schloss Mittersill avait entièrement brûlé. Nul doute que le duc n'ait eu peur que la presse ne révèle les détails de son soi-disant club de sport et de chasse. Le 1er novembre, Himmler devait communiquer à Ribbentrop le rapport l'informant de l'appartenance du duc au club en question. La presse n'en parla jamais et il fallut attendre que le gouvernement allemand déclassifie les archives en 1986 pour que je puisse établir la vérité.

Le 22 septembre 1938, les Windsor quittèrent La Croë pour Paris. La situation s'assombrissait toujours en Europe. La Tchécoslovaquie se désagrégeait et sa conquête par Hitler n'était plus qu'une question de temps. Le 3 août, un médiateur anglais, Walter Runciman, était arrivé à Prague, à seule fin, aurait-on dit, de préparer le terrain à l'imminente invasion d'Hitler. N'encourageait-il pas les meneurs des Sudètes dans leur détermination de démembrer ce pays ? Le 12 septembre, un discours d'Hitler à Nuremberg déclencha une crise internationale, qui aboutit à la plate acceptation par l'Angleterre et par la France des exigences du Führer. Le 2 octobre, le *Sunday Dispatch* de Londres publiait une déclaration des agents du duc évoquant l'effondrement moral notoire de Neville Chamberlain devant Hitler.

Son Altesse royale n'a jamais perdu l'espoir (d'une solution à la crise), ayant toujours cru aux qualités du Premier ministre, si faibles qu'aient paru les chances de succès. Son Altesse royale était convaincue que la personnalité de M. Chamberlain s'imposerait et que sa politique de paix réussirait.

Cette conviction du duc reflétait, il va sans dire, celle de la majorité de l'opinion conservatrice de Grande-Bretagne. Et malheureusement cette opinion était celle aussi de la majorité des Anglais et même de la majorité du parti travailliste.

Une fois de plus, aucun doute n'était permis quant aux préférences du duc. Personne ne fut donc surpris de le voir auprès de Laval, ou d'Otto Abetz, diplomate allemand et hitlérien notoire que son maître nommerait bientôt ambassadeur à Paris (créant spécialement le titre pour lui) et qui jouerait un rôle important dans l'écroulement de la IIIe République.

Les Windsor avaient toujours des soucis d'argent. Leurs revenus de vingt-cinq mille livres par an, équivalent de cent mille dollars, suffisaient à peine à leur extraordinaire train de vie. L'avidité de la duchesse pour les bijoux exigeait satisfaction. Elle s'habillait sur mesure chez Mainbocher, Schiaparelli, Chanel ou Molyneux. Le duc vendit aux enchères, pour dix mille dollars, la totalité du troupeau de bovins de son ranch canadien de High River, dans l'Alberta. Cela boucha quelques trous, mais les capacités financières d'Eugène de Rothschild furent d'un plus grand secours. Assez bizarrement, une grande partie des capitaux du duc étaient investis dans les Lyons's Corner Houses, chaîne de restaurants populaires installée en Angleterre. Leur rendement était excellent, car ils étaient très populaires, et les bénéfices qu'en tirèrent les Windsor ne firent qu'augmenter avec le temps.

Le 11 novembre, le duc et la duchesse de Gloucester, revenant de vacances en Afrique de l'Est, s'arrêtèrent à Paris et déjeunèrent au Meurice avec les Windsor. Après quoi ils allèrent tous prendre le thé chez Eugène de Rothschild. Dans la soirée, ils firent un saut au 24, boulevard Suchet, pour voir la nouvelle maison que venaient de louer les Windsor et dans laquelle ils se préparaient à emménager. De style Louis XVI, cette maison appartenait à la comtesse Sabini ;

elle touchait au bois de Boulogne dont les arbres se trouvaient dépouillés par l'automne. Ils occuperaient de nombreuses années cette élégante et charmante installation. Le 10 décembre, Baldwin, le Premier ministre, se trouvait à Paris. Il devait répondre à une requête absurde du duc de Windsor qui souhaitait que Wallis porte le titre d'Altesse royale et soit reçue par sa famille à Londres. Étant donné les circonstances, pour reprendre les termes employés par sir Dudley Forwood devant moi, on est en droit de penser que la passion du duc lui avait fait perdre la tête. Le même jour le roi adressa une lettre à Baldwin. Écrite à Buckingham Palace, cette lettre est sans doute la plus véhémente qui soit sortie de la plume de cet homme paisible. Il y déclarait qu'il avait questionné des gens de tous les milieux et que leur avis était unanime : le duc ne devait pas venir à Londres en compagnie de Wallis, fût-ce pour la plus brève des visites, il ajoutait que ni sa femme ni sa mère, la reine Mary, n'avaient le moindre désir de rencontrer la duchesse de Windsor et qu'une visite inspirée par le souhait d'une pareille rencontre était à exclure absolument. Le roi concluait en affirmant que le sujet était si délicat qu'il avait la conviction que Baldwin serait mieux à même de faire passer le message que lui-même : Windsor prendrait certainement ce refus avec moins d'aigreur s'il venait du Premier ministre plutôt que de lui. C'était une note plutôt humoristique : le roi savait que Windsor détestait encore plus Baldwin que son frère.

Dans les premiers mois de l'année 1939, le duc demanda à Monckton de se renseigner auprès du 10, Downing Street, sur la réaction de Chamberlain à une brève visite des Windsor en Angleterre. Le 22 février, une lettre de Chamberlain arrivait boulevard Suchet. Le Premier ministre y protestait de son désir que la visite du duc et de la duchesse soit un succès complet, en dehors de toute controverse, mais force lui était de reconnaître que le climat en Angleterre n'était pas tel que l'on ne puisse craindre certains remous si le duc et la duchesse s'y rendaient. Bien entendu, il ne s'agissait pas d'un report *sine die*, et le Premier ministre promettait de surveiller de près l'état de l'opinion britannique et de donner le signal dès qu'il se serait amélioré au point de permettre cette visite.

Le 22 février, en présence des Windsor, le président du Conseil, Édouard Daladier, prit la parole à l'American Club de Paris, lors d'un dîner commémoratif pour Washington. Présenté par un William C. Bullitt rayonnant qui affirma que les États-Unis ne

« commenceraient jamais de guerre contre personne », Daladier appela de ses vœux sur l'Europe une paix perpétuelle, bien que l'Italie massât à ce moment des troupes en Libye à la frontière tunisienne. Seize jours plus tard, Hitler avalait la Tchécoslovaquie. Et le 8 mai, tout de suite après cet anéantissement, le duc, Wallis à ses côtés, prononçait devant les micros de la N.B.C., dans une auberge de Verdun, un plaidoyer pour la paix. Bien qu'il ait affirmé que le roi son frère, alors en route pour le Canada, puis les États-Unis, approuvait ce message déplacé, rien n'était plus éloigné de la vérité. En fait, la B.B.C. avait refusé tout net de relayer cette déclaration. Lors du voyage du roi, Sean Russell, chef de l'Armée républicaine irlandaise, qui était dans la main des nazis, projeta et faillit réussir l'assassinat du couple royal dans le train qui devait les emmener de Windsor, dans l'Ontario, à Detroit.

Le 11 juin, avec beaucoup de hardiesse, les Windsor allèrent dîner chez le comte Johannes von Welczek, ambassadeur d'Allemagne à Paris, avec qui ils étaient liés depuis de nombreuses années. La saison était au divertissement. Ce fut une période pleine de fêtes.

Les Windsor étaient complètement installés dans leur maison du 24, boulevard Suchet, qui comptait trois étages, avec un petit jardin en façade. Wallis avait redécoré l'ensemble avec beaucoup de goût, aidée par Boudin.

Le nombreux personnel était dirigé par deux secrétaires ; Hale, le maître d'hôtel, qui avait été débauché de chez les Bedaux, et Dudley Forwood. Les douze chambres de service étaient occupées en permanence.

Le 23 juin, les Windsor fêtèrent le quarante-cinquième anniversaire du duc au restaurant de la tour Eiffel. C'était aussi le cinquantième anniversaire du célèbre monument. Ils avaient invité Jacqueline Vialle, qui venait d'être élue Mademoiselle Tour Eiffel, car elle mesurait un mètre quatre-vingt-dix. Au milieu du dîner, Bedrich Benès, attaché militaire du gouvernement tchécoslovaque en exil, fut surpris en équilibre périlleux sur une poutrelle de métal à une soixantaine de mètres de haut, observant les Windsor. Tout à coup, un cri horrible fit sursauter ces derniers : l'homme avait perdu l'équilibre et se cramponnait à un étrésillon ; puis il lâcha prise et s'écrasa au sol, Wallis hurlant d'horreur.

Au début de juin, le duc et la duchesse de Kent furent invités à Florence pour assister à un mariage splendide, comme il n'y en avait pas eu depuis des années, celui du prince Aimone Roberto, fils du duc d'Aoste et amiral de la flotte, avec la princesse Irène, belle-sœur de la princesse Friederike, qui avait failli être reine d'Angleterre et s'était depuis mariée au prince Paul de Grèce.

Le Foreign Office insista auprès de Kent pour qu'il accepte l'invitation – c'était une manière de confirmer l'alliance qui existait entre la Grande-Bretagne et l'Italie, entre Neville Chamberlain et Mussolini, George VI et Victor-Emmanuel III, si surprenante que cette alliance pût paraître quand l'Italie faisait partie des puissances de l'Axe. Si l'on en croit une déclaration faite en 1975 par Wolfgang de Hesse, le duc de Windsor souhaitait donner au voyage de Kent une signification différente : il voulait que son frère rencontrât à Florence Philippe de Hesse pour discuter avec lui d'une paix permanente avec l'Allemagne hitlérienne.

Le Foreign Office recommandait seulement au duc de Kent de ne pas prendre une initiative qui serait interprétée comme témoignant de l'approbation de son pays à la récente invasion de la malheureuse Albanie : il ne devait pas proposer de toast au roi Victor-Emmanuel en tant que roi d'Albanie et empereur d'Éthiopie (elle aussi conquise par Mussolini). Toutefois il pouvait s'associer au toast, ce qui enlevait toute signification à la recommandation.

À Paris, étape sur la route de Florence, les Kent auraient eu, selon Mme Ginette Spanier, une entrevue secrète avec le duc de Windsor (ils ne voyaient pas la duchesse qu'ils détestaient) à l'hôtel Ritz le 30 juin. Un terroriste croate aurait à cette occasion proféré des menaces contre les princes anglais, convaincu qu'ils jouaient le jeu d'Hitler. La Sûreté nationale serait intervenue, comme elle l'avait fait l'année précédente dans l'affaire Maroni, assurant la protection des princes.

À la dernière minute les Kent durent refuser une invitation inattendue. Mme George Keppel, la célèbre maîtresse d'Édouard VII, grand-père de Windsor comme de Kent, proposa aux Kent de les accueillir dans sa villa florentine. Kent déclina poliment en faisant savoir qu'il avait déjà retenu une suite à l'hôtel Excelsior.

À peine arrivés à Florence, les Kent furent avertis par l'ambassadeur britannique, sir Percy Loraine, qu'il existait un autre complot croate visant à les assassiner. Cette fois-ci il s'agissait d'un groupe pro-nazi furieux des efforts de la duchesse de Kent auprès de sa sœur Olga pour détourner le mari de celle-ci, le prince régent de Yougoslavie, d'une alliance avec Mussolini. Cette tentative d'assassinat fit long feu, comme l'autre. On peut y voir l'illustration des risques que courent les princes quand ils se mêlent de politique.

Une fois les fêtes du brillant mariage terminées, le duc de Kent rencontra, comme prévu, le prince Philippe de Hesse. Il y eut beaucoup d'autres entrevues, d'après Wolfgang de Hesse, mais celle-ci est la seule dont subsiste une trace écrite. De plus elle fut autorisée par le roi George VI. Kent devait à cette occasion communiquer un message pressant du roi – lequel en l'occurrence agissait sans l'autorisation de Neville Chamberlain ni du Foreign Office – à transmettre à Hitler à Berlin. Philippe de Hesse devait avertir Hitler que la Grande-Bretagne ne plaisantait pas – c'étaient les mots de George VI – et qu'elle était décidée à déclarer la guerre à l'Allemagne si Hitler envahissait la Pologne. En tenant un tel langage Kent s'engageait beaucoup plus loin qu'il n'aurait dû. Car en dépit des garanties données à la Pologne, il y avait encore, selon Whitehall, une marge de manœuvre. En réalité l'avertissement du roi cachait autre chose : plus que les ambitions allemandes il craignait la signature prochaine d'un pacte signé par von Ribbentrop avec l'Union soviétique et portant sur la partage de la Pologne. L'objet de ses craintes était la Russie, hanté qu'il était par le massacre de ses cousins royaux, le tsar Nicolas et sa famille, à Iekaterinbourg.

D'où le second message que Kent devait communiquer à Philippe de Hesse : Hitler devait renvoyer Ribbentrop, lequel constituait « une insulte permanente pour l'Angleterre ». Réclamer de Hitler qu'il chasse Ribbentrop était une démarche qui n'avait certes pas reçu l'autorisation du gouvernement anglais.

Hesse quitta Florence pour regagner Berlin mais il dut attendre jusqu'au mois d'août pour être reçu par Hitler. Premier signe que Hesse, qui commençait à perdre ses cheveux, était en train de perdre aussi son influence sur Hitler.

De retour à Londres, Kent cultiva une relation, aussi compromettante que celle avec Philippe de Hesse, avec un sien cousin – il avait peut-être été son amant – le beau, blond et athlétique prince Friedrich de Prusse, cousin lui-même de la princesse Friederike, reine de Grèce, et petit-fils du Kaiser. Chéri du Führer, fêté de toute la bonne société londonienne de sympathies nazies, ce Friedrich était un des cadres de la Schröder Bank. Sanglé dans son bel uniforme blanc, il avait attiré tous les regards lors des funérailles de George V et du couronnement de George VI. Du fait de la mort de son père et de l'abdication de son grand-père qui vivait en exil en Hollande, il était tout désigné pour succéder éventuellement au Kaiser – l'héritier direct, son frère aîné Wilhelm, ayant renoncé à ses droits et le second frère Louis Ferdinand s'étant disqualifié aux yeux de la Reichswehr par ses amours tapageuses et son hypothétique manque de loyauté à l'égard du Führer. De plus, comme le montrent des documents accessibles depuis peu, Friedrich était le choix du gouvernement britannique pour le trône germanique (cette hypothèse s'inscrivant dans les plans sans cesse repris d'une paix négociée avec l'Allemagne et d'une reconstitution des liens entre les familles royales britannique et allemande).

Le duc de Kent pressa Friedrich de retourner en Allemagne le plus tôt possible, sans doute dans la perspective que nous avons évoquée. Après la déclaration de guerre du 3 septembre 1939, il écrivait encore au prince régent Paul de Yougoslavie – *via* la valise diplomatique – et lui exprimait sa déception devant la décision de rester en Angleterre que Friedrich (Fritzi) avait prise (la lettre est du 5 décembre).

> J'ai vu Fritzi qui m'a dit qu'il ne pouvait pas se battre pour les nazis... Je pense qu'il a tort étant donné qu'il est dans l'armée. Il aurait dû retourner là-bas, je suis sûr qu'on lui aurait donné de la besogne. Maintenant je crains qu'il ne retourne jamais en Allemagne.

Ce sont là des idées qui, à mon sens, frisent la trahison.

Le monde allait à la guerre et les Windsor, *via* la Suisse, regagnèrent La Croë. Le 22 août, l'annonce de la signature du pacte germano-soviétique atterra le duc. Un peu de réflexion ne pouvait manquer de lui faire apparaître le pur cynisme de cet accord artificiel, arrangé par Ribbentrop, pour laisser à Hitler les mains libres à l'Ouest et importer par la Sibérie du pétrole mexicain. Ribbentrop avait poussé à cette alliance pour faire pièce à son rival Rudolf Hess qui était, lui, partisan de la politique que prônait le duc : la formation d'une coalition composée de l'Angleterre, des États-Unis, de l'Allemagne et de l'Italie pour écraser la Russie. Staline sauta sur l'occasion de s'entendre avec Berlin, car cette alliance lui permettait d'agir à sa convenance envers certains pays satellites, comme la Bessarabie, et de renforcer son armée en vue de la confrontation finale qui était inévitable. Conséquence plus grave, du point de vue du duc, de cette trêve artificielle entre deux ennemis inexpiables : il ne serait plus possible à l'Angleterre de fermer les yeux sur les agissements d'Hitler en Pologne. Avant le pacte, les Anglais n'auraient été que trop contents de le laisser faire, pourvu que l'invasion de la Pologne ne fût que le prologue à celle de la Russie. Le 24 août, la plupart des invités des Windsor avaient quitté La Croë, à l'exception de Fruity Metcalfe, qui ne savait que faire pour rendre service. Une compagnie de Sénégalais campait dans le parc, où avait été installée en outre une batterie antiaérienne. Le 29 août, le duc télégraphiait à Hitler puis au roi Victor-Emmanuel, les pressant d'intervenir en faveur de la paix. Déjà les armées d'Hitler marchaient sur la Pologne. Le Führer répondit que l'Angleterre était responsable de la situation et que « s'il y avait la guerre », ce serait la faute de l'Angleterre, tandis que Victor-Emmanuel, ayant sans doute obtenu l'aval de Mussolini, répondait qu'il ferait de son mieux pour que l'Italie demeure neutre.

La guerre éclata le 3 septembre. La position des Windsor était des plus délicates. S'ils restaient en France, ils risquaient de se voir enlevés par les Allemands, qui feraient d'eux leurs complices, puisqu'ils projetaient de replacer le duc sur le trône. D'autre part, s'ils partaient pour les États-Unis, ils perdraient tout prestige et seraient certainement considérés comme des lâches. La seule chose raisonnable aurait été d'aller en Angleterre. Et ils ne pouvaient l'envisager sans proposer de participer à l'effort de guerre anglais, faute de quoi ils renforceraient la position de leurs ennemis, les Hardinge et les Vansittart. Pour le roi et la reine, le retour des Windsor posait de nombreux problèmes. Vansittart et l'Intelligence Service ne devraient pas les lâcher des yeux, puisqu'ils étaient susceptibles – Wallis en tout cas – de communiquer à l'ennemi des informations secrètes. En outre, la présence sur le sol britannique d'une nébuleuse, certes inorganisée, de mouvements décidés à renverser la monarchie dans l'intérêt du fascisme, en cas d'invasion de l'archipel britannique, ne facilitait pas les choses. Dans cette nébuleuse se détachait le Link, dirigé par sir Barry Domvile, ancien responsable des services de renseignements de la marine, qui rassemblait un certain nombre de politiciens d'extrême droite réactionnaires et leurs séides. Le Right Club et la Nordic League, celle-ci dirigée par Archibald Maule Ramsay, antisémite et député au Parlement de la circonscription écossaise de Peebles et Southern, étaient aussi du nombre des organisations à surveiller. Dans l'ensemble, ces mouvements manquaient de ressources et, incapables de s'entendre entre eux, ils ne constituaient pas en temps ordinaire un danger pressant, mais chacun savait que, si l'Angleterre était attaquée, ils s'efforceraient de lui faire déposer les armes et concourraient à l'établissement d'un régime fantoche. Churchill serait assigné à résidence et la famille royale exilée aux Bahamas (de fait, Churchill, plein d'humour, y enverrait les Windsor). Au début de septembre, Domvile notait dans son journal la joie qu'il éprouvait de l'enrôlement du « D. of W. » dans les rangs du Link. On se demanda s'il s'agissait du duc de Windsor ou du duc de Westminster ; c'était le duc de Westminster.

Lorsqu'il fallut préparer le retour à Londres des Windsor, sir Walter Monckton ne perdit pas de temps. Il gagna en avion le midi de la France pour informer le duc et la duchesse de la situation qu'ils trouveraient à leur débarquement en Angleterre. Ils ne seraient pas logés par la couronne. Fort Belvedere était inhabitable, on n'y avait pas touché depuis le départ du duc. Ils devraient donc trouver eux-mêmes à se loger. Le roi son frère proposerait au duc deux affectations à son choix, sans responsabilité aucune. La première était le poste de commissaire régional adjoint pour le pays de Galles ; la seconde, celui d'officier de liaison auprès de la mission militaire britannique détachée au grand quartier général français, sous le commandement du général sir Richard Howard-Wyse. La première de ces propositions était une grave erreur, la seconde l'était à peine moins.

Les Windsor ne rejoindraient pas Londres par air. La duchesse était toujours terrorisée à l'idée de prendre l'avion. Dans l'article, déjà cité, que le duc publia dans le *Daily News* de New York, le 14 décembre 1966, il écrivait : « À Pensacola... la duchesse a été témoin de nombreux accidents d'avion qui lui ont inspiré une grande méfiance envers ce mode de transport. » C'était sir Ronald Campbell qui était alors ambassadeur en France. Il conseilla aux Windsor de gagner en voiture la côte de la Manche, où ils seraient informés des dispositions prises pour leur passage. Mais, lorsqu'ils eurent atteint Vichy et voulurent savoir vers quel port il convenait qu'ils se dirigent, Campbell leur répondit de ne rien faire pour le moment. Il s'agissait avant tout de les surveiller.

Ils poursuivirent leur route jusqu'à Paris. Là, on leur demanda de gagner Cherbourg. Ils fermèrent leur maison du boulevard Suchet sans savoir quand ils y reviendraient. Le 12, ils étaient à Cherbourg. Et ce fut lord Louis Mountbatten, dont les idées politiques étaient à l'opposé des leurs, que Winston Churchill chargea de les accueillir à bord du HMS *Kelly*. Randolph Churchill s'y trouvait aussi.

Manœuvrant pour éviter d'éventuels sous-marins allemands, le *Kelly* arriva à Portsmouth, qui était soumis au couvre-feu ; en tant qu'amiral de la flotte, Churchill fit accueillir ses passagers princiers par la musique du Royal Marine, qui leur joua l'hymne national. Lady Alexandra Metcalfe et Walter Monckton étaient là pour leur souhaiter la bienvenue. Fruity Metcalfe ne les avait pas quittés de tout le voyage. Buckingham Palace avait prévenu lady Alexandra Metcalfe que l'on ne mettait pas de voiture à la disposition des Windsor. Churchill les logea pour la nuit au siège de l'Amirauté. Leurs hôtes, l'amiral commandant en chef sir William James et son épouse, avaient été informés des soupçons d'espionnage qui pesaient sur Wallis ; celle-ci se méprit sur l'intérêt appuyé qu'ils lui manifestèrent et sur leurs regards entendus : elle en conclut qu'à leurs yeux elle demeurait la ravisseuse du roi.

Les Windsor s'installèrent chez les Metcalfe, dans le Sussex, et ils posèrent, souriants, dans le jardin pour les photographes. Dînant avec l'ambassadeur Kennedy le 11, la reine lui dit que le seul incident désagréable au cours du voyage qu'elle venait de faire aux États-Unis avec le roi s'était produit à Baltimore, la ville dont Wallis était originaire, quand une femme s'était avancée vers elle avec un gros bouquet de fleurs et que, pendant un bref et horrible instant, elle s'était imaginé que c'était Wallis.

À propos de la présence des Windsor en Angleterre, elle dit à Kennedy qu'il était « terriblement embarrassant » de les avoir dans le voisinage, et qu'elle ne recevrait en aucun cas « Mme Simpson », comme elle s'obstinait à l'appeler. Le 14 septembre, le duc alla seul voir le roi. Retrouvailles superficielles, sans grande signification. Le duc informa son frère qu'il préférait le poste gallois à la mission en France. Le roi, qui avait été informé de la situation au pays de

Galles, en prit acte. La reine Mary refusa de voir le duc et, sur instruction royale, il ne fut pas autorisé à voir le duc de Kent.

Le lendemain, le roi alla voir Winston Churchill qui lui déclara sans détour qu'il désapprouvait la visite du duc à Hitler et son discours de Verdun. Il avait donc changé d'opinion depuis la lettre où il avait loué la visite au Führer. Il est possible que les bouleversements intervenus en Europe en aient été la cause. Mais il se déclara certain que le duc, « comme chacun de nous », serait désormais loyal à la cause britannique. Dès que le duc était en cause, l'incurable romantisme de Churchill semblait lui faire oublier tout son fameux bon sens.

Dans les vingt-quatre heures, la proposition galloise fut annulée, pour d'excellentes raisons que Vansittart avait su faire valoir. Le seul fait que le duc l'ait acceptée était raison suffisante de ne pas y donner suite. Le 14 septembre, le comte de Crawford notait dans son journal :

> Le duc de Windsor était trop léger et bavard pour lui laisser accès à des informations confidentielles qu'il se hâterait de communiquer à Wallis lors du premier repas qu'ils prendraient ensemble. C'est là qu'est le danger – après trois ans de retraite complète, la tentation de montrer qu'il sait, que de nouveau il se trouve au centre de l'information, sera irrésistible et il ne pourra s'empêcher de clabauder les secrets d'État, sans aucune conscience des risques ainsi pris. J'ai dîné avec Howe (Francis Curzon, cinquième comte de Howe) au club. Il travaille à l'Amirauté et, à sa consternation, il a vu ouverte la porte de la salle du secret – où les positions exactes de notre flotte et de celle de l'ennemi sont reportées toutes les heures – et qui en sortit ? Churchill et le duc de Windsor ! Howe en était encore horrifié.

On décida d'envoyer le duc de Windsor en France avec rang de général. Il y avait deux avantages à cette décision. Le premier était que le duc quitterait l'archipel britannique ; le second qu'il serait facile aux hommes de l'Intelligence Service de le garder à l'œil, au long de ses missions variées, lesquelles comporteraient une enquête sur les faiblesses militaires françaises.

Le duc rendit visite au Premier ministre Neville Chamberlain au 10, Downing Street. Chamberlain était très embarrassé. N'avait-il pas sur son bureau des informations et non pas seulement des lettres diffamatoires, qui indiquaient à quel point il serait peu sage de s'encombrer du duc en temps de guerre ! Chamberlain savait sans nul doute que le duc était dangereusement bavard. L'effervescent Leslie Hore-Belisha était alors ministre de la Guerre. Il était juif et n'éprouvait certainement aucune sympathie pour les idées politiques du duc (Hore-Belisha serait bientôt démis de son poste pour avoir prêté le flanc à l'accusation de trafiquer avec la City et avoir critiqué la composition du corps expéditionnaire britannique en France). Lorsque le duc lui demanda s'il lui serait possible d'emmener la duchesse inspecter les troupes d'Écosse, demande vraiment irresponsable, Hore-Belisha refusa. Il était inconcevable, compte tenu des conditions du moment, qu'on ne l'ait pas informé des questions de sécurité qui étaient en jeu. Et il était évident que l'intérêt général commandait de l'envoyer le plus tôt possible en France. Où il ne lui serait pas permis de visiter les troupes, puisqu'il n'était que trop prévisible qu'il en révélerait ou l'emplacement ou les mouvements lors de ses bavardages parisiens.

Le 29 septembre, par un temps affreux, les Windsor embarquaient sur le torpilleur *Express* à destination de Cherbourg, avec Fruity Metcalfe et le capitaine Purvis, de l'armée anglaise. De là, ils gagnèrent Paris, où ils renoncèrent à ouvrir le boulevard Suchet. Ils s'installèrent donc au Trianon Palace, à Versailles, pour se rapprocher de lady Mendl. Le 30 septembre 1939, le duc se présentait au quartier général du général sir Richard Howard-Wyse. On l'informa de sa mission avec le plus grand sérieux, comme d'une affaire d'une importance extrême. Il devait enquêter sur les forces et les faiblesses de l'armée française, sans négliger la ligne Maginot ; on lui demandait aussi de donner ses impressions sur les responsables politiques français. Présentée comme une mission de renseignements, il s'agissait en fait d'une étude que d'autres officiers avaient déjà faite. Winston Churchill avait effectué une première inspection des positions en question à la mi-août et il en accomplirait une deuxième en janvier. Le général Gamelin ne dissimulait nullement les déficiences de son dispositif lors de ses rencontres avec lord Gort. Comme le lui écrivait le général Lelong le 19 septembre :

> L'affectation du duc de Windsor est de pure convenance. On ne sait pas bien quoi faire de cet encombrant personnage, surtout en Angleterre, mais on ne veut pas qu'il soit dit qu'il se tourne les

pouces. On s'en défausse sur Howard-Wyse, qui n'en est pas plus fier pour ça.

Wallis resta à Paris, où elle joua un certain rôle dans les relations publiques d'une sorte d'ouvroir qui s'occupait d'équiper les troupes en vêtements et articles de toilette et de leur tricoter des chaussettes. Tout en tirant largement parti de la publicité accordée à cette activité, les Windsor donnaient la mesure de leur impudence, en revoyant beaucoup Charles Bedaux. La moindre parcelle de bon sens aurait dû leur faire éviter comme la peste un individu qui, coupable ou non de collaboration avec les nazis, n'en était pas moins sous la surveillance constante de l'Intelligence Service. Le fait que ce fut Fruity Metcalfe qui avait organisé les retrouvailles entre les Windsor et Bedaux donne lui aussi à penser.

Le 2 octobre, la reine écrivit une très longue lettre au prince Paul de Yougoslavie ; elle évoquait la visite en Angleterre du duc et de la duchesse de Windsor. Méprisante comme toujours elle appelait Wallis, non la duchesse de Windsor, mais « Mme S. » Elle révélait à son correspondant qu'elle lui avait écrit pour lui déclarer très franchement qu'elle n'avait aucune intention de la recevoir. Elle exprimait l'espoir que le duc resterait en France et ne retournerait pas en Angleterre, où, soulignait-elle, il n'y avait pas de place pour lui car « le peuple n'était pas disposé à pardonner aisément ce qu'il avait fait à son pays et de plus il DÉTESTE (Wallis). » Elle ajoutait : « Quelle malédiction pour une famille qu'une brebis galeuse ! » Le reste de sa lettre témoignait de son horreur de la guerre. Elle aspirait surtout à une fin rapide du conflit. Les deux guerres mondiales semblaient se confondre dans son esprit. Elle venait d'ailleurs d'avoir une affreuse expérience : elle avait cru revoir son frère, mort au cours de la Première Guerre mondiale, parmi les officiers du régiment Black Watch lors d'une revue au palais.

Le même jour, le duc de Windsor, écrivant à sir Walter Monckton à Londres, déclarait qu'il n'avait pas apprécié le ton du message radiodiffusé de Churchill la veille. C'est un aveu révélateur. Churchill avait dit à la B.B.C. que la Pologne vaincue se redresserait à nouveau, pareille à un roc momentanément submergé par une lame de fond. Il avait fait l'éloge des sous-marins britanniques « qui pourchassaient les U-boats avec ténacité » et avait ajouté que, même si la guerre durait trois ans, l'Angleterre se battrait jusqu'au bout. C'était un langage qui ne pouvait plaire aux Windsor, partisans d'une paix négociée. Cinq jours plus tard, Hitler faisait à l'Angleterre des propositions de paix que, sur la recommandation spécifique de Churchill, le gouvernement rejeta.

Le 6 octobre, le duc eut une entrevue avec le commandant en chef du corps expéditionnaire britannique, lord Gort ; le duc de Gloucester lui était attaché comme officier de liaison. Le 7, le chef d'état-major anglais, le général Pownall, notait dans son journal : « Pour l'instant, on constate une "inhibition" à le laisser aller voir les troupes et je crois qu'il n'est même pas censé venir au quartier général. Mais nous ne pouvons pas ne pas dire "oui" lorsqu'on nous annonce sa venue. » Le 10 octobre, revenant d'inspection, le duc rédigea un rapport sur les défenses françaises à la frontière belge. Rapport qui ne faisait que confirmer ce dont Churchill s'était aperçu au mois d'août. Lorsqu'il parvint à Londres, il fut naturellement rangé dans un tiroir. Le 14 octobre, Gamelin donna un grand déjeuner pour le duc à son quartier général du château de Vincennes. La duchesse n'en était pas, aucune femme, n'étant invitée. Entre-temps, elle s'était décidée à rouvrir sa maison.

Le 17 octobre, le duc arriva impromptu au quartier général de Gort, à Arras passant outre aux ordres de son frère le roi ; il accompagna son frère Gloucester qui devait inspecter les troupes. Malheureusement, d'après une dépêche de United Press datée du 8 janvier de l'année suivante, il portait avec son uniforme des souliers de daim. Outre cette fâcheuse fantaisie, il exaspéra son frère en rendant un salut à sa place. Résultat de ces incongruités, ajoutées à sa venue surprise, il lui fut désormais interdit toute visite au front britannique. Le 26 octobre, il alla revoir les troupes françaises. Mais, comme la guerre paraissait devoir prendre un tour plus sérieux et que l'on s'attendait à une offensive allemande, on réduisit encore son champ d'action, ne lui laissant plus accès qu'à des endroits d'où il ne pourrait pas rapporter d'information utile à l'ennemi. Il passa dès lors la plupart de son temps à Paris, où Gray Phillips, officier d'état-major expérimenté, avait été détaché auprès de lui pour y remplir les fonctions d'aide de camp et de surveillant. Le détachement de Phillips était une marque d'attention du palais, mais elle ne signifiait pas pour le duc la fin des « ténèbres extérieures ». On le vit bien à l'occasion des visites en France, en novembre et en décembre, du ministre de la Guerre Hore-Belisha et du roi George :

ni l'un ni l'autre ne lui donnèrent signe de vie. Une troisième inspection des forces françaises par le duc s'avéra aussi inutile que les précédentes. Et à Whitehall personne ne fut impressionné à la nouvelle que la duchesse avait distribué des colis aux soldats français. La duchesse, au sentiment général, n'avait pas à se mêler de ces choses-là.

Le 11 octobre, sir Stewart Menzies et ses collègues de Whitehall, avec la coopération de la B.B.C. réussirent une opération ingénieuse destinée à tester la popularité en Allemagne des Windsor : il s'agissait de savoir quelle serait la réaction du public allemand au cas où l'Angleterre perdrait la guerre et où les Windsor, comme l'espérait Hitler, retourneraient sur le trône. Une émission de la B.B.C. retransmise à travers toute l'Allemagne annonça qu'il y avait eu un coup d'État en Angleterre : un soulèvement populaire avait forcé George VI à abdiquer ; Neville Chamberlain avait démissionné avec tout son cabinet et des partisans du duc de Windsor les avaient remplacés. Quant au duc, il retournait en Angleterre pour remonter sur le trône.

Joseph Goebbels, le ministre de la Propagande chargé de la radio comme du cinéma et des journaux, fit noter par sa secrétaire sur son journal personnel les réactions que, de tout le pays, des appels téléphoniques communiquaient à ses collaborateurs : une « véritable tempête de joie » balayait toute l'Allemagne ; les gens s'embrassaient dans la rue ; les usines étaient en plein délire ; même dans les ministères la nouvelle créait une énorme surexcitation.

Dans ses Mémoires, Cristabel Bielenburg, une Anglaise mariée à une fonctionnaire allemand, nous a laissé le récit d'un témoin visuel de l'émotion collective. Elle faisait ses achats dans un marché berlinois quand elle entendit un tohu-bohu. Des gens criaient que le pouvoir avait changé de mains en Angleterre et que le bien-aimé « duc de Vindzor » allait redevenir roi. Des Allemandes serraient chaleureusement la main de l'Anglaise. Soudain un sergent de police apparut, proclamant qu'un bulletin de la radio venait d'annoncer l'arrivée dans les prochaines heures à l'aéroport de Templehof d'un avion transportant une délégation britannique chargée de signer la paix.

Goebbels comprit que ce coup sensationnel monté par l'Intelligence Service visait à démontrer le danger que le duc de Windsor représentait pour le trône britannique. Il saisit fort bien que le but de l'affaire était de vérifier le degré de l'engouement allemand pour ce prince. Goebbels intervint lui-même à la radio pour expliquer qu'il s'agissait d'une invention pure et simple. Il ordonna à tous les journaux allemands de publier en gros caractères : NOUVELLE INSOLENCE ET NOUVEAU MENSONGE DU GOUVERNEMENT BRITANNIQUE.

On apprendra sans surprise que, quelques heures à peine après l'émission, le roi George donna l'ordre de limiter les déplacements de Windsor dans la zone occupée par les troupes britanniques en France. Le 14 octobre, furieux de cette décision et convaincu (incorrectement) qu'elle était antérieure à son affectation, le duc adressa de Paris une lettre irritée à sir Walter Monckton, où il disait qu'il avait appris accidentellement l'ordre le concernant, et que cet ordre attestait qu'on intriguait contre lui en cachette. Il ne perdit pas de temps d'ailleurs pour désobéir – ce qui aurait pu le conduire devant une cour martiale.

En effet Kim Philby, le futur célèbre espion communiste, se trouvait en mission spéciale pour le Secret Service à Bruges quand il vit le duc de Windsor près des lignes allemandes, ce qui éveilla ses soupçons. Le duc l'aperçut et décampa pour retourner aussitôt à Paris.

Le 4 novembre, le duc écrivit à Hitler sous les initiales EP (Edward Prince). Il disait que, s'étant rendu sur le front du nord en infraction des ordres donnés par son frère, il y avait recueilli des informations qu'il avait confiées à Charles Bedaux (« Je ne saurais trop insister sur l'importance de ces informations que j'ai pris la peine d'expliquer longuement à notre ami »). Bedaux remit la lettre et communiqua les informations à Hitler le 9 novembre. Ceci relevait de la trahison pure et simple.

D'après Peter Miller, dans un article du *Sunday Times* du 26 janvier 2003, le duc de Kent était encore engagé à cette date dans des négociations de paix d'un caractère discutable. Bien que ses nombreuses lettres adressées au prince Paul, régent de Yougoslavie, soient toutes parties de sa résidence de Coppins dans le Buckinghamshire, il avait acheté, d'après Miller, une maison près de Rosyth en Écosse où il aurait rencontré au moins à dix reprises le Premier ministre polonais en exil, le général Sikoski, qui était prêt à offrir le trône de Pologne à Kent dans l'hypothèse d'une paix négociée.

On avait déjà offert plusieurs trônes à Kent, et chaque fois la proposition avait été mise au panier. Il n'y a pas lieu de croire qu'il en aurait été différemment dans ce cas. La Russie étant l'alliée de l'Angleterre, on voit mal comment Staline aurait toléré l'instauration d'un monarque dans le cadre d'une négociation de paix avec son propre allié, l'Allemagne. Quant à l'Italie, la Grande-Bretagne, en l'occurence, jouait un jeu dangereux en multipliant les contacts diplomatiques avec un pays membre de l'axe hitlérien.

Noël fut déprimant : le couple y eut le loisir de peser combien avait été perdu et le peu qui avait été gagné. Les Windsor étaient sous la surveillance constante d'agents britanniques et ils le savaient certainement.

Le 12 janvier 1940, Bullitt, dont la liaison avec Wallis se poursuivait, n'en était pas moins attentif à renforcer ses rapports avec Mussolini. Il envoya un télégramme à Roosevelt pour lui signaler qu'il partait pour Rome rendre visite à sa tante, la duchesse d'Assergio. Il veillait également à créer de bonnes relations entre son ami, F. Pinchney Tuck, et le gouvernement italien. De fait Tuck fut chargé de contacts avec Rome, sous la tutelle de Bullitt, et fut plus tard nommé ambassadeur des États-Unis à Vichy. Un autre ami de Bullitt, Gaston Henry-Haye, maire de Versailles qui, à la demande de celui-ci, avait procuré aux Windsor une résidence d'un loyer purement nominal à Versailles, allait devenir ambassadeur de Vichy aux États-Unis.

Le 26 janvier, la paix que Windsor et Kent appelaient de leurs vœux ardents fit l'objet d'une lettre de Paul de Yougoslavie adressée au roi George VI *via* la reine Mary, tante du prince Paul. Celui-ci écrivait qu'un membre de la délégation yougoslave à Düsseldorf avait appris d'un général allemand qu'un coup d'État aurait lieu avant la fin de l'hiver et qu'Hitler et Goering seraient assassinés. Paul pensait que l'opération entraînerait un armistice. Il ajoutait – et c'était bien dans sa manière d'insister sur ce point – qu'après la paix les Alliés ne devaient surtout pas exiger le rétablissement de l'indépendance de l'Autriche, de la Tchécoslovaquie et de la Pologne. On peut penser que c'était pousser les choses un peu loin…

À la mi-janvier le duc s'envola pour Londres – pour affaires apparemment. La date de son arrivée fut indiquée inexactement dans la presse, sans doute pour lui faciliter des contacts secrets.

L'une des personnes qu'il rencontra discrètement fut le major général John Fuller, qui a consigné cette rencontre dans son journal. Fuller, qu'on a appelé l'inventeur de la guerre moderne, était l'un des dirigeants d'une organisation d'orientation fasciste en Grande-Bretagne. Il a écrit des livres et des articles à la gloire d'Hitler. Il a été soupçonné de compter au nombre des Anglais partisans d'une paix négociée avec l'Allemagne et prêts à assister les Allemands s'ils réussissaient à envahir la Grande-Bretagne. Le duc rencontra également lord Ironside au War Office, auprès duquel il se plaignit amèrement du rôle qu'on lui laissait.

Julius, comte von Zech-Burckesroda, ministre allemand près les Pays-Bas, adressait le 19 février 1940 un mémorandum au ministère des Affaires de Berlin, à l'intention du Führer.

> Le duc de Windsor, dont je vous parlais dans ma lettre du 27 du mois dernier, a rapporté que le Conseil de Guerre allié a consacré sa dernière réunion à l'examen de la situation qui pourrait découler d'une invasion de la Belgique par l'Allemagne. D'un point de vue militaire, il a été estimé que le meilleur plan serait d'opposer la résistance principale derrière la ligne de la frontière franco-belge, fût-ce au risque que la Belgique soit tout entière occupée par nous. Les autorités politiques se seraient d'abord opposées à ce plan : après l'humiliation essuyée en Pologne, il serait impossible d'abandonner encore aux Allemands les Pays-Bas et la Belgique. Toutefois, en fin de compte, les politiques auraient été moins catégoriques.

Il s'agit là d'un très intéressant document. En fait, le Conseil de Guerre allié n'avait même pas abordé la question. La note du diplomate allemand se rapporte à une conversation qui eut lieu à Londres, lors d'un conseil du cabinet de guerre présidé par Winston Churchill. Quelque membre de ce cabinet (peut-être Churchill lui-même, dont la confiance envers le duc était inébranlable) crut le duc de Windsor assez sûr pour l'informer de cette conversation, et le duc, à son tour, la transmit bien légèrement à la duchesse, laquelle en fit profiter à Paris certains partisans de la cause nazie. Pour le duc (et plus nettement encore pour la duchesse), avoir transmis à l'ennemi les secrets de pareille conférence était trahison pure et simple, si l'ambassadeur aux Pays-Bas n'a pas inventé l'histoire. Diplomate de la vieille école, sans affection particulière pour le régime hitlérien, Zech n'avait guère de raisons de concocter semblable fable. Quant au fait que l'Intelligence Service et sir Robert Vansittart[1] aient été avertis de la fuite, il peut s'expliquer par la présence à La Haye, aux côtés de Zech-Burckesroda, de Wolfgand zu Putlitz, l'espion britannique qui avait été à l'ambassade d'Allemagne à l'époque où Wallis était soupçonnée d'obtenir des renseignements confidentiels à Fort Belvedere.

Le 10 mai, la journaliste et auteur dramatique américaine Mrs. Henry Clare (Boothe) Luce fut invitée à dîner boulevard Suchet. Un bulletin de la B.B.C. venait d'annoncer un bombardement de Londres et de plusieurs villages côtiers par des avions allemands. Mrs. Luce dit alors : « J'ai traversé en voiture beaucoup de ces villages et je suis scandalisée de voir les Anglais si sauvagement attaqués. » La duchesse répliqua : « Après ce qu'ils m'ont fait, je ne les plains pas – tout un pays contre une seule femme ! »

Le 20 mai, l'arrestation à Londres de sa couturière Anna Wolkoff, soupçonnée d'avoir livré aux Allemands les plans de l'expédition britannique en Norvège, ne devait pas arranger ses affaires. Ces plans avaient été discutés à cette séance du Conseil supérieur de Guerre à laquelle Ironside assistait et que devait évoquer par erreur l'ambassadeur d'Allemagne aux Pays-Bas. Est-il possible que Mlle Wolkoff, qui continuait d'entretenir des relations aux plus hauts niveaux, ait été en partie renseignée par la duchesse ? Elle avait communiqué ces renseignements à l'Italien Duco del Monte au 6, Cadogan Square, qui lui-même devait les transmettre au comte Ciano à Rome *via* l'ambassade d'Italie.

Chamberlain démissionna ce mois-là et, le 10 mai, Winston Churchill devint Premier ministre et forma un gouvernement de coalition. Sur les instances du chef travailliste Clement Attlee, il neutralisa aussitôt la faction qui projetait une paix négociée avec Hitler. On avertit le duc de Westminster de ne plus se mêler d'aucun projet de négociation avec Berlin. En même temps, sir Oswald Mosley, lady Mosley, Archibald Maule Ramsay et plusieurs autres furent emprisonnés, aux termes de nouvelles dispositions de sûreté. Le chef du MI 5, Vernon Kell, fut congédié le 25 mai ; selon certaines sources, il aurait été responsable de fuites

---

1. Vansittart, officiellement, avait été déchargé de ses fonctions, par une promotion. Il n'en demeura pas moins autorisé à poursuivre son travail de renseignement.

vers l'Allemagne, selon d'autres, il ne s'entendait pas avec Churchill. Le général Fuller fut prié de se tenir tranquille sous peine d'arrestation immédiate. Sir Samuel Hoare était fortement soupçonné d'aspirer à une paix négociée et l'on s'arrangea pour s'en débarrasser en le nommant ambassadeur en Espagne, pays neutre. Sir Alexander Cadogan, qui, le 1er janvier 1938, avait remplacé Vansittart au poste de sous-secrétaire permanent du Foreign Office, était de ceux qui nourrissaient contre lui les inquiétudes les plus graves.

Le 26 mai se tint à Londres une réunion du cabinet de guerre. Ministre des Affaires étrangères, lord Halifax souleva l'hypothèse d'une paix négociée. On aurait dit qu'il se faisait l'écho des Windsor lorsqu'il déclarait que la question n'était pas tant « de parvenir à une défaite complète de l'Allemagne que de sauvegarder l'indépendance de notre empire et, si possible, celle de la France ». Il informa le conseil qu'il avait eu la veille au soir un entretien avec l'ambassadeur d'Italie Bastianini (qui avait remplacé Grandi) et que Bastianini avait suggéré la réunion d'une conférence de paix, à laquelle Mussolini pourrait participer, pour faire cesser la guerre en Europe. Halifax avait répondu qu'il était favorable à cette suggestion. Churchill aussitôt en exclut l'idée. Il déclara qu'il n'était pas impossible que l'Italie envoyât un ultimatum à la France pour obtenir son accord à la réunion d'une telle conférence, en la menaçant de s'allier contre elle à l'Allemagne. C'était l'exacte position des Windsor et de leur ami Laval. La question fut discutée *in extenso*. On en reprit l'examen le lendemain et, à la surprise de tous, Churchill révéla que, s'il était hostile à des ouvertures directes à Mussolini, il avait manœuvré pour impliquer Roosevelt dans cette démarche, de telle sorte que le président des États-Unis apparaisse avoir agi « de sa propre initiative ». Cela jetait sur toute l'affaire un jour nouveau. Churchill voulait éviter toute négociation directe, mais il n'était pas si opposé à des contacts indirects qu'il était apparu la veille. Alors Halifax révéla que Roosevelt avait bien pris contact avec Rome. Il annonça au conseil que sir Percy Loraine, ambassadeur de Grande-Bretagne en Italie, lui avait envoyé un télégramme pour l'informer qu'Hitler avait fait savoir au gouvernement italien qu'il ne souhaitait pas voir l'Italie entrer en guerre, car il était certain de parvenir à un accord satisfaisant avec les Français. Le secrétaire d'État à l'Air se déclara hostile à toute ouverture à l'Italie, de même qu'Halifax, le lord du sceau privé. Le Premier ministre stigmatisa la « futilité » de la proposition d'ouvertures à Mussolini. Il ajouta : « En ce moment, notre prestige en Europe est au plus bas. La seule façon de le restaurer est de montrer que l'Allemagne ne nous a pas battus... Gardons-nous donc de nous laisser entraîner comme la France sur la pente savonnée. » La discussion se poursuivit longtemps et la décision fut ajournée. La question fut enfin réglée par le Premier ministre à la fin de la nouvelle réunion qui se tint le 28 :

> Si nous tenons bon contre l'Allemagne, cette attitude lui inspirera admiration et respect ; mais, si nous rampons devant elle, cela fera un effet désastreux. C'est pourquoi, à l'heure présente, je me garderais de lui faire la moindre ouverture.

Churchill présida le même jour une réunion secrète au 10, Downing Street, au cours de laquelle il fut décidé de rapatrier immédiatement les Windsor en Angleterre, pour que Cadogan et Vansittart puissent au moins les interroger sur leur rôle auprès des nazis (on ne possède pas de minutes de cette réunion).

Le 23 décembre 1941, le président Roosevelt, au cours d'une conversation privée avec Fulton Oursier, écrivain et rédacteur en chef d'une revue, *Liberty*, fit la déclaration suivante :

> Le duc (de Windsor) a assisté aux conseils les plus secrets des commandants en chef des deux armées. Il savait tout ce qui se passait. Parfois, décidant soudain qu'il n'y avait plus rien à faire pour lui, il repartait pour Paris, non pour y passer une nuit mais un séjour de trois ou quatre jours... Je sais de source sûre qu'il existait à Paris neuf postes émetteurs sur ondes courtes qui communiquaient en permanence des informations aux Allemands. Personne n'a jamais pu savoir comment ces postes étaient en mesure de faire passer des informations aussi exactes.

De façon soudaine, et sur les ordres de sir Stewart Menzies, les Windsor furent invités à quitter Paris – ils risquaient de compromettre la sûreté de l'État britannique en restant – et de partir pour la villa La Croë à Antibes. Dans ce départ on a vu, à tort, un abandon de poste. C'était plus grave : on les éloignait parce qu'on avait la quasi-certitude qu'ils trahissaient. Bullitt fut chargé de veiller sur leur résidence parisienne qu'il protégea en effet quand les Allemands entrèrent dans Paris. Observons que Ribbentrop qui était au Ritz avait déjà pris des mesures pour en assurer la protection – et que Winston Churchill en avait fait autant.

Dans un long rapport de Edward A. Tamm, important agent du F.B.I. adressé à Edgar J. Hoover, à Washington et daté du 13 septembre 1940, Tamm soulignait avec quelle attention le Secret Service, que Menzies dirigeait à Londres, avait suivi le voyage dans le Midi des Windsor.

> Les contacts de la duchesse de Windsor avec von Ribbentrop à partir de la villa La Croë... prirent un caractère si sérieux que le gouvernement britannique se trouva obligé de les faire changer de résidence. La duchesse obtenait toutes sortes d'informations sur les activités des gouvernements britannique et français et les transmettait aux Allemands... Dès leur arrivée à leur hôtel à Biarritz... un agent britannique du Secret Service entendit sur sa radio une station commerciale allemande qui annonçait aux nouvelles que le duc et la duchesse de Windsor s'étaient installés au Palace et qu'ils occupaient la suite 104 E. C'était exact et ils y étaient à peine depuis quelques minutes quand l'annonce avait été faite.

Le rapport poursuivait :

> Le Secret Service britannique a pu établir que la duchesse avait informé Ribbentrop de leur itinéraire, de leurs plans, etc... avant leur départ de la villa.

On pourrait se demander comment la duchesse pouvait communiquer si facilement avec Ribbentrop en cette période. En fait la chose était moins difficile qu'on ne l'imagine. Le ministre allemand des Affaires étrangères était toujours en France : il résidait au Ritz ou au château d'Ardenne près de Dinant et pouvait être joint par téléphone ou par télégramme, puis quand les communications devinrent difficiles, par voiture ou en moto. Le 22 juin Ribbentrop se trouvait à Compiègne pour la signature de l'armistice avec la France et, naturellement, il était en contact avec tous les ambassadeurs étrangers, y compris Bullitt, qui s'était installé chez

Charles Bedaux, au château de Candé, véritable nid d'espions et de collaborateurs.

Le rapport Tamm expliquait ensuite que, à cause de la communication à Ribbentrop d'informations confidentielles, les Windsor avaient été invités par le Secret Service à quitter sans délai la France pour l'Espagne. Dès ce moment, semble-t-il, il fut décidé d'envoyer les Windsor aux Bahamas. Une affectation en Afrique ou en Nouvelle-Zélande aurait mieux convenu mais le choix des Bahamas s'expliquait pour une raison très précise que mentionne le rapport Tamm : Jane Williams-Taylor, dont la position sociale aux Bahamas était éminente, serait en mesure de les espionner de nouveau.

À la villa La Croë les Windsor confièrent les documents compromettants qu'ils avaient emportés de Fort Belvedere à Herman et Katherine Rogers qui sauraient les garder. Le couple qui travaillait toujours pour le Secret Service les enferma dans un coffre au lieu de les remettre aux autorités italiennes ou allemandes comme l'auraient souhaité les Windsor. Ces pièces qui attestaient la collusion du prince avec les ennemis de son pays rejoignirent les documents provenant des portefeuilles rouges officiels que Windsor recevait du temps qu'il était roi. Les documents relatifs à l'abdication partirent pour la Suisse.

Le duc télégraphia à Madrid à sir Samuel Hoare pour qu'il lui envoie un torpilleur, mais celui-ci ne pouvait rien sans autorisation du Foreign Office. Enfin, d'après sir John Colville, secrétaire de Winston Churchill, les Windsor persuadèrent Hugh Dodds, consul général à Nice, de quitter son poste et de leur faire passer la frontière. Lorsque Churchill s'aperçut que de nombreux blessés qui avaient besoin de secours à Nice en avaient été privés pour cette raison, il « sauta au plafond », dit Colville. Colville ayant mentionné devant lui que Dodds était son oncle par alliance, Churchill explosa : « Je m'en fous ! » hurla-t-il.

Churchill pouvait à bon droit exploser devant la conduite du duc et de la duchesse, il n'en demeurait pas moins qu'ils devaient quitter l'Europe le plus vite possible.

14

Un noir complot

Ce fut le 19 juin 1940, jour anniversaire de Wallis, que les Windsor, conduits par Ladbroke, entamèrent un long et difficile voyage vers l'Espagne. Comme ils traversaient Cannes, des bombardiers italiens attaquaient le front de mer. Après une nuit inconfortable en Arles, ils eurent à Perpignan le désagrément d'être chassés de leur suite par le chef des renseignements français qui s'installa cavalièrement à leur place sans leur accorder un instant – sans doute était-il averti de leurs liens avec les nazis [1]. Comme il leur fut impossible de trouver un autre logement, ils reprirent la route et faillirent deux fois être arrêtés. L'ambassade d'Angleterre à Paris n'avait pas réussi à obtenir l'autorisation de Londres ou de Madrid de fournir les sauf-conduits indispensables et le groupe parvint à grand-peine à franchir les barrages. À minuit, le 20, ils arrivaient enfin à Barcelone. Au même moment sir Stewart Menzies était préoccupé par l'arrivée du duc de Kent à Lisbonne où il était en visite officielle. On craignait qu'il n'eût des contacts avec les Windsor, ce qui pouvait entraîner des conséquences fâcheuses pour les intérêts britanniques dans la région. Cette préoccupation, William Strang, un agent spécial du Foreign Office qui rendait compte à sir Alexander Cadogan, en fit part, par l'intermédiaire de l'ambassadeur portugais à Londres, Arjando Monteiro, au président Salazar

1. Pour dissimuler sa présence, il avait demandé au maire de Perpignan de dire aux Windsor que tout le gouvernement français arrivait.

dans une lettre datée du 21 juin : le gouvernement portugais était prié de garder le plus grand secret sur l'endroit exact où résidait Kent pendant sa visite. À cela il y avait une double raison : le prince Philippe de Hesse était à Lisbonne dans le but de rencontrer Kent. D'autre part il est clair, d'après une lettre que Kent envoya au prince Paul de Yougoslavie le 17 juillet, peu après son retour à Londres, qu'il ne souhaitait pas rencontrer les Windsor. Il considérait la conduite de son frère comme scandaleuse – on peut se demander s'il était bien placé pour porter ce jugement – et se disait très soulagé que le duc et la duchesse (qu'il appelait, comme Churchill, la « garce ») ne soient pas retournés en Angleterre. Avec une naïveté bien jouée il se disait surpris que son frère eût accepté une position aussi peu reluisante que celle de gouverneur des Bahamas. « W(inston) C(hurchill) ne souhaite pas son retour ici », écrivait-il. Et il ajoutait qu'il avait combattu l'idée d'un retour possible de son frère.

Le 22, Churchill câblait au duc, aux bons soins de sir Samuel Hoare : « Nous aimerions que Votre Altesse royale regagne l'Angleterre le plus tôt possible. Dispositions prises avec l'ambassadeur de Sa Majesté à Madrid avec qui vous pourrez communiquer. » Le même jour, Eberhard von Stohrer, ambassadeur d'Allemagne en Espagne, câblait à Ribbentrop à Berlin. Comment fallait-il agir avec les Windsor ? demandait-il. La question en jeu était la suivante : « Nous aurions peut-être intérêt à retenir le duc... ici et, éventuellement, à prendre contact avec lui. » Ribbentrop répondait le lendemain : « Serait-il possible de retenir le duc et la duchesse de Windsor avant qu'il leur soit fourni un visa de sortie ? Il faudrait en tout cas prendre toutes les précautions nécessaires pour que la suggestion ne paraisse pas venir d'Allemagne. »

Le 24 juin, sir Alexander Hardinge écrivait de Buckingham Palace au Foreign Office que le roi avait remarqué que dans certaines correspondances le duc et la duchesse étaient désignés comme « Leurs Altesses royales ». Hardinge poursuivait : « Il est très indésirable, pour d'évidentes raisons, que cette désignation impropre du duc et de la duchesse apparaisse dans quelque correspondance officielle que ce soit. Le roi compte que les mesures nécessaires à éviter la répétition de cette erreur seront prises. » L'erreur ne se répéta pas.

Pendant ce temps, le 23 juin 1940, les Windsor arrivaient à

Madrid. Un Madrid misérable et rempli de mendiants. Sir Samuel Hoare avait retenu pour eux des chambres au Ritz. L'insinuant ambassadeur avait fait suspendre toute activité des services secrets britanniques dans la capitale espagnole, si bien que les Windsor s'y trouvèrent libres de toute surveillance, au grand désarroi des autorités responsables à Londres.

Se conformant à ses habitudes, le duc convint avec Bermejillo, son vieil ami qui les avait accompagnés à Madrid, de s'adresser directement à l'ennemi en vue de la sauvegarde de ses intérêts. Aussi l'Espagnol prit-il contact avec les ambassades d'Allemagne et d'Italie et leur demanda-t-il de s'assurer que les biens des Windsor en France seraient protégés et entretenus. De fait, ni l'une ni l'autre de leurs maisons n'étaient en danger. La Croë se trouvait en zone libre et le boulevard Suchet était entretenu par Bullitt, qui venait d'installer son ambassade au château de Candé chez les Bedaux. Même après Pearl Harbor et l'occupation de La Croë par les Italiens, les demandes des Windsor continuèrent d'être exaucées. Le compte des Windsor à la Banque de France ne fut jamais confisqué par le curateur allemand aux biens étrangers, Carl Schaefer.

Le duc était décidé à ne pas remettre les pieds en Angleterre, tant que la duchesse ne s'y verrait pas reconnaître le rang qu'en l'épousant il lui avait donné. Dans ce qui a bien l'air d'une manœuvre pour éviter de retourner à Londres, il insista pour qu'on lui accorde le même statut qu'aux autres membres de la famille royale. Il était payé pour savoir que toute requête de cet ordre ne provoquerait qu'un refus très sec. L'intransigeance du duc rendit Churchill furieux ; il lui télégraphia le 28 juin.

> Votre Altesse royale fait partie des cadres d'active de l'armée britannique, son refus d'obéir aux ordres de l'autorité militaire compétente va créer une situation grave. J'espère qu'il ne sera pas nécessaire d'envoyer les ordres qu'elle impliquerait.

Toujours sentimental, Churchill ajoutait ces mots révélateurs : « Les circonstances dans lesquelles Votre Altesse royale a quitté Paris ne paraissent déjà pas claires à beaucoup. Je vous conjure de vous conformer aux souhaits du gouvernement. » Le duc affecta alors de lâcher un peu de lest, il ne demandait plus qu'à être reçu quelques instants avec la duchesse par le roi et la reine – sachant bien entendu que la chose était hors de question. Le 28 juin, le comte Zoppi, chargé d'affaires italien en Espagne, soumettait par télégramme au comte Ciano, ancien amant de Wallis, une requête des Windsor. En cas d'invasion de la France par l'Italie, ils demandaient au gouvernement italien de bien vouloir placer sous sa protection le château de La Croë. La demande fut très vite accordée. Le 30 juin, Ribbentrop demandait à Otto Abetz de placer « sous observation discrète », « officieusement et confidentiellement », la résidence parisienne du duc.

À la fin de cette semaine-là, l'ambassadeur des États-Unis à Madrid, A.W. Weddall, envoyait un mémorandum secret au département d'État :

> Dans une conversation la nuit dernière, le duc de Windsor a déclaré que la chose la plus importante était maintenant de mettre fin à la guerre, pour épargner des milliers de morts et de mutilés qui ne serviraient à rien qu'à sauver la face à quelques politiciens. Considérant la défaite de la France… le duc a affirmé que les bruits selon lesquels les troupes françaises ne se seraient pas battues étaient faux. Au contraire, a-t-il dit, elles se sont superbement battues, mais il n'y avait rien derrière elles, la France n'avait jamais préparé la guerre tandis que l'Allemagne avait consacré les dix dernières années à le faire et, dans ce but, elle s'était entièrement réorganisée. Les nations qui se sont refusées à ce type de réorganisation et aux sacrifices concomitants devraient accorder leurs politiques à ce refus et éviter les aventures dangereuses. Cela s'appliquait, dans l'esprit du duc, aussi bien aux États-Unis qu'à l'Europe.
>
> La duchesse fut encore plus directe. Elle déclara que la France avait perdu parce qu'elle était minée de l'intérieur et qu'un pays dans cet état n'aurait jamais dû déclarer la guerre.
>
> Ces observations ne sont pas sans valeur, ne serait-ce que parce qu'elles reflètent l'opinion d'un certain milieu anglais, qui pourrait prendre de l'importance et voir en Windsor et en ses amis un groupe réaliste qui juge sainement la situation internationale et pourrait jouer un rôle en cas de paix générale.

Sumner Welles, sous-secrétaire d'État, transmit cette note à Whitehall, accroissant encore par là la défaveur des Windsor. Hoare était anxieux de les voir quitter Madrid. Ils représentaient pour l'ambassade une gêne et un fardeau, car la presse européenne abondait en commentaires, sans doute fondés, comme quoi les Windsor et lui recherchaient une paix négociée et rencontraient à cette fin des Allemands. Pieter G. Hansen qui travaillait en 1940 pour l'Abwehr, le service de renseignements allemand, se souvient très clairement de la discussion qui se tint à l'époque dans son bureau : « Dansey s'occupait de certaines affaires à titre privé pour Churchill et son collaborateur direct, le professeur Frederick W. Lindeman. On avait découvert qu'il détournait à son profit des fonds gouvernementaux. Il aurait été mis à la porte s'il n'avait pas continué à rendre certains services à Churchill. »

D'après Hansen, Dansey – agissant sur ordre non de Churchill mais de sir Stewart Menzies – aurait au cours de son entretien avec le duc et Wallis proféré de terribles menaces. Il leur aurait annoncé qu'ils seraient assassinés s'ils ne quittaient pas dans les plus brefs délais l'Europe pour les Bahamas.

Hansen ajoute que l'Abwehr était au courant des exigences financières communiquées par le duc et la duchesse à Ribbentrop dans la perspective de leur accession au trône d'Angleterre – laquelle n'avait pas encore reçu l'approbation d'Hitler lui-même. Hitler hésitait à leur verser l'argent car il lui paraissait « désirable que ce fût un Allemand qui eût la haute main à Londres plutôt qu'un homme de paille ». Ce qui préoccupait considérablement les Windsor ; ils firent savoir que, si on ne les payait pas pour occuper le trône dans l'éventualité d'une paix négociée, ils refuseraient leur collaboration. Hitler devait bientôt revenir sur sa position. Néanmoins, Hoare fit de son mieux pour qu'ils se sentent le plus à l'aise possible. Comme les Windsor entamaient la dernière étape de leur voyage d'exilés, l'ambassadeur d'Allemagne informait Ribbentrop que le duc de Windsor était sur le point de partir. Le duc n'écartait pas l'hypothèse d'un retour en Espagne où lui avait été offert pour résidence le palais du calife à Ronda. Les Windsor arrivèrent le 3 juillet dans un Lisbonne bourré de réfugiés, resplendissant et esbroufeur.

La situation au Portugal était explosive. Les membres de la police secrète, entraînée par Himmler, étaient partout. Les plans étaient tout prêts pour un coup d'État pro-allemand qui renverserait le neutraliste Salazar. Sir Walford Selby bombardait le Foreign Office de dépêches alarmistes. Le gouvernement portugais, redoutant que le resserrement de ses liens avec la Grande-Bretagne ne hâte le déclenchement du coup de force, refusait à l'Intelligence Service l'accès aux télégrammes chiffrés ; depuis le mois de juin, Selby s'efforçait d'organiser une force de débarquement anglaise qui devancerait les Allemands. Les Allemands envisageaient d'attaquer l'Afrique orientale portugaise et les Japonais, qui étaient déjà décidés à la guerre, faisaient pression pour obtenir des concessions pétrolifères dans l'île portugaise de Timor.

Dans son livre *Total Espionnage* (New York, Putnam & Sons, 1940) le journaliste Curt Riess nous a laissé une peinture très vivante de Lisbonne et en particulier du quartier élégant de l'Estoril à l'époque. Il n'y avait pas moins de deux cents agents allemands logés à la légation. Le Link, cette dangereuse association londonienne pro-nazie qui apportait son soutien au duc et à la duchesse depuis des années, développait une grande activité là-bas. Son chef sir Ivone Kirkpatrick, inondait de littérature pacifiste ses contacts à l'Hôtel du Parc et au Palace.

Parmi les autres personnages présents à Lisbonne on comptait Camille Chautemps, triste sire qui avait démissionné de son poste de président du Conseil au cours d'une semaine compliquée d'intrigues en mars 1938 ; Paul-Louis Weiler, le magnat de l'aéronautique, ami proche des Windsor ; le prince Philippe de Hesse ; Friedrich Sieburg, bras droit de Otto Abetz, ambassadeur d'Hitler à Paris... et bientôt allait arriver dans la capitale William Bullitt...

Entre-temps, à Londres, sir Stewart Menzies avait découvert, sans doute par l'agent secret George Wood, que Wallis continuait à garder le contact avec Ribbentrop par Madrid (« sans grande difficulté, comme l'écrit Edward Tamm, du fait des sympathies prononcées du gouvernement espagnol pour les nazis ») et à l'évidence sans en informer Winston Churchill, qui venait d'être désigné comme Premier ministre.

On avait préparé pour les Windsor une villa située dans le site prémonitoirement dénommé Boca di Inferno ou Bouche de l'Enfer, à Cascaïs. Leur hôte était Ricardo Espirito Santo e Silva, propriétaire d'une banque et ami des Rothschild, qui était d'origine juive. Le duc de Kent avait séjourné chez lui jusqu'à son départ, quelques jours plus tôt. Silva était constamment surveillé par l'Intelligence

Service, qui lui découvrit de très étroites et importantes relations avec les nazis. Il paraît incroyable, compte tenu de tout cela, que ce séjour ait pu être autorisé par l'ambassadeur de Grande-Bretagne, sir Walford Selby, vieil ami des Windsor depuis l'époque de Vienne. Son fils, Ralph Selby, explique ainsi la curieuse attitude de son père :

> Les Windsor devaient descendre dans le plus grand hôtel de Lisbonne, l'Aviz. Comme le flot des réfugiés en provenance de l'Europe occupée ne cessait de grossir, le gérant de l'hôtel prit contact avec mon père et l'informa qu'il lui serait difficile dans ces conditions de donner au duc et à la duchesse un logement convenable et qu'il se demandait s'il ne serait pas préférable de les loger dans une villa appropriée. Il pensait pouvoir en trouver une. Mon père accepta cette solution et la maison de Cascaïs fut proposée. Comme mon père se rendait à l'aéroport avec son attaché de l'air pour saluer le duc, l'attaché de l'air lui dit avoir entendu dire que le propriétaire de cette villa avait une réputation bien arrêtée de sympathisant nazi. Mon père lui répondit avoir entendu la même chose mais qu'il ne voyait pas ce qu'il pouvait faire maintenant.
>
> On pensait à ce moment-là que le duc ne passerait que quarante-huit heures à Lisbonne et qu'il emprunterait l'un des avions d'York envoyés d'Angleterre pour l'y ramener. En si peu de temps, il ne pouvait pas se passer grand mal.

Mais pourquoi donc l'Intelligence Service n'avait-il pas informé sir Walford du danger ? Était-il aussi impuissant à Lisbonne qu'à Madrid ?

Il n'était plus possible de tergiverser : les Windsor devaient quitter l'Europe. Churchill conféra avec le roi et aboutit à la décision de proposer au duc le poste de gouverneur et de commandant en chef des Bahamas [1]. C'était un pis-aller, mais, là-bas, les Windsor attireraient moins l'attention que dans n'importe quelle colonie ou dominion africain. Et, aux yeux du public ignorant, les Windsor seraient dans une position de liaison idéale par rapport aux États-Unis.

Le 4 juillet, le duc télégraphiait à Churchill : « J'accepte ma

1. Hardinge préconisait l'Égypte et l'archevêque de Canterbury les Malouines, car il n'y pourrait faire aucun mal.

nomination au poste de gouverneur des Bahamas, car je suis sûr que vous avez fait de votre mieux pour moi dans une situation difficile. J'envoie demain en Angleterre le major Phillips et je vous serais reconnaissant de bien vouloir le recevoir personnellement pour l'informer plus en détail. » Churchill répondit : « Je suis très heureux que Votre Altesse royale ait accepté le poste, car je suis certain qu'il lui permettra de rendre de grands services à l'Empire. Je réglerai tous les détails avec le major Phillips si vous voulez bien me l'envoyer. Mes vœux les meilleurs et les plus sincères. » La nomination fut annoncée le 10 à Londres. Sir Alexander Hardinge s'inquiétait pendant ce temps des activités de la duchesse à Lisbonne. Le 9 juillet, il envoyait une note à Éric Seal au cabinet du Premier ministre au 10, Downing Street : « Comme je vous l'ai déjà dit, ce n'est pas la première fois que cette dame est soupçonnée d'activités antibritanniques, et nous ne devons jamais oublier les pressions qu'elle a exercées sur le duc pour se venger de notre nation. »

Cet étonnant message ne laisse pas de doute sur les sentiments d'Hardinge : sa conviction que la duchesse était un agent nazi était inébranlable. D'évidence, les rapports de l'Intelligence Service à Lisbonne ne lui étaient pas favorables. Le 7 juillet, un télégramme secret signé L. (Reginald Leeper) avait été adressé à sir Alexander Cadogan au Foreign Office. On pouvait y lire ceci :

> Les Allemands comptent sur l'assistance du duc et de la duchesse, cette dernière désireuse à tout prix de devenir reine. Les Allemands négocient avec elle depuis le 27 juin : statu quo en Angleterre dans l'attente d'un engagement du gouvernement de former une alliance anti-russe. Les Allemands proposent de former un gouvernement d'opposition sous la direction du duc de Windsor après avoir modifié l'opinion publique sous l'action de la propagande. Les Allemands pensent que le roi George VI abdiquera au cours d'attaques contre Londres.

Ce fut à ce moment-là que Ribbentrop se mit en tête de faire revenir le duc et la duchesse en Espagne. Les Allemands avaient décidé de les amener à collaborer carrément avec eux en leur faisant miroiter l'accès au trône d'Angleterre. Dans une note, le ministre des Affaires étrangères d'Hitler précisait : « Le duc aurait-il d'autres plans, il n'en demeurerait pas moins, selon toute vraisemblance, disposé à coopérer à la restauration de bonnes relations entre l'Angleterre et l'Allemagne, aussi devrions-nous nous tenir prêts à lui assurer, à lui et à sa femme, une existence en rapport avec la dignité royale, qu'il reste personne privée ou qu'il accède à un autre statut. » Ribbentrop ajoutait avoir reçu des informations aux termes desquelles le duc serait assassiné, sur instructions officielles, dès son arrivée aux Bahamas. Ribbentrop prit contact avec Walter Schellenberg, chef du SD, le principal service de renseignements allemand, et le chargea de faire au duc la proposition suivante : Schellenberg ferait déposer cinquante millions de francs suisses à un compte au nom du duc et les Windsor reviendraient en Espagne, d'où ils seraient emmenés dans un endroit approprié à la définition des accords qui lieraient le duc et l'Allemagne. Si l'Intelligence Service s'opposait à la chose, poursuivait Ribbentrop, il faudrait employer la force, mais il ne faudrait en venir là que si le duc était saisi de « psychose panique ». Si le chiffre de cinquante millions était jugé insuffisant, il n'était pas interdit de l'augmenter. À cet instant de la conversation, le téléphone sonna, Hitler était en ligne. Ribbentrop passa l'écouteur à Schellenberg, qui put entendre le Führer déclarer : « Schellenberg ne doit pas perdre de vue l'importance de la duchesse. Son attitude est déterminante. Il faut tout faire pour s'assurer son soutien. Elle a une grande influence sur le duc. »

Londres avait peur que les Windsor en route pour les Bahamas ne souhaitent aller aux États-Unis. Leur immense popularité américaine leur permettrait de renforcer facilement l'influence du camp isolationniste qui souhaitait maintenir les États-Unis en dehors de la guerre. Winston Churchill ne ménageait rien pour les y entraîner. Les Windsor avaient deux raisons de vouloir aller aux États-Unis : prendre contact avec le parti isolationniste et les partisans d'une paix de compromis et, pour la duchesse, se faire refaire le nez. Le major Gray Phillips reçut à Londres, au Bath Club, un télégramme du duc, *via* sir Walford Selby, pour l'informer qu'il était essentiel que la duchesse voie *le* spécialiste en la matière.

Les Windsor s'inquiétaient aussi de sauver leurs biens de Paris et d'Antibes. Joseph Kennedy, l'ambassadeur pro-nazi des États-Unis à Londres, câblait le 10 juillet à Cordell Hull, à Washington, que le ministère britannique des Affaires étrangères demandait au consul des États-Unis à Nice de veiller à l'embarquement des effets personnels, des vêtements et du linge que contenait La Croë. Et cela avec l'autorisation de Joseph Kennedy. À Paris, le problème était plus compliqué. La duchesse se faisait fort d'être bien reçue par Otto Abetz et les autres nazis importants de la capitale française et projetait de s'installer boulevard Suchet pour contrôler en personne l'emballage de ses affaires. Heureusement, ce projet indécent vint aux oreilles de Selby, qui en obtint l'abandon. Alors Wallis prit contact à Vichy avec l'un de ses anciens cuisiniers et lui demanda de prendre tout ce qu'il pourrait à La Croë, demandant d'autre part aux Allemands d'autoriser sa femme de chambre et lingère Jeanne-Marguerite Moulichon à se rendre à Paris pour préparer l'embarquement pour les Bahamas de l'argenterie, de la porcelaine et du linge du boulevard Suchet. C'était là, évidemment, une entorse au *British Trading with the Enemy Act*, qui pouvait entraîner l'emprisonnement sans jugement. Bermejillo s'entretint à Madrid avec l'ambassadeur d'Allemagne, qui à son tour toucha Ribbentrop. Dans un premier télégramme, il évoquait la nomination du duc de Windsor à Nassau et révélait que Churchill l'avait menacé de la cour martiale s'il n'obéissait pas aux ordres. Dans un second, le 11 juillet, il précisait :

> Par l'émissaire confidentiel des Affaires étrangères, le duc de Windsor a renouvelé ses remerciements pour notre coopération dans l'affaire de sa maison de Paris et il a demandé qu'une femme de chambre de la duchesse soit autorisée à venir à Paris pour y prendre des objets variés et les acheminer par camion à Lisbonne, objets dont lui-même et la duchesse auront besoin aux Bahamas.

Le diplomate allemand était partisan d'exaucer ces demandes, parce que la femme de chambre pourrait toujours servir d'otage au cas où les Windsor hésiteraient à coopérer avec le gouvernement allemand.

Au même moment, le duc rencontrait à Lisbonne un envoyé de Ribbentrop et lui disait que Churchill l'avait menacé de cour martiale s'il ne partait pas pour les Bahamas. Le 15, Bullitt rencontra les Windsor. Au cours d'une conversation rapportée par Roosevelt à Fulton Oursler, ceux-ci firent allusion à leur départ imminent. « Nous allons nous embarquer pour Sainte-Hélène », dit Wallis.

Le 17, on annulait les réservations de plusieurs passagers à bord de l'*Excalibur* pour faire place au groupe royal.

Le 17 juillet, Wallis organisa le voyage de Mme Moulichon à Paris, avec l'aide d'un général. Armée d'un passeport allemand et de laissez-passer visés par la Gestapo, l'aventureuse femme de chambre s'envolait pour Madrid, afin d'y obtenir au consulat d'Allemagne les documents qui lui manquaient encore. La routine administrative la retarda ; les autorités à Paris et à Berlin s'interrogeaient sur cette collaboration avec les ressortissants d'un pays ennemi.

Tandis que la femme de chambre attendait toujours ses papiers à Madrid, on décida à Londres que les Windsor gagneraient les Bermudes et, de là, seraient emmenés jusqu'à Nassau par un bâtiment de Sa Majesté. Lord Lothian, ambassadeur d'Angleterre aux États-Unis, prendrait les dispositions nécessaires. Il n'était pas question que ce navire touchât les côtes américaines ni même qu'il entrât dans les eaux territoriales des États-Unis.

Gray Phillips télégraphia de Londres qu'il était impossible d'affecter au duc les sous-officiers dont il avait désiré les services, car ils étaient en guerre, et qu'il lui était interdit d'aller aux États-Unis. Le même jour, Windsor, irrité par les frustrations qui lui étaient imposées, envoyait à Churchill un télégramme de protestation qui comprenait ces mots : « Ai suffisamment été mené en bateau et perçois dans l'attitude du Colonial Office mêmes mains que lors de ma dernière mission. Vous demande instamment donner votre accord aux dispositions que j'ai prises, faute de quoi me verrais dans l'obligation de reconsidérer ma position. »

Le 20 juillet, Herbert Clairgorne Pell, ministre américain au Portugal, dînait avec les Windsor chez Espirito Santo e Silva à Cascaïs. David Eccles était aussi de ce dîner. Après le repas, le duc et la duchesse se laissèrent aller à de fâcheuses considérations. Et Pell envoyait à Cordell Hull, le soir même, un télégramme ultra-secret où l'on pouvait lire :

> Le duc et la duchesse de Windsor se montrent indiscrets et ouvertement critiques envers le gouvernement britannique. Considère leur présence aux États-Unis pourrait causer des troubles. Ils déclarent avoir l'intention de séjourner aux États-Unis, que cela plaise ou non à Churchill, et désirent apparemment plaider la cause de la paix.

> Si le ministère annule leurs visas, ils pourraient gagner les Bermudes et de là les Bahamas. Les visas ont été donnés par le consulat général.

Ce télégramme accablant parvint à Londres par les voies habituelles. Son auteur étant sans reproche, il scellait pour longtemps le destin des Windsor. Le fait de les savoir prêts à plaider aux États-Unis pour la paix avec Hitler contre la politique assez clairement exprimée de Churchill et Roosevelt en faisait des personnages aussi désirables dans les milieux dirigeants américains et britanniques que de nouveaux Bonnie et Clyde.

Le 22 juillet, les agents de Ribbentrop à Londres l'informaient que le duc avait adressé un mémorandum au roi George VI, le pressant de nommer un nouveau gouvernement pour remplacer le cabinet de coalition dirigé par Churchill, en vue de promouvoir auprès d'Hitler une politique d'apaisement. D'après ce rapport, Lloyd George aussi pressait le roi d'en venir là. L'ambassadeur d'Allemagne en Irlande câblait le même jour à Ribbentrop, disant que le nouveau cabinet serait prêt à signer avec Hitler une paix immédiate. Au nombre des partisans de cette solution pouvaient se compter lord Halifax, sir John Simon et sir Samuel Hoare (« dont la mission en Espagne n'était pas sans rapport avec cette perspective »).

Le 26, le duc câblait à Churchill :

> Quant à l'interdiction de débarquer aux États-Unis, je ne la considère valable que d'ici aux événements de novembre (l'élection présidentielle américaine). Pourrais-je obtenir confirmation du gouvernement de Sa Majesté qu'il n'est pas de ses intentions de m'interdire de mettre le pied sur le sol américain durant toute la durée de mon mandat aux Bahamas ? Car la mission de représenter le roi dans une colonie britannique aussi proche géographiquement des États-Unis ne me paraîtrait guère justifiée si je devais être empêché d'y aller. Je vous remercie des efforts fructueux que vous avez consacrés à régler la question de mon ordonnance.

Autrement dit, le duc ne répondait de rien s'il n'était pas autorisé un jour ou l'autre à se rendre aux États-Unis. En un temps où les bombes pleuvaient sur Londres, cette menace implicite exaspéra Churchill, qui consacrait ses jours et ses nuits à faire face à d'écrasantes difficultés impliquant des millions de vies humaines. Si dévoué qu'il fût au duc de Windsor, il lui était tout simplement impossible de perdre son temps à régler les questions triviales que soulevait au Portugal, dans d'incessants télégrammes, l'individu névrosé qu'était le duc. Il explosa plusieurs fois devant ses familiers contre le manque de considération du duc pour la crise désespérée que traversait la Grande-Bretagne.

Walter Schellenberg arriva à Lisbonne le 26 juillet, porteur d'instructions d'Hitler l'autorisant à tout faire pour dissuader les Windsor de quitter Lisbonne et pour les convaincre de retourner en Espagne, puis de gagner l'Allemagne d'où le duc retrouverait l'Angleterre pour y remonter sur le trône dans le cadre d'une paix négociée. Schellenberg avait quelque raison d'être optimiste. Le 26, jour de son arrivée, l'ambassadeur Stohrer envoyait à Ribbentrop le télégramme suivant :

> Secret. Un message radio de l'ambassade d'Espagne à Lisbonne est à l'heure qu'il est au ministère des Affaires étrangères à Madrid. D'après ce message, le duc et la duchesse de Windsor ont obtenu leurs visas pour l'Espagne au terme de considérables pressions sur l'ambassade d'Angleterre à Lisbonne. On attend confirmation... Le plan dont notre précédent télégramme donnait connaissance sera suivi à la lettre quelles que soient les circonstances, puisque, après la délivrance des visas, il est possible que les services secrets se manifestent.

Des envoyés de Schellenberg avaient exposé aux Windsor qu'aux Bahamas ils risquaient d'être assassinés par des agents britanniques. Il devenait donc urgent pour Londres que les Windsor vident les lieux. Churchill câblait au duc le 27 :

> J'ai lu votre télégramme au major Phillips, suggérant un report d'une semaine. Lord Lloyd, d'après ce que je sais, s'occupe à vous répondre. Il vous suggérera d'embarquer le 1er août comme prévu, et j'espère très fermement que vous pourrez vous en tenir là. Quant à votre passage aux États-Unis, nous souhaiterions naturellement pouvoir répondre aux souhaits de Votre Altesse royale. Il est difficile aujourd'hui de prévoir quoi que ce soit, mais en accord avec les

présentes instructions royales aux gouverneurs des colonies, instructions que vous possédez, vous consulteriez sans aucun doute le secrétaire d'État aux Colonies avant de quitter la vôtre et nous ferons naturellement de notre mieux pour être agréables à Votre Altesse royale.

Le 28, Gray Philipps et le valet nouvellement engagé du duc, Piper Alistair Fletcher, étaient déposés à Lisbonne. Sir Walter Monckton les avait accompagnés, sur instructions de Churchill, pour s'assurer que les Windsor prenaient bien le bateau à la date prévue [1]. Monckton fut chaudement accueilli par le duc et la duchesse qui n'avaient pas oublié son aide lors de la crise de l'abdication. Son influence modératrice à Londres ne les laissait pas non plus indifférents. Ils ignoraient qu'il avait reçu l'ordre de leur faire quitter l'Europe.

Monckton apporta à Cascaïs plusieurs documents dont une lettre du roi déclarant qu'il était content que le duc ait accepté le poste des Bahamas et une lettre de Churchill, datée du 27, conseillant au duc, le plus amicalement possible, de se montrer extrêmement prudent.

La sagesse de Churchill en la matière était indéniable. Il avait fait suivre ses premières menaces de représailles d'un ordre implicite, au terme duquel le duc devait garder la discrétion sur ses sympathies nazies. En même temps, avec le souci que lui causait la situation du duc, il exprimait le plus grand respect, sûr moyen de satisfaire le narcissisme de ce dernier. Le duc dit à Monckton combien ces lettres lui faisaient plaisir, mais aussi l'inquiétude que continuaient de lui inspirer certains membres du gouvernement britannique qui pourraient un jour être tentés de l'éloigner. En cela il avait tout à fait raison. Monckton avertit les Windsor que Churchill avait eu vent d'un complot qui visait à les mettre sur le trône, au cas où une invasion de l'Angleterre aboutirait à une paix négociée.

Monckton désirait aussi qu'un policier de Scotland Yard fût détaché auprès des Windsor à bord de l'*Excalibur*, pour les surveiller mais aussi pour les protéger au cas où l'on tenterait de les

1. Monckton suivait à l'Appeals Committee l'affaire des fascistes anglais partisans d'une paix négociée.

enlever en mer. Monckton ne parvint pas à faire revenir le duc sur sa détermination de se rendre aux États-Unis, malgré les instructions qu'il avait reçues. Dès le 29 juillet, il faisait réserver un étage entier du Wickersham Hospital de New York et les services du docteur Daniel Shorell, pour faire refaire le nez de la duchesse. L'Intelligence Service en eut sans doute connaissance, car certaines communications entre Londres et Lisbonne devaient indiquer que l'on s'y faisait toujours autant de souci à propos d'un séjour des Windsor à New York.

À Lisbonne, Schellenberg se désespérait. Il songeait à kidnapper les Windsor, ce qui eût été une absurdité. Puis il eut l'idée de leur offrir un moyen de communication direct avec le gouvernement allemand. Mais les avertissements de Churchill transmis par Monckton rendaient la chose impossible. Schellenberg demanda des instructions à Berlin. Plus tard, il devait soutenir que Ribbentrop lui avait ordonné d'enlever les Windsor, mais il est presque certain que c'est invention pure. Quoi qu'il en soit, l'idée était dans l'air. Les Américains s'alarmèrent. Une semaine plus tard, le 6 août, un rapport à Ribbentrop de l'un de ses adjoints précisait :

> Les craintes américaines sont maintenant les suivantes. Ils redoutent que des négociations parallèles s'engagent avec l'Allemagne par l'intermédiaire du duc de Windsor et cela *via* l'Espagne, dans le but de remplacer le gouvernement Churchill et de conclure un cessez-le-feu assorti d'importantes concessions coloniales.

Le 30 juillet, de son train spécial en gare de Füschl, Ribbentrop expédiait à Schellenberg un long télégramme qui définissait les modalités d'un dernier effort en direction des Windsor. L'hôte pronazi du duc devait tenter de le persuader qu'après le rejet par la Grande-Bretagne des offres de paix contenues dans le dernier discours d'Hitler l'Allemagne allait acculer l'Angleterre à la reddition. L'Allemagne désirait coopérer avec les Windsor à l'établissement d'une alliance qui rapprocherait les deux pays et Hitler s'engageait à assurer leur avenir. Les Windsor ne devaient pas se faire d'illusions : Churchill les maintiendrait indéfiniment aux Bahamas pour avoir mieux barre sur eux. Le duc répondit à ce message que, s'il approuvait la politique du Führer, il était inopportun pour lui de se « manifester sur la scène politique ». Puis son départ aux Bahamas n'impliquait nulle rupture avec ses amis allemands puisqu'il pouvait facilement, par la Floride, regagner l'Europe en vingt-quatre heures. Le lendemain, 31 juillet, débarquaient à Lisbonne, d'un hydravion, Harold Holder, de Scotland Yard, et une femme de chambre nommée Evelyn Fyrth. Un rapport allemand de l'époque la donne pour un agent de l'Intelligence Service dont la mission aurait été de surveiller les Windsor pendant leur voyage. Le duc expédiait enfin à Churchill une lettre de la onzième heure dans laquelle il déclarait que sa nomination aux Bahamas, pour n'être pas très flatteuse, n'en constituait pas moins une « solution temporaire », puisque son frère le roi et la reine Elizabeth ne voulaient rien faire pour mettre fin au différend familial.

Ce soir-là, Selby donna une soirée d'adieux pour les Windsor à l'hôtel Aviz. Le lendemain, Primo de Rivera les avertit que, s'ils partaient, ils risqueraient leurs vies. D'autres avertissements suivirent. Le duc redit à Santo e Silva que le désir de paix du Führer le touchait, qu'il partageait entièrement son point de vue et qu'il était convaincu que, s'il était resté roi, jamais la guerre n'aurait éclaté, mais qu'il était prématuré pour lui de revenir sur la scène et qu'il se mettrait immédiatement à la disposition de l'Allemagne lorsque lui parviendrait un certain mot de code. Il exprima enfin admiration et sympathie pour le Führer.

Le docteur Salazar, président du Portugal, avait été avisé de ne rien faire qui puisse encourager ou décourager les Windsor d'appareiller. Il reçut le duc le jour même de leur embarquement, tandis que la duchesse achevait les bagages. L'ambassadeur d'Espagne avait informé Salazar que le duc, « en dépit de son caractère », s'avérerait peut-être un jour un artisan de paix dont le rôle pourrait être important. « Les médiateurs pacifiques ne sont pas si nombreux que l'on puisse se permettre de les négliger non plus que de les laisser assassiner. » Lors de cette entrevue, qui ne fut pas rapportée, faute importante, à sir Walford Selby, le duc avança effectivement des propositions de paix envers lesquelles Salazar évita soigneusement tout engagement. Jusqu'à la dernière minute, les Windsor essayèrent de gagner du temps, allant jusqu'à prétendre faire retarder le départ de l'*Excalibur* d'une semaine pour leur bon plaisir. Toute idée de gagner l'Espagne enfin abandonnée, le duc et la duchesse franchirent la passerelle du paquebot le 1er août, comme prévu.

Les autorités britanniques avaient institué la plus stricte censure sur les faits et gestes des Windsor. Sir Samuel Hoare se présenta au dernier moment, afin de les voir partir ; des documents accessibles depuis peu au département d'État donnent à entendre que lui aussi discutait avec eux des chances d'un règlement pacifique entre l'Angleterre et l'Allemagne. Ce fut au début de l'après-midi que les Windsor montèrent à bord. La semaine précédente, ils s'étaient livrés à une inspection détaillée des dix cabines et de la suite qu'ils allaient occuper. Le navire était bondé de citoyens américains et britanniques allant se réfugier aux États-Unis.

L'*Excalibur* fit route au nord-ouest, à petite vitesse. On informa les Windsor de l'heureuse arrivée de leurs bagages à New York. Ils avaient été embarqués à Liverpool à bord du *Britannic*, de la Cunard White Star. Les Windsor, ce soir-là, se couchèrent de bonne heure. Le lendemain commencèrent les longs loisirs des traversées maritimes, promenades sur le pont, bavardages, visites à la passerelle pour discuter avec le capitaine, contemplation de la mer.

Le lendemain, les Windsor étaient sur le pont lorsque le Yankee Clipper de la Pan American, chargé de riches réfugiés en route pour New York, les survola à basse altitude. Le baron Eugène de Rothschild et sa femme Kitty étaient dans l'hydravion. Le commandant Sullivan descendit à une soixantaine de mètres d'altitude et salua les Windsor par radio. Ceux-ci répondirent en agitant la main et par ce message : « Merci... Salut à vous aussi et bon voyage. »

Les Windsor invitèrent à dîner les Drexel Biddle et William Phillips avec sa fille. Le lendemain ils firent leur courrier, la duchesse à la main, le duc au moyen d'une machine à écrire portative. La mer demeurait calme. Ils prirent ensuite des bains de soleil et regardèrent des films dans le théâtre du paquebot. On les aurait dits en vacances et non point en route vers un exil douteux.

15

Elba

L'*Excalibur* entra le 7 août 1940 dans les eaux vert pâle des Bermudes, tandis que sir Charles Dundas, gouverneur sortant des Bahamas, et lady Dundas quittaient Nassau pour Rio de Janeiro, d'où ils gagneraient l'Afrique où les attendait en Ouganda une nouvelle affectation. Sir Charles aurait préféré rester. Sa femme était malade et le voyage lui serait très pénible. Mais Winston Churchill ne lui avait pas laissé le choix [1].

Une vedette déposa les Windsor au Royal Bermuda Yacht Club, à 2 h 45 de l'après-midi ; des centaines de spectateurs acclamèrent le duc, qui observa le garde-à-vous sur une petite pelouse ovale flanquée de palmiers, le temps d'écouter l'hymne national. Wallis était restée près de l'appontement à bavarder avec Mrs. Francis Hastings-Brooke, sœur du gouverneur, le lieutenant général sir Denis Bernard. Frank Giles, aide de camp du gouverneur, faisait partie du comité d'accueil. L'inspecteur Holder, garde du corps du duc, informa Giles que les Windsor étaient en danger à chaque instant, jour et nuit, et qu'il ne fallait jamais les perdre de vue.

À la réception officielle, sir Frederick, le mari de lady Jane Williams-Taylor, prononça un discours de bienvenue aussi guindé que maladroit. Apparemment bouleversé par la révélation des

---

1. Dundas était connu pour son antiaméricanisme ; ce fut une raison supplémentaire pour Churchill de l'envoyer ailleurs.

activités coupables de Wallis, il oublia combien il importait de lui faire bonne figure pour faciliter les efforts de sa femme qui devait soutirer à Wallis des informations secrètes. De fait, et cela provoqua la fureur du duc, il omit même de la mentionner.

Sir Frederick continua à battre froid à Wallis pendant des semaines, jusqu'au moment où Jane réussit à le convaincre que cette attitude ne servait à rien. Jane de son côté choisit de faire bonne figure à Wallis et l'invita amicalement dans sa splendide propriété de Star Acres où elle se plut à lui rappeler les heures qu'elles avaient passées ensemble à Paris et lui montra dans son salon le grand tableau représentant le Führer que celui-ci avait donné – indication trompeuse de ses véritables sympathies qui l'emportait sur la photo de Ribbentrop trônant sur la coiffeuse de la chambre à coucher de Wallis, où elle s'offrait aux premiers regards du duc et de la duchesse à leur réveil.

Le duc passa en revue la garde d'honneur, s'arrêtant un instant pour échanger quelques mots avec un jeune homme du Bermuda Volunteer Rifle Corps. Puis il monta dans une voiture d'apparat avec sir Denis et le lieutenant Giles, Wallis et Mrs. Hastings-Brooke suivant dans une autre voiture à cheval avec le reste de la suite. Le duc paraissait de bonne humeur et détendu ; ce n'était qu'apparence. Mrs. Hasting-Brooke et les dames qui l'accompagnaient n'avaient pas fait la révérence à Wallis et aucune d'entre elles ne lui avait donné du « Votre Altesse royale ». Le soir, au dîner, leur attitude fut la même. Des instructions venues de Londres stipulaient qu'en aucun cas Wallis ne devait être traitée en altesse royale ; en dernière extrémité, pour faire plaisir au duc, une demi-révérence était tolérée. En lui parlant, il fallait l'appeler « Votre Grâce ».

Ulcéré du traitement réservé à sa femme, le duc bouda pendant tout le banquet. Après le dîner, lorsque les femmes eurent gagné le salon et les hommes la bibliothèque pour le cognac et les cigares, le duc éclata enfin : « Si j'avais été roi, il n'y aurait pas eu de guerre ! » Cette déclaration, énoncée alors que l'Angleterre se battait le dos au mur, irrita tellement sir Denis Bernard qu'il faillit en perdre son sang-froid. Charles Lambe, ancien écuyer du duc, qui commandait alors un croiseur, détourna la conversation, sans pour autant que le gouverneur retrouvât la sérénité.

Durant les jours qui suivirent, Frank Giles ne lâcha pas les

Windsor d'une semelle. C'était un homme agréable et de bonne compagnie qui écrivit dans ses Mémoires intitulés *Sundry Times* :

> J'eus toutes les occasions de les observer et la nuit je notais toutes mes impressions. Je me souviens de mon étonnement, en voyant le duc prendre une douche après un parcours de golf. Il était absolument imberbe et n'avait pas un poil sur le corps, même là où l'on pouvait s'attendre à en discerner au moins quelques-uns.

Il remarquait encore :

> Il était passionnant d'observer ce couple célèbre et d'évaluer les impacts réciproques de leurs personnalités. Il était plus amoureux d'elle qu'elle ne l'était de lui, observai-je. Mais elle veillait sur lui avec des attentions presque maternelles. Tous les soirs, avant que nous nous séparions pour la nuit, elle me demandait le programme du lendemain, et notamment l'heure du premier rendez-vous du duc – car j'étais pour eux un réveille-matin. Quant à elle, c'était un chien de garde.

Giles se rappelait une partie de bridge, un soir que le duc était censé préparer le discours de son intronisation au gouvernement de Nassau. Or il demeurait là à bavarder, tandis que la duchesse jouait aux cartes. Elle quitta enfin la table et s'approcha de lui. « Eh bien, David, lui dit-elle, et ce travail ? » Il répondit timidement : « J'y vais tout de suite, chérie. » En fait, il n'alla pas s'y mettre avant minuit. Losrqu'il lui annonça enfin qu'il allait monter travailler elle le considéra de l'air d'une nanny « dont l'enfant qu'elle a en charge a oublié ce qu'elle lui a appris, la blessant davantage qu'il ne l'irrite ».

Jour après jour, le duc demandait que l'on fasse la révérence à Wallis et qu'on l'appelle « Votre Altesse royale », sans que ses souhaits soient exaucés. Le gouverneur s'appliqua à étouffer ses sentiments hostiles et s'efforça d'offrir au couple le meilleur accueil possible compte tenu des circonstances. Après une interminable conférence de presse, au soir du 9 août, Mrs. Hasting-Brooke donna un dîner en l'honneur des visiteurs illustres, auquel assistaient l'amiral et lady Kennedy Purvis, le secrétaire aux Colonies Éric Button et Mrs. Button, Charles Lambe et les George Woods.

Le lendemain, le duc passa en revue les troupes canadiennes

stationnées sur l'île et s'en fut jouer au golf, tandis que Wallis visitait l'aquarium local. Le soir, à un cocktail, une Américaine, Mrs. Beck, souleva une tempête de commentaires acerbes en faisant la révérence à la duchesse. Révérence imitée par trois de ses compatriotes. Les Anglaises, témoins de la chose, les fusillèrent du regard. Absent notable à cette réception, l'évêque des Bermudes le Right Reverend Arthur H. Browne, le même qui avait précédemment arraché les photos du couple de la vitrine de Hamilton à l'époque de l'abdication. Ce qui n'empêcha pas les Windsor d'assister, impavides, au service qu'il célébra, le dimanche 11 août dans sa cathédrale. L'évêque introduisit dans son sermon une étrange référence. La veille ou l'avant-veille de ce service, le duc avait envoyé à Lisbonne un télégramme quelque peu inconsidéré, où il indiquait à ses contacts nazis qu'il était prêt à retourner au Portugal pour y discuter des conditions d'une éventuelle paix négociée. La censure était très stricte aux Bermudes ; même si le duc avait pris la précaution de transmettre son message par un consulat neutre ou par quelque valise diplomatique, il est douteux qu'il ait pu quitter l'archipel sans être intercepté. Regardant les Windsor bien en face, l'évêque déclara, au beau milieu d'un commentaire de l'épître à Philémon : « Les lettres de saint Paul sont très révélatrices. Les censeurs aujourd'hui le savent, les correspondances peuvent fournir les révélations les plus intimes sur la personnalité de leurs rédacteurs. »

Le 15 août, le couple embarquait pour les Bahamas. Nassau avait été repeint et briqué pour les recevoir. Les Windsor avaient pris place à bord du *Lady Somers*, bâtiment canadien, ce qui était en temps de guerre, pour une altesse royale, une initiative hasardeuse. Les Windsor eurent l'heureuse surprise de retrouver à bord le baron Maurice de Rothschild, cousin d'Eugène, qui se révéla un merveilleux compagnon de voyage.

Des milliers de personnes se pressaient derrière les cordons de police le long de l'estacade de Nassau, tandis que les officiels, tout de blanc vêtus, à la tête desquels on remarquait le secrétaire aux Colonies et le consul des États-Unis, John W. Dye, s'alignaient le long du quai, leurs épouses derrière eux. Des drapeaux anglais et américains palpitaient dans une brise légère. Il faisait une chaleur étouffante.

Le duc avait revêtu un uniforme de général. Wallis portait un manteau de soie bleu marine sur une robe imprimée, avec une toque blanche relevée de nacre. Sans plus de cérémonie, ils gagnèrent directement la salle du conseil, où, devant cent cinquante citoyens fascinés, ils prirent place sous un dais rouge frappé de la couronne d'or. Wallis était assise une marche en dessous du duc, mais une marche au-dessus de celle qui aurait été la place d'une femme de gouverneur ordinaire. Les autorités du lieu avaient passé des heures avant de décider cette marque discrète de reconnaissance.

Le duc ôta sa casquette et s'essuya le front d'un grand mouchoir blanc tiré de sa manche gauche, tandis que le lieutenant-colonel R.A. Erskine Lindop, commissaire de police pour l'archipel, lisait le document qui le faisait gouverneur des îles. Ensuite s'avança le président du tribunal pour la prestation de serment. Reflété dans un miroir immense qui occupait presque tout le mur qui lui faisait face, le duc jura fidélité à son frère le roi et signa une déclaration identique avec un stylo en écaille de tortue. Wallis se leva pour le regarder, en infraction au protocole. Achevant sa seconde signature, il leva les yeux vers elle. Ni l'un ni l'autre n'avaient le sourire. Puis le duc prononça le discours qu'il avait préparé aux Bermudes et qui contenait une allusion très discrète à son désir de paix. Le couple dut ensuite serrer la main à deux cent quatre-vingt-cinq personnes, toutes très mal à l'aise dans l'atmosphère suffocante de la salle. Enfin ils parurent au balcon, déclenchant les acclamations de la foule, tandis que la musique jouait l'hymne national.

Dans l'après-midi, les Windsor furent conduits au palais du gouverneur, dont l'état de délabrement horrifia Wallis. À la différence du bâtiment de Nassau, de bonne facture, bien entretenu et joliment meublé, leur nouvelle résidence était presque croulante. La piscine hors d'usage était remplie de palmes brunes arrachées aux palmiers voisins par une récente tempête. C'est à peine s'ils purent déchiffrer le « His Majesty King Edward VIII » et le sceau royal qu'un précédent gouverneur avait fait peindre sur le fond.

Le 19 août, les Windsor avaient déjà donné trois conférences de presse. Ils évoquèrent devant le consul général des États-Unis la possibilité d'aller au Canada voir leur ranch de l'Alberta. Très inquiet, John W. Dye télégraphia à Washington pour informer ses supérieurs de cette intention. On redouta dès lors qu'il leur prenne fantaisie de passer par Washington en quittant l'Alberta ; le département d'État informa Whitehall que cette hypothèse n'était pas recevable. Lorsque le duc sollicita du Colonial Office l'autorisation de se rendre au Canada, lord Lloyd prit contact avec Lothian, qui lui répondit que pareil voyage était hors de question. Un télégramme au Colonial Office, daté du 24 août, stipulait :

> Si le duc et la duchesse, en route pour le Canada, passaient par les États-Unis, ils y soulèveraient certainement un grand tapage et le déchaînement d'intérêts commerciaux tout à fait indésirables. Mais la réaction de la presse pourrait s'avérer bien plus dommageable, si l'on en venait à penser que le duc était empêché de visiter l'Amérique. Compte tenu des pressions de toutes sortes que subit actuellement le président des États-Unis et pour d'autres raisons encore, il est hautement souhaitable, à mon avis, de reporter semblable visite au lendemain des élections. D'autre part, l'opinion publique ici serait très surprise que Son Altesse royale, à peine arrivée, quitte son poste. Il est très souhaitable d'épargner au public l'impression que le duc ne prend pas au sérieux ses responsabilités officielles.

Les Windsor détestaient l'atmosphère coloniale, provinciale et bavarde. En outre, ils se savaient toujours surveillés par l'Intelligence Service. Cependant, l'arrivée de New York d'un nouvel écuyer, le capitaine Vyvyan Drury, et de sa femme Nina les réconforta un peu. Les Drury s'avérèrent compagnons agréables et loyaux serviteurs.

Wallis entreprit d'inventorier les ressources de l'île, faisant contre mauvaise fortune bon cœur. Nassau était extraordinairement étriqué et étouffant. Son charme colonial suranné, ses plaisantes boutiques quasi américaines, ses palmiers et ses plages de corail compensaient mal l'isolement et la vacuité qui s'y respiraient. Le duc et la duchesse se rapprochèrent des trois personnages dominants de l'archipel. Sir Harry Oakes, le roi sans couronne des Bahamas, leur prêta sa maison, Westbourne, où ils habitèrent des semaines.

Pour le remercier, Wallis lui donna son paravent chinois favori. Oakes était longtemps resté sans un sou, chercheur d'or famélique au Canada. Après des années de vaines recherches, il avait découvert la deuxième mine d'or du monde en importance. Grand, massif, large d'épaules, il avait laissé la graisse envahir sa puissante carcasse. Il avait la voix rauque et des manières provocantes que son argent seul faisait pardonner. Sa femme, Eunice, était australienne et pleine de charme. Il avait une fille, Nancy, fort jolie, qui allait bientôt épouser le séducteur et homme d'affaires local Alfred de Marigny. Oakes avait encore deux fils superbes.

Oakes avait pour associé à Nassau et dans le Banco Continental à Mexico – établissement nazi – un sinistre personnage. Basané, musculeux avec des yeux verts, Harold Christie était un ancien contrebandier qui s'était enrichi dans le rhum à l'époque de la prohibition, avant de devenir le principal agent immobilier des îles. Il vivait dans un faste extravagant, menant un train ruineux et allant et venant sans cesse entre l'archipel et les États-Unis, pour faire mousser les propriétés qu'il avait à vendre. Mais c'était la guerre et, malgré les séductions d'une zone franche, beaucoup d'investisseurs craignaient que les Bahamas, colonie britannique, ne soient occupées par les Allemands, afin de disposer de terrains d'aviation d'où ils pourraient attaquer le territoire américain. Cette situation avait enchaîné Christie dans des difficultés financières considérables. Il essayait de faire face en brassant des affaires médiocres – remplaçant la qualité par la quantité – et en prêtant de l'argent à des Noirs.

Axel Wenner-Gren, le célèbre multimilliardaire suédois, était le personnage très puissant des Bahamas ; depuis que les autorités américaines lui avaient refusé l'autorisation de débarquer en Alaska, il naviguait autour des États-Unis. Il était l'associé de Christie et d'Oakes dans la Banque des Bahamas et la Nazi Banco Continental. Grand, charnu, le visage rose et les cheveux blancs, Wenner-Gren devait son immense fortune à l'invention de l'aspirateur et du réfrigérateur, qu'il avait fait breveter au début du siècle. Ses usines Électrolux s'étaient répandues dans le monde entier. Le 25 mai 1939, il avait rencontré Goering à Berlin et l'avait sagement écouté évoquer une paix permanente avec l'Angleterre qui entraînerait la restauration des colonies africaines et la non-intervention dans le couloir polonais. Dans l'idée d'assurer une armistice négocié, il s'était empressé de transmettre le message de Goering à Neville Chamberlain ; comme le faisait remarquer ce dernier dans un mémorandum non daté, toutes les idées de Wenner-Gren tendaient à favoriser l'Allemagne, n'offrant en retour que de vaines promesses.

Il possédait le *Southern Cross*, qu'il avait acheté à Howard Hughes pour deux millions de dollars. Ce yacht, le plus grand du monde, était somptueusement aménagé et disposait d'une station de radio privée. Il s'était installé à Nassau à la fin de 1939, avait fondé la Banque des Bahamas, associée à la Stein Bank de Cologne – qui finançait la Gestapo – et avait acheté l'île d'Hog, qu'il avait rebaptisée île Paradis et dont il avait fait une luxueuse station balnéaire. Pour éviter d'être appréhendé en haute mer, il changeait constamment le certificat d'immatriculation du *Southern Cross* qui lui servait de bureau pour vendre des armes aux républiques américaines, à une époque où le canal de Panama risquait de tomber sous le contrôle d'éléments pro-nazis de la république panaméenne.

Ayant été informé par ses agents à Nassau de l'arrivée des Windsor, Wenner-Gren leur envoya un message de bienvenue. En fait, il avait déjà été en relation avec eux, par l'intermédiaire de Charles Bedaux, à propos de paix négociée.

À la mi-septembre, Wallis se demandait où pouvait bien se trouver sa femme de chambre, Jeanne-Marguerite Moulichon. Mme Moulichon avait connu de drôles d'aventures. En août, un fonctionnaire allemand l'avait aidée à transporter les précieuses malles de Paris à la frontière espagnole. Bien qu'il l'eût laissée avant la frontière, elle trouva des déménageurs pour accomplir le reste du voyage. Après de nouvelles vicissitudes à San Sebastian, Jeanne-Marguerite réussit à gagner Nassau en novembre, avec l'aide de Gray Phillips. Pendant ce temps, la duchesse, qui était décidée à entrer coûte que coûte aux États-Unis, avait réussi à se procurer un passeport américain par l'intermédiaire du chef de la division des visas du département d'État, Breckinridge Long [1].

Le 19 septembre, lord Lothian envoyait le message suivant aux ministères des Colonies et des Affaires étrangères à Londres :

> *Éventuelle visite du duc de Windsor aux États-Unis.* Le président Roosevelt estime que S.A.R. ne devrait sous aucun prétexte venir en Amérique *avant* les élections. Il espère se rendre

1. Le 9 septembre 1940, à la date où il délivrait le passeport, Long refusait à un bateau de réfugiés juifs l'autorisation de débarquer ses passagers à Norfolk, en Virginie ; le bateau dut rebrousser chemin et la plupart de ses occupants moururent dans des camps de concentration.

prochainement dans l'île d'Eleuthera et le rencontrer à cette occasion. Les Windsor pourraient aller à Washington par la suite.

Ce message secret fait allusion à l'intention de Roosevelt d'établir une base à Eleuthera, où les navires de guerre américains pourraient mouiller en attendant de s'engager dans la guerre. Dans un mémorandum, John Balfour, du Foreign Office, ajoutait une note à ce télégramme :

> Il me semble que le président va un peu vite. D'abord, nous n'avons pas encore donné notre accord aux Américains pour qu'ils établissent une base sur l'île d'Eleuthera, bien que nous n'ignorions pas qu'ils la lorgnent d'un œil concupiscent. Ensuite, le président ne peut pas se rendre dans une dépendance britannique sans s'assurer d'abord qu'une telle visite nous est agréable. La date de la visite n'a pas été précisée.

Copie du message fut envoyée à sir Alexander Hardinge, à Buckingham Palace. Vers la fin de ce même mois, lord Lothian, sans doute poussé par le duc, se mit à presser le ministère des Colonies de laisser ce dernier se rendre en Amérique. Le 28 septembre, lord Loyd envoyait le mémorandum suivant au ministre des Affaires étrangères, lord Halifax :

> Lothian nous embête à tanner le président à propos d'une éventuelle visite du duc de Windsor aux États-Unis. J'installe le duc tranquillement aux Bahamas, et voilà que lord Lothian vient flanquer la pagaille.

Un mémorandum circonstancié fut envoyé à Lothian pour lui conseiller de décourager l'entreprise. Le 8 octobre, un bulletin d'informations allemand, diffusé en anglais et retransmis en Angleterre, déclarait que le duc pourrait jouer un rôle dans des négociations de paix, menées en Europe par le président Roosevelt. Le rapport ajoutait :

> Le gouvernement l'a envoyé aux Bahamas pour qu'il débarrasse le plancher, mais il a accepté ce poste pour se rapprocher des États-Unis. Il ne tardera pas à quitter les Bahamas afin de s'entretenir avec le président.

Monckton envoyait, le 9 octobre, à sir Alexander Cadogan un mémorandum secret, ainsi libellé :

> J'ai lu les télégrammes échangés entre le ministère et Lothian au sujet d'une éventuelle rencontre entre le duc et le président dans un avenir proche. Le bulletin allemand en langue anglaise, que m'a envoyé la Censure, tendrait à confirmer le point de vue du ministère, que l'évocation même d'une telle rencontre n'est pas dépourvue de risque. Peut-être avez-vous entendu parler des efforts déployés par certains cercles espagnols pour empêcher le duc de quitter Lisbonne. J'ai toujours cru, et je demeure persuadé, que les Allemands pensaient pouvoir utiliser sa présence, surtout après qu'il eut exprimé son intention de s'en aller – de même qu'ils essaient aujourd'hui de tirer profit d'une éventuelle rencontre avec le président.

Cadogan ajoutait une note à la main : « Peut-être devrions-nous informer lord Lothian de ce bulletin, afin de lui prouver le danger de ce voyage. » Lothian télégraphiait à Londres, le 10 octobre, qu'il n'avait aucunement l'intention d'encourager une visite du président aux Bahamas, qu'elle aurait un caractère purement privé et n'aurait pas lieu avant les élections. Winston Churchill confirmait personnellement la nécessité de se montrer prudent, et approuvait dans un mémorandum secret, daté du 15 octobre, l'attitude du ministère des Colonies et de Monckton. Quatre jours plus tard, la duchesse envoyait à Miami deux chargements d'effets personnels, dont des vêtements destinés à y être nettoyés et raccommodés. Le 19, le rapport suivant était envoyé par un agent du F.B.I. à l'adjoint de J. Edgar Hoover :

> Au cours de mes fonctions de classificateur, j'ai remarqué que la duchesse de Windsor était signalée pour ses vives sympathies allemandes ; j'ai remarqué à une date ultérieure qu'elle avait envoyé ses vêtements à New York pour y être nettoyés. Il se peut que les vêtements servent à passer des messages.

Il fut mis un terme à ces envois. Le 29 octobre, le duc ouvrait la session du parlement de Nassau par un discours prudent ; il appelait de ses vœux certaines réformes législatives et évoquait les problèmes d'électricité, de transport, de pêcheries d'éponges et de chômage. Discours conventionnel sans grande signification.

En octobre un incident significatif se produisit au château de Candé – qui faisait toujours fonction d'ambassade américaine, dont les dossiers censés secrets et les archives étaient accessibles aux Allemands comme Bullitt le souhaitait.

Le 23 du mois, Hitler rencontra le général Franco à Hendaye, à la frontière franco-espagnole. Hitler souhaitait obtenir de Franco qu'il participe à la guerre. L'entrevue n'aboutit pas. Le lendemain, Hitler rencontra le maréchal Pétain à Montoire. Entrevue fructueuse puisque Pétain lui offrit son concours dans la guerre contre l'Angleterre en échange de la promesse de l'octroi à la France de certaines colonies britanniques en Afrique. De Montoire, Hitler, accompagné de Goering et Ribbentrop, se rendit en pèlerinage au château de Candé et là, voyant dans la bibliothèque les portraits du duc et de la duchesse, les trois hommes se recueillirent et firent le salut hitlérien devant les toiles qui leur rappelaient de fidèles amis. Le 25 octobre, ce fait fut communiqué à Walter Donovan, le chef de l'O.S.S. à Washington, par un agent américain en France, Whitney Shepherdson.

Le 11 novembre, après plusieurs ajournements, dus au mauvais temps, les Windsor s'embarquaient pour une croisière de six jours dans les îles Extérieures de l'archipel des Bahamas à des fins de placements immobiliers avec Harold Christie. Pendant ce temps, Whitehall cherchait toujours à empêcher les Windsor de voir Roosevelt. Les messages secrets se succédaient à travers l'Atlantique pour aboutir tous au palais, sur le bureau d'Alexander Hardinge. Lothian alla même voir le secrétaire du président, le général Watson, pour confirmer qu'il n'y aurait pas de rencontre dans l'immédiat.

Cette même semaine, Axel Wenner-Gren arrivait à Nassau à bord du *Southern Cross*. Il était accompagné de sa femme, la chanteuse américaine Marguerite Liggett. Les Windsor ne purent qu'approuver sa politique de soutien d'une paix séparée avec l'Allemagne nazie. Ils lui firent également rencontrer le général mexicain pro-nazi Maximino Camacho, ce qui était parfaitement déplacé du fait que les relations diplomatiques entre l'Angleterre et le Mexique avaient été rompues. Il s'agissait de transférer de l'argent au Mexique.

Au début décembre, Wallis eut de graves ennuis de dents, nécessitant des soins immédiats. Il lui fallait (dit-elle) se faire opérer par un dentiste de Miami, le docteur Horace Cartee. Les Windsor tenaient absolument à se rendre sur le continent. Il est évident que Cartee aurait pu prendre l'avion pour Nassau. Entretemps, le président Roosevelt avait été triomphalement réélu, et Washington ne voyait plus d'obstacle à ce que, prévenant la visite du duc aux États-Unis, il aille à Nassau.

Ils partirent sur le *Southern Cross* de Wenner-Gren. Le yacht arriva à Miami, au grand mécontentement de la presse de gauche. Douze mille personnes étaient massées sur le port, pour accueillir le couple, et huit mille autres le long des douze kilomètres de route menant à l'hôpital Saint-François. Wallis souffrait beaucoup mais ne manifestait rien ; à son arrivée dans la salle de consultations, le docteur Cartee la prévint que l'opération serait pénible, en raison du mauvais état de sa mâchoire. Elle fut opérée sur-le-champ, et on lui arracha une molaire inférieure. L'infection était importante, la guérison fut lente. Cette même semaine, lord Lothian mourut subitement ; scientifiste chrétien, il avait refusé le traitement qui aurait pu le sauver. Profitant de cette mort, le duc emprunta un bombardier américain pour rejoindre les Bahamas et rencontrer Roosevelt pendant trois heures sur le bateau présidentiel, le *Tuscaloosa*, ancré au large d'Eleuthera. Le duc demanda au président à visiter les camps de jeunesse créés pendant la dépression pour rendre espoir aux chômeurs, façon de pénétrer plus avant avec Wallis sur le continent américain. On discuta de plusieurs emplacements où la marine américaine pourrait s'installer, mais sans parvenir à aucune conclusion.

Le duc regagna Miami, pour rentrer à Nassau avec Wallis sur le *Southern Cross*. Ils prirent la mer le 17 décembre. Le duc annonça aux journalistes qu'il accepterait avec plaisir le poste d'ambassadeur de Grande-Bretagne à Washington, déclaration qui ne fut pas approuvée à Whitehall.

Après une brève croisière dans les Bahamas occidentales, Wenner-Gren ramena le couple à Nassau.

Ce voyage avait été entrepris malgré les ordres exprès de Churchill et en dépit des efforts pour l'empêcher de Jane Williams-Taylor avec l'appui de son mari et de ses amis, Marjorie Merryweather Post et Millard F. Tydings, sénateur du Maryland. Bientôt le Secret Service allait faire appel, pour garder l'œil sur Wenner-Green et ses complices de sang royal, à deux personnes qui paraissaient peu désignées pour ce rôle d'agents : Greta Garbo et le célèbre diététicien, Gayelord Hauser.

À leur retour à Nassau les Windsor apprirent qu'un isolationniste américain en vue, le rédacteur en chef de *Liberty* (qui appartenait à un autre diététicien célèbre, Bernard McFadden), souhaitait voir le duc pour une interview. Oursler ignorait apparemment les sympathies nazies des Windsor, et ceux-ci de leur côté admiraient *Liberty*, qui avait en 1937 engagé les services de Errol Flynn pour lui donner une couverture lors de son équipée en Espagne pendant la guerre civile. Ce qui échappait cependant à Windsor, c'est que isolationniste ou non, Oursler était un Américain loyal et anti-nazi. Depuis des semaines Oursler multipliait ses efforts pour obtenir son interview. La Maison Blanche avait tout fait pour le décourager, probablement parce que Roosevelt ne désirait pas que les vues défaitistes de Windsor s'étalent dans la presse alors que le programme Prêt-Bail d'assistance à la Grande-Bretagne battait son plein. Le gouvernement britannique avait de même opposé son veto. Bien décidé à aboutir, Oursler avait trouvé un concours précieux auprès d'une relation des Windsor, Thomson Rich, qui lui avait promis de faire son possible.

Dans l'avion qui l'emmenait à Nassau, Oursler voyagea avec Charles Taussig, chef de la mission présidentielle américaine chargée d'étudier les conditions de travail aux Caraïbes. Celui-ci lui battit froid et fit de son mieux pour que l'interview n'eût pas lieu. Sur quoi Thomson Rich, apparaissant soudainement, remit à Oursler une lettre du capitaine Vyvyan Drury, aide de camp du duc, lettre adressée à Roosevelt et lui faisant savoir que le duc était disposé à recevoir Oursler quand il le souhaiterait. Rich n'expliqua pas comment la lettre se trouvait entre ses mains.

Quand Oursler rencontra Drury, il constata avec surprise que la salle de bal de la résidence du gouverneur était toujours encombrée des bagages des Windsor, bien que leur arrivée remontât à quatre mois. Drury le reçut cordialement et lui apprit que le duc le verrait à 6 heures du soir le jour même.

À l'heure fixée le duc fit son entrée dans le salon. Oursler plongea aussitôt dans le vif du sujet. Il demanda au duc ce qu'il pensait de la décision du maréchal Pétain d'écarter Pierre Laval du gouvernement (en fait Laval retrouva le pouvoir quelques jours plus tard, mais l'air d'approbation qui se lut alors sur le visage du duc témoignait de ses sympathies pour Vichy). Oursler parla ensuite de la défaite de l'Italie et affirma même, contre toute vraisemblance, que l'effondrement de l'Italie devant les efforts alliés entraînerait un soulèvement en Allemagne contre la guerre qui conduirait à la déposition d'Hitler par son peuple. Le duc tomba dans le piège et déclara avec colère :

> C'est prendre ses désirs pour la réalité, monsieur Oursler. Il n'y aura pas de révolution en Allemagne et ce serait une tragédie pour le monde si Hitler devait être renversé. Hitler est le dirigeant qu'il faut au peuple allemand, son dirigeant logique. Il est regrettable que vous n'ayez pas rencontré Hitler, comme il est regrettable que je n'aie pas rencontré Mussolini. Hitler est un très grand homme.

Il ajouta : « Croyez-vous que votre président serait prêt à jouer un rôle de médiateur au moment voulu, le cas échéant ? » Oursler répondit que le président serait sans doute disposé à jouer ce rôle, s'il pensait que l'intérêt de l'humanité le réclamait. Mais il n'avait pas rencontré le président depuis trois mois et c'était simple hypothèse de sa part.

Windsor se lança :

> Peu de gens se rendent compte de la gravité de la situation où se trouve la Grande-Bretagne. Elle soumet l'Allemagne à un blocus, mais l'Allemagne en fait autant pour l'Angleterre. Les pertes en sous-marins sont énormes et s'accroissent tous les jours. Le temps approche où il faudra faire quelque chose. Quelqu'un devra faire un geste.

Au comble de l'excitation Oursler s'envola pour Washington où le président lui accorda audience à la Maison Blanche. Il répéta mot pour mot les déclarations de Windsor qui plongèrent Roosevelt dans une grande colère. Il fit allusion au groupe de gens très haut placés en Angleterre partisan de la paix à tout prix, groupe que représentait Windsor. Roosevelt se dit consterné d'apprendre que le duc parlait de la grandeur d'Hitler et paraissait assuré d'une révolution en Angleterre (?), révolution qui ne pouvait que rétablir Windsor sur le trône. C'est à ce moment qu'il révéla à son interlocuteur atterré l'histoire des neuf postes émetteurs parisiens qui communiquaient au gouvernement berlinois les informations transmises par Windsor à l'intention de celui-ci. Le président ne mentionna pas le rôle joué par Bullitt, dont il s'était maintenant débarrassé. Il dit seulement : « Après cette histoire, on suggéra au duc de se rendre à Cannes et de ne plus en bouger. »

Oursler ne publia pas la version intégrale de l'interview. D'après son fils, il aurait craint pour sa vie. La version très édulcorée qu'il diffusa suffit pour inquiéter Winston Churchill et le roi George VI. La version intégrale, comme l'écrit Oursler dans son Journal, « aurait fait sauter le trône d'Angleterre ».

Aujourd'hui on sait, grâce à des documents du Foreign Office désormais accessibles aux chercheurs, que Roosevelt s'est joué d'Oursler. Bien loin d'être consterné par la politique de paix à tout prix avec Hitler, il s'était activement associé jusqu'en mai – à ce moment-là Winston Churchill réussit à le faire changer d'avis – aux multiples tentatives pour apaiser les nazis et mettre fin à la guerre. La seule différence avec Windsor, c'est qu'au lieu de prendre l'initiative de ces plans, comme le suggérait Windsor, il appuyait la Grande-Bretagne en sous-main, prêt à intervenir directement auprès d'Hitler quand les démarches préliminaires auraient paru prometteuses.

Celui qui avait été l'inspirateur de cette politique était Sumner Welles du Département d'État, vieil ami de Roosevelt et son condisciple à Groton. Welles, en tant qu'envoyé spécial en Italie, avait été très impressionné par Mussolini, le roi Victor Emmanuel et le comte Ciano. Il croyait que ces hommes pouvaient jouer le rôle d'intermédiaires auprès d'Hitler et qu'aucun d'eux ne souhaitait la guerre en dépit du fait qu'ils y étaient entrés au cours de l'été en tant qu'alliés du Führer.

Lord Lothian, l'ambassadeur britannique à Washington, avait eu un entretien secret avec Roosevelt le 5 avril pour discuter le plan élaboré par celui-ci en vue d'une paix négociée. Roosevelt y faisait écho au vœu de Windsor, à savoir que dans tout plan de paix il devait être entendu que l'Allemagne préserverait son « espace vital » et qu'en aucun cas elle ne serait partagée. Roosevelt ne demandait à Hitler que de donner son agrément à une force de paix européenne aménagée avec les États-Unis. Le président fit même une démarche aussi surprenante que déplacée en rédigeant un mémorandum qu'il demandait à Chamberlain de transmettre à Hitler. Le Foreign Office fut consterné. Le 8 avril 1940, sir Robert

Vansittart, écœuré, écrivait à Chamberlain : « Nous ne devrions en aucun cas nous engager dans cette affaire. Ce serait un piège redoutable. » Et il ajoutait : « Continuons le combat. Ne nous laissons pas entraîner dans cette comédie sous la houlette d'amateurs sans expérience qui voient les choses de trop loin – Welles et Roosevelt. » Il poursuivait :

> Ce sont des idées vagues et incohérentes qui sont très dangereuses. Aucun homme raisonnable ne peut envisager de désarmement à moins que (a) la Prusse ne soit démembrée (b) la caste militaire allemande ne soit détruite. Ces deux conditions sont absolument indispensables pour qu'on puisse parler de paix et ni Roosevelt ni elles n'en font mention. En aucun cas le gouvernement de Sa Majesté ne doit se laisser influencer par des politiciens novices.

Au cours de l'hiver, Frazier Jelke, célèbre agent de change de New York, rendit plusieurs visites aux Windsor. Il fut très étonné de les entendre déclarer à leurs invités qu'ils étaient tout à fait opposés à l'entrée de l'Amérique dans la guerre. Le duc dit entre autres à Jelke : « Il est trop tard pour que l'Amérique sauve la démocratie en Europe. Elle ferait mieux de se contenter de le faire chez elle. » Une fois informé par Jelke des sentiments du duc, Churchill, d'accord avec le roi et Roosevelt, n'eut plus évidemment qu'une idée, l'empêcher d'aller aux États-Unis, où il risquait d'encourager les isolationnistes. Il est intéressant de noter qu'à l'époque beaucoup d'isolationnistes prêcheurs de paix étaient à la solde du gouvernement nazi, ce que Whitehall et les services secrets américains savaient très bien.

Noël 1940 s'écoula sans cérémonie, sinon un arbre de Noël pour les enfants pauvres des îles à la résidence du gouverneur. La saison d'hiver commença ; la société continentale se précipita à Nassau pour jouir d'un climat plus clément. Axel Wenner-Gren recevait à bord du *Southern Cross*, ancré au large de l'île Paradis : parmi les invités avec lesquels les Windsor se lièrent se trouvait James D. Mooney, patron européen de General Motors [1]. N'ayant

---

1. Mooney, qui avait d'importants intérêts dans l'Allemagne nazie, s'était vu confier les énormes usines Adam-Opel d'Hitler, où étaient fabriqués les voitures

pu obtenir de visa pour Londres en raison de l'intervention de sir Robert Vansittart, Mooney parcourut les Amériques, en négociateur pour le compte d'Hitler. Il visita Cat Cay, île située au nord de Nassau, avec Alfred P. Sloan, autre sympathisant nazi, président de General Motors. Selon certains rapports des services secrets américains, le duc le rencontra à plusieurs reprises afin de discuter d'une paix séparée avec Hitler. Selon plusieurs sources, Mooney, pour se protéger, aurait été agent double pour le compte de Vansittart pendant plusieurs années ; il se peut qu'il ait rendu compte des relations nazies que les Windsor entretenaient aux Bahamas.

H. Montgomery Hyde, agent secret travaillant pour sir William Stephenson, de la British Security Coordination, fut témoin du rôle des Windsor dans plusieurs affaires d'infractions aux règlements du temps de guerre sur les changes. Montgomery Hyde se rendit à l'époque à Nassau et observa, à sa consternation, qu'Harold Christie et Maximino Camacho rencontraient ostensiblement le duc pour discuter avec la Banco Continental d'illégales mais profitables dispositions.

Le 25 janvier 1941, Sumner Welles envoyait un mémorandum confidentiel à Fletcher Warren, du département d'État, ainsi libellé :

> Selon certaines informations, le frère du nouveau président du Mexique, le général Maximino Avila Camacho, devrait arriver à

---

blindées et les tanks ayant servi à l'invasion de la Tchécoslovaquie et de la France. Le 22 décembre 1936, à Vienne, Mooney avait dit à l'ami des Windsor, Goerge Messersmith : « Nous devrions nous arranger avec l'Allemagne pour l'avenir. Il n'y a pas de raison de laisser nous aveugler l'indignation que nous pouvons éprouver devant ce qui se passe dans ce pays. » Dans une interview pour le *New York Times*, datée du 8 octobre 1937, l'ambassadeur des États-Unis en Allemagne, William E. Dodd, rapportait que Mooney faisait partie d'une « clique d'industriels américains acharnés à remplacer notre gouvernement démocrate par un État fasciste ». En 1938, Mooney recevait d'Hitler l'ordre de l'Aigle d'Or. En avril 1939, il organisait avec l'ambassadeur des États-Unis à Londres, Joseph Kennedy, la venue dans la capitale anglaise d'Emil Puhl, de la Reichsbank, et d'Helmuth Wohlthat, conseiller économique de Goering. À cette occasion, ils établirent un plan au terme duquel l'Allemagne, outre un prêt secret anglais de cinq cents millions à un milliard de dollars en or, se verrait accorder le contrôle de toute la masse monétaire du continent grâce au rétablissement de l'étalon-or. Dans le cadre d'une paix négociée avec Hitler, Mooney proposait de rendre à l'Allemagne ses colonies africaines.

> Nassau au début du mois de février, apparemment pour s'entretenir avec Mr. Wenner-Gren. J'ai appris que Mr. Wenner-Gren tenait à participer à un consortium américain qui projette d'énormes investissements au Mexique. Pour toutes ces raisons, je crois qu'il est de la plus haute importance de surveiller de près les activités de Mr. Wenner-Gren.

Camacho n'allait en effet pas tarder à venir aux Bahamas à l'invitation des Windsor pour l'établissement d'intérêts germano-américano-britanniques au Mexique, où ils seraient partie prenante.

Le 5 février, James B. Steward, consul général des États-Unis à Zurich, envoyait à Fletcher Warren un mémorandum strictement confidentiel qu'on pouvait résumer ainsi : Mooney faisait de l'espionnage pour le compte de l'Allemagne. Messersmith, qui était alors ministre des États-Unis à Cuba, écrivait dans un long rapport, daté du 4 mars 1941 :

> Mr. Mooney ne tourne manifestement pas rond, et je le considère comme un personnage dangereux. Il fait partie de ces Irlandais qui sont tellement hostiles à l'Angleterre qu'ils seraient prêts à voir le monde entier à genoux, pour satisfaire leurs sentiments anglophobes. Je l'estime aussi fou que n'importe quel nazi ; il est de ceux qui nourrissent l'espoir, si les États-Unis deviennent nazis, d'être notre Quisling ou notre Laval.

Messersmith, qui ignorait le rôle d'agent double de Mooney, ajoutait que le directeur de la General Motors avait eu récemment une liaison avec la fille d'un fonctionnaire allemand connu, « laquelle n'était pas très équilibrée et nazie convaincue ». Mooney était un personnage « plus dangereux encore pour le duc et la duchesse de Windsor que Wenner-Gren ». Le gouvernement américain surveilla les Windsor de plus près. Le F.B.I. n'était pas autorisé à opérer aux Bahamas, et l'O.S.S., récemment créé, n'avait pas les mains entièrement libres sur les territoires britanniques. Toutefois, plusieurs agents secrets vinrent de Cuba, de Floride, des Bermudes et d'Haïti, pour essayer de débrouiller la vérité. La propagande allemande, pendant ce temps, ne cessait d'attirer l'attention sur les Windsor. Il était affirmé sur ses ondes que, dans le nouvel ordre des choses, le duc serait vice-roi d'Amérique, tandis que la famille royale anglaise irait prendre sa place aux Bahamas. Errol

Flynn arriva sur ces entrefaites à Cat Cay, soi-disant pour pêcher, mais en fait pour rencontrer Alfred P. Sloan et James Mooney. Ce monstre sacré, connu pour ses sympathies nazies, s'engageait lui aussi en faveur d'une paix négociée.

Harold Christie se rapprocha encore des Windsor. Le 6 février, il donnait pour eux la première grande réception de la saison, et la première jamais donnée par un habitant des Bahamas pour un gouverneur et sa femme.

Avec cinq mille livres de plus et l'aide d'un décorateur de New York, Wallis transforma la résidence du gouverneur en une confortable demeure. Dans le salon, au-dessus de la cheminée, trônait son fameux portrait par Gerald Brockhurst. Devant la cheminée, de part et d'autre d'une grande table basse, couverte de fleurs, se faisaient face deux canapés et des copies de sièges Queen Anne, recouverts de chintz. Il y régnait une atmosphère davantage américaine qu'anglaise, et si le décor était plutôt banal, il convenait parfaitement. Outre l'amélioration de leurs conditions de vie, Wallis s'activait dans la Croix-Rouge, les hôpitaux et les orphelinats de l'île, ce qui ne l'empêchait pas de souffrir de son exil. Le duc et elle ne cessaient d'invectiver tous ceux qui étaient responsables de leur situation, bien que le duc ne tolérât pas la moindre critique directe à l'encontre de son frère, de sa belle-sœur ou de sa mère, même de la part de Wallis, qui explosait à la seule mention de la famille royale britannique. La plupart de ses insultes parvenaient au palais avec les résultats que l'on devine.

Les lettres qu'écrivait alors Wallis à tante Bessie sont pleines de récriminations. La chaleur, l'isolement, l'humidité, le sentiment de rejet pesaient davantage sur elle que les tourments de l'Europe en plein conflit mondial. Dans le but de calmer sa dépression et son sentiment d'inutilité et d'améliorer son image aux yeux du monde, elle se jeta à corps perdu dans le travail, dirigeant son personnel avec l'efficacité d'un général, s'activant des journées entières au Bahamas Assistance Fund, qui envoyait des milliers de boîtes de lait dans les îles lointaines. Les journaux et les magazines refusant de reconnaître ses mérites, elle devint de plus en plus irritable. Le monde refusait de reconnaître en elle une sainte ; aux yeux de la plupart, elle était toujours la sorcière la plus fascinante et intrigante de l'Ouest, aussi insaisissable et menaçante que le sinistre personnage de *Rebecca* de Daphné du Maurier.

Le 4 mars, la duchesse écrivait à un ami, P.G. (« Nick ») Sedley de la Carter Carburetor Corporation à Saint Louis, dans le Missouri. Sedley l'avait aidée à entrer en relation avec sir Pomeroy et lady Burton, propriétaires de La Croë, qui étaient assignés à résidence en France ; elle révélait dans cette lettre qu'elle avait versé le montant de la location de La Croë au compte des Burton à la Coutts Bank de Londres. Elle révélait également qu'elle avait envoyé de l'argent à Herman Rogers pour payer les gages d'Antoine et d'Anna, qui s'occupaient de la villa. Elle avait entendu dire que la maison avait été vendue. Elle était décidée à garder La Croë, quoi qu'il arrive. Sedley jouait un rôle d'intermédiaire dans cette affaire. Il avait épousé la sœur de lady Burton, et sa mère, Mrs. Sedley, vivait à Dinard dans la maison de cette dernière. Dans une lettre datée du 5 mars et adressée à un de ses contacts, Hugh R. Wilson, du département d'État, Sedley écrivait le message suivant :

> Je ne sais rien de ces choses, mais j'imagine qu'on doit pouvoir trouver à Berlin un Allemand susceptible d'autoriser, *par courtoisie pour vous ou pour le duc de Windsor*, la transmission de la lettre de la duchesse. On prétend qu'on peut envoyer de temps en temps un message de vingt-cinq mots, et c'est ce que j'essaie de faire, mais il est manifeste que le message de la duchesse de Windsor ne peut pas être réduit à vingt-cinq mots, sinon la censure allemande l'arrêterait inévitablement, pour obscurité, alors que le message complet, tel qu'il a été écrit par la duchesse, est tout à fait clair et anodin.

Dans une note datée du 4 avril et adressée à Mr. Sedley, le sous-secrétaire d'État américain Breckinridge Long déclarait qu'il était prêt à transmettre le texte de la lettre en France, si l'Angleterre l'y autorisait. Il lui fallait d'abord se mettre en rapport avec l'ambassade de Grande-Bretagne à Washington, car il ne voulait pas enfreindre le *Trading with the Enemy Act*. La lettre de la duchesse fut envoyée au Foreign Office à Londres, où elle intéressa particulièrement le vieil ennemi de Wallis, sir Robert Vansittart. Le fait que Wallis envisage d'obtenir le soutien des autorités de Berlin pour qu'une lettre concernant sa maison arrive à bon port, ne fut guère apprécié à Whitehall.

Le 18 mars, Churchill télégraphiait à Windsor que la visite projetée aux États-Unis n'était ni de l'intérêt public ni de celui du duc. Churchill ne voyait pas d'inconvénient à ce que Windsor aille croiser aux Antilles, dans la mesure où ce n'était pas sur le yacht de Wenner-Gren. Churchill poursuivait :

> Selon les rapports que j'ai reçus, ce monsieur est considéré comme un financier international pro-allemand, fortement partisan de l'apaisement, et soupçonné de contacts avec l'ennemi. Votre Altesse royale ne saisit peut-être pas quel sentiment prévaut aux États-Unis envers cette sorte de gens et combien il déplaît à l'administration de les voir encouragés.

Se référant à l'article de *Liberty*, il ajoutait :

> Quoi que vous ayez voulu dire, ces propos seront certainement jugés défaitistes et pro-nazis, et cautionnant implicitement l'isolationnisme qui vise à laisser l'Amérique hors de la guerre… Je souhaiterais que Votre Altesse royale demande conseil avant de faire des déclarations publiques de cet ordre.

Mais il n'était pas question de relâcher la surveillance secrète de la duchesse, tant que se poursuivraient de telles activités. Il fallut attendre le mois de juillet pour que H. Freeman Matthews, premier secrétaire de l'ambassade des États-Unis à Vichy, informe le département d'État que la lettre révélatrice avait glissé entre les mailles du filet, bien qu'elle ait été arrêtée à Londres.

Le 17 mars, Winston Churchill envoyait un message secret à Windsor pour l'exhorter à cesser toute relation avec le « pro-nazi » Wenner-Gren. Il prenait dans le même temps soin des biens du duc en France ; le mémorandum suivant (X2153/188/503) était envoyé le 7 avril 1941 par le Foreign Office à William Bullitt à Paris :

> Mr. Winston Churchill présente ses compliments à l'ambassadeur des États-Unis et a l'honneur de solliciter de Son Excellence qu'elle ait la bonté de demander au consul des États-Unis à Cannes de payer, sur les fonds britanniques dont il dispose, la somme de 44 156,25 francs (soit l'équivalent de 250 livres à 176,625 francs la

livre) contre un reçu à Mr. Herman Rogers, villa Lou Viei, à Cannes, pour l'entretien de la propriété de Son Altesse royale le duc de Windsor, qui est représenté par ce Mr. Herman Rogers.

Le 27 mars, le duc envoyait à Churchill une note furieuse aux bons soins de lord Moyne au ministère des Colonies. « Tout désaveu de l'article d'Oursler dans la presse américaine, écrivait-il, ne servirait qu'à attirer attention et publicité. D'autre part, si je devais exprimer des opinions opposées à votre politique, j'utiliserais pour les exprimer des moyens plus directs. »

Il poursuivait :

> Je me demande si lord Halifax est depuis assez longtemps en Amérique pour se permettre d'affirmer que notre visite tiendrait du spectacle. À Miami, en décembre dernier, notre visite a été tout à fait digne, et, que je sache, les intérêts britanniques n'en ont pas souffert. L'importance que vous attachez aux articles des magazines américains m'incite à vous dire que j'ai été offensé par un article du magazine *Life* du 17 mars, intitulé « La reine », dans lequel cette dernière aurait parlé de la duchesse en disant « cette femme ». Je sais que les articles concernant la famille royale sont censurés en Angleterre avant d'être distribués ; cette remarque est une insulte directe à ma femme, et ne peut d'aucune façon, je vous l'assure, soutenir les efforts que nous faisons pour maintenir le système monarchique dans une colonie britannique. Ajouté à cela, je considère comme une anomalie insupportable le fait que ma femme n'ait pas le même statut officiel que moi, ce qui n'est pas sans comporter des aspects désagréables. Il n'est pas nécessaire que vous me rappeliez les sacrifices et les souffrances endurés par la Grande-Bretagne… La simple demande que je vous ai fait parvenir par Sam Hoare aurait-elle été acceptée par mon frère, que j'aurais été fier de partager ces temps difficiles avec mes concitoyens. J'ai apprécié dans le passé votre amitié, mais, après votre télégramme F.O. N° 458 du 1er juillet et le ton de vos récents messages, il me semble difficile de croire que vous êtes toujours l'ami que vous étiez.

Sir John Colville a rapporté à l'auteur de ce livre la fureur de Churchill à la lecture de cette missive ; aucune réponse ne fut envoyée.

Lors d'une réception donnée le 21 mars 1941 à Nassau dans le cadre de la campagne « Colis pour la Grande-Bretagne », le duc de

Windsor, comme un agent du F.B.I. l'apprit d'un invité, William Rhinelander, était en train de chanter à pleine voix les mots « Il y aura toujours une Angleterre » quand il s'interrompit soudain pour chantonner, jetant un froid dans l'assistance. « Il y aura toujours un Scotland Yard » – comme s'il savait que l'hôtesse, lady Jane Williams-Taylor, était une espionne britannique. Dans une autre occasion, à un grand dîner à la résidence du gouverneur, un joueur de cornemuse qui travaillait pour l'Intelligence Service, jouait pendant que les invités arrivaient. Le duc, qui venait de faire une remarque furibonde contre le gouvernement britannique, se retourna vers le joueur de cornemuse et lui dit sèchement : « Vous pouvez rapporter ce que vous avez entendu au 10 Downing Street. » – c'est-à-dire à Churchill.

Pourtant, en infraction avec le *Trading with the Enemy Act*, que son gouvernement avait ratifié en 1940, Churchill prit des dispositions extrêmement troublantes. Classé secret par le Foreign Office, le document, daté du 7 avril 1941, fut envoyé au département d'État, et ne fut, pour la première fois, rendu accessible (à l'auteur de ce livre) que le 28 octobre 1986.

N° X1937/188/506

Mr. Winston Churchill présente ses compliments à Son Excellence l'ambassadeur des États-Unis et, se référant à la lettre de Mr. Achilles, du 1er mars, adressée à sir George Warner du Foreign Office et concernant les biens de Son Altesse royale le duc de Windsor à Paris, a l'honneur de solliciter de la part de l'ambassade des États-Unis à Paris qu'elle ait la bonté d'effectuer pour le compte du duc de Windsor les règlements suivants sur les fonds britanniques à sa disposition, ces règlements devant faire l'objet de comptes séparés à présenter au Foreign Office.

1. 55 000 francs de loyer pour l'année en cours, mais ne pas donner suite à l'option d'achat.

Renouveler l'assurance, soit 10 000 francs.

Payer les gages de Fernand Lelorrain à raison de 2 000 francs par mois jusqu'au 31 décembre 1940 et de 1 000 francs par mois pour janvier, février et mars 1941, plus 30 francs par jour de nourriture pendant toute cette période. Il faudra expliquer à Lelorrain que ce salaire est celui que reçoivent les serviteurs de La Croë, la maison de Son Altesse royale à Antibes.

Continuer à payer tous les mois à Lelorrain ses 1 000 francs par mois, plus 30 francs par jour pour la nourriture.

2. Le duc de Windsor serait également reconnaissant à l'ambassade des États-Unis si elle voulait bien se renseigner sur la situation de ses biens à la Banque de France et payer, pour la location de son coffre, 15 000 francs, dus depuis le mois de novembre pour l'année en cours.

3. Mr. Churchill souhaiterait que soit transmise de la part de Son Altesse royale à l'ambassade des États-Unis à Paris l'expression de sa reconnaissance pour l'aide efficace apportée à ses affaires.

Paris étant alors occupé par les nazis, le loyer serait versé aux autorités allemandes ; la Banque de France était entièrement sous contrôle nazi.

Le 11 avril 1941, lors d'un dîner à la résidence du gouverneur, Windsor dit à ses invités que l'Amérique manquerait de prudence si elle entrait en guerre contre l'Allemagne car l'Europe était désormais perdue et l'assistance qu'elle pourrait lui apporter viendrait trop tard. Lors d'une autre soirée la duchesse déclara que, si les États-Unis entraient en guerre maintenant, le jugement de l'histoire tiendrait dans la formule suivante : le pays le plus imbécile de tous les temps. Tous deux parlèrent avec admiration d'Hitler.

Les Windsor réussirent à obtenir l'autorisation de fouler une fois encore le sol américain. Le 18 avril, ils arrivaient à Miami à bord du *Berkshire*, où ils furent accueillis par une foule estimée à deux mille personnes. Ce voyage avait pour but de rencontrer sir Edward Peacock, chef de la British Purchasing Commission et directeur de la Bank of England, pour discuter de problèmes financiers.

La rencontre avec Peacock fut, à ce qu'on sait, sans grande conséquence ; on s'en tint aux généralités. Le 19 avril, par l'intermédiaire de Gray Phillips, le duc déclarait à la presse : « La conversation (avec sir Edward Peacock) sera secrète, et aucun compte rendu n'en sera donné. » À Palm Beach, les Windsor rencontrèrent le mystérieux Walter Foskett, avocat de sir Harry Oakes et d'Harold Christie, et leur associé dans un consortium, suspecté d'affaires louches aux États-Unis et aux Caraïbes, la Tesden Corporation.

Pendant leur séjour à Palm Beach, au mois de mai, les Windsor virent souvent le beau capitaine Alastair (« Ali ») Mackintosh, un des premiers amis de Wallis à Londres ; il donnait des informations au F.B.I. et était sur le point de s'engager dans l'armée britannique. Le 2 mai, il communiquait un rapport secret à J. Edgar Hoover. Résultat, le 3 mai, Hoover écrivait à Roosevelt par l'intermédiaire du secrétaire présidentiel, le général « Pa » Watson :

> Nous avons été informés par une source socialement très en vue, et connue pour être en relation avec certaines des personnes impliquées, mais dont nous ne pouvons pas répondre, que Joseph B. Kennedy, ancien ambassadeur en Angleterre, et Ben Smith, spéculateur à Wall Street, ont rencontré Goering à Vichy, après quoi, Kennedy et Smith ont fait don d'une somme considérable à la cause allemande. Ils sont tous les deux qualifiés d'anti-anglais et de pro-allemands.
>
> Cette même source d'informations rapporte que le duc de Windsor aurait en substance accepté, au cas où l'Allemagne serait victorieuse, de devenir roi d'Angleterre, après qu'Hermann Goering, chef de l'armée, aurait renversé Hitler.

À la suite de ce mémorandum, les Windsor furent, selon les termes mêmes d'un conseiller présidentiel de l'époque, « aussi bienvenus à la Maison-Blanche que deux pickpokets ». Ils furent toutefois autorisés à visiter la base aérienne voisine de Morrison Field, qui était en cours d'achèvement. C'est à l'occasion de cette visite que la duchesse reçut son baptême de l'air, à bord de l'avion d'Harold Vanderbilt.

Autre événement de ce mois de mai 1941, le vol de Rudolf Hess en Angleterre. Ernest Wilhelm Bohle, vieil ami des Windsor, aurait trempé dans cette expédition, bien que, selon l'opinion la plus répandue, Hess en aurait décidé seul. Il était à l'origine prévu qu'il se rendrait en Espagne pour y rencontrer sir Samuel Hoare.

Dans une lettre du 16 mai à tante Bessie, Wallis évoquait ce vol : « Si seulement (le voyage de Hess) signifiait la fin de la guerre ! » C'est alors que les Windsor furent saisis d'inquiétude : et si les Allemands essayaient de les kidnapper pour servir de monnaie d'échange à la libération de Hess ? Durant les deux années suivantes, le duc, paniqué, ne cessait d'annoncer l'apparition de sous-marins allemands au large de l'archipel.

Les Windsor fêtèrent leurs anniversaires par une chaleur accablante. La veille de l'anniversaire du duc, Hitler envahissait la Russie.

Le 30 juin, le duc envoyait à Winston Churchill une lettre-fleuve, où il déversait toutes ses rancœurs. S'il admettait « son exil dans ces îles comme un expédient justifié par la guerre », il se plaignait « du peu de considération accordée à ses services par les gouvernements britanniques successifs » et ajoutait être bien conscient « d'être redevable de cet exil à la même vieille clique de courtisans haineux. J'espère en être arrivé à la bonne conclusion, mais, quoi qu'il en soit, j'ai appris à ne jamais plus me mêler de politique anglaise, et je compte m'en retirer sans retour, dès le cessez-le-feu. »

Il s'engageait à rester aux Bahamas, « aussi longtemps qu'il pensait pouvoir se donner à cette tâche dérisoire ». Il évoquait le travail que faisait la duchesse pour la Croix-Rouge et d'autres œuvres locales et se plaignait de ce que Churchill n'ait pas conseillé au roi d'accorder à la duchesse un rang royal. Il affirmait que sa demande n'était pas fondée sur le snobisme, car il était prêt, s'il le fallait, à abandonner son propre titre, mais il ne voulait pas « que le monde puisse dire, ce qui est le cas, qu'elle ne porte pas vraiment mon nom. Certains journaux ont même été jusqu'à en conclure que nous avons fait un mariage morganatique ». La lettre insistait encore sur le voyage américain, demandait l'établissement d'une liaison maritime vers les îles. Il lui fallait absolument rencontrer le président des États-Unis, soutenait-il encore, assurant Churchill qu'il ne dirait rien qui soit contraire à la politique anglaise. « Je n'ai pas l'intention, ajoutait-il, de faire le moindre discours en dehors des Bahamas, ni de parler politique, car, en ces temps où les sensibilités sont exacerbées, le sujet est par trop dangereux. Je souhaiterais seulement que vous fassiez quelque chose pour dissiper l'atmosphère de soupçon qui a été créée autour de moi, car je pourrais rendre beaucoup plus de services de ce côté de l'Atlantique. »

Les Windsor achetèrent un yacht, le *Gemini*, qui leur permit malgré les consignes, de croiser autour des îles et de rencontrer leurs amis suspects. Sous prétexte d'une expédition archéologique,

Wenner-Gren partit pour le Pérou, dans le but (à en croire le F.B.I.) d'établir un réseau pro-nazi dans cette région.

Ils projetaient un troisième voyage en Amérique, un long périple, cette fois, qui les mènerait jusqu'au Canada et au ranch d'Alberta. C'était une nouvelle version du voyage annulé de 1937, à l'exception de quelques villes. Le Foreign Office s'inquiéta à juste titre de ce projet, et Vansittart, une fois encore, manœuvra contre eux. À Buckingham Palace, sir Alexander Hardinge s'alarma aussi. Pour aggraver les choses, le duc de Kent était attendu en Amérique en visite officielle, au mois d'août, et sous aucun prétexte Kent et Windsor ne devaient se trouver en même temps sur le continent américain. On craignait toujours un double enlèvement. On redoutait que, profitant de leur immense popularité, les deux ducs tentent de faire pression sur certains membres du Congrès, résolus à tenir l'Amérique en dehors de la guerre. Mais il était pratiquement impossible de refuser des visas aux Windsor. On pouvait seulement leur refuser l'assistance diplomatique ou l'hospitalité de l'ambassade et des divers consulats. En aucun cas leur visite ne devait donner l'impression d'être approuvée par Whitehall.

Un déjeuner à la Maison-Blanche était inévitable, car l'opinion publique, dont avait alors besoin le président, n'aurait pas compris qu'il ne les y reçût pas. Il était déjà en guerre non déclarée contre Hitler dans l'Atlantique, ce qui provoquait une avalanche de critiques au Congrès.

À la dernière minute, Churchill envoya au duc un long mémorandum bien senti, le suppliant de faire tout ce qui était en son pouvoir pour influencer les Roosevelt en faveur de la cause britannique :

> (Rappelez au président que) l'Empire britannique dans son ensemble est déterminé à combattre l'hitlérisme jusqu'à ce que la tyrannie nazie ait été définitivement détruite... Il se peut que ce temps de lutte et de douleur soit long, mais il ne peut durer éternellement. Il durera seulement jusqu'à la victoire de la bonne cause.

La rencontre avec le président fut annulée, en raison de la mort, cette semaine-là, d'un membre de la famille de Mrs. Roosevelt.

Par une étrange et désagréable coïncidence, la semaine où le couple arrivait aux États-Unis, arrivait également l'agent nazi, avocat de Wallis à Paris, Armand Grégoire. Un énorme dossier du F.B.I. apparut sur le bureau d'Adolf A. Berle, sous-secrétaire d'État, qui rendait compte chaque semaine au président d'affaires secrètes. Court-circuitant le F.B.I., Berle utilisait souvent ses propres informations, glanées par un réseau de vice-consuls espions. Il était, par bien des aspects, l'équivalent de sir Robert Vansittart, qui avait pris sa retraite. Berle partageait l'opinion de Vansittart sur les Windsor ; il était persuadé qu'ils travaillaient avec les nazis. Il avait trouvé un allié en la personne de George Messersmith, alors ministre à Mexico, qui avait abandonné toute modération dans son jugement sur le duc et la duchesse. Leurs relations avec Wenner-Gren, dont les liens nazis à Berlin comme à Vienne étaient connus de Messersmith, avaient suffi à faire de ce diplomate accompli leur ennemi.

Le dossier Grégoire intéressa particulièrement Berle. Il expliquait pourquoi la duchesse avait fait appel à lui en 1937 et révélait les manœuvres de Ribbentrop et de sir Oswald Mosley, ainsi que les contacts maritimes français et allemands d'Ernest Simpson.

Pendant les douze mois suivants, Berle garda un œil sur Grégoire, le suivant jusqu'à Berkeley, en Californie ; en mars, il autorisa son arrestation et son internement par le ministère de la Justice, jusqu'à la fin de la guerre, pour activités nazies. Jugé en 1946 par le gouvernement français, et déclaré coupable de collaboration avec l'Allemagne, Grégoire fut condamné aux travaux forcés à perpétuité.

Berle avait maintenant les Windsor dans le collimateur, et le F.B.I. ouvrit sur eux un dossier qui n'allait pas tarder à grossir. Les lettres affluèrent, certaines provenant manifestement de fanatiques, d'autres, écrites à la main ou tapées à la machine, paraissant plus sérieuses. Conservées dans le principal des dossiers Windsor, au F.B.I., à Washington, ces lettres sont pleines d'accusations, concernant surtout la duchesse. Certaines la qualifient carrément d'espionne nazie ; toutes mettent en garde l'Amérique contre la présence des Windsor et demandent que leur soient refusés toute manifestation de courtoisie et tout accès aux zones stratégiques.

Le fait que les Windsor aient emprunté, pour se rendre de Miami à Washington, un train spécial, mis à leur disposition par leur vieil ami Robert R. Young, président d'Alleghany, ne fit rien pour améliorer leur position. S'appuyant sur des preuves [1], John Balfour, dans ses Mémoires, soutient que Young était un sympathisant nazi. Il faisait partie de ces gens riches qui souhaitaient signer une paix négociée avec Hitler.

Étant donné la nature de l'hôte des Windsor, dont l'épais dossier était déjà sur le bureau de Berle, il n'est pas étonnant qu'ils aient reçu un accueil plutôt froid, lorsque, le 25 septembre, leur train entra en hoquetant dans l'Union Station, à Washington. On remarquait l'absence du chargé d'affaires. Les fonctionnaires britanniques et américains ne montrèrent que froideur. Seul le public, qui n'était au courant de rien, acclama le duc et la duchesse. À leur arrivée à l'ambassade sir Ronald Campbell se montra courtois. Probablement à l'initiative de Churchill, le Foreign Office autorisa cette fois l'ambassadeur à donner au moins aux visiteurs égarés les apparences de l'hospitalité. Bien que le déjeuner à la Maison-Blanche ait été annulé, les Windsor s'y rendirent et le président, seul (sa femme réprouvait leur présence), et certainement au courant de leurs activités, se montra cordial. Il songeait aux fameuses bases des Bahamas.

Au National Press Club, le duc, accompagné d'une duchesse tout sourire, prononça un discours qui était une version édulcorée de l'allocution patriotique suggérée par Churchill ; comme on pouvait le prévoir, il en supprima les éléments les plus agressifs pour lancer un scandaleux appel à la paix, à l'opposé de la reddition inconditionnelle et de la destruction totale de l'Allemagne sur lesquelles Churchill avait insisté. Ce soir-là, plusieurs hauts fonctionnaires du cabinet de Roosevelt assistèrent à une réception donnée pour le duc et la duchesse à l'ambassade de Grande-Bretagne.

Le duc et la duchesse organisèrent une soirée pour des amis et des parents, dont Lelia Barnett et plusieurs Warfield. Puis ils partirent visiter le ranch royal d'Alberta, au Canada. Ce fut un merveilleux voyage. Dans le Middle West, cœur de l'isolationnisme, ils furent reçus avec enthousiasme. Les foules qui les acclamaient étaient notamment composées de nombreux Germano-Américains,

---

1. Balfour avait connaissance du dossier secret sur les Windsor, qui se trouvait à Londres, et les nombreux échanges télégraphiques entre les Windsor à Nassau et les ministères des Affaires étrangères et des Colonies à Londres lui étaient automatiquement envoyés.

qui avaient élu au Congrès des politiciens pro-nazis, dont le dangereux sénateur du Montana, Burton K. Wheeler, le meilleur ami de Robert Young. Le journal isolationniste *Chicago Tribune* annonça l'arrivée des Windsor par d'énormes titres, approuvant sans réserve leur position d'apaisement. Leur arrivée au Canada mit le Premier ministre Mackenzie King, ami de Churchill, dans une position embarrassante, puisqu'il n'avait pas voulu de cette visite. Il ne connaissait que trop bien leur dossier. La police royale montée fut chargée de protéger les Windsor et surtout de les avoir à l'œil. Ils arrivèrent au ranch. Il était magnifiquement situé au milieu d'une campagne superbe, et Wallis fut heureuse de s'y reposer. Le duc rêvait d'y trouver du pétrole ; il évoqua avec la duchesse la possibilité de vendre la propriété, tout en conservant 50 pour 100 des droits pétroliers. Sur le conseil de cette dernière, il y renonça pour entreprendre lui-même les forages.

Pendant leur absence, les Bahamas furent balayées par un terrible ouragan. Il aurait été sage de leur part d'y retourner pour prendre la situation en main, mais ils n'en firent rien, suscitant de nombreuses critiques au sein de la population noire, dont les terres avaient été dévastées.

Tandis que les Windsor goûtaient les délices de Baltimore, un rapport des services secrets de la marine, daté du 14 octobre, parvenait sur les bureaux d'Adolf Berle et de J. Edgar Hoover. Envoyé par le major Hayne G. Boyden, attaché naval du corps de la marine américaine, il était libellé comme suit :

AU COURS D'UNE CONFÉRENCE À LA LÉGATION ALLEMANDE (WASHINGTON DC.) LE DUC DE WINDSOR N'A PAS ÉTÉ QUALIFIÉ D'ENNEMI DE L'ALLEMAGNE. IL EST CONSIDÉRÉ COMME LE SEUL ANGLAIS AVEC LEQUEL HITLER SERAIT PRÊT À NÉGOCIER UNE PAIX, LE MAÎTRE LOGIQUE DES DESTINÉES DE L'ANGLETERRE APRÈS LA GUERRE.

> Hitler sait parfaitement qu'Édouard ne peut pas dans l'immédiat agir d'une manière qui pourrait être jugée contraire aux intérêts de son pays (rapporte un informateur sûr, qui est en bons termes avec un agent nazi). Mais lorsque le moment sera venu, il sera le seul en mesure de diriger les destinées de l'Angleterre.

Ils partirent ensuite pour une visite de cinq jours à New York. À leur descente de train, ils ne trouvèrent sur le quai qu'une vingtaine de personnes à peine, tous reporters ou cheminots. Ils gagnèrent le Waldorf Towers par des rues presque désertes dans une limousine spécialement carrossée qu'Alfred P. Sloan, président de la General Motors, avait mise à leur disposition. Ils furent accueillis aux Waldorf Towers par Vyvyan Drury et se montrèrent enchantés de leur suite du vingt-septième étage, chef-d'œuvre Art déco, surplombant Park Avenue. La duchesse, qui souffrait d'un ulcère à l'estomac, consulta trois spécialistes durant son séjour. Soit séparément, soit ensemble, le duc et la duchesse visitèrent des programmes de logements, des crèches et des clubs. Au City Hall, ils furent reçus, au milieu d'une grande foule, par le maire, le toujours populaire Fiorello LaGuardia, que Wallis adorait.

Les Herman Rogers étaient eux aussi à New York, à la grande joie de Wallis. Rogers avait fini par quitter la France, après avoir fondé la Voice of America, qui encourageait les sentiments antinazis dans les Amériques. Un curieux incident eut lieu le 21 octobre. Un jeune valet de ferme de dix-huit ans d'origine allemande, Fritz Otto Gerhardt, fut arrêté, alors qu'il sortait de l'ascenseur qui l'avait monté à l'étage des Windsor. Interrogé sur ses intentions, il prétendit avoir voulu interviewer le couple pour un journal de Vienne, et admit appartenir au premier groupe isolationniste américain. Accusé d'être membre du Bund germano-américain, il fut gardé à vue pour être ultérieurement interrogé. Des milliers de personnes, prévenues de la visite royale, envahirent la ville, se pressant autour des Windsor, où qu'ils aillent. Le duc et la duchesse se rendirent ensuite à Detroit, où ils prirent le thé avec Henry Ford ; ils avaient beaucoup en commun avec Ford, qui était l'enfant chéri d'Hitler, et qui avait repris dans son *Dearborn Independent* le célèbre faux, « Les protocoles des sages de Sion », scandaleux pamphlet antisémite. Hitler avait mis en évidence la photo de Ford dans sa Maison-Brune de Munich. À l'époque de la visite du duc, et même après l'entrée en guerre des États-Unis quelques semaines plus tard, Ford construisait en France occupée des camions et des voitures blindées pour les nazis, ce qu'il continuerait de faire jusqu'à la fin du conflit.

Le duc visita aussi les usines de la General Motors, qui

maintint des liens avec les Allemands, même après Pearl Harbor ; les Windsor y furent reçus par James D. Mooney.

Le 7 décembre, les Japonais attaquaient Pearl Harbor. Le président Roosevelt prit acte immédiatement de l'état de guerre entre les États-Unis et le Japon. Cependant, bien que le Japon fît partie de l'Axe, les États-Unis ne déclarèrent pas la guerre à l'Allemagne. Hitler consulta Ribbentrop ; l'Allemagne ne devrait-elle pas déclarer la guerre à l'Amérique ? Les termes du pacte tripartite entre l'Allemagne, l'Italie et le Japon impliquaient le soutien armé des signataires à celui d'entre eux qui serait attaqué, affirma Ribbentrop au Führer, mais, en l'occurrence, le Japon était l'agresseur et le pacte ne s'appliquait pas à cette situation-là. Cependant, une information publiée par le *Chicago Tribune* décida Hitler à déclarer la guerre. Fondé sur une fuite du ministère américain de la Guerre, l'article affirmait que Roosevelt projetait, dans le cadre d'une opération baptisée « Rainbow Five », d'envahir l'Europe et de vaincre l'Allemagne en 1943. À l'origine de la fuite se trouvait le sénateur Wheeler, grand ami de Robert R. Young.

Après Pearl Harbor, Charles Lindbergh prononça une conférence au cours de laquelle il déclara que, s'il n'avait rien contre l'Allemagne, il était dégoûté par ces hordes jaunes de Japonais qui menaçaient les États-Unis ; le duc exprima une semblable horreur des « hordes nippones ». Si la nouvelle de l'attaque, qui sonnait le glas d'une paix négociée avec l'Allemagne, le bouleversa, il approuvait, comme Lindbergh, la guerre avec le Japon. Selon son biographe, Michael Bloch, la duchesse aurait, pour sa part, été « enchantée à l'annonce » de Pearl Harbor. Pourquoi ? Était-elle contente que l'Amérique entre en guerre, précipitant ainsi la fin du conflit, ou se réjouissait-elle de ce qu'elle ait été attaquée ?

Sept jours après Pearl Harbor, sous la pression de Whitehall et de Washington, Axel Wenner-Gren fut mis sur la liste noire, pour toute la durée de la guerre. Le Suédois étant résident aux Bahamas, il revenait au duc de signer le document en question, où était notamment mentionnée la Bank of the Bahamas, où le duc et la duchesse avaient d'importants intérêts. D'autres sociétés étaient citées, qui toutes avaient des liens avec l'Allemagne. Wenner-Gren, qui était en route pour Mexico, à bord du *Southern Cross*, se vit confiné, pendant toute la durée de la guerre, dans sa maison de Cuernavaca. Toutes ses affaires et tous ses comptes aux Bahamas furent gelés. Comme devait le préciser Berle dans un mémorandum au président, daté du 9 février 1942, il s'agissait d'« écarter Wenner-Gren des affaires » et de lui « faire clairement comprendre que ses positions politiques étaient irrecevables aux États-Unis. Je ne pense pas qu'il soit nécessaire pour l'instant d'aller plus loin ».

Il y avait d'autres raisons. Un rapport des services secrets britanniques, daté du 29 janvier 1941, déclarait : « Wenner-Gren... essaie de former en Amérique un cartel destiné à contrôler le commerce du bois... mais on estime de plusieurs sources qu'il cherche en fait à couper l'approvisionnement en bois de l'Angleterre. »

Wenner-Gren était surtout associé de la société H.A. Brassert, installée à New York et Berlin, qui gérait les investissements de Goering dans l'industrie de l'acier. Le Trésor pensait que, par Brassert et la Bank of Bahamas, Wenner-Gren avait pu guider les placements des Windsor et, par le Banco Continental, transférer à l'étranger leurs capitaux une fois blanchis.

Beaucoup de gens, en 1942, assuraient avoir aperçu des sous-marins allemands dans l'archipel des Bahamas. Le duc fit savoir qu'il avait peur d'être kidnappé avec la duchesse et échangé contre Rudolf Hess. La surveillance des côtes fut renforcée dans les îles, par les Anglais aussi bien que par les Américains, tandis que Windsor bombardait Londres de télégrammes exprimant la plus vive inquiétude.

Wallis avait peur de sortir : l'agitation sociale était à son comble à Nassau et dans l'île de la Nouvelle-Providence. Cette situation déjà délicate se trouva aggravée par le départ de Wenner-Gren, dont les locataires se retrouvèrent le plus souvent sans toit. Les Windsor eurent de nouveau maille à partir avec les services secrets britanniques et le F.B.I. William Stephenson, chef de la British Security Coordination à New York, fut informé par la censure des Bahamas qu'une lettre adressée au prince Rudolfo del Drago à Rome par une amie proche de Wallis, Mrs. Harrisson (Mona) Williams, par la suite comtesse von Bismarck, contenait une carte en provenance de la résidence du gouverneur, modèle de carte que les Windsor étaient seuls à utiliser. Ladite carte contenait un message, toujours classé secret, du major Gray Phillips, sous le nom de code Grigio. Communiquer avec un résident d'un pays ennemi était une violation du *Trading with the Enemy Act.* Les autorités américaines et britanniques se trouvèrent alors confirmées dans leurs pires suspicions envers Wallis. On laissa cependant tomber l'affaire. Dans une note à l'agent nazi Charles Howard Ellis, infiltré dans les services de Stephenson, et jouant le rôle de consul général de Grande-Bretagne à New York, le duc écrivait :

> Je suis tout à fait satisfait de l'explication que le major Phillips a donnée de cet incident, assurant que sa tentative de communication avec un Italien n'avait aucun mobile pervers... Je me porte garant de son intégrité. J'espère donc que la British Security Coordination fermera les yeux sur la sérieuse infraction aux règles de sécurité qu'il a malheureusement commise.

En mai 1942, les Windsor songeaient à se rendre en Amérique du Sud, mais Anthony Eden envoya à Churchill un mémorandum, daté du 14 et destiné à empêcher ce voyage. De puissants mouvements nazis agitaient l'Amérique latine et Éden ajoutait : « Une telle visite ne manquerait certainement pas de soulever des soupçons à Washington. »

Le 28 mai, les Windsor retournaient à Miami à bord du *Gemini* ; de là, ils gagnèrent Washington, où ils retrouvèrent les Rogers à un déjeuner intime à la Maison-Blanche. Pendant leur absence, l'explosion de haine anti-Blancs, qui couvait depuis longtemps, éclata à Nassau.

Le 1er juin, une émeute ravagea la ville. Wallis fut effondrée d'apprendre de la bouche du duc que mille ouvriers noirs avaient pillé Bay Street. Le président des États-Unis envoya des *marines* ; toutes les affaires s'arrêtèrent ; la grève générale commença. Deux mille manifestants exigèrent bientôt du gouvernement l'amélioration de leurs conditions de vie. Devant le silence officiel, ils s'armèrent de bouteilles brisées et d'épées anciennes, dérobées au musée local, pour fracasser les vitrines des magasins, en jeter le contenu dans la rue et envahir les bars, où ils consommèrent d'énormes quantités d'alcool. L'arrivée de la troupe ne les apaisa point. Ils s'emparèrent d'un soldat des Cameron Highlanders et le rouèrent de coups. Les Écossais ouvrirent le feu sur la foule, faisant sept morts et quarante blessés. Les principaux hommes d'affaires de la colonie, profitant d'une accalmie, se réunirent, remplis de fureur, pour réclamer du gouverneur intérimaire, Leslie

Heape, secrétaire aux Colonies, des mesures immédiates. Le lieutenant-colonel R.A. Erskine-Lindop, qui détenait les pouvoirs de police, fut l'objet des plus vives critiques, de la part de Christie, d'Oakes et d'autres, pour son inertie.

Le couvre-feu fut décrété à Nassau. Dans la nuit, deux Noirs furent tués. La foule avait incendié les bâtiments publics de Grant's Town, dont le commissariat de police et la caserne des pompiers.

Laissant la duchesse à Washington avec tante Bessie et des amis, le duc regagna Nassau sur-le-champ. Bien qu'il fût opposé à l'admission des Noirs dans les clubs locaux ou dans le gouvernement, son charisme, son charme et sa seule présence suffirent à ramener l'ordre. Quoiqu'il eût certainement préféré être vice-roi des Indes, il assuma pleinement son rôle de gouverneur et prit les décisions qui s'imposaient. Il calma les nerfs ébranlés des hommes de Bay Street et, sur le conseil d'Éric Hallinan, procureur général des Bahamas, nomma une commission d'enquête. Le 8 juin, il s'adressait sur les ondes, sur un ton impérial et sans la moindre condescendance, aux habitants de l'île en appelant à la coopération générale et trouvant le moyen de donner à ses auditeurs l'impression que, s'il était profondément pro-Noirs, il ne tolérerait pas de nouveaux actes d'insoumission.

Le duc téléphona à Winston Churchill à Londres et lui parla de ces événements. La réaction de Churchill (le 10 juin) fut de lui offrir le poste de gouverneur des Bermudes – qu'il se plut à dépeindre au duc comme un point stratégique pour les relations entre la Grande-Bretagne et les États-Unis, de surcroît, ajouta-t-il, le climat y était meilleur qu'à Nassau. Étant donné que cette affectation était encore moins intéressante que son poste aux Bahamas – les Bermudes n'étaient que des îles plates pour vacanciers où il y avait une base navale – le duc rejeta la proposition. De fait, le président Roosevelt avait une idée de derrière la tête et il est probable que le duc la devina. Les Bermudes était le quartier général des opérations britanniques d'espionnage dans l'Atlantique Nord et, tandis que lady Williams-Taylor avait échoué dans sa mission qui était de tenir Wenner-Gren à distance des Windsor, on pouvait espérer que sir William Stephenson, le chef du Secret Service en Amérique du Nord, qui faisait de fréquents séjours à Hamilton, la capitale des Bermudes, y réussirait.

Sous prétexte de demander conseil à Roosevelt, il retourna aux

États-Unis, le 12 juin. Le président feignit habilement, comme à son habitude, l'intérêt et la sympathie. En fait, il se garda d'entrer dans le jeu, laissant le duc se débrouiller tout seul.

Nassau semblait avoir été balayé par un ouragan ; on avait hâtivement cloué des planches pour boucher les brèches des bâtiments publics. Le duc rejoignit Wallis à New York, le 17, pour fêter deux jours plus tard l'anniversaire de celle-ci, et le sien, le 23.

À peine revenus à Nassau, ils furent témoins d'un nouveau drame. Le duc et la duchesse fêtaient avec les Rogers l'anniversaire de Katherine, le 28, lorsqu'ils virent des flammes jaillir de Bay Street et monter dans le ciel. Accompagné du sergent Harold Holder et de son maître d'hôtel, le duc, excité comme un collégien, dévala la rue pour se joindre aux volontaires et aux pompiers. Survolté, n'écoutant que son courage, il pénétra à plusieurs reprises dans les bâtiments en flammes pour s'assurer qu'il n'y restait personne. La duchesse le rejoignit et ils firent la chaîne avec d'autres pour essayer de sauver le plus de choses possible. L'incendie, volontaire, avait été allumé par un homme d'affaires local, qui espérait toucher l'assurance.

Les hommes de Bay Street reprochaient au duc de ne pas avoir pris de mesures extrêmes contre les pillards et les incendiaires. Il avait cherché à éviter une révolution, qui aurait mis la duchesse et lui-même en danger de mort ; ce n'était que sagesse et pragmatisme. La chaleur de l'été devenait insupportable. C'est alors que leur parvint une nouvelle terrible. Le 25 août 1942, à 1 h 15 de l'après-midi, le duc de Kent décollait avec onze passagers d'Invergordon, en Écosse, en direction de l'Islande. L'appareil était piloté par le commandant Moseley, considéré comme un excellent navigateur et le meilleur pilote de l'escadrille qu'il commandait. Les conditions météorologiques étaient plutôt bonnes : le plafond était de trois cents mètres, la visibilité de trois milles. À l'approche de Wick, l'avion pénétra dans une nappe de cumulus à cent mètres d'altitude. Soudain, le pilote changea complètement de cap. Au lieu de suivre la route prévue, il commença de prendre de la hauteur à la verticale de Wick. Se croyant toujours au-dessus de la mer, il tourna inexplicablement vers l'ouest et heurta une colline. À l'exception d'une personne, il n'y eut aucun rescapé.

Plusieurs questions restaient sans réponse. Le commandant Moseley avait fait ce vol des dizaines de fois et connaissait bien le terrain. Ses instruments de bord étaient en parfait état de marche. Comment avait-il pu confondre la terre avec la mer, d'autant que la mer était visible à travers les nuages ? Avait-il été drogué par des agents ennemis ? Avait-il été frappé d'une attaque brutale ? Le duc de Kent avait-il pris les commandes, après avoir un peu trop bu au mess des officiers ? Autant de questions qui ne trouveront probablement jamais de réponse.

La mort de son frère fut un choc terrible pour le duc. À l'annonce du drame par la radio, il se mit à sangloter comme un enfant. Le 29, au service commémoratif, il était de nouveau en larmes. De douleur, il oublia d'envoyer une lettre de condoléances à la duchesse de Kent, omission qui lui valut d'injustes critiques.

Peu après la chute de l'avion, Rudolf Likus, chef des services d'espionnage de Ribbentrop au ministère des Affaires étrangères, fit une déclaration qui reçut une large diffusion :

> Le soi-disant accident est, en réalité, le résultat des activités scélérates du Secret Service britannique désireux de se débarrasser de (Kent) avant que ses sympathies proclamées pour la cause allemande n'embarrassent la famille royale.

Ladislas Farago, ancien membre du bureau d'espionnage de la marine américaine, mentionne le fait dans son livre, *The Game of the Foxes* (New York, David McKay, 1971).

Martin Allen, auteur de plusieurs biographies, m'a écrit le 4 juillet 2003 :

> Le duc de Kent avait plongé dans le monde trouble de l'espionnage britannique ; il n'est donc pas impossible qu'il soit devenu un problème, qu'il ait cessé d'être utile et soit même devenu gênant. Mon père connaissait Freddy Winterbotham ; au cours d'une conversation qu'il eut avec lui à la fin des années soixante-dix, il lui parla du fameux accident. D'après mon père, Winterbotham se contenta de lui dire ceci : « Nous nous sommes débarrassés de Kent comme nous nous sommes débarrassés du problème Sikorski. »

C'est une allusion à un accident d'avion presque identique de juillet 1943. Wladislav Sikoski, le Premier ministre polonais en exil, qui jouait un jeu dangereux entre l'Angleterre, l'Allemagne et la Russie et qui représentait peut-être une menace pour certaines négociations internationales que menait Churchill, embarqua à Gibraltar avec un sympathisant nazi et un ami des Windsor sur un hydravion qui s'écrasa quelques minutes plus tard.

Dans les deux cas, selon Winterbotham, la méthode employée fut la même : on versa de l'acide sulfurique sur le revêtement isolant de certains câbles.

Comment procédait-on ? Voici une explication proposée par George von Zirk, ancien pilote de la Luftwaffe :

> À l'époque, si on désirait détruire un hydravion, on recrutait pour ce travail un membre de l'équipe des mécaniciens au sol. L'homme adaptait un flacon – du type de ceux qu'on utilise dans les hôpitaux pour l'alimentation intraveineuse – à une section du câblage isolant ; grâce à un système d'horlogerie l'acide coulait goutte à goutte sur le câble et détruisait les connexions. Quand l'avion s'envolait, il ne fallait que quelques minutes pour qu'il perde de l'altitude. Le pilote essayait de tenter un atterrissage de fortune, mais c'était trop tard.

Pour quelle raison le chef du Secret Service, sir Stewart Menzies, a-t-il pris la décision si grave d'éliminer le frère du roi, héritier possible du trône ?

D'après Martin Allen la première raison aurait été l'ivrognerie toujours plus marquée de Kent et sa liberté de langage excessive au cours de ses missions. Amer, jugeant insuffisantes les responsabilités qu'on lui confiait dans les forces navales ou aériennes, jaloux de son cousin, lord Louis Mountbatten, Kent n'était pas heureux. La guerre qu'il avait voulu éviter à tout prix – d'où ses nombreuses missions en Allemagne – le remplissait d'horreur. Ses multiples lettres au prince Paul de Yougoslavie, en résidence forcée au Kenya sur ordre de Churchill, témoignent de sa haine pour l'Allemagne qui avait trahi sa confiance, mais il n'y manifeste pas non plus d'amour pour son pays : on est loin du patriotisme ardent de son frère le roi George VI ou de sa belle-sœur, la reine. Ces lettres respirent le désespoir. Or le désespoir et l'ivrognerie en un personnage aussi considérable constituaient un risque pour la sécurité nationale – d'autant plus que le prince était au courant des activités des forces aériennes britanniques et américaines et que des espions le guettaient lors de ses fréquentes visites au Canada ou en Islande.

Entre Kent et William Bullitt il existe une énigmatique relation que les historiens ont négligée. Dans une thèse de sciences économiques présentée à Cornell University (USA) un chercheur du nom de Jonathan Victor Marshall a montré que les deux hommes ont été impliqués dans une affaire douteuse concernant l'achat de bombardiers au Canada : un profit personnel aurait été réalisé par les intéressés et Whitehall se serait inquiété de fuites possibles en Allemagne. En ce qui concerne le premier point, un million de dollars aurait été obtenu de la Banque de France grâce aux contacts français avec lesquels les deux hommes travaillaient. Compte tenu de la nullité de Kent en matière financière, on peut supposer que Bullitt porte seul la responsabilité de l'opération. La question des fuites est différente : les contacts étroits de Kent avec le général Spaatz de l'armée de l'air américaine préoccupaient vivement le Secret Service britannique qui redoutait la divulgation d'informations confidentielles par un homme qui buvait immodérément et bavardait inconsidérément.

On peut imaginer encore un autre motif au meurtre. Kent avait été impliqué dans un plan compliqué visant à attirer en Angleterre Ernst Wilhelm Bohle, l'agent allemand d'origine britannique qui avait rencontré les Windsor en Allemagne. Le but de l'opération était de feindre la préparation d'une paix négociée alors qu'on cherchait à capturer Bohle lequel pouvait être la source d'informations précieuses sur les plans de guerre d'Hitler. On avait choisi Kent à cause de ses liens avec les nazis dans les années trente, notamment à Munich. Pour ce travail on l'avait autorisé à travailler avec le duc de Buccleuch, récemment écarté de la maison royale à cause de ses sympathies nazies – car Buccleuch aussi avait des contacts en Allemagne.

On sait que les événements prirent un autre tour : ce ne fut pas Bohle mais Rudolf Hess qui prit l'avion et atterrit en Écosse. Les autorités allemandes et les autorités britanniques présentèrent l'affaire comme l'initiative incohérente d'un fou. Il fallait à tout prix cacher la vérité : que sa venue était due à l'invitation lancée par Kent sous le prétexte de discussions en vue d'une paix négociée. Les Allemands comme les Anglais voulaient étouffer l'affaire. Mais n'était-il pas possible que Kent, s'il s'enivrait et parlait à tort et à travers (en Islande ou à Terre-Neuve où ne manquaient pas les journalistes), laissât échapper ce qui fut un des plus gros secrets de la Seconde Guerre mondiale et ne compromît le gouvernement anglais ?

Une fois Kent mort, son principal contact en Allemagne en vue d'une paix négociée avec Hitler, le prince Philippe de Hesse, son frère, sa cousine Victoria Luise et tous les autres membres de familles princières, perdirent toute valeur pour le Führer et furent lâchés sans autre forme de procès quand ils ne furent pas châtiés. La haine de Hitler à l'égard de ses anciens favoris fut attisée par Goebbels antiroyaliste de cœur et fondamentalement petit-bourgeois. Son Journal nous révèle le mécanisme implacable du processus qu'il engagea pour anéantir Philippe de Hesse et sa femme la princesse Malfalda.

Philippe de Hesse était certain qu'après la défaite allemande de Stalingrad Hitler devait être éliminé si l'on voulait rapprocher les familles royales anglaise et allemande en vue d'une alliance contre le communisme. Mais, après la mort de Kent, son propre crédit était mort, ce que sans doute sir Stewart Menzies et Winterbotham pressentaient quand ils firent disparaître le duc de Kent. Hitler envoya Philippe et Malfalda (que Goebbels accusait d'avoir empoisonné le roi de Bulgarie, Boris) en camp de concentration.

Le sort a voulu que Malfalda meure sous les bombes alliées au cours d'un raid aérien. Quant à Philippe de Hesse, on l'emprisonna en même temps que l'amiral Canaris, agent double et chef du contre-espionnage allemand – celui-ci fut pendu dans une cellule voisine de celle de Hesse – qui avait été pendant des années le contact à Berlin de sir Stewart Menzies et de Winterbotham.

Un rapport extraordinaire vint grossir le dossier d'Axel Wenner-Gren au département d'État (RG 59/Box 2682K/1940-1944) ; il était daté du 21 juillet 1942 :

> Selon mes informations, Axel Wenner-Gren aurait en dépôt les sommes suivantes et actuellement gelées :
>
> *Londres* $ 50 millions
> *Bahamas* $ 2 500 000
> *États-Unis* $ 32 millions
> *Mexique* $ 2 millions
> *Norvège* $ 32 millions

Les deux millions et demi de dollars des Bahamas y auraient été déposés à la demande expresse et *en partie au bénéfice* du duc de Windsor… Il est un très bon ami du duc.

D'autres rapports devaient confirmer que le duc n'avait pas respecté les restrictions de change et qu'il s'était engagé dans des affaires douteuses.

Pendant ce temps, la duchesse dirigeait la Croix-Rouge locale et s'occupait d'une œuvre pour les orphelins.

Le duc ouvrit la session parlementaire des Bahamas, le 1er septembre. Lors d'une réunion orageuse, certains représentants exigèrent des sanctions immédiates contre le secrétaire aux Colonies Leslie Heape, sir Eric Hallinan, le commissaire John Hughes et le lieutenant-colonel Erskine-Lindop, en raison de leur carence lors des émeutes de juin. C'est alors qu'arriva d'Angleterre l'ange gardien des Windsor, sir Walter Monckton. Il resta plusieurs jours auprès d'eux, leur conseillant de ne pas laisser comparaître les fonctionnaires susnommés devant un tribunal irrégulier. Il avait pris des dispositions pour qu'un juge britannique vînt diriger la commission d'enquête, constituée après ces événements. Sir Alison Russell, président à la retraite de la cour suprême du Tanganyika, arriva le 1er octobre, et la commission se réunit le 5. Son rapport fut remis à la fin du mois. Erskine-Lindop fut condamné pour avoir manqué de fermeté vis-à-vis des manifestants. Le juge Russell condamna aussi la corruption générale de Bay Street, vraie responsable des émeutes. Une fois de plus, le duc se trouvait opposé aux meneurs de Bay Street ; pour éviter une confrontation directe, il transmit le rapport à Londres avec un bref commentaire.

Le 8 mai 1943, les Windsor entreprenaient leur troisième voyage aux États-Unis. Ils allèrent à Washington, où le duc fit une démarche révélatrice. Le 18 mai au matin, il alla trouver le secrétaire d'État Cordell Hull, pour lui demander de bien vouloir lever la censure des lettres de Wallis. Inutile de préciser que Wallis avait fait pression sur le duc. En raison de son statut royal et diplomatique, les lettres du duc échappaient à la censure. Malheureusement pour lui, l'affaire aboutit sur le bureau d'Adolf A. Berle. Dans un mémorandum daté du 18 juin 1943 et adressé aux ministères intéressés, Berle écrivait :

> J'estime qu'il convient de refuser catégoriquement à la duchesse de Windsor la levée de la censure. Mis à part les rapports confus concernant les activités de cette famille, il faut rappeler que le duc et la duchesse de Windsor ont été en relations avec Mr. James Mooney, de la General Motors, qui a essayé de jouer les médiateurs en faveur d'une paix négociée, au début de l'hiver 1940 ; qu'ils ont entretenu une correspondance avec Charles Bedaux, actuellement en prison pour commerce avec l'ennemi et correspondance avec l'ennemi relevant peut-être de la trahison ; qu'ils ont été en relations constantes avec Axel Wenner-Gren, actuellement sur notre liste noire pour activités suspectes, etc. Le duc de Windsor n'a cessé d'inventer toutes sortes de prétextes pour aller aux États-Unis s'occuper, comme à présent, d'affaires personnelles.

La levée de la censure fut refusée. Bedaux, qui n'avait pas voulu mettre un terme à ses affaires internationales, malgré la guerre, avait été accusé de trahison et emprisonné en Afrique du Nord ; il serait ramené à Miami en 1944. Son fils, Charles-Eugène Bedaux, défendit toujours son innocence ; selon lui, son père dupait délibérément les Allemands en leur fournissant de faux plans des pipe-lines d'Afrique, afin de protéger ses amis juifs en France. Pour appuyer son argumentation, Bedaux Jr. ajouta que son père reçut la Légion d'honneur à titre posthume, et que son nom a été donné à une rue. Berle, J. Edgar Hoover et le général Sherman Miles, du service des renseignements de l'armée américaine, lui sont nettement moins favorables.

Winston Churchill, en visite à Washington, prononça le 19 mai devant le Congrès un discours retentissant. Le duc rencontra deux fois Churchill, qui n'avait pas retiré sa confiance à son prince bien-aimé. Il le supplia de lui donner une nouvelle affectation. Le Premier ministre prit contact avec le Foreign Office, le ministère des Colonies et le palais ; le résultat ne fut pas dépourvu d'humour noir.

À cette date, sir Stuart Menzies, qui ne relâchait pas ses efforts pour réunir toujours de nouvelles preuves contre Wallis Windsor, envoya en Allemagne un de ses agents les plus mobiles, Eddie Chapman, avec la mission de s'emparer des dossiers de l'Abwehr sur la duchesse à Berlin. Ces dossiers prouvaient les contacts ininterrompus de Wallis avec Ribbentrop au moins jusqu'en juin 1940. Posté à Jersey occupée par les Allemands, Chapman, qui se faisait passer pour un espion allemand, avait accompli plusieurs missions similaires pour Menzies. Il réussit à rapporter à Londres non seulement les dossiers de la duchesse mais ceux du duc et d'Errol Flynn.

Le 12 juin 1943, le duc télégraphiait à Eden :

> Mr. (George) Allen m'a informé que mes quatorze cartons de documents ont quitté le sud de la France pour la Suisse. Voudriez-vous avoir l'amabilité de transmettre au gouvernement suisse l'expression de ma gratitude, et lui dire combien je suis sensible au mal qu'il s'est donné pour adjoindre mes documents à ses archives, comme au soin qu'il ne cesse de prendre de mes biens du Cap-d'Antibes.

Peu après le retour des Windsor à Nassau, les journaux annonçaient que Win Spencer avait été retrouvé baignant dans son sang sur le porche de sa maison de San Diego, un couteau planté dans la poitrine. Il devait déclarer d'une voix mourante qu'il était en train « d'éplucher des fruits ». Personne n'en crut un mot ; il s'agissait sans doute d'une tentative de suicide maladroite. Il survécut.

16

Le crime du siècle

Malgré les nombreux conflits qui ne cessaient de s'élever avec Bay Street, les Windsor restèrent en bons termes, pendant tout le printemps et l'été 1943, avec sir Harry Oakes et ses associés, Harold Christie et Walter Foskett, et avec Axel Wenner-Gren (à Mexico).

Cependant, le duc n'aimait pas du tout (bien que la duchesse ait un faible pour lui) Alfred de Marigny, mari de Nancy Oakes, jeune homme d'affaires plein d'avenir, issu de la société de Nassau. Marigny était très critiqué par une communauté raciste et antisémite, car il acceptait des juifs dans les immeubles qu'il construisait. Il réussit même à faire admettre des juifs dans des clubs très fermés de Nassau. De plus, il poussait, avec une détermination que certains jugeaient folle, à l'amélioration de l'approvisionnement en eau des Noirs pauvres durant la saison sèche.

Natif de l'île Maurice, Marigny était un grand garçon mince et séduisant, dont la grande bouche s'ourlait souvent d'un sourire à la fois malicieux et provocateur. S'il pouvait se montrer charmant, il était parfois hargneux, et fit l'erreur, dans une communauté minuscule, de dire trop haut et trop souvent ce qu'il pensait des gens qu'il n'aimait pas. Il en avait particulièrement après Oakes et Christie, mais surtout après le duc de Windsor.

En cet été 1943, Marigny était hors de lui de ce que l'on ait donné l'eau à Rosita Forbes, écrivain connu, qui avait acheté une grande propriété à la Nouvelle-Providence. Dérivation qui privait d'eau de nombreux Noirs pauvres. Marigny fit irruption dans la résidence du gouverneur et demanda à parler au duc, qui l'écouta avec une impatience à peine contenue, en tirant sur une pipe en bruyère. Vyvyan Drury intervint et annonça d'un ton glacial : « L'audience est terminée. » Marigny se mit à hurler : « Peut-être êtes-vous impressionné par Son Altesse royale ! Mais pas moi ! Il dirige ce furoncle de l'Empire britannique ! S'il valait quelque chose, on lui aurait confié un poste important en Angleterre ou aux États-Unis ! »

À partir de cet instant, le sort de Marigny était réglé.

Au même moment, sir Harry Oakes découvrait que Christie avait vendu derrière son dos à un syndicat américain le terrain destiné à une nouvelle base aérienne, l'évinçant ainsi de l'affaire. Pour se venger, Oakes prit des dispositions pour faire jouer les reconnaissances de dette de Christie et rentrer en possession du seul bien qu'il ait en propre, sa chère île de Lyford Cay. Pour Christie c'était l'effondrement.

Ce qui suit est fondé sur un réexamen du dossier de ce qui devait devenir l'un des plus célèbres mystères criminels de ce siècle. Le docteur Joseph Choi, responsable du bureau de médecine légale du Los Angeles County Coroner's Office, John Ball, auteur connu et conseiller de la division criminelle de la police départementale de Los Angeles (L.A.P.D.), et le sergent Louis Dauoff de la L.A.P.D. ont aidé l'auteur de cet ouvrage à tirer les conclusions présentées ici. Cette nouvelle analyse du cas est établie sur une étude des rapports d'autopsie originaux, fournis par les Bahamas, sur le témoignage donné sous serment par les experts légistes de Nassau, les dossiers du F.B.I., accessibles depuis peu, les photographies jusqu'ici indisponibles, les notes du juge et la transcription ultérieure du procès, de son écriture même, trouvés par l'auteur aux archives des Bahamas à Nassau. Aucun des détails présentés ci-après ne s'écarte des faits. Alfred de Marigny a également fourni beaucoup d'informations et confirmé la culpabilité de l'assassin, dont il connaissait depuis le début l'identité. Seule l'arme du crime est objet de désaccord entre lui et l'auteur de ces lignes.

Le 7 juillet au soir, sir Harry Oakes recevait quelques invités à Westbourne, dont Harold Christie, Mrs. Dulcibel (« Babs ») Heneage et Charles Hubbard, directeur de Woolworth à la retraite.

Le dîner qui avait été préparé par la cuisinière, Mrs. Fernandez, fut servi par la femme de chambre, Mabel Ellis, à 8 h 45. Les convives avaient terminé peu avant 10 heures. Ils jouèrent aux dames jusqu'à 11 heures. Christie annonça tout à coup qu'il passerait la nuit sur place ; un orage faisait rage et il n'avait pas envie de prendre la route pour rentrer chez lui. Il avait également passé la nuit précédente à Westbourne. À 11 h 15 environ, Hubbard reconduisit Mrs. Heneage chez elle ; elle habitait non loin de là. Puis Hubbard rentra chez lui, tout près de Westbourne.

Pendant ce temps, Christie avait renvoyé les deux gardiens de nuit, dont l'un travaillait aussi pour le country-club voisin, leur disant qu'il veillerait sur la maison et sur le parc. Les deux seules personnes à portée de vue et de voix de la maison étaient Mrs. Newell Kelly, épouse du régisseur, qui était à la pêche dans une lointaine île de l'archipel des Bahamas, et sa vieille mère. Elles habitaient une petite maison d'invités dans le parc.

Oakes avait l'habitude de ne jamais fermer ni portes ni fenêtres. Il avait pourtant tellement peur des intrus qu'il changeait constamment de chambre et avait toujours un revolver dans le tiroir de sa table de nuit ; il le posait sur une liasse de livres, retenue par une pince à billets en or. Comme beaucoup de pionniers, Oakes semblait presque souhaiter affronter l'arme à la main un cambrioleur ou un assassin potentiels ; il avait le sommeil léger et se levait plusieurs fois par nuit pour rôder, l'arme à la main, dans sa maison et dans son jardin. Il aimait la compagnie de Christie, bien que ce dernier conspirât déjà contre lui, et qu'il ne lui ait pas pardonné son rôle dans l'affaire de la base.

Après le départ de Mabel Ellis, à 11 h 30, la vaisselle faite et la table du petit déjeuner dressée pour le lendemain matin, le vent redoubla, projetant des vagues noires sur la plage que surplombait la maison. Des éclairs traversaient le ciel ténébreux. Le tonnerre grondait. La pluie tombait avec violence. Tandis que l'orage se déchaînait, Christie monta voir Oakes dans la chambre, où les Windsor avaient dormi près de trois ans auparavant. Ils causèrent un moment ; au cours de la conversation, Christie additionna presque certainement le verre d'Oakes d'un somnifère suffisamment fort pour plonger ce dernier – qui avait, on l'a déjà dit, un sommeil agité – dans un profond sommeil. Christie attendit. Au bout d'un certain temps, Oakes commença de montrer des signes d'assoupissement. Satisfait, Christie quitta la chambre. Sir Harry s'endormit paisiblement, un oreiller de plume contre le corps, étrange habitude pour un homme de soixante-neuf ans. Un autre oreiller était disposé de biais sous sa tête et un troisième jeté par terre. Le milliardaire condamné avait fourré le *Miami Herald* du 7 juillet, qu'il venait de lire, sous sa cuisse droite et s'était retourné sur le côté droit, le visage enfoui dans l'oreiller.

Christie n'avait pas une minute à perdre. Laissant toutes les lumières allumées, pour faire croire à Mrs. Kelly et à sa mère, au cas où elles se réveilleraient et jetteraient un coup d'œil par les fenêtres de la maison d'invités (ce qu'elles firent), qu'il était toujours à Westbourne, il sortit par une porte dérobée et emprunta un passage récemment construit menant au country-club. Il se glissa jusque devant le club, en regardant de tous les côtés pour s'assurer qu'il n'était pas observé. Sa voiture était garée là, peut-être pour économiser de l'essence, rationnée en raison de la guerre, mais surtout pour lui permettre de démarrer sans bruit. Il gagna Nassau au milieu de la tempête.

Où contacta-t-il le tueur ? Il n'y a pas de certitude là-dessus, mais, étant donné ses mouvements ultérieurs, il est probable qu'il l'ait retrouvé à son bureau de Bay Street, afin d'échapper aux regards indiscrets. On peut, à partir d'indices précis, dresser un portrait du tueur à gages : c'était un homme très petit, mais de forte constitution, expert, comme Christie, dans l'art de la pêche au harpon. Il était membre de la secte Brujeria, implantée au sud de la Floride. L'initié qui voulait s'impliquer dans un assassinat devait porter les vêtements de celui dont il désirait la mort. Christie portait le pyjama de sir Harry avant, pendant et après le crime. Dans un meurtre Palo Mayombe, la tête ne doit jamais être abîmée, sinon lors de l'exécution elle-même. Elle ne doit être ni brûlée ni coupée ni endommagée de quelque manière que ce soit. Plumes, harpons et poudre à canon sont rituellement utilisés ; la poudre à canon était disposée en petits tas sur le sol, près de la victime, et mise à feu, provoquant de minuscules incendies susceptibles de brûler un tapis et noircir des murs. Les blessures à la tête par arme blanche sont tout à fait caractéristiques. L'utilisation d'un harpon, empruntée au culte Abaqua, était courante.

Les assassins Palo Mayombe louaient leurs services dans la région. Christie, qui avait de nombreuses relations dans le milieu, dut faire venir l'assassin du sud de la Floride. Il aurait été trop risqué d'engager un résident local.

Le tueur s'engouffra avec Christie dans un break emprunté pour l'occasion et ils descendirent Bay Street, balayée par le vent et la pluie, pour gagner la plage. À un croisement, la voiture fut arrêtée par un feu. À cet instant exact, Edward Sears, chef de la police de Nassau, qui allait dans la direction opposée, passa à environ deux mètres du break, à vingt kilomètres à l'heure. Il vit distinctement Christie à travers la vitre latérale côté passager, mais la visibilité n'était pas suffisante pour discerner le visage du conducteur ni même la couleur de sa peau.

Le conducteur déposa Christie chez une de ses amies, où il demeura plusieurs heures. Les deux ou trois nuits par semaine où il s'arrêtait chez Oakes n'étaient qu'une ruse : en réalité, il passait la nuit chez sa maîtresse, qui était mariée à un militaire.

Pendant ce temps, le magicien noir contournait Westbourne. Il grimpa le long escalier de bois conduisant de la plage aux trois niveaux de la maison, le craquement des planches, sous ses pas, couvert par le bruit de la tempête. Il avait avec lui un harpon, de la poudre, des allumettes et un vaporisateur d'insecticide.

Vaincu par la drogue, sir Harry n'avait pas bougé ; il avait toujours le visage enfoui dans un oreiller et le corps appuyé contre un autre. Le tueur traversa sans bruit l'épais tapis brun et s'approcha du lit. Il était maintenant presque exactement à la hauteur de la tête d'Oakes. Il abattit à quatre reprises le harpon avec une précision toute rituelle, l'extrémité triangulaire invariablement dirigée vers le nez, de sorte que les blessures étaient presque équidistantes les unes des autres et formaient, selon la tradition Palo Mayombe, une sorte de croissant autour et au-dessus de l'oreille.

Les blessures ne dépassaient pas deux centimètres de profondeur et ne suffisaient pas à tuer. Le sang gicla des artères et des veines, arrosant le tueur, qui essaya de s'essuyer les yeux. Il prit le vaporisateur d'insecticide et le dirigea sur la poitrine d'Oakes, qui à cet instant remua légèrement. Le tueur jeta alors une allumette sur le liquide à base de pétrole, qui prit feu. Puis il éventra l'oreiller pressé contre Oakes avec son harpon. Il en sortit des poignées de plumes qu'il éparpilla sur le corps en feu, selon la coutume des magiciens Palo Mayombe.

D'après le rapport d'autopsie, Oakes mourut des suites d'une fracture du crâne et de brûlures provoquées par les flammes. Il ne se douta probablement pas un instant de ce qui lui arrivait. Comme le voulait l'assassin, les plumes s'étaient collées à la chair brûlée. Mais, perturbé par le meurtre, et étourdi peut-être par l'alcool ou quelque drogue, il gagna en titubant le mur opposé, laissant des marques de doigts ensanglantés et noircis par la fumée, juste à sa hauteur, soit à peine un mètre vingt-cinq. Il voulut s'essuyer le visage et le corps du sang qui les couvrait avec une serviette que sir Harry avait laissée sur le second des deux lits jumeaux. Puis il la jeta sur le lit de l'agonisant et se mit à chercher la salle de bains en tâtonnant à travers la fumée.

Ce faisant, il se trompa de direction et laissa des marques de sang sur les murs du couloir et même, ironie du sort, sur la poignée de verre de la chambre de Christie et sur la porte elle-même. Comprenant qu'il s'était trompé, il fit demi-tour ; ayant enfin trouvé une salle de bains, il se lava, laissant des traces de sang dans la cuvette. Pendant ce temps, le lit de sir Harry brûlait par endroits, tandis que son corps se ratatinait sous l'effet des plumes de feu, la fenêtre s'étant ouverte sous la violence de la bourrasque, le matelas trempé de pluie ne se consumait que lentement. Le mourant avait avalé de la fumée, qui, mêlée à des mucosités, forma une substance noire et visqueuse dans son appareil digestif, laquelle intriguera la police et les médecins légistes. Il n'avait pas inhalé de fumée car son nez était trop enfoncé dans l'oreiller.

Le tueur n'en avait pas fini. Afin d'achever sa tâche rituelle, il disposa des petits tas de poudre sur le sol de la chambre ainsi que dans le couloir, puis les alluma avec ses allumettes, de façon qu'ils brûlent et explosent, mais ne mettent pas le feu à la maison. S'il avait voulu provoquer un incendie, ou avait essayé de camoufler un crime, l'assassin aurait apporté un lance-flammes et l'aurait dirigé sur les tentures, les sièges, les boiseries, les tableaux et les tapisseries ; mais il se contenta d'asperger d'insecticide les murs et le sol et d'y mettre une allumette ; cependant le feu ne s'étendit pas. Il essaya de mettre de la poudre sur un appui de fenêtre, mais, autre indice révélateur de sa petite taille, il dut monter sur une chaise.

Il partit enfin par la porte de derrière et alla rechercher Christie avec le break, le ramena à Nassau, où celui-ci reprit sa voiture. Avant l'aube il était en route pour le continent ; la tempête s'était calmée, et une vedette pouvait prendre la mer.

Christie regagna Westbourne. Il monta à l'étage. Oakes était dans la position où l'avait laissé le meurtrier : Christie n'avait plus qu'à appeler la police. Mais il ne pouvait pas révéler qu'il avait quitté la maison. La nuit précédente, il avait pris soin de dire aux invités qu'il comptait passer la nuit ici ; en outre, il lui fallait protéger la réputation de sa maîtresse, qui risquait sinon de se retourner contre lui. Il lui fallait retourner le corps et faire comme s'il avait voulu essayer de ranimer sir Harry, laissant délibérément ses empreintes sur la bouteille thermos et le verre posés à côté du lit. Il dirait qu'il avait essayé de faire boire de l'eau à sir Harry, et lui avait, ce faisant, soulevé la tête. Il n'avait pas pensé que la rigidité cadavérique s'était depuis longtemps installée, et que pour soulever la tête il lui faudrait briser le cou. Les mâchoires étaient serrées, malgré l'absence du dentier, qui se trouvait dans un deuxième verre sur la table de la nuit. Personne au monde n'aurait pu glisser un verre d'eau entre les lèvres du mort.

Christie appela par téléphone Mrs. Kelly, qui arriva immédiatement. Il téléphona ensuite à la résidence du gouverneur ; il eut Gray Phillips qui réveilla les Windsor. À la description de Christie, le duc ne put douter qu'il s'agissait d'un crime noir. Les émeutes étaient encore fraîches dans sa mémoire, et le feu, les plumes, la ou les blessures à la tête évoquaient un crime rituel. Si tel était le cas, toute arrestation ou châtiment entraînerait de nouvelles effusions de sang et mettrait en danger Wallis, lui-même et tous les Blancs des Bahamas. On peut se douter de l'indécision du duc. Wallis partageait certainement ses affres. En désespoir de cause, et pour se donner le temps de la réflexion, le duc ordonna à Gray Phillips de mettre l'embargo sur l'affaire. Phillips devait appeler chez lui sir Étienne Dupuch, propriétaire du *Nassau Tribune*, pour lui demander d'étouffer l'affaire ; il devait également prendre contact avec la station de radio locale, afin de s'assurer qu'il n'en serait pas fait mention aux nouvelles du matin.

Mais Phillips arriva trop tard. Jouant à fond son rôle d'ami affolé et désespéré, Christie avait déjà appelé Dupuch, qui, flairant l'histoire du siècle, s'était précipité pour en télégraphier immédiatement la nouvelle et en avertir la station de radio locale.

À 8 heures du matin, la chambre du crime était pleine de gens tournant autour du cadavre et discutant de cette mystérieuse mort, ce qui était contraire à tous les règlements. Erskine-Lindop et

Pemberton, son adjoint, auraient dû immédiatement mettre les scellés et faire sortir tout le monde. En laissant n'importe qui se déplacer dans la chambre et toucher à tout, on allait se trouver devant un tel mélange d'empreintes, que personne ne pourrait jamais identifier l'agresseur. Malgré ses vingt ans d'expérience, le docteur Quackenbush, médecin légiste, n'examina pas entièrement la tête. Il annonça à tous les intéressés, dont sir Éric Hallinan, le procureur général, arrivé à 10 heures, qu'elle ne portait qu'une seule blessure, dans laquelle il mit le doigt. Il conclut que la mort devait être « un suicide déguisé en meurtre ». Les trois autres blessures étaient cachées par du sang séché. Il fallut attendre 11 h 30 l'arrivée d'un adjoint plus capable, le docteur FitzMaurice, venu à la demande d'Hallinan, pour constater, après avoir lavé le visage, qu'il y avait en réalité quatre blessures.

Ni Quackenbush ni FitzMaurice ne furent, semble-t-il, capables de discerner que ces blessures avaient été provoquées par un instrument acéré et triangulaire, flèche ou un harpon. Pourtant, dès ce moment, ils ne cessèrent l'un et l'autre de parler d'« instruments contondants » et de gourdin. Il n'existait pourtant aucun instrument contondant ou gourdin dont l'extrémité eût cette forme. Christie ne cessa à partir de là de répéter qu'il avait essayé de réveiller sir Harry, qu'il lui avait soulevé la tête et avait tenté de le faire boire. Personne ne contesta sa déclaration, malgré l'évidence de la rigidité cadavérique.

À 10 h 30 du matin, après moult tergiversations et après avoir abondamment consulté Wallis, Erskine-Lindop, Pemberton, Christie et tous ceux qui lui tombaient sous la main, le duc appela la police de Miami. Il est clair qu'il n'osait pas faire appel à Scotland Yard ou au F.B.I., de peur que, grâce à leurs méthodes éprouvées, trop de choses ne soient dévoilées. Ni l'un ni l'autre n'aurait hésité à révéler qu'il s'agissait d'un crime noir, au risque de compromettre l'unité de l'île. Le duc avait de bonnes relations avec le capitaine Edward W. Melchen, chef de la brigade criminelle de Miami. Il pouvait lui faire confiance ; à force de fréquenter les milieux du crime, ce dernier avait réussi à éveiller la suspicion de J. Edgar Hoover, qui l'avait à l'œil depuis des années. Le coup de téléphone du duc fut intercepté par le bureau de la Foreign Activities Correlation du département d'État, que dirigeait Adolf A. Berle ; le dossier renfermant cette conversation, communiqué en 1986 à l'auteur de cet ouvrage, existe toujours. Contrairement à ce qu'ont dit tous les historiens sans exception, le duc n'a pas parlé à Melchen de « suicide déguisé en meurtre » ; en fait, il évoqua un crime « d'un caractère tout à fait extraordinaire », sans désigner la victime ni préciser la méthode utilisée. Melchen devait venir immédiatement, et ne devait « sous aucun prétexte demander de passeport ». Le vol de Miami de la Pan American Airways serait retardé pour lui et un ou deux de ses hommes ; le duc s'en chargeait[1]. Malgré les instructions du duc, Melchen s'adressa au département d'État pour obtenir une autorisation spéciale ; en omettant de le faire, il risquait, il le savait, de perdre sa plaque. Il amena avec lui le capitaine James O. Barker, directeur du Miami Police Laboratory, et son meilleur expert en dactyloscopie. Selon le dossier du F.B.I. sur l'affaire Oakes, récemment disponible, J. Edgar Hoover était convaincu que Barker était lui aussi en relation avec les criminels et les escrocs du sud de la Floride.

Les deux détectives savaient parfaitement qu'on essaierait d'étouffer l'affaire, car ils avaient sciemment négligé d'emporter l'appareil pour photographier les empreintes digitales, obligatoire en cas de crime. Ils prétendirent par la suite que le duc leur avait dit par téléphone qu'il s'agissait d'un suicide. À leur arrivée à l'aéroport, ils ne cherchèrent pas à emprunter l'appareil photo dont disposait la police de Nassau et ne firent rien pour faire venir le leur de Miami par le vol suivant. L'utilisation d'un tel appareil les aurait obligés à photographier chaque objet présent dans la pièce du crime ; il aurait donc été impossible, une fois les photos prises, d'ajouter de nouvelles empreintes.

Contrairement à tout ce qui a été publié, ni Erskine-Lindop ni Pemberton ne reçurent d'instructions du duc ou de quiconque, pour confier l'affaire à Melchen et Barker. Tout d'abord, dans une colonie britannique, une telle situation aurait été hors de question ; ensuite, il était indispensable que tout le monde se tienne les coudes. Cependant, rien ne permet d'affirmer qu'Erskine-Lindop ou Pemberton furent complices de la machination qui fut ensuite ourdie.

On décida que l'assassin, quel qu'il fût, devait avoir des marques de brûlures ou de roussissures, ce qui était tout à fait

---

1. Il connaissait Juan Trippe, président de la PanAm.

arbitraire, car il aurait très bien pu utiliser un masque protecteur, un casque antifeu et des gants doublés d'amiante. Excepté dans le cas d'un meurtre rituel, il aurait été en effet normal de prendre de telles précautions. Christie subit l'examen, sans que soit mise en cause sa réputation. Quant aux membres du personnel, y compris les palefreniers noirs, ils n'eurent pas à s'y soumettre. On savait déjà qui serait déclaré suspect. Alfred de Marigny, évidemment. C'était le bouc émissaire idéal : il avait mécontenté presque tous les gens importants de Bay Street ; on savait qu'il s'était violemment querellé avec Oakes qu'il détestait autant que ce dernier le détestait ; et tout le monde serait ravi d'être débarrassé de son irritante présence. Et surtout il éloignait de la piste noire, qui risquait de plonger Nassau dans un bain de sang. Un accusé blanc satisferait tout le monde.

Cependant, il n'y avait pas la moindre preuve contre lui. Quelle que soit l'opinion que les gens avaient de lui, il n'était pas du genre à poignarder et brûler un vieillard dans son lit. De plus, il avait un parfait alibi. La nuit du meurtre, il recevait. Et son meilleur ami, Georges de Visdelou, était avec lui au moment du crime.

Marigny fut malgré tout arrêté, sous prétexte qu'il avait quelques poils légèrement roussis sur les avant-bras ; en effet, pendant la soirée, il avait approché une allumette d'une lampe tempête, qui en s'allumant avait émis une grande flamme. Il fut accusé et enfermé dans la prison de Nassau. La liberté provisoire sous caution lui fut refusée. Pendant ce temps, le duc se rendait dans la chambre du meurtre. Barker annonça avoir découvert une empreinte de Marigny sur le paravent chinois. Il négligea de noter que, lorsque Marigny avait été amené dans la pièce, le paravent en avait déjà été retiré ; on l'avait alors encouragé à prendre un verre, sur lequel il avait laissé l'empreinte qui devait ensuite être abusivement transférée sur ce paravent.

À la première audience, dans les premiers jours d'août, le désordre était à son comble : déclarations mensongères de Christie, compte rendu inepte de Quackenbush et rapports indigents de la police. Personne ne fit la moindre tentative pour examiner les armes et les ustensiles de pêche afin d'essayer de déterminer l'origine de la blessure ; personne ne contredit la thèse de l'instrument contondant. Ni les journaux de Nassau ni ceux de l'étranger (même en pleine guerre, l'affaire faisait de gros titres) ne firent la moindre allusion aux aspects magiques du meurtre. À la première audience, afin d'enjoliver son roman, Melchen affirma, sans offrir la moindre preuve, qu'Oakes, après avoir reçu les premiers coups avait gagné le vestibule en titubant (*sic*), ses vêtements en flammes avant d'être ramené sur son lit, pour y être achevé. Personne ne dénonça ce mensonge ; l'étudiant en médecine le moins compétent aurait vu qu'Oakes était mort sans bouger de son lit.

Le procès, que les Windsor suivirent de près, ne fut du début à la fin qu'une sinistre farce. Le conseil de Marigny, Godfrey Higgs, qui était un homme capable, dénonça Christie comme un fieffé menteur. Higgs insista sur le fait qu'il prétendait avoir cru que sir Harry était vivant, lorsqu'il l'avait découvert, le corps brûlé et couvert de plumes, le visage maculé de sang. Pouvait-on honnêtement prétendre qu'un cadavre dans cet état renfermât la moindre étincelle de vie ? Il contesta que Christie ait pu dormir malgré le feu, le sang et la tempête ; Christie s'emporta violemment contre lui, mais pas un instant il ne craqua, et il s'en tint à la lettre à sa déposition initiale. Pas une fois la maîtresse de Christie ne fut appelée à témoigner de l'emploi du temps de son amant. Higgs fit une grave erreur : il omit d'appeler à la barre des témoins un médecin indépendant qui aurait attesté les effets de la rigidité cadavérique, renversant d'un seul coup la crédibilité de Christie. Higgs réussit cependant à démolir Barker, démasquant son mensonge et révélant à tous qu'il avait transféré l'empreinte de Marigny. Il déclara pratiquement que le duc était complice. À preuve, le dialogue suivant :

> HIGGS : Son Altesse royale n'était-elle pas venue vous voir à Westbourne et n'est-elle pas allée dans la chambre de Sir Harry, pendant que vous procédiez à la relève des empreintes ?
> BARKER : Oui elle est venue sur le lieu du crime.
> HIGGS : Je pense qu'il ne serait pas convenable de ma part de demander pour quelle raison elle est venue et ce qu'elle a dit.

Marigny fut sauvé par la révélation de l'empreinte truquée. Cependant, trois jurés contre neuf se prononçaient pour sa culpabilité. En Grande-Bretagne et aux États-Unis, l'affaire aurait rebondi. Mais aux Bahamas un verdict de neuf contre trois était suffisant. Marigny fut acquitté. Dans le tohu-bohu qui emplit la salle d'audience, peu de gens entendirent l'addenda du président du jury : il était proposé que Marigny et son ami Georges de Visdelou Guimbeau soient immédiatement expulsés. Une telle proposition était sans précédent et ne s'appuyait sur aucune jurisprudence. Cependant, elle ne tomba pas dans l'oreille d'un sourd. De retour à Nassau, le duc fit le siège du ministère des Colonies à Londres et de l'administration américaine à Washington pour s'assurer qu'il serait donné suite à la proposition d'expulsion, tandis que Harold Christie reprenait sa place au Conseil exécutif.

Après plusieurs tentatives pour lui trouver un domicile, le duc expédia Marigny à Cuba.

On ne cessa, pendant des années, de demander à Christie pourquoi il était absent de Westbourne, la nuit du crime : personne ne croyait qu'il ait pu y dormir et n'ait rien entendu. Il soutint toujours qu'il avait voulu protéger la réputation de sa bonne amie, curieuse manière de la protéger, car ce mauvais alibi lui valut le reste de sa vie d'innombrables commérages.

Le 26 juin 1944, Raymond Schindler, célèbre détective privé, auquel Nancy Oakes avait fait appel, demanda au duc de rouvrir le dossier. La demande fut rejetée. Schindler réagit en dévoilant de nouveaux faits découverts à Nassau, qui établissaient le crime rituel [1]. Son honorable associé, Leonard Keeler, inventeur du détecteur de mensonges, et Homer S. Cummings, ancien procureur général américain, firent eux aussi appel au duc ; ils essuyèrent un refus. On leur fit savoir que « l'affaire était close ». Vers la fin des années cinquante, Cyril St. John Stevenson, membre éminent du gouvernement des Bahamas, accusa Harold Christie de meurtre en pleine assemblée. Christie ne répliqua pas. La presse se refusait toujours à mentionner son nom ; Stevenson demanda à Scotland Yard une enquête complète, que les deux chambres de l'Assemblée des Bahamas avaient approuvée. Scotland Yard refusa d'agir, et le dossier fut clos. Christie devint immensément riche après la guerre ; il fut fait chevalier par la reine Élisabeth II en remerciement des services rendus dans les îles. Il mourut paisiblement dans son lit d'une attaque cardiaque en 1973, à Munich.

---

1. Bien qu'il pensât que l'initié noir qui avait tué Oakes l'avait fait parce que ce dernier avait une liaison avec sa femme.

17

Retour en Europe

Peu de temps après cet horrible événement, Noël arriva ; tandis que Marigny, son mariage brisé, languissait à Cuba, Wallis travaillait de son mieux à faire oublier le meurtre, supervisant des dîners de mille soldats. Toujours aussi convaincue que la guerre n'aurait jamais dû éclater, elle s'efforçait de faire contre mauvaise fortune bon cœur et se jeta, avec son habituelle énergie, dans diverses entreprises de bienfaisance, la Croix-Rouge, les centres d'hygiène infantile et la cantine de Nassau. Depuis Pearl Harbor, elle se dépensait sans compter pour l'amélioration des conditions de vie dans l'archipel, tout comme le duc, malgré son aveuglement sur la question de l'approvisionnement en eau. Ce n'est pas le moindre paradoxe de leurs personnalités, que les Windsor ne se soient jamais désintéressés des questions sociales, ce qui n'avait pas été pour rien dans l'attraction qui les avait si fâcheusement entraînés dans le camp d'Hitler.

Dans les premiers mois de cette année 1944, Wallis reçut une série de chocs. Le 11 janvier, à Vérone, en Italie, le comte Galeazzo Ciano, son ancien amant de Chine, était fusillé sur l'ordre de son beau-père Mussolini, sous prétexte de trahison. Ciano mourut bravement, refusant de se laisser bander les yeux. La première salve ne le tua pas. La chaise sur laquelle il était attaché bascula et il demeura râlant sur le sol. Le coup de grâce que lui tira dans la tempe le commandant du peloton ne mit pas non plus fin aux jours de ce jeune homme têtu. Il fallut une seconde balle pour l'enlever à la vie. On ne sait pas comment Wallis accueillit la nouvelle. Mais il n'est pas besoin d'une imagination débordante pour concevoir le tourment qui dut être le sien et quel flot de souvenirs dut s'imposer à son esprit. Bientôt, Pierre Laval, grand ami des Windsor, serait entraîné lui aussi, à demi inconscient de terreur, devant un autre peloton pour avoir trahi la France, après une tentative de suicide.

Un autre écho du passé lui arriva lorsque Alberto da Zara, qui lui aussi avait été de ses amours chinoises, et qui était devenu amiral de la flotte italienne, se rendit aux Alliés, avec ses bâtiments, à Malte.

Soupçonné de trahison envers les États-Unis, Charles Bedaux avait été arrêté et emprisonné en Afrique du Nord. Transféré à Miami pour y être incarcéré, il s'était donné la mort, après avoir fait provision de pilules somnifères qu'il avait dissimulées sans doute dans son rectum, comme devait bientôt le faire le maréchal Goering. Le 10 février, Bedaux se mit au lit et avala toutes ses pilules. Max Lerner puis I.F. Stone se déclarèrent tous deux, dans le journal *P.M.* et dans *The Nation*, persuadés que l'on avait poussé Bedaux à en finir de la sorte. Car, s'il était passé en jugement, il aurait risqué de révéler l'existence d'un réseau entier d'hommes d'affaires américains internationalistes (dans les rangs duquel il y avait aussi un duc de sang royal) qui, pendant la guerre, avaient fait des affaires dans les deux camps. On ne possède pas non plus d'informations sur les réactions de Wallis à ces lamentables nouvelles. Il lui était impossible de communiquer avec Fern Bedaux, son hôtesse tant aimée du château de Candé, non plus qu'avec Mme Laval, Edda Mussolini Ciano et Renée, fille de Laval, car son courrier demeurait censuré et le téléphone lui-même était, comme nous le savons, surveillé par le département d'État.

Au printemps 1944, son endurance fut soumise à si rude épreuve qu'elle faillit perdre le contrôle d'elle-même. Son irritation croissante envers Nassau et ses habitants la conduisit à un tel degré d'exaspération qu'elle laissa percer son racisme dans une lettre à tante Bessie (« Ce palais du gouverneur, où je ne suis entourée que de gens de couleur, va m'envoyer dans la tombe ! »). Elle engagea du personnel blanc. Elle devait écrire plus tard, ce n'était pas la première fois, qu'elle-même et le duc avaient été « enterrés là par pure jalousie familiale ! » – refrain qui n'était pas neuf aux oreilles de tante Bessie. Elle se plaignait dans une autre lettre d'être « une prisonnière de guerre, ou pire » – et là elle n'était pas si loin de la vérité. Elle dit à Rosita Forbes : « Ils n'ont tué qu'une fois sir Harry Oakes. Ils n'en finiront *jamais* d'assassiner le duc de Windsor. »

Le duc fit une dernière tentative, désespérée, pour améliorer une situation qui devenait pathétique. Il pressa Whitehall d'approuver la constitution d'une fédération des Caraïbes dont il prendrait la présidence, sous la forme d'une espèce de vice-royauté. Dans leurs émissions de propagande, les Allemands avaient annoncé qu'il serait vice-roi d'Amérique lorsqu'elle aurait été conquise par eux-mêmes et les Japonais. Le duc défendit sa proposition auprès de ses amis de Londres. Mais son avocat, George Allen, et le professeur Henry Richardson, qui était de longue date son conseiller financier, se heurtèrent à un mur. Le très fidèle sir Walter Monckton lui-même ne put rien faire. Le duc eut le culot de s'adresser en personne à Buckingham Palace. Sir Alexander Hardinge avait démissionné l'année précédente pour raisons de santé et peut-être Windsor espérait-il que son successeur, le chevalier sir Alan Lascelles, lui serait plus favorable. La chose semble pourtant incroyable. Hardinge avait pris grand soin d'informer sir Alan de tout ce que contenaient sur les Windsor les dossiers de l'Intelligence Service. Comme Hardinge, Lascelles avait appris la pratique du chiffre et avait été dans le secret, comme sir John Balfour, de toutes les intrigues des Windsor dans les cercles fascistes internationaux. En outre, depuis la Première Guerre mondiale, pendant laquelle il avait fait sa connaissance, Lascelles était hostile au duc de Windsor, et, si narcissique qu'il ait été, le duc devait bien le savoir. Enfin, sir Alan était entièrement dévoué au roi George VI et à la reine Elizabeth, et partageait leur horreur de Wallis. Il ne sortit rien de cette proposition.

Cet été-là, les forces alliées libéraient Paris. Les dossiers du Foreign Office débordaient de télégrammes et de rapports secrets concernant les propriétés des Windsor en France. Bien que tous ces documents aient fort à propos disparu, le Foreign Office en a publié par erreur un résumé dans ses index bibliographiques de 1972. Leur mobilier était toujours entreposé chez Maples, où il avait passé toute l'Occupation, protégé par des mesures spéciales édictées par Berlin. D'autres meubles étaient abrités à Antibes et à Grenoble, ainsi qu'à l'hôtel Majestic et à la maison Camerlo à Cannes. D'autres objets étaient cachés dans les Alpes-Maritimes et dans le

Tarn ; d'autres encore – en dépit des règles de guerre – en Italie. La location du coffre-fort à la Banque de France était payée, sur ordre de Churchill, par l'intermédiaire de la Suisse. Les Allemands n'avaient pas touché au boulevard Suchet. Otto Abetz avait posté des soldats devant la grille, pour s'assurer que rien n'y serait dérangé. Même si les Windsor n'avaient pas été des favoris d'Hitler, la maison aurait été préservée – la propriétaire, la comtesse Sabini, étant italienne – au moins jusqu'à ce que l'Italie signe une paix séparée avec la Grande-Bretagne et les États-Unis en 1943.

La Croë aussi était restée intacte. Les pelouses donnant sur la mer étaient truffées de mines, pour tenir plus sûrement les intrus à l'écart. Selon les documents du Foreign Office, lorsque l'Amérique ne fut plus en mesure de faire passer de fonds à sir Pomeroy Burton, les Allemands prirent la relève et réglèrent la location de la propriété, jusqu'à la fin de la guerre. La Suisse payait sur fonds britanniques le loyer du boulevard Suchet.

La traversée de l'Atlantique en bateau était alors interdite, de sorte que les Windsor demeuraient coupés de leurs biens. Il en était peut-être mieux ainsi, car deux des amies – et parfois fournisseurs – de Wallis, Gabrielle (« Coco ») Chanel et Elsa Schiaparelli, étaient soupçonnées d'espionnage. Schiaparelli réussit à s'en sortir, car rien ne put être prouvé, et ses nombreux et puissants amis usèrent de leur influence pour la tirer de ce mauvais pas. Mais Chanel avait travaillé pour l'ennemi, et Walter Schellenberg avait été son employé. Un rapport secret des renseignements britanniques, disponible depuis 1985, la présente comme l'organisatrice d'un plan de paix négociée, datant d'avril 1944. Le rapport révèle :

> l'existence d'une certaine Frau Chanel, française et propriétaire de la célèbre usine de parfums. Cette femme aurait suffisamment connu Churchill pour entreprendre avec lui des négociations politiques, en tant qu'ennemie de la Russie, désireuse d'aider la France et l'Allemagne, dont les destinées étaient, elle le croyait, étroitement liées.

La suite du rapport est de la même veine : Chanel fut conduite à Berlin, où Schellenberg l'instruisit de ce qu'il lui faudrait faire, tandis qu'une de ses amies, la signora Lombardi, était sortie de la prison où elle était retenue en Italie et envoyée à Madrid, afin de préparer le terrain pour Chanel auprès de sir Samuel Hoare. Elle apportait une lettre de cette dernière pressant Hoare de prendre contact avec Churchill. Mais, à peine arrivée à Madrid, la signora Lombardi déclarait que Chanel était un agent nazi. Chanel fut accusée de trahison et arrêtée, dès son arrivée à Paris. Elle fut retenue par les autorités américaines pendant vingt-quatre heures. Puis elle fut relâchée avec une incroyable rapidité. Il semble qu'elle ait eu plusieurs atouts dans sa manche. L'aurait-on traduite en jugement et menacée d'exécution pour intelligence avec l'ennemi, elle aurait pu facilement soutenir ne pas être seule dans son cas et évoquer les Windsor et des dizaines de personnes de la meilleure société. Malgré toute la haine de Buckingham pour les Windsor, la famille royale n'aurait pas toléré de les voir impliqués dans pareil scandale.

Au mois d'août 1944, Wallis et le duc séjournèrent une fois de plus chez leur grand ami Robert Young, à Palm Beach et à Newport. Wallis souffrait de l'estomac, les symptômes de son mal n'indiquant plus cette fois-ci des ulcères, mais bel et bien un cancer. À la suite de quoi elle s'installa à l'hôpital Roosevelt, à New York, dans une suite de dix pièces avec six infirmières à plein temps et les soins des docteurs Henry W. Cave et Lay Martin de Baltimore.

Avec sa détermination habituelle, elle subit avec succès une opération et quitta l'hôpital le 11 septembre. Comme elle en descendait précautionneusement le perron pour gagner sa voiture, elle fut acclamée par un groupe d'enfants, soigneusement sélectionnés, d'une école voisine. Les Windsor s'installèrent ensuite pour plusieurs semaines dans leur cher Waldorf Towers. Le duc persistait à bombarder Londres de télégrammes, réclamant un nouvel emploi. Allant jusqu'à solliciter, sans guère de chances de succès, une place dans les services secrets, contre les Russes probablement ; sans autre résultat que de faire dire à ses ennemis de la cour qu'il ne postulerait pas fonction semblable s'il n'en avait l'expérience.

Le duc et la duchesse, déprimés, regagnèrent les Bahamas à l'automne, très désappointés que les nombreux forages effectués dans leur ranch de l'Alberta n'aient point permis de découvrir de pétrole. Une petite consolation leur fut offerte en janvier 1945, lorsque enfin le gouvernement des Bahamas approuva l'ouverture d'un crédit de soixante-dix-sept mille livres, pour le développement des îles Extérieures, investissement qui s'avéra fructueux et, accessoirement, devait garantir l'avenir financier d'Harold Christie et son anoblissement final. Après en avoir maintes fois brandi la menace, le duc finit par démissionner le 15 mars 1945 et remit les instruments de sa fonction au débonnaire William M. Murphy, secrétaire aux Colonies et actif gouverneur des Bermudes. Le frère du duc, le roi George, signa les documents qui autorisaient cette démission plusieurs mois avant l'expiration normale de son mandat.

Le président Roosevelt mourut ce mois-là. Les Windsor expédièrent les condoléances qui s'imposaient, mais, dans des lettres confiées à l'auteur de ces lignes par Kenneth de Courcy, le duc déplore l'action de Roosevelt et notamment le blâme pour son intervention dans la Seconde Guerre mondiale. Il s'exprime avec mépris sur le grand homme dont la statue allait s'élever dans Grosvenor Square. Ainsi que Frank Giles, son secrétaire de 1940, le relate dans ses Mémoires, le duc soutenait que « sans Roosevelt et les juifs » cette guerre aurait pu être évitée.

Le 4 août 1945, John Balfour, chargé d'affaires à Washington, organisa pour le duc une rencontre avec le président Truman à la Maison-Blanche (Wallis était malade).

La rencontre du duc et du président intervint à un moment historique. Truman venait d'envoyer aux Japonais un ultimatum exigeant leur reddition sans condition. Le matin même, le Japon avait rejeté cet ultimatum, par l'intermédiaire de la Suisse. Lorsque le duc et Balfour s'avancèrent dans le bureau ovale, Truman leur apprit la nouvelle. Puis, d'une voix sombre, il déclara avec des accents prémonitoires : « Je n'ai pas d'autre choix que la bombe atomique. »

Quelques jours plus tard, on apprenait chez les Balfour la destruction d'Hiroshima et de Nagasaki et la reddition du Japon. Le duc tenta d'appeler Wallis au Waldorf Towers à New York, mais les circuits étaient encombrés et il ne put obtenir la communication. Alors il se plongea dans un bain chaud, tâchant de se détendre et de mettre de l'ordre dans ses pensées. Il se délassait dans son bain lorsque la femme de chambre irlandaise des Balfour fit irruption dans la salle de bains et, sans s'émouvoir une seconde, lui cria :

« Sortez de l'eau tout de suite ! Votre femme est au téléphone, elle veut vous parler ! »

Deux jours plus tard, Robert et Anita Young vinrent dîner avec Wallis et le duc. Le but de Balfour, en hébergeant le duc, était de le surveiller. Ce soir-là, les Young se démasquèrent et Balfour rapporta dans ses Mémoires : « Ils semblent tout oublier des forfaits nazis et croire que, si Hitler avait pu être influencé différemment, la guerre aurait pu être évitée. »

Ce fut à ce moment-là que Young, se glissant dans leur vie, s'assura auprès des Windsor une influence prédominante. Arrêtons un instant notre récit pour examiner cet homme. Depuis 1937, il avait le contrôle virtuel de l'Alleghany. Ses oncles Warfield avaient réussi à obtenir pour Wallis une partie des actions préférentielles de cette société, émises, au prix d'une controverse orageuse, par le banquier J.P. Morgan, qui était le premier conseiller financier du roi George VI et de la reine Elizabeth à l'époque où ils étaient duc et duchesse d'York. Les actions de l'Alleghany avaient été parmi les rares à traverser sans dommage le krach de Wall Street. Young n'avait cessé de s'élever, entretenant constamment la fièvre à Wall Street par ses démêlés avec le Congrès et les banques d'investissement, qu'il voulait entraîner dans de téméraires projets d'empire ferroviaire qui auraient permis sans changer de train de relier les États-Unis d'une côte à l'autre. Chicago était sa principale obsession, car les voyageurs devaient s'y arrêter, souvent toute une nuit, avant de continuer vers la côte est ou vers la côte ouest. Mais tous ses efforts échouèrent devant la coalition de la routine et de ses rivaux des chemins de fer. Il faut encore aujourd'hui changer de train si l'on veut traverser les États-Unis par voie ferrée.

Young embobina littéralement les Windsor. Surtout le duc, qui, attaché à sa jeunesse, aspirait à voir les chemins de fer s'opposer à l'inéluctable développement des lignes aériennes intérieures ; Wallis, quant à elle, qui n'avait pas encore complètement vaincu sa peur de l'avion et qui aimait aussi les trains, voyait en Young un croisé et un héros. Les Windsor investirent dans ses affaires des sommes substantielles.

Ce même mois d'août, le couple déjà harcelé connut de nouveaux ennuis. Pierre Laval, jugé en France pour trahison, révéla à son procès ses douteuses relations politiques avec le duc. Il mentionna leur rencontre secrète à Paris à propos de l'Éthiopie qu'ils étaient d'accord pour laisser à Mussolini, et la nécessité qu'ils éprouvaient tous deux d'établir un système d'alliances avec les puissances fascistes. Le duc réagit avec fureur à cette déclaration sous serment. Lorsque le *New York Times* l'appela pour lui demander un commentaire, il mentit, prétendant que, s'il avait effectivement rencontré Laval lors « d'une réception à l'ambassade de Grande-Bretagne à Paris en 1935 », il était « faux qu'ils aient eu une conversation politique ». Mais les documents du gouvernement britannique, publiés après la guerre, contiennent un paragraphe révélateur, divulguant le texte même de la conversation politique au déjeuner présidé par l'ambassadeur sir George Clerk ; le gendre de Laval, l'indispensable comte René de Chambrun, déclare en outre que le plan de Mussolini fut présenté lors de la réunion secrète qui suivit.

Cet automne-là, à l'instigation de Buckingham Palace, une curieuse mission eut lieu. Owen Morshead, archiviste de Windsor Castle, forteresse où l'on s'efforce de garder loin des regards tout ce qui pourrait de près ou de loin porter atteinte au bon renom de la famille royale, fut envoyé à Friedrichshof, le château familial des Hesse. L'objectif avoué de cette mission était de récupérer des lettres adressées par la reine Victoria à sa fille aînée, la princesse Victoria, épouse de l'empereur Frederick Ier de Prusse et grand-mère du prince Philippe de Hesse et de son frère jumeau Wolfgang. Il s'agissait de reprendre ces lettres à l'armée américaine qui pourrait en faire un mauvais usage ou les détruire.

En fait Buckingham Palace n'avait reçu aucune nouvelle de nature à l'alerter à ce sujet et, si l'on avait souhaité remettre la main sur ces lettres, Margarethe, la mère de Philippe et Wolfgang de Hesse, aurait pu les faire parvenir à Londres. Elles n'avaient pas de valeur ni de signification particulières et le roi George VI ne s'intéressait pas spécialement aux descendants de la reine Victoria. Dans ces conditions, pour quelle raison chargeait-on Morshead de cette mission compliquée ?

Et l'on aurait pu se demander – on s'est d'ailleurs demandé – pourquoi Anthony Blunt, du Secret Service, faisait partie de la mission.

À l'époque Philippe de Hesse était prisonnier des Alliés. Nous avons le compte rendu des interrogatoires. Ceux-ci portent sur son emprisonnement et celui de sa femme sur ordre d'Hitler, qui les soupçonnait de trahison. À aucun moment on ne parle du rôle de Philippe avant la guerre et des tractations avec le duc de Kent et le prince Paul de Yougoslavie. Aucune mention n'est faite de la tentative de chantage à Paris en 1938 et de Mme Maroni ou de son oncle l'architecte Gian Carlo Maroni. Le S.I.S. ne semble avoir connu aucun des documents relatifs à cette affaire pas plus qu'il n'a réagi aux révélations de Philippe de Hesse mentionnant ses rencontres en juillet 1940 avec un Kent désireux de pacifier Hitler alors que la guerre durait depuis dix mois.

S'il n'y a pas eu de véritable interrogatoire de Philippe de Hesse, c'est que des ordres venus d'en haut s'y sont opposés. C'est seulement le 25 novembre 1979, bien des années plus tard, que le prince Wolfgang a révélé à une équipe de journalistes du *Sunday Times* que Blunt cherchait des documents manifestant la collusion entre Philippe, Windsor et Kent.

Il est probable que ces documents que la famille royale supposait avoir été restitués aux Hesse par les Allemands – qui les auraient saisis dans les dossiers de la préfecture de Police ou des Affaires étrangères, et expédiés à Berlin – ne se sont jamais trouvés au château de Friedrichshof. On a toutes raisons de croire que les Allemands étaient trop occupés pour trier les documents emportés de Paris et les avaient simplement stockés.

En 1945 les Russes emportèrent les dossiers de la police parisienne à Moscou et une partie de ces documents sont retournés en France, mais ils n'ont pas encore été triés. Si les dossiers sur l'affaire Maroni survivent, ils sont très probablement à Paris ou dans les archives de la Sûreté à Fontainebleau. Il faudra des années pour qu'ils soient catalogués et accessibles. Mais il est douteux qu'on en apprenne plus que ce que nous révèle l'indispensable journal de Constance Coolidge.

Quant à savoir ce que sont devenus les documents portant sur les contacts entre Windsor, Kent et Philippe de Hesse après avril 1938, la réponse est sans doute que le duc de Windsor et le duc de Kent ont pris les mesures nécessaires pour qu'il n'en reste pas de trace.

Octobre apporta d'autres ennuis aux Windsor. Les forces britanniques et américaines s'emparèrent des archives du ministère des Affaires étrangères allemandes, dont une grande partie des documents relatifs à la période portugaise des Windsor. Les télégrammes, bientôt décodés, furent mis à la disposition de fonctionnaires compétents à Londres et Washington. Se trouva également découverte l'affaire plus sérieuse de la divulgation par le duc de la teneur de la réunion de janvier 1940 au ministère de la Guerre, où avait été discuté le plan de défense de la Belgique et de la France. John Balfour fut chargé de l'affaire à Washington. Dean Acheson, qui s'occupait de la question à la suite d'Adolf A. Berle (qui voyait ainsi lui échapper sa proie), était en relation constante avec Balfour. Londres demandait que tous les documents soient transmis aux autorités compétentes. Ils étaient jugés si embarrassants pour la famille royale, que Winston Churchill tenta de les faire détruire, ne voulant pas que le public en ait connaissance. Cependant, les ennemis des Windsor à Whitehall ne perdaient pas un instant, et l'avènement d'un gouvernement travailliste sous Clement Attlee allait permettre à ces pièces d'être publiées. Il faut toutefois souligner que ces révélations n'avaient pas l'approbation du roi George VI et de la reine Elizabeth. Quelle que fût leur hostilité vis-à-vis de Wallis et leurs sentiments vis-à-vis du duc, ils ne voulaient pas voir étalé le linge sale de la famille royale à la face du monde.

Après six ans d'absence, les Windsor s'embarquèrent pour l'Europe.

Wallis n'accompagna pas le duc en Angleterre. On peut penser que l'incertitude où elle se trouvait de la réception qui lui serait réservée la fit s'en abstenir. Il eût été désagréable évidemment pour elle de s'exposer à un camouflet du palais. Et le gouvernement Attlee n'était certainement pas disposé à dérouler pour elle le tapis rouge.

Le duc atterrit à Hendon Field dans un Dakota de la R.A.F. Il fut emmené à Marlborough House pour voir sa mère. Une foule l'attendait. Lorsque sa voiture arriva en vue de cette résidence, des centaines de personnes massées derrière les cordons de police rompirent tous les barrages en hurlant : « Revenez, cher vieil Édouard ! » et : « Teddy, vous devez revenir, nous voulons votre retour ! » La pagaille fut si complète que plusieurs jeunes enfants s'en trouvèrent mal. Enfin la voiture parvint à entrer dans la cour de Marlborough House.

Le soir même il y eut réunion de famille. Incomplète, car le duc de Gloucester était en Australie. Le roi George apparut, mais sans sa femme. L'absence de la duchesse de Kent fut aussi très remarquée. On prétendait qu'elle n'avait jamais pardonné aux Windsor de ne pas lui avoir exprimé leurs condoléances après la mort accidentelle de son mari ; il est vrai qu'ils lui étaient hostiles depuis les années trente. La princesse royale, qui adorait toujours le duc, était à Marlborough House depuis plusieurs jours.

Plaisante soirée dans l'ensemble. Les vieilles inimitiés et les tensions anciennes se trouvèrent pour quelques heures oubliées et la conversation fut animée. Le 7 octobre, le duc s'en fut avec sa mère visiter l'East End et ses quartiers bombardés. Ils s'arrêtèrent chez James Kirby, employé au gaz de quarante-sept ans, inventeur d'une maison préfabriquée, bon marché mais confortable, dont le gouvernement travailliste subventionnait la construction en série. Le 11 octobre, le duc prit l'avion pour Paris, après avoir annoncé : « Je reviendrai et cette fois la duchesse viendra avec moi. »

À Londres comme à Paris, le duc vit beaucoup Winston Churchill, qui ne se montra guère pressé de rencontrer la duchesse. Les Windsor passèrent l'hiver à Paris. Un arrangement leur permit de garder le boulevard Suchet jusqu'en 1948. Ils découvrirent en outre, lors d'un passage à La Croë, qu'il leur serait impossible d'en faire leur résidence permanente, les frais y étant beaucoup trop élevés ; les temps avaient changé.

En janvier 1946, Wallis, à sa grande joie, se vit inscrite en tête de la liste des dix femmes les mieux habillées du monde du New York Dress Institute. Elle y figurait depuis des années, côtoyant une fois Courtney Espil qui l'avait remplacée jadis dans l'affection du diplomate argentin dont elle avait été amoureuse. Le 7 janvier, le duc repartait seul pour Londres, revoir sa mère. Une fois de plus, il s'y trouva acclamé par des foules survoltées ; le 8 janvier, il rendait visite à son frère à Buckingham Palace. Il rencontra aussi, et cela ne fut certainement pas des plus agréables, ses ennemis Attlee, Bevin et d'autres vedettes du gouvernement travailliste, personnages tous hostiles à son désir d'être nommé ambassadeur extraordinaire aux États-Unis ou vice-roi des Indes. On ne lui offrait aucun poste ; celui de gouverneur général de l'Australie fut suggéré, il le refusa.

Les Windsor se partagèrent les mois suivants entre Paris et

La Croë. Soutenu par Wallis et par l'opinion publique, le duc persistait à réclamer en Angleterre une fonction officielle. Sa popularité continuait de causer de graves soucis à Buckingham Palace.

La menace russe fut sans doute le principal souci des Windsor en 1946. Lorsque la Seconde Guerre mondiale avait éclaté, après en avoir entendu la nouvelle à La Croë, le duc avait dit à Wallis que le bolchevisme allait s'étendre et détruire l'Europe qu'ils avaient connue. La suite avait prouvé qu'il n'avait pas complètement tort, si erronés qu'avaient pu être les principes qui avaient fondé son raisonnement. La fameuse décision de la conférence de Yalta d'abandonner à Staline presque toute l'Europe de l'Est ne pouvait que causer les plus graves soucis aux personnes réfléchies qui n'étaient pas d'extrême gauche. La crainte de voir la Russie poursuivre son avantage, submerger l'Europe entière et sa civilisation, était moins logique. Mais on ne peut blâmer le duc de l'avoir craint à cette époque, non plus que d'avoir pensé qu'une attaque préventive contre l'Union soviétique aurait été pour l'Occident la seule façon d'écarter la menace. Qu'une telle attaque surprise ait été totalement illégale et contraire à toutes les règles internationales ne l'effleurait pas le moins du monde ; jusqu'à la fin de sa vie, il devait croire (et il n'était pas le seul) que la défaite de Staline aurait libéré le peuple russe.

Le monde allait bientôt se trouver plongé dans la guerre froide, et, cette année-là, le célèbre discours de Churchill sur le rideau de fer à Fulton, dans le Missouri, correspondrait exactement au sentiment des Windsor.

Enfin résignés au fait que la duchesse ne serait jamais acceptée au palais, les Windsor arrivèrent à Londres pour une visite privée le 11 octobre 1946. C'était la première apparition de la duchesse sur le sol britannique depuis huit ans. Le comte et la comtesse de Dudley leur avaient offert Ednam Lodge, leur maison de campagne de Sunningdale, dans le Berkshire, à un jet de pierre de Fort Belvedere. Les Dudley étaient logés au Claridge, à Londres.

Gray Phillips et Thomas Carter, qui continuait à représenter les intérêts des Windsor à Londres – pour ce qui était de l'allocation royale –, attendaient le duc et la duchesse à Douvres pour les conduire à Ednam Lodge, dont ils apprécièrent le confort. Ils firent un bref pèlerinage à Fort Belvedere, qu'ils trouvèrent dans un état de délabrement affreux. Le 16 octobre, les Windsor arrivèrent à Londres et descendirent, comme les Dudley, au Claridge.

La duchesse ne se séparait jamais d'une grande partie de ses bijoux, qu'elle rangeait dans un coffret de la taille d'une petite valise, que l'on glissait généralement sous le lit de sa femme de chambre. Le soir précédant son départ pour Londres, elle déplaça le coffret et le posa devant la cheminée de sa chambre, où il ne pouvait être plus en vue. Elle évoqua comme excuse le départ de sa femme de chambre en vacances en Écosse et le fait que le coffret devait être placé le lendemain sous le lit de la femme de chambre de lady Dudley. Elle avait négligé de mettre les bijoux dans la chambre forte, équipée d'une alarme, où l'on rangeait l'argenterie de famille, comme le lui avait instamment conseillé lord Dudley. Toutes les semaines, cette saison-là, les journaux faisaient leurs gros titres sur des cambriolages de gens célèbres.

À 6 heures du soir, le 16, le détective qui montait la garde devant la chambre de Wallis alla dîner dans la cuisine avec le reste du personnel. Il ne faisait pas tout à fait nuit, lorsque les voleurs se hissèrent le long d'une corde blanche attachée à une fenêtre de la chambre de la fille de lady Dudley. Ignorant toutes les autres pièces ainsi que la chambre forte, les cambrioleurs empruntèrent le couloir menant à la chambre de la duchesse. Sans rien toucher sur la coiffeuse ni dans les tiroirs, sans fouiller nulle part, négligeant même les bijoux de lady Dudley, qui se trouvaient bien en vue sur sa coiffeuse dans la chambre voisine, ils prirent le coffret à bijoux et repartirent par le même chemin. Bien que les Cairn et les carlins des Windsor aient été à l'étage, aucun n'aboya. Auraient-ils reconnu les voleurs ?

La femme de chambre de la duchesse alla dans la chambre de sa maîtresse pour y prendre quelque chose. Remarquant que le coffret n'était plus là, elle appela immédiatement la police. La maison fut bientôt en effervescence. Il semblait invraisemblable que des voleurs aient pu pénétrer dans la maison, traverser tout un étage, s'emparer d'un lourd coffret et redescendre par le même chemin sans que personne s'en aperçoive. Les Dudley arrivèrent immédiatement. R.M. Howe, commissaire adjoint de la police judiciaire de Scotland Yard, et l'inspecteur Capstick furent chargés de l'enquête.

Un jeune caddie déclara avoir trouvé plusieurs boucles d'oreilles dépareillées dans les bunkers. Des membres du personnel déclarèrent avoir trouvé de précieuses boîtes de Fabergé sur et à côté d'un rebord de fenêtre. Mais pas trace de coffret. Certains disaient avoir vu une grosse voiture blindée canadienne garée dans le voisinage, et on laissait entendre qu'on avait vu rôder autour du golf un individu un peu fou, qui pourrait bien être le coupable. Le duc réagit comme il l'avait fait dans l'affaire Oakes. Il décida que le fou était le coupable, le fit arrêter sur des indices extrêmement fragiles et mettre en prison ; le malheureux fut rapidement relâché, car il était évident que le forfait avait été perpétré par des professionnels d'une grande habileté.

Selon lady Dudley, plus tard duchesse de Marlborough, la duchesse manifesta une fureur sans égale. Au grand désagrément des Dudley, elle insista pour que tous leurs vieux domestiques, leurs femmes de chambre et leur cuisinière soient minutieusement fouillés et cuisinés par la police. Seule une fille de cuisine avait été engagée peu de temps auparavant. La police l'interrogea sans merci, mais ne trouva rien contre elle.

L'une des broches de la duchesse, qui ne se trouvait pas dans le coffret, était introuvable. Wallis obligea le duc à fouiller partout. Il retourna les coussins, se mit à quatre pattes pour regarder sous les sièges, vida des placards, mit enfin sens dessus dessous une maison merveilleusement ordonnée et entretenue. Cette déshonorante performance prit fin lorsque le duc se rappela enfin qu'il avait, pour quelque inexplicable raison, caché la broche sous un vase. Pâle, épuisé, au bord des larmes, il l'exhiba à Wallis, qui le remercia d'un haussement d'épaules glacial.

Les assureurs – Summers, Henderson – se résolurent à publier la liste des articles contenus dans le coffret. Liste extrêmement brève, suivie d'un « etc. » qui intrigua beaucoup. La duchesse de Marlborough qui avait examiné le contenu de ce coffret avait été frappée par le grand nombre des bijoux qu'il contenait ; elle s'aperçut donc aussitôt que la liste publiée était très incomplète ; il est possible que Summers et Henderson aient décidé de ne pas révéler la totalité des articles volés, en fait de passer sous silence la plus grande partie d'entre eux. Si tel est le cas, leur mobile n'en demeure pas moins mystérieux. Parmi les bijoux les plus importants qui manquaient à la liste des assureurs, mais que la duchesse mentionna devant les journalistes, se trouvait la magnifique tiare en diamant que le duc avait fait faire chez Cartier en 1936 et qu'il lui avait donnée en cadeau de mariage. La duchesse aurait dû la porter à son mariage, mais l'idée en avait été abandonnée pour ne point froisser Buckingham Palace. Wallis ne devait la porter ce jour-là que pour les photographes.

Un peu plus tard, la même année 1946, Frances Goldwyn, femme de Samuel Goldwyn, magnat du cinéma, se trouvait dans une bijouterie de Bond Street où elle demanda un catalogue des principaux objets à vendre de l'établissement. Elle fut très étonnée d'y reconnaître certaines des pierres qui étaient supposées avoir été volées. Alors on lui retira en hâte le catalogue des mains. « Excusez-nous, madame, c'est une erreur, ce catalogue n'aurait pas dû vous être montré. » Pendant des années, certains assurèrent avoir vu les pierres censées se trouver dans le coffret de la duchesse, montées différemment de la façon dont elles l'étaient lorsqu'elles étaient aux mains de Wallis.

Les théories n'ont pas manqué pour expliquer cette affaire. Leslie Field, historienne officielle des bijoux de la reine, défend notamment celle-ci :

> À mon avis, la duchesse de Windsor a escroqué les assureurs en surestimant la valeur des bijoux. Une trentaine au moins des articles qu'elle avait donnés pour volés figuraient au catalogue de Sotheby pour la vente de Genève, en 1987. Ils furent vendus à des prix très élevés. Elle ne pouvait évidemment plus les porter après avoir touché avec son mari la somme pour laquelle elle les avait déclarés. Ils n'ont sans doute jamais quitté le coffre où elle les avait mis à Paris.

Tandis que les voleurs demeuraient introuvables et Scotland Yard dans l'embarras, les Windsor embarquèrent sagement pour les États-Unis, le 6 novembre, à bord du *Queen Elizabeth*. Ils occupaient la suite 58 A du pont principal. Ils voyageaient avec cent cinquante-cinq malles et valises ; quatre-vingts valises dans leur suite, soixante-quinze malles-cabine dans les soutes. D'après Grattidge, le duc apparaissait à 7 heures tous les matins au restaurant pour assister à l'appel du matin des chasseurs sous la responsabilité du steward en second. Avec la duchesse, il allait ensuite voir leurs chiens qui étaient en pension dans le chenil du paquebot. « Ils ont tout ce qu'il leur faut ici, dit-il un jour avant d'aller déjeuner, sauf des lampadaires. »

À leur arrivée, Robert et Anita Young les attendaient. Young était encore en pleine bataille pour le contrôle du New York Central Railroad ; interrogés par des journalistes, les deux hommes démentirent tout investissement du duc dans cette entreprise. Dérisoire démenti.

Ils passèrent un Noël agréable au Waldorf Towers. En janvier, une personnalité remarquable entra dans leur vie. Minuscule, pétillant et le regard aigu, Guido Orlando était l'un des grands publicitaires de son temps. Il avait eu pour clients Mussolini, Greta Garbo, Aimee Semple McPherson. Coquet et intarissable, il pouvait vendre n'importe quoi.

La duchesse, ayant rencontré Orlando au Waldorf Towers, lui dit que le duc se tourmentait de la publication possible, malgré tous les efforts de Winston Churchill qui voulait les détruire, des archives diplomatiques relatives à ses contacts avec Hitler. Orlando se souvient que, sans y réfléchir à deux fois, il inventa sur-le-champ un scénario « patriotique ». Il organiserait une réception à l'hôtel Delmonico où assisteraient le duc et la duchesse aux côtés de cent anciens combattants titulaires du Purple Heart. La presse nationale se pressant en foule à cette manifestation, des photographies seraient prises et distribuées à la presse étrangère. À la fin, les vétérans couvriraient Wallis de remerciements et de bouquets, qui lui seraient dûment facturés [1].

La réception se déroula selon le plan prévu. L'hôtesse en titre était Mrs. Marine Baruch, belle-sœur de Bernard Baruch. Au cours de la soirée, le play-boy new-yorkais Jimmy Donahue fit son apparition et déclara à Mrs. Baruch : « Je vois que le duc vous aime beaucoup. Il a toujours eu un faible pour les marins ! »

Les Windsor n'avaient jamais rencontré Donahue. Orlando les présenta. Mince, le visage ovale, les cheveux plaqués, Donahue était un personnage. Sa mère, Jessie, avec laquelle il vivait au 834, Ve Avenue, était la fille du milliardaire Frank Woolworth ; Barbara Hutton était sa cousine. Son père s'était suicidé en avril 1931, en avalant des comprimés de mercure. Connu pour ses activités

1. En fin de compte, elle n'en régla pas un sou.

homosexuelles, James Donahue senior se serait donné la mort après avoir été plaqué par un jeune militaire.

En 1947, lorsqu'il fit la connaissance des Windsor, Donahue était aussi célèbre dans la société que l'avait été son père. Bien que la presse lui prêtât de nombreuses liaisons avec des femmes en vue, il ne s'intéressait qu'aux hommes. Ses moyens illimités lui permettaient de s'offrir les garçons les plus chers ; durant les séjours de sa mère à Palm Beach, il organisait de vastes orgies. Il était ami du cardinal Spellman, figure de proue de l'Église catholique américaine, dont l'indulgence pour les prostitués mâles et les jeunes et beaux prêtres constituait un scandale public à Manhattan. Lors d'un dîner qu'il donna pour le cardinal, Donahue apparut en robe de bal. Les histoires sur son compte étaient légion. Un informateur, qui souhaite rester anonyme, raconte que Donahue et un de ses amis avaient coincé un garçon du Waldorf Towers dans un coin et essayé de le violer ; l'homme ayant résisté à leurs avances, ils l'auraient émasculé.

Selon Truman Capote, qui est cité dans *Poor little Rich Girl, The Life and Legend of Barbara Hutton*, de C. David Heymann (New York : Lyle Stuart, Inc., 1985), un incident extraordinaire eut lieu le 18 mars 1946. Donahue entra au Cerutti's, élégant bar d'homosexuels, situé Madison Avenue. L'endroit était plein d'hommes en uniforme. Avec le dessinateur de bijoux Fulco di Verdura, Donahue choisit plusieurs marins, soldats et *marines* et les emmena dans l'appartement de Mrs. Donahue. Ils déshabillèrent un G.I. et se mirent à lui raser les poils du corps. Ils se servaient d'un rasoir à main. Cette toilette achevée, Jimmy castra le soldat. L'assemblée entra en transe. L'homme fut jeté dans la voiture de Jimmy, conduit dans la 59e Street Bridge et balancé sur le trottoir. Donahue fut arrêté, mais relâché lorsque Mrs. Donahue eut versé à la malheureuse victime près d'un quart de million de dollars pour retirer sa plainte.

Guido Orlando prétend que, après cette première rencontre, le duc tomba amoureux de Donahue et qu'avant un an ils étaient amants. La chose n'est pas vérifiable. Mais, ce qui est certain, c'est qu'au cours des années qui suivirent les Windsor et Donahue devinrent inséparables. Orlando assure avoir encouragé Donahue à flirter ouvertement avec la duchesse dans les lieux publics afin de donner le change et de faire croire que c'était eux, et non le duc et Jimmy, qui avaient de l'attrait l'un pour l'autre. Dans le même temps, il exhorta le duc à manifester la plus grande aversion pour les homosexuels.

Les amis survivants des Windsor démentent les dires d'Orlando. D'après certains ragots, Wallis aurait cherché à convertir Donahue à l'hétérosexualité, en ayant une liaison avec lui. Là encore, les preuves manquent. Au moins peut-on dire que cette amitié avec Donahue n'était pas à l'honneur des Windsor, et si Orlando dit vrai, Wallis ne devait pas apprécier la situation. Si les Windsor sortaient beaucoup, nombreux étaient les gens de la haute société qui refusaient, malgré tous les efforts d'Orlando, de les recevoir, en raison de la présence de ce dernier. En Angleterre, il aurait été proprement insupportable que Donahue accompagnât le duc et la duchesse chez les rares membres de l'aristocratie assez généreux pour les recevoir.

En 1947 – l'inconfort de ses relations avec Wallis et Jimmy y était peut-être pour quelque chose – le duc s'était remis à boire après dix ans d'interruption. Pour échapper à cette ignoble liaison, les Windsor partirent en février 1947 pour la Floride, où ils retrouvèrent les Young au Horse Shoe Plantation, à Tallahassee, appartenant au milliardaire George Baker et à sa mère Édith, pour une chasse au dindon, à la caille et à la palombe. Bizarrement, ils retournèrent aux Bahamas, tant détestées, et séjournèrent à Los Cayos chez des amis des Baker, l'explorateur Arthur Vernay et sa femme.

Le 15 avril, un épisode, indépendant de Guido Orlando, permit au duc d'agir en héros. Un incendie éclata dans une suite du Waldorf Towers, à 11 h 55 du soir. Suivi de la duchesse, le duc, que les feux avaient toujours attiré, passa du vingt-huitième au trente-quatrième étage, où les flammes jaillissaient de l'appartement du baron et de la baronne Egmont Van Zuylen. Le duc aida les sauveteurs de l'hôtel à briser la vitre du poste d'incendie et à transporter le long tuyau dans le couloir, pour inonder l'appartement. Lorsque les pompiers arrivèrent, le pire avait été évité.

Six jours plus tard, les Truman arrivèrent au Waldorf Towers, et les Windsor les virent souvent. Le 26 avril, ils assistaient à la Maryland Hunt Cup à Glyndon ; c'était la première fois depuis son enfance que Wallis revoyait cette course. Le 10 mai, tante Bessie assista au départ des Windsor pour l'Angleterre à bord du *Queen*

Elizabeth, avec cette fois quatre-vingt-cinq valises, une secrétaire, un valet de chambre et une femme de chambre. Ils retrouvèrent avec plaisir le capitaine Grattidge. De retour en Angleterre, le duc se remit en quête d'une fonction officielle, sans plus de succès qu'auparavant. Il fut extrêmement blessé de ne pas être autorisé à assister, le 27 mai, aux célébrations de l'anniversaire de sa mère ; il ne lui fut concédé que d'aller seul à Marlborough House pour y présenter ses vœux. Cette même semaine, on parla beaucoup des fiançailles de la princesse Elizabeth avec le lieutenant Philip Mountbatten. Il était clair que les Windsor ne seraient pas conviés au mariage. Prié de commenter, le duc déclara seulement qu'il souhaitait tout le bonheur possible au jeune couple. La duchesse fut, quant à elle, incapable du moindre commentaire.

18

Les années d'errance

À l'approche des années cinquante, les Windsor étaient littéralement à la dérive. Leurs vies avaient pris un tour monotone ; ils se partageaient entre Paris, le midi de la France, Londres et New York. Leur groupe d'amis demeurait limité aux Young, à George et Edith Baker et, à Paris, aux Mendl et aux La Rochefoucauld. Le duc essaya d'apaiser les fréquentes dépressions de Wallis par des bijoux. En 1947, il lui offrit un magnifique collier en or, turquoises, améthystes et diamants, signé Cartier. En 1948, ce fut le premier d'une série de clips, représentant des panthères, qui devaient devenir légendaires. Celui de 1948 était en or, émail et émeraude ; l'animal était tapi sur un cabochon d'émeraude de quatre-vingt-dix carats. C'était la première fois que Cartier utilisait ce motif. En 1949, ce fut une panthère en diamants et saphirs, faite de cent six saphirs, dont un cabochon de cent cinquante-deux carats trente-cinq. Des années durant, la duchesse amassa une merveilleuse ménagerie, faite de pierres similaires.

En 1948, le cercle intime des Windsor s'élargit. Le 8 octobre 1947, Armand Grégoire était jugé coupable d'intelligence avec l'ennemi en 1940 et 1941 par la première cour de justice de la Seine. Il fut condamné par contumace aux travaux forcés à perpétuité et ses biens confisqués ; la cour le frappa d'indignité nationale. Le nouvel avocat des Windsor était donc la remarquable Me Suzanne Blum. Elle était alors Mme Paul Weill, sœur d'André Blumel, ami de toujours et conseiller juridique de Léon Blum.

Blumel avait été chef de cabinet dans le gouvernement socialiste de Blum pendant le règne d'Édouard VIII. Homme de gauche convaincu, il était juif comme Blum. Durant la guerre, lorsque Léon Blum fut emprisonné à la suite de l'absurde procès de Riom, dans lequel le gouvernement de la collaboration chercha à noircir son nom en lui imputant une responsabilité dans la chute de la IIIe République, Suzanne Weill et son mari réussirent à rejoindre New York, où elle prit le nom de Blum. Elle essaya inlassablement, au cours de son exil, de soulever l'opinion publique, afin d'adoucir les conditions d'internement de Blum. Avant que l'Amérique n'entre en guerre, le 9 avril 1941, elle obtint plus de cent signatures, dont celle d'Eleanor Roosevelt, en bas d'un télégramme de sympathie envoyé au distingué prisonnier dans sa prison. L'année suivante, elle concocta un autre télégramme pour les soixante-dix ans du prisonnier.

Que Suzanne Blum, socialiste de conviction, parente de Blumel, et nourrissant une vive antipathie pour les nazis de tous bords, se soit entichée des Windsor – ou que ceux-ci aient tenu à ce qu'elle prenne en charge leurs intérêts – est surprenant au premier abord. Comment fit-elle pour avoir cette emprise sur la duchesse qui perdura jusqu'à la mort de celle-ci ? La réponse, selon moi, tient en deux mots : William Bullitt. Devenue son amie dès leur première rencontre à Paris quand le mari de Suzanne vivait encore, elle se laissa tromper par les apparences et se méprit sur son rôle politique. Sans doute ne crut-elle que ce qu'elle voulait croire ; elle voua un véritable culte à Bullitt qui sut adroitement pendant la guerre, quand elle était en Amérique, l'assister pour la publication à Montréal des écrits de Léon Blum dont il écrivit la préface. C'est ainsi qu'elle se trouva instruite du grand secret de Wallis, le secret que le duc de Windsor ne devait connaître à aucun prix : la liaison avec Bullitt qui, selon Eleanor Davies Ditzen, se poursuivit à Washington, pendant l'exil aux Bahamas et même plus tard encore.

Les Windsor étaient des clients riches et célèbres qu'elle tenait à avoir. Elle ne se souciait pas de leurs sympathies pro-nazies dont elle était parfaitement avertie.

En 1946 et 1947, bien qu'il n'eût guère dépassé cinquante ans, le duc éprouva le besoin d'écrire ses Mémoires officiels, virus qui atteint généralement des hommes plus âgés. Il engagea dans ce but les services d'un journaliste accompli, Charles J.V. Murphy, collaborateur du magazine *Life*. Bien que Clare Boothe Luce, épouse d'Henry Luce, président du Time Life Incorporated, demeurât convaincue que les Windsor avaient collaboré avec les nazis, son mari fit moins d'embarras et encouragea Murphy. Comme beaucoup d'arrangements du genre, cette collaboration fut un vrai calvaire pour les deux parties. Le duc se montra capricieux et incapable de respecter un programme ; il lâchait d'apparentes révélations, puis se rétractait aussitôt. Il faisait des histoires pour des riens, ne s'intéressait à son propre livre que de manière épisodique. Persuadé de tenir un best-seller, Murphy insistait. Ils en étaient là lorsque Robert Young, George Baker et Kenneth de Courcy annoncèrent aux Windsor que la guerre pouvait éclater d'une minute à l'autre. Ils mirent La Croë en vente et envoyèrent une grande partie de leurs affaires aux États-Unis. Tous ces arrangements les occupaient beaucoup, de sorte que les Mémoires étaient sans cesse remis à plus tard. En outre, selon Murphy, la duchesse, furieuse de voir son mari absorbé, si irrégulièrement que ce fût, dans cette tâche, trouvait toutes les raisons pour l'interrompre. Elle faisait irruption dans les pièces où le malheureux s'efforçait de travailler : « Cessez de parler du passé ! » s'écriait-elle avant d'entraîner le duc, avec ou sans Donahue, dans quelque boîte de nuit ou restaurant, l'obligeant à passant la nuit, de sorte qu'il soit trop fatigué le lendemain matin pour se remettre à écrire. Il fallut à Murphy une grande détermination pour arracher au duc une série d'articles, qui parurent dans *Life* à partir du 8 décembre 1947. La seconde série ne parut qu'en 1950.

En juin 1948, les Windsor embarquèrent pour l'Angleterre sur le *Queen Mary* avec cent vingt malles. Le duc en profita pour rendre visite à sa chère mère, dont il s'était beaucoup rapproché ces dernières années. Le duc ne manquait jamais de reprendre Wallis avec fermeté, lorsqu'elle se permettait quelque remarque désagréable sur sa famille ; il est clair qu'il commença de s'en rapprocher vers la fin des années quarante. Seule la reine Elizabeth ne variait pas dans sa détermination de ne jamais pardonner à la duchesse ses relations avec l'ennemi et sa responsabilité dans l'abdication.

La rancœur de la reine Elizabeth était surtout provoquée par le souci qu'elle se faisait pour la santé de son mari. Bien qu'il ne fût pas très âgé, le roi George VI était en mauvaise santé. Quoique dépourvu du dynamisme et du charme de son frère aîné, il avait fait face avec courage et fermeté à ses devoirs royaux, et le rôle qu'il avait joué pendant la guerre pouvait être qualifié d'héroïque. Mais les efforts qu'il avait dû s'imposer pour combattre sa nature timide avaient prématurément usé sa santé. En novembre 1948, il souffrait de troubles de circulation dans les jambes, qu'il avait couvertes de varices. Fumeur invétéré, comme le duc de Windsor, il manifestait également, selon lord Horder, médecin du roi, des symptômes de carcinome. Des examens plus poussés, effectués en 1950, vinrent confirmer ces soupçons. Le roi n'en fut pas informé.

Ces nouvelles affectèrent le duc de Windsor. Bien qu'elle fût quelque peu justifiée, l'indifférence de la duchesse le contraria. Lorsqu'il était en Angleterre, il séjournait à Marlborough avec sa mère, ou bien, lorsque Wallis l'accompagnait comme cette année-là, chez le comte et la comtesse de Dudley, à Ednam Lodge.

En 1949, ils avaient abandonné leur résidence parisienne et s'étaient installés dans une maison, qui ne leur plaisait qu'à moitié, au 85 de la rue de la Faisanderie, près du bois de Boulogne. Cette maison leur était offerte par un de leurs vieux amis, Paul-Louis Weiller, milliardaire français et contrôleur de la compagnie d'aviation qui avait été nationalisée et était devenue Air France. Homme d'affaires de premier plan, il s'était institué le guide et le protecteur de sir Charles et de lady Mendl, permettant à ce couple charmant de maintenir leur délicieuse villa Trianon, près de Paris.

Ces amitiés avec des gens de bords politiques très différents étaient d'un grand soutien pour les Windsor. Toutefois, le duc ne pardonnait pas à ses ennemis. Le 28 août 1948, écrivant à Kenneth de Courcy, il fit allusion à la statue de Franklin Roosevelt qui se dresse dans Mayfair, à Londres : « Je ne serais pas surpris si vous évitiez de passer par Grosvenor Square pour vous épargner le triste spectacle de la statue de l'homme qui est plus responsable que personne de la fâcheuse situation où se trouvent aujourd'hui les puissances occidentales. » Dans la suite de la lettre il précisait sa pensée. « Si, au lieu de l'alliance américaine avec les Soviets, nous avions laissé les mains libres à Hitler, nous aurions pu détruire l'Union soviétique. » Cette période ne fut pas pour eux entièrement paisible. Le palais persistait à ignorer la duchesse. Certaines personnes les évitaient dans les réceptions ou à bord des bateaux de la Cunard qu'ils préféraient à ceux des autres compagnies. Au scandale général, ils continuaient de voir Donahue. Les chroniqueurs mondains s'en donnaient à cœur joie. La duchesse de Marlborough m'avoua que la seule présence de Donahue lui était insupportable. Elle se rappelle l'incident qui eut lieu en 1950 dans une boîte de nuit parisienne, le Schéhérazade. Les Windsor se trouvaient à une table avec une dizaine d'amis, point de mire des occupants des autres tables qui en oubliaient de manger. Jimmy et le duc avaient bu beaucoup trop de vin. Donahue avait placé de nombreuses roses rouges devant chaque assiette, dont la sienne. Soudain, dans un geste fou, Wallis jeta son éventail en plumes dans les roses de Jimmy. Les yeux pleins de larmes, le duc se tourna horrifié vers lady Dudley. Celle-ci supposa que la jalousie du duc était provoquée par la présumée liaison de Jimmy et de la duchesse, et ne comprit pas la véritable raison de son trouble.

« Un soir, au Monseigneur, racontait Charles Murphy, le duc s'en alla tôt, après avoir acheté à une petite bouquetière un gardénia pour la duchesse. Jimmy avait fait de même. Dès que le duc fut parti, la duchesse arracha de son corsage la fleur qu'il lui avait donnée, la fourra dans le seau à champagne et se mit à l'écraser dans la glace avec une bouteille. Puis elle mit à sa place le gardénia de Jimmy… (Jimmy) lui prit la main et ils se mirent à pleurer. »

Elle n'avait pas oublié son passé, comme certains détails l'indiquent. Nancy Mitford, écrivain de grand talent, sœur de lady Mosley, écrivait à Evelyn Waugh le 11 janvier 1950, pour lui raconter que, lors d'un dîner chez les Windsor, elle était entrée dans la chambre de la duchesse où elle avait remarqué un tableau érotique de Boucher qui représentait deux lesbiennes faisant l'amour. Surprise, elle avait demandé à Wallis le sens du tableau. Wallis lui avait répondu : « Il semble qu'il s'agisse d'un dieu nommé Neptune, qui pouvait se changer en ce qu'il voulait – il lui arriva de se transformer en cygne, vous savez – et, comme cette femme n'aimait que les femmes et qu'il l'aimait, lui, il s'est changé en femme pour l'avoir. »

La rédaction interminable des Mémoires du duc fut enfin

achevée et les droits en furent vendus à G.P. Putnam's Sons en décembre 1949. Ce fut Kenneth L. Rawson, vice-président de Putnam's, qui conclut l'affaire. Il vint à Paris recueillir la signature du duc le 21 janvier 1950. À la fin du même mois, les Windsor partaient pour un voyage qui devait les conduire à New York, en Floride, en Lousiane, au Texas et au Mexique. Comme précédemment, le wagon de Robert Young fut mis à leur disposition. Le 24 mai, ils étaient de retour en Europe, où le duc se remit à la troisième version de son autobiographie. Le roi George VI allait très mal.

En juillet 1950, Herman Rogers invitait Wallis à son mariage avec Lucy Wann. Katherine était morte au mois de mai 1949. Lucy Wann était veuve du vice-maréchal de l'air Archie Wann. La date prévue était le 6 août, mais, ne pouvant se rendre libre, Wallis lui demanda de la remettre au 3 août. D'après les amis de Wallis, elle n'était pas du tout satisfaite de ce remariage. Elle exprima plusieurs fois au téléphone son mécontentement de voir Herman se remarier aussi vite après le décès de Katherine. À son arrivée à la villa Lou Viei, pour le mariage, elle offrit aux futurs mariés un plateau d'argent gravé d'une inscription où était omis le nom de Lucy. Au départ des Rogers pour leur lune de miel, Wallis tira délibérément sur le col de la robe de mariage de Lucy, jusqu'à le mettre en loques. Les Windsor, en outre, arrivèrent en retard au déjeuner qui était donné dans un restaurant près d'Antibes. Pendant le repas, Wallis se surpassa, ignorant totalement Lucy pour ne s'adresser qu'à Herman.

Les Windsor accompagnèrent les nouveaux mariés sur le yacht qui devait les emmener en voyage de noces. À bord, Wallis s'adoucit, et finit par adresser la parole à Lucy. Après un dîner à l'Hôtel de Paris, à Monaco, les deux femmes se retrouvèrent dans les toilettes. Wallis se mit à fixer des yeux l'anneau d'or et de diamants que Lucy portait au doigt. Prétendant avoir assez de bijoux, Lucy lui dit qu'elle insisterait auprès d'Herman pour qu'il revende cet anneau. Wallis là-dessus se révéla avec véhémence : « Ne faites pas ça ! Ce serait stupide ! Ça vaut de l'argent ! »

Au début de 1951, Wallis, sans le savoir, se trouva confrontée à une nouvelle menace : la sortie au grand jour du dossier chinois. L'Honorable John Coke, fils du comte de Leicester, qui avait lui-même examiné le dossier et l'avait présenté à la reine Mary, jugea, vu qu'il restait à la vieille reine peu de temps à vivre, que le moment était venu de discuter de ce dossier avec Winston Churchill qui se trouvait en janvier à Marrakech où il occupait ses loisirs à peindre.

Churchill ne fit aucun commentaire. Il avait entendu parler du dossier en 1936. À cette date on en avait beaucoup discuté dans les milieux qui souhaitaient écarter Édouard VIII du trône ; Churchill savait certainement que Baldwin avait fait établir ce dossier à la demande du roi George V et que la reine Mary, quand elle l'avait vu, avait décidé, horrifiée et indignée, que jamais Wallis ne serait reine. On se souviendra qu'elle avait aussi pris la décision, en accord avec les duchesses de Gloucester et de Kent, qu'après l'abdication Wallis ne recevrait jamais le titre d'Altesse royale.

À son retour de Marrakech, Coke passa quelques jours chez le vieil ami et confident des Windsor, Kenneth de Courcy, duc de Grantmesnil, qui avait loué la villa de La Croë à Cannes. Le 9 mars, au cours d'un déjeuner à la villa auquel assistaient le duc et la duchesse de Westminster, Coke détailla le contenu du dossier. Il ajouta que la reine Mary, dont il était toujours le gentilhomme de service, n'avait pas oublié cette affaire et n'accepterait jamais que Wallis prenne le titre d'Altesse royale. Il n'était pas question non plus qu'elle reçoive jamais une ex-prostituée experte en « pratiques sexuelles perverses ». Coke demanda à de Courcy si, compte tenu du dossier, il pouvait imaginer que la reine Mary revienne un jour sur sa décision. La chose était exclue, répliqua Courcy.

Plus tard, quand il eut noué amitié avec Suzanne Blum, l'avocate des Windsor, il lui écrivit à plusieurs reprises des lettres conciliantes où il déclarait que le dossier existait bien mais qu'il était fabriqué de toutes pièces. Or s'il est concevable que le roi ait effectivement demandé qu'on établisse un dossier sur la Chine, il est en revanche inconcevable que le roi et le Secret Service aient fait appel à de faux témoins et qu'ils aient falsifié les rapports des polices de Hong Kong, de Shanghai et de Pékin, ce qui aurait été criminel. Quand les Archives nationales ouvrirent au public les dossiers sur Guy Trundle en 2002, elles publièrent un communiqué officiel affirmant que le dossier chinois n'existait pas. On aurait peut-être dû mieux peser les termes de ce communiqué.

La maison qu'ils occupaient maintenant rue de la Faisanderie s'avérait de moins en moins agréable. Wallis n'y était pas du tout heureuse. Le salon était grand, les chambres spacieuses, mais la salle à manger était petite, ce qui contrariait son goût pour les grands dîners. C'était une résidence sans chaleur et même rébarbative, aussi décida-t-elle de déménager. Ce qui fut fait en 1953. Ils avaient en outre abandonné leur maison de Long Island. Au printemps de 1951, la publication de l'excellente autobiographie du duc devait par malheur coïncider avec l'effondrement physique complet du roi George VI. Ce qui n'empêcha pas le livre de se vendre très bien et de rapporter au duc un million de dollars dont il avait grand besoin. D'après ce que l'on sait, il investit une partie de cet argent dans les affaires ferroviaires de Robert Young. Au mois de septembre, on repéra dans la gorge du roi George une tumeur maligne. Le 23, on lui enlevait le poumon gauche. En octobre, les Windsor étaient à Londres, chez Margaret Biddle. Sans beaucoup de tact, il faut le dire, le duc une fois de plus harcela Churchill pour obtenir un poste officiel. Quand le roi, très malade, eut sèchement refusé de donner suite à ce désir, le duc fut bien obligé d'en informer la duchesse. Elle se tenait alors devant une fenêtre, le regard perdu dans la brume, et elle prononça avec une intense amertume : « Je hais ce pays, je le haïrai jusqu'à ma mort. » Peu de temps après cette scène, John Balfour, messager pour eux du destin, se trouvait chez les Windsor à Biarritz. La duchesse laissa tomber quelque chose sur le plancher. Balfour, d'une politesse toute britannique, mit genou en terre pour ramasser l'objet. « J'aime voir ramper les Britanniques ! » lâcha la duchesse.

Le 12 novembre, Carl L. Sulzberger, du *New York Times*, assistait à un dîner chez les Windsor. Il y avait là le président du Conseil René Pleven et le sénateur Warren Austin qui faisait partie de la délégation américaine aux Nations unies. Selon Sulzberger, les autres invités ne constituaient qu'une « bizarre collection d'épaves sociales ». Le dîner se composait de dix plats « lourdement arrosés de xérès, de vin blanc, de vin rouge, de champagne rosé et d'énormes rations de cognac ». Au septième plat apparut un orchestre à cordes qui se mit à jouer la musique nostalgique que les Windsor avaient tant aimée dans la Vienne des années trente. Puis chacun chanta une chanson en l'honneur du sénateur Austin, dont c'était l'anniversaire. Très vite après le dîner, tout le monde s'éclipsa, à l'exception des Sulzberger. Les Windsor insistèrent pour les retenir et se lancèrent dans une diatribe contre la famille royale britannique, la duchesse clamant qu'elle ne remettrait plus les pieds en Angleterre à cause de la façon dont était traité son mari. Le duc se plaignit d'avoir été contraint d'annuler, en raison de la maladie du roi, le discours qu'il devait prononcer lors d'un dîner de presse, pour la sortie de ses Mémoires. Cependant, ce même jour, les princesses Elizabeth et Margaret allaient aux courses. Les Windsor étaient tous deux d'accord pour trouver scandaleux que les princesses soient allées voir courir des chevaux, malgré l'état de leur père, alors que le duc avait interdiction de promouvoir son livre.

Les Sulzberger furent alors invités à écouter l'enregistrement du discours interdit. À la fin, la duchesse s'exclama : « Quelle hypocrisie ! Quelle jalousie ! » Et elle renouvela sa critique des princesses allant aux courses. Les Sulzberger, accablés, s'en allèrent enfin.

À Noël 1951, le roi fit bravement une déclaration radiodiffusée. En janvier, il allait un peu mieux, mais, le 6 février 1952, son valet de chambre le retrouvait mort. Les Windsor en apprirent la nouvelle à New York. Le duc s'embarqua immédiatement sur le *Queen Mary* et tint une conférence de presse dans le grill de la véranda du pont supérieur, le 7 février, avant de prendre la mer.

> Le voyage que j'entreprends ce soir est bien triste – et il l'est d'autant plus que je pars seul. La duchesse attend mon retour ici. Je m'en vais en Grande-Bretagne pour les funérailles d'un frère tendrement aimé et pour consoler Sa Majesté, ma mère, dans ce deuil qui accable ma famille et le Commonwealth des nations britanniques.

Évoquant les funérailles des trois précédents monarques, auxquelles il avait assisté, celles de son arrière-grand-mère, de son grand-père et de son père, le duc ajoutait :

> Le défunt roi et moi étions très proches, et les grandes qualités de monarque qui étaient les siennes m'ont permis de régler plus facilement la succession au trône du Royaume-Uni. C'était il y a plus de

> quinze ans – quinze années troublées durant lesquelles s'est noblement écoulé le règne de mon frère. Harcelé par les dangers et les tribulations d'une Seconde Guerre mondiale et assailli de querelles politiques, le roi George VI a réussi à maintenir haut dressé le flambeau de la monarchie constitutionnelle...
>
> Mais la reine Elizabeth n'a que vingt-cinq ans ; elle est bien jeune en ces temps incertains pour assumer les responsabilités d'un grand trône ! Mais elle a beaucoup de bonne volonté et notre soutien à tous.

C'était un discours royal. Rarement il s'était élevé à de telles hauteurs. Au dire du commandant Grattidge, la peine du duc était aggravée par l'absence de Wallis ; nuit et jour il arpentait le pont comme une âme en peine, languissant après elle. Selon d'autres témoins, il annexa le radiotéléphone et la salle radio du paquebot, pour s'entretenir avec Wallis malgré les parasites et l'assaillir de messages d'affection. Il était toujours aussi amoureux d'elle.

Comme le *Queen Mary* doublait l'île de Wight, le duc, debout sur le pont, désigna du doigt Osbourne House, où la reine Victoria était morte. Les yeux pleins de larmes, il parla à Grattidge de ses nombreux deuils. Puis il descendit au grill de la véranda pour y rencontrer les représentants de la presse, qui étaient arrivés en vedette et étaient montés par une échelle de revers pour l'interviewer. « Que Dieu protège la reine », dit-il aux journalistes, qui l'applaudirent à tout rompre.

Des docks de Southampton, il gagna directement Marlborough House, où il trouva la reine Mary, accablée de douleur. Il la consola de son mieux. Elle était trop infirme, trop âgée – elle avait quatre-vingt-quatre ans – pour assister aux funérailles. Mais elle accompagna le duc à Westminster Hall, où, avec la princesse royale, ils se recueillirent devant le catafalque royal, recouvert d'un drap mortuaire pourpre et or, tandis que l'on contenait la foule des visiteurs. C'était le même catafalque où avait été exposée la dépouille mortelle du roi George V en 1936. Plus tard dans la journée, après avoir déposé sa mère et sa sœur à Marlborough House, le duc se rendit à Buckingham Palace pour y rencontrer, pour la première fois depuis bien des années, la jeune reine. La reine mère et le prince consort, le duc d'Édimbourg, se joignirent à eux pour le thé. Comme à l'époque des funérailles du roi George V, Londres était plein de royautés : le prince Paul de Yougoslavie, le roi Paul de Grèce, don Juan, prétendant au trône d'Espagne, le roi Gustave et la reine Louise de Suède, et de nombreux autres princes avaient afflué à Londres pour rendre un dernier hommage au roi d'Angleterre. La reine Juliana arriva en avion, piloté par son mari le prince Bernhard. Le roi et la reine de Danemark vinrent en bateau. Le prince Albert de Belgique représentait son frère le roi Baudouin, qui, pour des raisons controversées, avait refusé de venir. Le roi de Norvège et le prince héritier d'Éthiopie étaient également présents.

Le duc se rendit au 10, Downing Street, le soir du 14 février pour une conférence à huis clos avec Winston Churchill. Dans le cortège funéraire, le duc était entouré par le duc d'Édimbourg, par son frère le duc de Gloucester et par son jeune neveu le duc de Kent, qui accomplirent avec lui le long trajet de la procession du cercueil royal. Des milliers de spectateurs en deuil, dont beaucoup étaient en larmes, bordaient les rues. Le duc de Winsdor suscita de nombreuses critiques. Il ne marchait pas au pas, et se détachait indûment en avant, sans doute pour attirer l'attention sur lui.

Peu de temps après ce triste événement, une controverse éclata. Ayant retrouvé Wallis à New York en mai, le duc avait regagné Paris avec elle un peu plus tard dans le mois. Ce fut le moment que choisit lord Beaverbrook pour faire une sortie à la B.B.C. sur les conditions de l'abdication. Il accusa Geoffrey Dawson, directeur du *Times*, d'avoir terrorisé Édouard VIII et dressé contre lui l'opinion publique, lui reprochant des méthodes « que beaucoup condamneraient », et de s'être acharné contre le roi « avec une venimeuse fureur ». L'émission souleva de toute part un concert de protestations. Wickham Steed, ancien collègue du défunt Geoffrey Dawson, dénonça Beaverbrook dans le *Times* lui-même, soutenant que ses accusations étaient « extravagantes ». Le *Daily Telegraph* et presque tous les autres journaux prirent la défense du directeur disparu. En vérité, Dawson avait certainement joué un rôle dans l'abdication, mais on ne pouvait l'en blâmer, compte tenu de ce qui avait suivi.

À la fin de 1952, les Windsor en eurent décidément assez de la rue de la Faisanderie. Ils se mirent donc en quête d'un nouveau logis, résolus cette fois à s'installer pour de bon, dans une résidence qui répondrait à tous leurs désirs. Ayant conservé l'amitié de Paul-Louis Weiller, ce fut à ce bienveillant personnage qu'ils durent de pouvoir louer pour une bouchée de pain à la ville de Paris une magnifique maison située 4, route du Champ-d'Entraînement. Le loyer n'en était que de cinquante dollars par an, pour une splendide demeure qui se dressait dans un jardin de près de sept mille mètres carrés à la lisière du bois de Boulogne.

Ce fut à cette époque-là que la duchesse adopta définitivement un style de vie qui tranchait sur l'austérité de l'après-guerre et qui devait jusqu'à la fin s'attacher à son nom. Elle se lança pour près de trente ans dans une composition calculée d'extravagances domestiques en lesquelles elle se plaisait à reconnaître les privilèges d'une subrogée reine. Vêtu de pourpre et d'or, un nègre, nommé Sydney Johnson, qui les suivait depuis les Bahamas, accueillait les arrivants en grande pompe. Un maître d'hôtel espagnol, Georges Sanègre, en habit la plupart du temps, lui donnait la réplique. Wallis, comme toujours, dirigeait sa maison avec une maîtrise maniaque. En hôtesse, elle était plus époustouflante que jamais. Elle vérifiait minutieusement le moindre détail des dîners parfaits qu'elle donnait, veillant à ce que les feuilles de laitue fussent de la même taille et de la même forme. À l'apéritif, le personnel en livrée passait de superbes plateaux d'argent chargés des merveilles du Legros d'avant-guerre, raisins vidés et remplis de fromage blanc, morceaux de bacon frits dans du sucre roux, feuilles de chou garnies de crevettes ou de bouquets, moules frites et chipolatas. Le dîner était le plus souvent servi dans la salle à manger décorée de chinoiseries bleues, où étaient dressées deux tables rondes de huit convives chacune. Wallis avait abandonné son habitude d'avant-guerre de disposer des fleurs sur les tables. Elle veillait toujours à ce que, suivant une tradition qu'elle avait apprise en Angleterre, il y ait des petits fours après le dessert. On y trouvait naturellement des boîtes à cigarettes gravées en argent et en or et de ravissants rince-doigts de cristal ; la vaisselle et l'argenterie venaient de York House et de Fort Belvedere. D'après Suzy Menkes, les plats favoris de Wallis étaient le perdreau rôti, le poulet Maryland – discrète nostalgie – la grouse et le faux-filet ; en fait de dessert, son préféré était la succulente tarte Sacher, gâteau au chocolat mondialement connu.

Les Windsor décidèrent enfin qu'ils ne pouvaient pas se passer d'une maison de campagne ; un endroit calme et retiré où ils pourraient s'échapper, le jardin et les pelouses de leur maison de Paris ne leur suffisant pas. Le duc voulait un vrai jardin. Depuis son enfance, l'un de ses plus grands plaisirs était de traîner au milieu de fleurs, à greffer des plantes, à les arroser, à ameublir le sol pour des plantations nouvelles. Il avait la main verte et la terre la plus ingrate se couvrait par ses soins d'une végétation luxuriante. Un paquet de graines et son mode d'emploi le mettaient au septième ciel.

Le duc et la duchesse eurent de la chance : ils tombèrent du premier coup sur la maison qu'ils allaient préférer à toutes celles qu'ils avaient habitées dans leur vie. On l'appelait « le Moulin ». Seul Fort Belvedere avait eu pour le duc un peu de son charme. Le nom entier de cette maison était le Moulin de la Tuilerie. Elle s'élevait à vingt-cinq kilomètres seulement au sud-ouest de Neuilly, à la lisière du ravissant mais plutôt morne village de Gif-sur-Yvette. C'était une bâtisse du XVIIe siècle, brune avec des volets blancs, souvenir d'une époque plus douce, où les rois étaient rois et une indolente aristocratie gouvernait la France. Elle appartenait à Étienne Drian, peintre, styliste et créateur de théâtre talentueux. Les Windsor la louèrent d'abord, puis l'achetèrent pour la somme plutôt modique de quatre-vingt mille dollars.

Wallis ayant déversé toute son énergie dans l'aménagement de la maison de Paris, aidée de l'irremplaçable Stephane Boudin, ce fut le duc qui prit en main celui du Moulin, avec passion. Pour commencer, il redessina le jardin de fond en comble. Il en fit un paradis, une oasis de fleurs, d'herbes et d'arbustes ravissants, royaume des carlins Imp, Trooper, Davy Crockett et Disraeli. Il reconstruisit la maison elle-même de la cave au grenier. Avec beaucoup d'habileté, le duc préserva les murs d'origine, épais de deux pieds, les massives poutres de chêne et les tuiles plates du toit. Comme tant d'autres bâtiments français de cette époque, le Moulin était flanqué de trois autres constructions qui délimitaient une cour pavée. L'ensemble constituait la plus privée des enclaves, où persistait l'atmosphère d'autrefois malgré ses considérables transformations. La duchesse y ajouta de nombreuses touches personnelles. Elle installa une immense chambre à coucher blanche pour laquelle elle acheta un gigantesque lit ancien à baldaquin, qu'elle couvrit de coussins de soie bien rebondis. La chambre du duc était spartiate, on aurait dit celle d'un soldat en campagne. Là aussi, il y avait partout des photos de la duchesse.

De difficiles visiteurs comme Cecil Beaton et Kitty Bache (Mrs. Gilbert) trouvèrent quelques défauts à cette installation, dont ils firent part à Charles Murphy. Beaton jugea l'ensemble outré et désapprouva la présence de souvenirs de guerre, de fauteuils de bambou et de poufs à surprises. Kitty Miller, quant à elle, lui reprocha son encombrement ; comme à beaucoup d'Américains, l'habitude britannique, adoptée par Wallis, de remplir tous les espaces disponibles d'une maison, selon la tradition victorienne, lui paraissait détestable. On trouvait au Moulin de très nombreux apports de York House : l'immense carte militaire qui représentait la Terre entière d'un pôle à l'autre, où étaient marqués tous les endroits que le duc avait visités dans sa vie. Dès 1933, Gloria Vanderbilt et sa mère avaient été fascinées par cette carte, une nouvelle génération d'amis et de relations en était bouche bée encore. Deux tambours de grenadiers faisaient un socle à la table basse du salon. Les étables et écuries avaient été transformées en maison d'amis. Là, le décor était tout militaire et naval : bannières et tartans des Highlands, trophées sportifs, boutons de la Grande Guerre et bien d'autres souvenirs. La table de l'abdication faisait partie d'une sorte de musée privé. On a dit qu'à la mort de la duchesse elle fut offerte à la famille royale d'Angleterre. « La reine se fiche de cette table comme de sa première chemise », répondit, paraît-il, avec une franchise inhabituelle, le représentant du palais.

Une bonne partie des années 1952 et 1953 fut absorbée par l'aménagement des deux maisons. À cette époque, le duc renoua avec une vieille amitié, celle de sir Oswald et lady Mosley. Ceux-ci habitaient le Temple de la Gloire, à quelques kilomètres seulement du Moulin. Le duc les connaissait depuis 1930 et leur carrière avait été des plus mouvementées. On se souvient qu'en mai 1940, sur les conseils de sir Robert Vansittart et de Clement Attlee, Churchill les avait fait emprisonner à Londres pour activités susceptibles de menacer l'ordre public, aux termes des nouvelles dispositions de la *Regulation 18 B*. Ils avaient beaucoup souffert en prison. Lady Mosley s'était longtemps interdit de voir ses enfants, afin de ne pas les mêler au scandale. L'hiver glacial de 1940, la mauvaise nourriture et l'insalubrité de la prison affectèrent gravement la robuste santé de sir Oswald ; en 1943, il fut atteint d'une phlébite et l'on tenait pour assuré qu'il ne survivrait pas un an de plus à son régime. Assaillis de protestations, le ministre de l'Intérieur, Herbert Morrison, et Winston Churchill jugèrent sans doute plus sage de ne point faire de Mosley un martyr et le firent relâcher avec sa femme. À la fin de la guerre, les Mosley eurent la malchance de voir élire Attlee à la tête d'un gouvernement travailliste, car ce dernier persista à rendre la vie impossible au ménage. Ils quittèrent alors la Grande-Bretagne à bord d'un yacht de location qui les transporta en Irlande. Plus tard, ils gagnèrent la France, pour s'installer enfin dans le Temple, qui avait appartenu au général Moreau, général en chef de l'armée du Rhin et rival de Napoléon jusqu'à sa mort en 1813. Ce bâtiment avait appartenu pendant des années aux Noailles. Lorsque les Mosley l'achetèrent, en 1951, il était dans un état de délabrement consternant, carcasse pathétique qui avait perdu tout caractère. Les Mosley entreprirent de le restaurer avec beaucoup de goût ; les Windsor aimaient s'y rendre.

Il n'était pas très avisé de leur part de se rapprocher à ce point des Mosley, au moins à ce moment-là. Les Mosley n'étaient pas seulement *personae non gratae* en Grande-Bretagne, les représentants diplomatiques de l'Angleterre en Europe avaient pour instruction de les ignorer. On aurait pu penser qu'après tout ce par quoi ils étaient passés les Windsor auraient plutôt souhaité fréquenter des personnes éloignées de toute politique ou, du moins, au-dessus de tout soupçon de sympathie et *a fortiori* de collusion avec un Adolf Hitler et un Mussolini à présent vaincus et morts. Bien loin de cette prudence, ils choisirent de démontrer la plus grande amitié au gentilhomme britannique le plus proche du nazisme. La sœur de lady Mosley, Unity Mitford, s'était rendue célèbre pour son soutien échevelé à la cause hitlérienne, s'être jetée à la tête du Führer, avoir tenté de se suicider, devant la réprobation générale.

Après la guerre, lady Mosley ne prenait pas de gants pour réaffirmer ses sentiments : Hitler, pour elle, était un génie, le sauveur dont le XXe siècle aurait eu besoin. Habitant toujours le Temple de la Gloire, encore belle malgré son grand âge, elle évoquait au mois de décembre 1986 son amitié avec les Windsor, levant notamment tous les doutes : les Windsor partageaient son opinion de l'Allemagne nazie. Ils pensaient, comme elle-même et son mari, que si une paix séparée avait été conclue avec le Führer en 1939, laissant ainsi les mains libres à Hitler contre l'Union soviétique, le monde aurait été sauvé du communisme et l'Empire britannique ne se serait pas effondré. Elle disait :

> La duchesse, dont le jugement politique était aigu et qui savait toujours très bien ce qu'elle faisait et disait, était d'avis que la Grande Guerre avait été un désastre, que le démembrement de l'Empire austro-hongrois avait été une catastrophe, que le traité de Versailles était intenable et que jamais il n'aurait fallu entreprendre d'encercler l'Allemagne dans les années trente. Si Hitler avait été laissé libre de détruire le communisme et de déporter les juifs, que l'Angleterre et l'Amérique auraient pu accueillir, jamais l'holocauste n'aurait eu lieu. Bien entendu, il n'y avait pas de place pour eux en Palestine. Hitler estimait que les juifs d'Allemagne s'étaient comportés d'une façon abominable après la Première Guerre mondiale et tout ce qu'il voulait, c'était s'en débarrasser. On ne devait pas oublier que l'antisémitisme était endémique en Europe centrale, que les Polonais les haïssaient, les Tchèques aussi. Naturellement, les Windsor n'excusaient pas Hitler d'avoir provoqué par son impatience la Seconde Guerre mondiale. Mais la coexistence de deux égocentriques comme Hitler et Winston Churchill ne laissait guère de chance à la paix. Si la Grande-Bretagne avait eu à sa tête la personne qu'il fallait, Lloyd George eût été le meilleur, une paix négociée aurait pu s'établir.

Les Mosley dînaient souvent au Moulin et les Windsor de temps en temps au Temple de la Gloire. L'un de leurs sujets permanents de conversation était qu'après la fin de la Seconde Guerre mondiale les armées alliées auraient dû occuper les nations devenues satellites de la Russie, avant que les Russes ne les occupent, puis entamer la conquête de l'Union soviétique elle-même. Ces pensées rétrospectives n'étaient nullement exceptionnelles dans l'aristocratie. Elles demeurent très répandues dans les clubs et les dîners où se retrouvent les gens de droite.

Au mois d'avril 1950, Wallis apprit la mort de Win Spencer ; il avait soixante-deux ans. Au début de ces années cinquante, la santé de la duchesse se détériora. En février 1951, elle fut admise au pavillon Harkness du Columbia Presbyterian Medical Center de New York, où, après une série d'examens, elle subit l'ablation des ovaires, lesquels étaient sans doute cancéreux. Le docteur Benjamin

P. Watson, membre du Scottish Royal College of Surgeons, éminent gynécologue, assistait le médecin américain Henry Wisdom Cave. Wallis sortit très déprimée de cette opération. Quand elle eut retrouvé assez de forces, elle s'attaqua à ses Mémoires, aidée d'une panoplie de collaborateurs, dont Cleveland Amory – plus tard brillant auteur de l'ouvrage plein d'intuition qu'est *Who Killed Society ?* – et de l'infatigable Charles Murphy. Comment tant d'auteurs de Mémoires, elle choisit dans son passé ce qui pouvait la flatter, omettant le reste. Elle se montra particulièrement évasive sur l'épisode chinois de sa vie. Le chapitre qu'elle y consacra est si manifestement fabriqué qu'elle y changea jusqu'au nom de l'hôtel où elle était descendue à Shanghai ; c'était l'Astor House, elle en fit le Palace. D'autre part, elle ne mentionne qu'à peine la guerre civile chinoise et, excepté celles de ses arrivées à bord du *Chaumont* et de l'*Empress of Canada*, elle a brouillé à tel point les dates que tous ses biographes s'y sont perdus. On en pourrait légitimement conclure qu'elle était anxieuse de dissimuler qu'elle avait travaillé pour les services de renseignements de la marine américaine, et, naturellement, son idylle avec le comte Ciano. Dans tout le reste du livre, les faits sont retouchés sans vergogne de façon à présenter le meilleur portrait d'elle. L'affaire Oakes est expédiée en quelques paragraphes et c'est seulement dans les passages qui traitent de son enfance et de sa fuite en France au moment de l'abdication qu'elle s'élève à la hauteur des événements qu'elle évoque. Malgré cela, ce livre, enfin publié en 1956 sous l'excellent titre *The Heart Has Its Reasons*, est plein de charme, il reflète les erreurs politiques de son auteur, mais aussi toute la force conquérante de sa personnalité. Sans égaler le succès de celui du duc, son livre se vendit bien et attira une nouvelle génération de lecteurs à cette personnalité charismatique, éclectique, si impulsivement ambitieuse.

Dans ces années cinquante, de vieux amis réapparurent et de nouvelles amitiés se formèrent. Dont l'une des plus contestées lia les Windsor à cette mascotte mondaine, boulotte, cinglante et snob, qu'était Elsa Maxwell. Elle connaissait naturellement les Windsor depuis longtemps, pour les avoir notamment rencontrés à Vienne en 1935, où, dans un couloir de l'hôtel Bristol, le pas décidé de la duchesse l'avait laissée sur place dans leurs marches concurrentes vers la porte d'un ascenseur. Miss Maxwell avait connu le duc lorsqu'il était prince de Galles et, comme tout le monde, elle avait été captivée par lui. À la fin des années trente, miss Maxwell était le phénix des maîtresses de maison. Malgré son manque phénoménal de séduction personnelle, une silhouette qui ressortait de la publicité pour brioches, on faisait de toutes parts appel à elle, dès qu'il s'agissait d'organiser de ces réceptions dont on parle encore des années après. Miss Maxwell avait le don de trouver les meilleurs traiteurs, les décorateurs les plus talentueux, les chefs d'exception, les serveurs d'élite, les orchestres de danse les plus époustouflants, comme de rassembler les jeunes femmes et les jeunes hommes les plus beaux et les moins banals. À l'intention des blasés sans ressort de la haute société, elle mettait au point les soirées les plus stimulantes, mélanges d'acteurs de cinéma, d'auteurs de théâtre, d'écrivains, d'hommes politiques, de compositeurs et d'artistes. Elle les rassemblait, allait de l'un à l'autre, se dandinant comme un crapaud, posant sur toute personne en vue un regard fasciné, lâchant avec délectation de sordides ragots, et s'assurant que tout le monde était heureux et que les verres, de champagne ou autres alcools, n'étaient jamais vides.

L'intérêt témoigné à Hitler par les Windsor l'avait remplie de fureur et elle estimait d'autre part que le duc n'aurait jamais dû abdiquer, mais conserver Wallis comme maîtresse. Il lui était arrivé dans des réceptions de leur servir à brûle-pourpoint ce qu'elle pensait d'eux, effronterie qui ne lui avait valu que des sourires de la part des intéressés. Elle tomba sur eux à plusieurs reprises pendant cette période, à New York et en Europe, car elle éprouvait comme eux beaucoup d'amitié pour Mrs. George Baker.

En décembre 1952, Mrs. Lytle Hull, belle-sœur de l'ancien secrétaire d'État Cordell Hull, donna à New York un formidable gala de charité, où elle invita les Windsor. Wallis demanda que son nom ne figurât point sur la liste des donateurs, car elle criait toujours misère et bataillait pour échapper à l'impôt sur le revenu. La chose contraria Elsa, qui avait prévu de produire la duchesse comme un atout maître, démontrant non seulement par là son aptitude à mettre fin à de longues hostilités, mais aussi à attirer les personnalités les plus en vue. Sa contrariété fut encore plus vive l'année suivante, lorsque Mrs. Hull revint à la charge. Pour l'occasion, miss Maxwell choisit pour affiches la superbe duchesse d'Argyll, la duchesse de Brissac, la duchesse d'Albe et la duchesse Disera. L'éditorialiste

Cholly Knickerbocker demanda à Wallis ce qu'elle pensait de cette sélection. « Il faut quatre duchesses ordinaires pour faire une duchesse de Windsor », lâcha Wallis d'un trait. Le tourment qu'Elsa éprouva de cette attitude fut extravagant. Le refus constant des Windsor, en dépit de maintes suppliques, de la louer publiquement la jeta de même dans les affres. Enfin, son horizon s'éclaircit lorsque la duchesse l'engagea pour présenter le bal Windsor au Waldorf Astoria, en 1953, dans des décors de Cecil Beaton. À cette occasion, la duchesse fit sensation en arrivant au bal, non pas au bras du duc, mais à celui du salonnard qu'était le prince Serge Obolensky.

Peu après la querelle rebondit entre Elsa Maxwell et les Windsor ; l'omniprésent Jimmy Donahue en fut la cause principale. Elsa ne pouvait pas le souffrir, abhorrant particulièrement la façon dont il se conduisait en présence de Jessie, sa mère révérée ; Elsa elle-même était lesbienne, mais n'en était pas plus indulgente. Elle supplia la duchesse de ne pas emmener Donahue en croisière en Méditerranée en 1954. L'angoissait d'importance aussi la présence permanente auprès de lui d'un couple de prostitués mâles et d'autres dépravés, susceptibles selon elle de menacer la sécurité des Windsor comme de s'emparer de leurs biens. Ces craintes se révélèrent vaines, ce qui n'empêcha pas miss Maxwell de persister à les éprouver.

Vers 1955, les Windsor se fatiguèrent de Donahue. Il perdait rapidement sa beauté ; de permanents excès de boisson, de tabac et de nuits blanches en étaient la cause. Un incident lamentable mit fin à ces relations sinistres. Charles Murphy était dans le secret. Le trio contestable était en Allemagne, dans un hôtel de Baden-Baden où il prenait les eaux. Lors d'une dispute, un soir, au restaurant de l'hôtel, Jimmy donna un tel coup de pied à la duchesse que le sang coula. Elle hurla de surprise et de rage et le duc, grommelant et congestionné, l'aida à gagner un sofa. Puis il cria à Jimmy de sortir. Quelques instants plus tard, l'ineffable play-boy appelait le duc au téléphone et lui déclarait : « Je ne trouve pas mon valet de chambre pour faire mes valises. Il est quelque part avec le vôtre. » Le duc raccrocha brutalement. Ainsi prit fin la moins glorieuse des relations des Windsor. Selon Hugo Vickers, qui se fonde sur les carnets de Cecil Beaton, la crise finale fut provoquée par un détail grotesque : Donahue mangeait trop d'ail et son haleine indisposait le duc et la duchesse.

19

La fin du jour

Dans les premiers mois de l'année 1953, la reine Mary, qui avait alors plus de quatre-vingt-cinq ans, commença de décliner. Le 6 mars, le duc, accompagné de la princesse royale, en séjour à New York, embarqua sur le *Queen Elizabeth*, pour aller au chevet de sa mère mourante. La duchesse resta au Waldorf Towers.

À peine était-il arrivé que la reine s'éteignait. La duchesse apprit la nouvelle par la radio ; sa secrétaire, Anne Seagrin, raconta plus tard qu'elle vit, à son étonnement, la duchesse pleurer à cette annonce. Malgré toutes les calomnies dont le palais n'avait cessé de l'accabler et malgré sa haine de l'Angleterre, la duchesse, qui savait ce que la reine Mary représentait pour son mari, ne pouvait manquer de partager sa peine, comme si elle avait elle-même connu la reine mère ; ce trait était tout à fait typique du caractère de Wallis. Elle garda pendant des années, sur la table de sa chambre de Paris, une photo de la défunte reine.

Le couronnement de la reine Elizabeth II devait avoir lieu le 2 juin, ce qui posait un problème, car la cour se devait d'observer six mois de grand deuil, suivis de six mois de demi-deuil. En tant que monarque, le duc de Windsor avait établi un précédent en ramenant la période de deuil à six mois en tout et pour tout. Elizabeth l'avait réduite à quatre mois pour son père. Afin de ne pas bouleverser le déroulement du couronnement, la nouvelle période de deuil serait limitée à un mois. La reine Mary avait laissé des instructions afin que rien n'affecte les cérémonies.

Pour la deuxième fois en un peu plus de deux ans, Londres fut drapé de bannières noires. Les drapeaux étaient en berne. Une longue file de visiteurs se présenta à Marlborough House pour y laisser des mots de condoléances et des cartes de visite. Les membres des deux chambres arboraient des costumes noirs. C'était pour le duc un nouveau souvenir déchirant de son enfance, qui appartenait à un monde désormais irrévocablement perdu et remplacé par un autre, de plus en plus pragmatique et démocratique, menacé par les Soviétiques. La poignante ironie des propos de Churchill ne lui échappa certainement pas :

> Elle (la reine Mary) est morte en sachant que la couronne de ces royaumes, si glorieusement portée par son mari et par son fils, et qui allait bientôt ceindre la tête de sa petite-fille, tient beaucoup plus sûrement à la loyauté du peuple et à la volonté de la nation qu'aux jours paisibles de sa jeunesse, où le rang et les privilèges gouvernaient la société.

Le duc n'avait certainement pas manqué de noter que seul un fils de son défunt père avait été cité par le Premier ministre.

Lord Beaverbrook saisit l'occasion pour lancer, dans son journal, un appel au monde entier, afin que soit mis un terme au long exil du duc et de la duchesse de Windsor. Dans un éditorial, le *Daily Express* déclarait :« C'est le souhait le plus ardent et le plus profond de la nation que (l'ex-roi) puisse vivre dans le pays où il a vu le jour. » D'autres journaux soulignaient que, du vivant de la reine Mary, le duc lui avait à plusieurs reprises annoncé qu'il ne s'installerait en Grande-Bretagne que si la duchesse y était reçue par sa famille. La reine Mary, faisaient remarquer les journaux, s'y était toujours formellement opposée.

De nouveau, des milliers de Londoniens affligés défilèrent devant le cercueil royal, exposé en grand apparat à Westminster Hall. Les tambours battirent ; des coups de canon déchirèrent l'air et la prolonge d'artillerie, tirée par six chevaux noirs, traversa lentement la ville. Derrière, marchait le duc de Windsor en compagnie du duc d'Édimbourg, du duc de Gloucester et du duc de Kent. À Westminster Hall attendaient la nouvelle reine, la princesse Margaret, la princesse royale, la reine mère et les duchesses de Kent et de Gloucester. L'enterrement à la chapelle Saint-George, à

Windsor, fut une nouvelle épreuve pour le duc. Comme à l'enterrement de son frère, il fut incapable de retenir ses larmes. À la fin de la cérémonie, il s'inclina profondément devant la tombe et murmura quelques mots d'adieux à la mère qu'il avait adorée. Il s'embarqua le lendemain sur le *Queen Elizabeth* pour rejoindre les États-Unis, et resta confiné dans sa cabine pendant presque tout le voyage. Il refusa d'assister au couronnement de sa nièce, car, malgré toutes ses supplications, la duchesse n'avait pas été invitée. Certains prétendent que le duc lui-même ne l'avait pas été.

Peu après, le couple dut subir la désagréable épreuve de la publication des documents du ministère allemand des Affaires étrangères, révélant que le duc avait divulgué la conversation qui avait eu lieu, en février 1940, au ministère de la Guerre à propos du projet d'invasion de la Belgique. Interrogé sur cette affaire par des journalistes, durant une visite à Londres le 9 novembre, le duc nia et déclara que les documents étaient faux. Personne n'ayant le culot de le soumettre à un interrogatoire serré ou de faire une enquête approfondie, son démenti fut donc accepté.

En avril 1956, les Windsor se lancèrent dans une série d'œuvres charitables qui contribuèrent à rétablir leur popularité. Ils fondèrent une clinique de rééducation pour les civils handicapés à New York. Ils créèrent une clinique semblable à Paris avec l'aide du docteur Jacques Hindermayer, directeur du service de rééducation de l'hôpital des Enfants-Malades, à Paris.

En 1960, la duchesse commettait encore une erreur grave. Elle décidait de se lancer dans une critique de la famille royale et du gouvernement britanniques, qui « depuis vingt-quatre ans persécutaient sans relâche le duc ». Dans un article publié par le magazine *McCall's*, de janvier 1961, elle écrivait : « Mon mari a été puni comme un petit garçon qui recevrait une fessée tous les jours de sa vie pour une seule bêtise. » Elle poursuivait : « Je crois que le manque de dignité de la monarchie envers lui (au moment de l'abdication et aujourd'hui encore) est fortement critiqué. » Elle écrivait encore : « Le ridicule que persistent à se donner la famille royale et le gouvernement britannique en nous traitant comme des pestiférés, pour protéger le Commonwealth du danger que nous représentons..., m'a soudain frappée. Cet homme au savoir incomparable, exercé aux affaires de l'État… s'est d'abord vu offrir un poste militaire insignifiant. Enfin, pour le "mettre hors d'état de nuire", on l'a nommé gouverneur des Bahamas, poste des plus secondaires. »

Cet éclat n'était guère avisé et, n'eût été la bonne volonté de la reine, il aurait pu fermer à jamais les portes de Buckingham Palace aux Windsor. Il s'agissait, semble-t-il, de mettre en fureur la reine mère, qui continuait à dire qu'à cause de Wallis son mari avait été obligé de monter sur le trône, au prix de sa santé. Il était absurde de la part de la duchesse de dépeindre la famille royale comme mesquine, vindicative et destructice. Malheureusement, son point de vue est passé à la postérité grâce à son biographe, Michael Bloch.

À Paris, dans les années soixante, les Windsor reçurent comme jamais. Selon John Colville, tout dans la demeure du bois de Boulogne était « la perfection même ». La nourriture, le service, l'exquise élégance de l'hôtesse, la présence de représentants de l'aristocratie française et du corps diplomatique, réunis dans un cadre d'une incomparable harmonie, créé par Boudin. L'ensemble laissait une impression inoubliable. Lady Mosley n'est pas près non plus d'oublier ces soirées : les bougies se reflétant sur l'acajou, les miroirs d'époque, les tableaux et les tapisseries décorant les murs, l'argenterie étincelante…

Les invités étaient servis par des valets de pied en livrée rouge royal. La table était décorée par six immenses candélabres vénitiens en argent massif. À côté de chaque convive se trouvait une petite tabatière contenant des cigarettes ou de petits présents. Si les invités étaient espagnols ou allemands, le duc leur parlait dans leur langue. Curieusement, le niveau de français du duc comme de la duchesse ne fut jamais que très moyen.

En politique, le duc s'exprimait avec plus de franchise que la duchesse. À ces dîners, il continuait à dire, prêchant souvent des convaincus, qu'il aurait fallu signer une paix négociée avec Hitler en 1940 et que l'Angleterre aurait dû rester neutre, comme la Suède, laissant aux Allemands et aux Italiens les mains libres pour détruire le communisme. Il laissait remarquer que toutes ses prédictions s'étaient avérées et que, comme il n'y avait pas eu de Troisième Guerre mondiale en 1945 pour écraser la Russie, il fallait maintenant faire face à la menace soviétique. Lorsqu'il n'y avait pas de Rothschild ou d'autres représentants de la communauté juive, il ressortait son vieux thème, reprochant à Roosevelt et aux juifs l'affrontement et la politique de capitulation sans condition de la Seconde Guerre mondiale.

Au cours des années soixante, le duc laissa de plus en plus libre cours à son goût pour l'excentricité, au grand déplaisir d'une épouse plus calme et réservée. Charles Murphy se rappelle avoir vu le duc essayer de diriger, avec une certaine maladresse, un orchestre de danse loué pour la soirée, ou bien faire semblant de jouer du violoncelle ou du violon. Il lui arrivait de se joindre à l'orchestre et de s'acharner sur la grosse caisse. Il chantait aussi, d'une voix rauque, *Annie Get your Gun* ou *South Pacific*. Lors d'une soirée, il dansa le charleston avec Noel Coward.

Tandis que Wallis faisait des courses ou fréquentait des salons d'essayage, se faisait masser ou passait des heures dans des instituts de beauté, le duc s'adonnait à sa passion du golf. Il n'y fit jamais de prouesse. Il était plus pingre que jamais, ne donnant même pas de pourboire aux caddies, qui, en France, ne vivaient que de cela. Il se penchait pendant des heures sur ses livres de comptes, vérifiant tout, en agitant nerveusement le genou. Il fumait sans arrêt et laissait tomber sur les pages de la cendre qu'il écartait avec humeur. En affaires, il se montrait avisé ; il investit l'argent qu'il avait retiré du Central Railroad dans des valeurs sûres. Il plaça habilement l'argent de ses Mémoires dans un portefeuille diversifié. Pour ce qui était de ses intérêts royaux, ses avocats et ses conseillers à Londres étaient en alerte nuit et jour pour le satisfaire. Mais le jardin du Moulin l'absorbait et l'enchantait plus que tout. Chaussé de vieilles chaussures et coiffé d'un chapeau informe, il aimait y bricoler et y faire de la pollinisation croisée.

Mais la vie n'était pas sans problèmes ni angoisses. La duchesse subit deux liftings auxquels elle réagit mal, et la guérison fut lente et pénible. Le duc souffrait de graves ennuis oculaires ; depuis son règne, en 1936, où il avait à lire des documents compliqués, il avait la vue fatiguée. En 1964, un décollement de la rétine de l'œil gauche l'obligea à se faire opérer à Londres. On craignait qu'il ne devînt aveugle de cet œil et que l'autre ne fût affecté par ce qu'on appelle la cécité sympathique.

Wallis s'inquiétait de la santé de son mari. Il souffrait d'un anévrisme de l'artère abdominale. Il fut décidé de l'opérer immédiatement, car la défaillance de la paroi artérielle présentait un danger grave ; une rupture était à craindre, ce qui pouvait être fatal. À l'époque, on ne pratiquait pas encore de greffe. Le spécialiste en la matière était le docteur Michael de Bakey, professeur chirurgien au Baylor University College of Medecine de Houston. Le 11 décembre, les Windsor arrivèrent en train à Houston et furent accueillis par le consul général de Grande-Bretagne, Peter Hope. Ils décidèrent de s'installer au Methodist Hospital, où ils arrivèrent dans une Rolls Royce grise de trente-cinq mille dollars, entourée par une escorte de police. En dépit de leur affliction, les Windsor donnèrent une interview enjouée, assumant la situation avec leur classe et leur charme habituels. Ils furent touchés et surpris, en entrant dans la suite qui leur était réservée, de trouver des bouquets de fleurs de la reine et de la princesse royale. C'était là un signe bienvenu de la bienveillance de la reine vis-à-vis des Windsor ou en tout cas du duc.

Michael de Bakey était une des plus hautes figures de la médecine. Bien qu'il eût cinquante-six ans à l'époque, il était remarquablement svelte et musclé ; il respirait la santé physique et mentale. Levé à l'aube, il lui arrivait d'opérer douze à quatorze heures de suite, et de faire jusqu'à quarante-cinq opérations par semaine. Son esprit bouffon enchantait les Windsor, dont il devint un ami pour la vie.

L'opération eut lieu le 16 décembre ; elle commença à 7 h 35 du matin et dura exactement soixante-sept minutes. Bien que le duc fût mince, ce fut une opération délicate étant donné son âge. De Bakey découvrit un anévrisme de la taille d'un pamplemousse et une paroi de l'aorte gravement atteinte. En fait, le duc était dans un état plus critique qu'on ne l'avait cru. La duchesse n'assista pas à l'opération – elle attendit calme et stoïque – mais, l'opération terminée, elle ne le quitta plus. Lorsqu'il reprit conscience, il se montra très guilleret et s'adressa à la duchesse et à Bakey avec un sourire reconnaissant. Lettres et télégrammes affluèrent du monde entier. Deux jours après l'opération, le duc réussit à se lever et à faire quelques pas ; il était plein d'entrain mais se sentait très faible. Il s'affaissa sur son lit en éclatant de rire.

À l'hôpital, tout le monde l'adorait. C'était un malade en or, aimable avec les infirmières et toujours prêt à plaisanter. Pas un instant il ne se plaignit du régime liquide ou des aliments broyés qu'il devait avaler. Son œil lui causait toujours beaucoup de souci et lorsqu'il reparut pour la première fois devant les photographes, à Noël, son œil gauche était clos. Il fit un effort pour partager la traditionnelle dinde de Noël.

Le 1er janvier 1965, les Windsor quittaient le Methodist Hospital pour s'installer au huitième étage de l'hôtel Warwick. Six jours plus tard, ils s'envolaient pour New York avec le médecin personnel du duc, le docteur Antenucci. C'était la première fois que la duchesse montait dans un avion à réaction, un Convaire 880 des Delta Airlines. Le couple embarqua le 29 janvier, à bord du *United States*, pour rejoindre l'Europe. Il fut très affecté par la mort de Winston Churchill ; pour des raisons de santé, ils ne furent pas en mesure d'assister aux funérailles, et le duc se fit représenter par sir John Aird. Pour son œil, il se rendit à la London Clinic, dirigée par l'éminent sir Stewart Duke-Elder, chirurgien ophtalmologiste de la reine. La reine envoya de nouveau un magnifique bouquet de fleurs à la clinique. L'opération, qui eut lieu le 26 février, fut un succès. Sir Stewart Duke-Elder utilisa des rayons laser, méthode alors nouvellement mise au point et maintenant courante dans la chirurgie de l'œil, pour souder la rétine récalcitrante derrière le globe oculaire. Une seconde opération fut nécessaire pour traiter la membrane qui transmet les impressions lumineuses au nerf optique. Le 15 mars, après que le duc eut subi un troisième traitement, la reine arriva à la London Clinic. Sir Stewart Duke-Elder et deux de ses assistants l'accompagnèrent jusqu'à la suite du duc. Il était clair qu'elle accepterait la présence de la duchesse ; de fait, acte historique, elle salua Wallis, qui plongea dans une profonde révérence. Elles ne s'étaient pas vues depuis ce jour de 1936 où Wallis, en visite à la Royal Lodge, avait conseillé de redessiner le jardin.

En robe de chambre, dans un fauteuil, l'œil gauche caché sous un pansement, le duc présentait un visage souriant mais triste. La rencontre fut quelque peu tendue, mais la reine aussi bien que le duc manifestèrent un calme royal et refusèrent de se laisser atteindre par d'anciens différends. Le duc en profita pour demander à la reine la permission d'être enterré dans le cimetière de la famille royale à Frogmore. Il avait une autre requête à lui adresser : que Wallis soit enterrée à côté de lui, et qu'on leur accorde à l'un et à l'autre le privilège de services funèbres à la chapelle Saint-George.

La reine promit d'y réfléchir. Elle ne voyait pas

d'inconvénient à ce que le duc soit enterré à Frogmore, mais on la disait opposée à l'idée qu'il en soit de même pour la duchesse. La reine mère était, dit-on, plus catégorique encore. Aux yeux de la reine et de sa mère, Wallis n'était évidemment toujours pas « Son Altesse royale », elle n'était pas une personne royale et ne serait jamais reconnue, même à la dernière minute, comme un membre de la famille. Mais la reine, qui aimait son oncle, ne pouvait pas supporter l'idée de le blesser. Elle se trouvait confrontée à un dilemme qu'elle mit un certain temps à résoudre.

Le 19 mars, les Windsor quittaient la London Clinic. Un photographe indiscret montra le duc avec des lunettes noires et un air de poignante fragilité. La reine rendit visite au duc et à la duchesse au Claridge, apportant de bonnes nouvelles. Elle accordait au duc la permission d'être enterré à Frogmore ; le même privilège était accordé à la duchesse. En outre, on célébrerait pour chacun d'eux le service funèbre demandé à la chapelle Saint-George. Ce signe d'ouverture de la part du palais était de la plus haute importance pour les Windsor.

Mais cette marque de clémence fut suivie d'une mauvaise nouvelle. Le 28 mars, la princesse royale mourait d'un infarctus du myocarde, en se promenant dans sa propriété du Yorkshire. Les médecins conseillèrent aux Windsor de ne pas aller à l'enterrement qui devait avoir lieu à Leeds. Ils ses contentèrent donc d'envoyer une couronne d'œillets blancs ; le duc était profondément attristé par la mort de sa sœur bien-aimée. Ils assistèrent au service commémoratif à Westminster Abbey ; ce fut leur première « sortie » royale en Angleterre. Était également présente lady Churchill, qui n'était pas encore remise de la mort de son mari. Moments cruels et difficiles. La mort et la perspective de la mort ne quittaient pas les Windsor.

La reine mère demeurait inflexible dans son attitude vis-à-vis de la duchesse. Le mépris de Wallis pour celle-ci ne désarmait pas davantage. Commentant l'opération de l'estomac que dut subir la reine mère en 1966, elle dit : « Ce doit être tous ces chocolats qu'elle mange. »

Comme Errol Flynn avant elle – oubliant le passé, la C.I.A. avait utilisé celui-ci contre Castro à Cuba – Wallis prit du service auprès de la même C.I.A. à l'hiver de 1966. Elle tira parti de sa position d'hôtesse parisienne célèbre pour essayer de savoir si tel ou tel de ses invités n'était pas une taupe au service de Moscou responsable de fuites de secrets militaires au quartier général de la N.A.T.O.

Elle était placée sous les ordres de John Derby (nom de code Jupiter), chef des opérations de la C.I.A. en France, et devait rendre compte à son amie, la comtesse de Romanones, laquelle était un agent secret américain depuis la guerre. L'ironie du sort voulut que le nom de code qu'on lui attribua, Willy, était presque le nom de code allemand du duc de Windsor en 1940. Elle se garda bien d'en faire la remarque.

Son choix se porta d'abord sur Paul Ferguson, officier américain travaillant à la N.A.T.O. Malgré tous ses efforts la taupe supposée ne se trahit jamais au cours d'une conversation. La femme de Ferguson, Maud, experte en canulars, se rendit vite compte que Wallis enquêtait sur son mari ; elle évoquait de mystérieuses visites en province, la fréquentation de concerts (on racontait à l'époque que les partitions musicales servaient à communiquer des informations confidentielles) et laissait entendre que le frère jumeau de Paul s'était substitué à celui-ci, jusque dans son lit.

Après cette première tentative, Wallis prit pour cible un certain Michael Chandler, également de la N.A.T.O. D'après la comtesse de Romanones, dès qu'elle commença à s'intéresser à celui-ci, un agent de la C.I.A. fut trouvé assassiné (la mise en scène visait à faire croire à un suicide au gaz). Le lendemain une lettre de cet agent arrivait au bureau de John Derby : Willy devait absolument essayer de savoir si Michael Chandler serait à Paris le 1er février – mais il fallait qu'elle prenne bien garde. Wallis ne s'effraya pas et invita Chandler et sa femme à dîner chez elle le 2 février. Ils ne vinrent pas et s'enfuirent en Autriche et de là en Hongrie puis en Russie où ils arrivèrent au K.G.B. les mains vides. Peu après, au cours d'un déjeuner chez Maxim's, Gilbert félicita Wallis pour ce haut fait. Ce fut sa dernière aventure d'espionne.

Durant l'été 1967, les Windsor furent invités à l'inauguration d'une plaque à la mémoire de la reine Mary. Les Windsor ayant annoncé qu'ils ne pourraient pas arriver en Angleterre pour le

26 mai, centenaire de la naissance de la reine Mary, la reine repoussa l'inauguration au 5 juin. Lord Mountbatten, dont l'attitude vis-à-vis des Windsor s'était adoucie, les attendait à Southampton à leur descente du *United States* en provenance de New York et les reçut dans sa maison de Broadlands, à Romsey. Le lendemain, les Windsor allaient déjeuner à York House avec le duc et la duchesse de Gloucester. C'était la première fois depuis trente ans qu'ils y retournaient. Gloucester pâtissait lui aussi des ravages du temps : il était pratiquement sourd, perdait la mémoire et souffrait d'une mauvaise circulation. Ce fut une triste réunion.

Le lendemain, les Windsor quittèrent le Claridge pour Saint James Palace, où devait avoir lieu l'inauguration au milieu d'une foule d'admirateurs. La duchesse, dans un ravissant tailleur de Givenchy sous un manteau bleu et une toque, et le duc, le visage émacié et l'air profondément triste, quittèrent sous les acclamations la limousine royale pour se diriger vers le mur sur lequel était fixée la plaque. La duchesse dévisagea la reine mère, au grand déplaisir certainement de cette dernière. La comtesse de Romanones décrit la scène comme lui ayant été racontée par Wallis. Gracieusement, mais froidement, la reine mère tendit la main à Wallis, qui avec beaucoup d'audace et un singulier manque de goût négligea de faire la révérence. Lorsqu'on lui en demanda plus tard la raison, la duchesse déclara d'un ton cassant : « Elle a empêché les gens de me faire la révérence, alors je ne vois pas pourquoi je lui en ferais une. »

La reine Elizabeth, impassible, ne manifesta rien de l'irritation que dut lui causer ce scandaleux manquement à l'étiquette. Elle s'adressa à sa vieille bête noire avec toute l'apparente cordialité et la dignité que, plus que toute autre, à l'exception de la reine mère, elle savait manifester, lorsque nécessaire. Il va sans dire que ses pensées secrètes devaient être d'une autre nature. Il est regrettable que la duchesse, en faisant la révérence à la reine, n'ait pu résister au plaisir d'adresser un coup d'œil à la mère déjà offensée de cette dernière.

L'inauguration terminée, la reine mère dit au revoir aux Windsor. Wallis omit une nouvelle fois de faire la révérence. « J'espère que nous nous reverrons », dit la reine mère, n'en pensant probablement pas un mot. « Oh ? Quand ? » fit insolemment Wallis.

Les Windsor allèrent déjeuner à Kensington Palace, invités par la princese Marina. Puis ils regagnèrent Paris dans un avion de la flotte royale. Le prince Michael de Kent vint voir les Windsor, puis ce fut le tour du prince William de Gloucester ; ils appelaient dorénavant la duchesse « tante Wallis ». Sa réhabilitation suivait son cours. Le Nobiliaire de Burke insistait pour que lui soit accordé le titre d'« Altesse royale », le précédent refus étant « la mesure discriminatoire la plus scandaleuse de toute l'histoire de notre dynastie ». Scandaleuse ou pas, cette mesure discriminatoire ne fut pas révoquée. Le titre de S.A.R. ne fut jamais accordé à la duchesse.

20

Le crépuscule et la nuit

Décidé à faire échec aux progrès du grand âge, le duc suivit les conseils de plusieurs de ses amis, et, émule de Somerset Maugham, fit plusieurs voyages en Suisse à la fin des années soixante pour suivre les cures de rajeunissement du docteur Paul Niehans, dans sa clinique de Vevey, près de Lausanne.

Le temps passant, les extravagances du ménage se multipliaient. À la fin des années soixante, ils avaient trente domestiques, chacun son chauffeur, et la seule cuisine employait sept personnes : un chef, un assistant, des plongeurs et des filles de cuisine. Les invités étaient accueillis par sept valets en livrée. Il va sans dire que tout ce monde, s'adressant à la duchesse, ne lui donnait jamais que du « Votre Altesse royale ».

Leur prodigalité porta ses fruits. En 1969, les Windsor se trouvèrent obligés de mettre en vente leur cher Moulin. Le besoin financier n'en était pas la seule cause. Les déplacements entre Paris et la campagne fatiguaient par trop le duc, dont la faiblesse était devenue alarmante.

Le 1er juillet 1969, l'investiture du prince Charles comme prince de Galles lui remonta le moral. Il suivit avec la duchesse la cérémonie à la télévision.

En octobre 1971, les Windsor reçurent l'empereur du Japon, Hiro-Hito, et son épouse, dans leur maison du bois de Boulogne. Le duc n'avait pas vu l'empereur depuis 1922, lorsqu'il était allé au Japon. Il lui montra le paravent que ce dernier lui avait donné et l'empereur se souvint que, ce jour-là, il s'était trouvé trop timide, du fait de sa jeunesse pour adresser un seul mot au prince de Galles. Albin Krebs, du *New York Times*, décrivit avec tendresse ces plaisantes retrouvailles.

Mais la santé du duc déclinait toujours. Devant l'empereur et l'impératrice, il s'était trouvé presque sans voix. Ses médecins lui firent subir une biopsie et lui trouvèrent dans le larynx une tumeur cancéreuse. Une seconde biopsie, le 17 novembre, confirma la première : le cancer était si avancé que toute opération était inutile. On lui prescrivit un traitement au cobalt qui devait durer quarante et un jours. Malgré ces affreuses nouvelles, il n'en demeurait pas moins d'un entêtement puéril, persistant à fumer chaque soir un cigare, au désespoir de ses médecins.

En février 1972, il reçut la visite de lord Mountbatten. La duchesse était en Suisse, où, disait-elle, elle était allée subir une opération, qui fut sans doute le traitement du docteur Niehans. D'après Charles Murphy, le duc se plaignit que Mountbatten ne fût pas venu à son mariage. Celui-ci répliqua qu'il n'avait pas été invité. En vérité, il l'avait bien été, mais la famille royale s'était montrée inflexible et lui avait interdit de s'y rendre. Murphy rapporte qu'à minuit le duc croassa vers Mountbatten : « Il y a une chose à laquelle vous n'avez certainement jamais pensé. C'est que, si je n'avais pas abdiqué, j'en serais maintenant à la trente-septième année de mon règne. » Ce fut une soirée très consolante et Mountbatten en ressortit convaincu que le duc avait abandonné toute amertume envers lui-même et le reste de sa famille.

En mars, le duc fut opéré à l'hôpital américain de Neuilly d'une double hernie. Il avait beaucoup maigri et pesait moins de quarante-cinq kilos. Wallis, rongée d'angoisse, ne quittait presque pas son chevet. La peine qu'elle éprouvait pour lui touchait tous ses témoins. On fit savoir à la reine, à Londres, qu'il ne serait pas inopportun qu'elle visitât son oncle avant qu'il ne mourût. Lady Monckton (Walter était mort) alla voir les Windsor ; puis elle pressa le premier des secrétaires de Sa Majesté, sir Martin Charteris, de faire connaître à la reine le peu de temps qu'il lui restait. Elizabeth devait aller à Paris, visite officielle liée à l'entrée de la Grande-Bretagne dans le Marché commun. Au début la reine se montra intransigeante. Elle refusa de modifier son emploi du temps pour voir son oncle. Un des docteurs de Wallis, Jean Thin, téléphona alors à Buckingham Palace pour dire que le duc n'avait plus que quelques jours à vivre, et reçut en réponse un message téléphonique de Christopher Soames, le gendre de Churchill alors ambassadeur de Grande-Bretagne à Paris. Soames expliquait au docteur que le duc devait mourir « avant ou après la visite royale mais pas au cours de celle-ci ». Indication suggestive du penchant qu'avait la famille royale d'Angleterre d'exercer de discrètes pressions sur la Faucheuse (ne disait-on pas que l'on avait fait en sorte que George V, le grand-père de la reine, mourût à temps pour que l'édition du matin du *Times* pût annoncer l'événement ?). Comme Thin montrait une certaine irritation, le Palais lui adressa un communiqué dont voici le texte : « Vous savez que le duc meurt, nous savons que le duc meurt, mais NOUS (à savoir la reine) ne le savons pas. » Sous la menace d'une indiscrétion qui ferait scandale, la reine accepta – chose impensable ! – de modifier son emploi du temps pour voir le duc.

Il était alors nourri par piqûres intraveineuses de glucose. Bouleversé à l'idée que Lilibet – ainsi appelait-il affectueusement la reine – puisse le voir dans cet état : des tubes lui sortant du nez et hérissé d'aiguilles de radium, il demanda à l'un de ses médecins, Jean Thin, de lui faire enlever par ses infirmières ce « foutu harnachement ». Thin donna son accord.

D'après Murphy, il fallut près de quatre heures à Wallis pour préparer le duc à la visite royale. Le fantastique contrôle de soi qu'il démontra dans cette circonstance la bouleversa. L'attitude, en effet, du duc fut sans doute l'apogée de sa vie. La reine entra, Wallis fit la révérence et la conduisit vers le fauteuil où le duc était assis dans son blazer favori, marine à boutons de cuivre. Il s'efforça de sourire. La reine était décidée à ne rien manifester de la surprise qu'elle pourrait ressentir à son aspect. Elle aussi montra un parfait sang-froid. Elle lui adressa des paroles chaleureuses et consolatrices. La duchesse était assise non loin d'eux. Puis elle se retira pour rejoindre le prince Philip et le prince Charles, avec qui elle prit le thé, laissant la reine et son oncle en tête à tête.

Cette visite fit au duc le plus grand plaisir et apaisa quelque peu ses souffrances.

Le 27 mai, d'après Murphy, le duc demanda à son infirmière : « Suis-je en train de mourir ? » Elle répliqua, avec une vivacité alarmante : « Vous êtes assez intelligent pour décider de cela vous-même. » La teinture de ses cheveux le tracassait encore.

Le samedi 28 mai, raconta Sydney Johnson à l'écrivain anglais Ingrid Seward, le duc lui demanda de le mener à son bureau où il voulait écrire des lettres. Johnson ajouta :

> Je le levai et l'assis à son bureau, mais, tremblant trop, il fut incapable de tenir son stylo. Je lui conseillai de manger quelque chose, par exemple de ces harengs finlandais qu'il aimait tant avec des œufs brouillés. Mais ce n'était pas de manger qu'il avait besoin, me dit-il. « Ils me nourrissent par les veines, Sydney. Tout cela est fini pour moi et je n'ai besoin de rien. Je n'ai envie de rien non plus, sinon peut-être de pêches avec de la crème. »
>
> Je me ruai en bas à la cuisine et lui remontai plusieurs pêches avec de la crème que je déposai devant lui. Il commença d'élever la cuillère à sa bouche, mais il tremblait tant qu'il ne pouvait manger. Aussi lui donnai-je à manger. Il mangea toute la crème. Alors il se sentit fatigué et voulut retourner dans son lit, aussi je l'épongeai comme je faisais toujours et le replaçai dans son lit, puis je tirai les rideaux. Ce fut la dernière fois que je le vis vivant.
>
> À deux heures, ou trois heures, de l'après-midi, le duc dormait toujours. Je m'en allai voir Son Altesse royale et lui dis qu'il était tard et qu'il dormait toujours. « Ne vous inquiétez pas, Sydney, me dit-il, laissez-le dormir. » Mais je la savais anxieuse, car je l'entendis murmurer : « Ce n'est pas bon signe. »

Ce soir-là, lorsque le duc s'éveilla, il réclama d'une voix presque inaudible des pêches cuites – l'un des plats favoris de son enfance. Puis il sombra dans le coma final. La duchesse était résolue à conserver le contrôle d'elle-même, se refusant à fondre en larmes devant le personnel.

D'après la comtesse de Romanones, peu après 2 heures du matin, le 29, les médecins appelèrent la duchesse au chevet du duc. Comme la vie abandonnait l'homme avec qui elle avait passé la plupart de ses jours, la duchesse le prit tendrement dans ses bras. Il eut un profond soupir, posa sur elle son regard bleu, murmura un mot : « Chérie », et ce fut la fin. Selon Sydney Johnson, le duc répéta aussi : « Maman, maman, maman, maman. » Pour Johnson, ces mots désignaient Wallis, mais ils pouvaient bien concerner sa mère bien-aimée. La duchesse demeurait glacée, pétrifiée et muette. On la reconduisit doucement jusqu'à sa chambre, où elle s'assit sans rien dire, les yeux perdus dans le vide. Jamais elle ne se départit de sa dignité.

La nouvelle de la mort fut annoncée aux derniers journaux de la nuit de la radio et de la télévision. Des millions de personnes, se rappelant le prince charmant qu'avait été le prince de Galles et l'homme qui avait abandonné un trône pour l'amour d'une femme, furent touchés par cette mort. Les jeunes, qui ignoraient à peu près tout de l'abdication et ce qui avait suivi, connaissaient cependant l'histoire des Windsor. La reine ordonna une période de deuil.

D'après Sydney Johnson, lorsque les embaumeurs arrivèrent de Londres, la duchesse lui demanda en pleurant de s'occuper de tout. Johnson les informa qu'il comptait habiller le duc d'une chemise de nuit et d'une robe de chambre. On lui répondit que la raideur cadavérique rendait la chose impossible et qu'il faudrait le recouvrir, nu, d'un drap de satin. Les vêtements du mort pouvaient être distribués aux nécessiteux. Effondré, Johnson en avertit la duchesse. Elle lui aurait répondu : « Ne vous occupez pas de ça. Coiffez-le seulement comme il se coiffait et laissez-le. Ils connaissent leur métier. »

Par les médias, la duchesse, apparemment impassible, fit demander au public de ne point assiéger la maison. Sa demande fut entendue. Ceux qui désiraient exprimer leur sympathie furent priés de se présenter à l'ambassade d'Angleterre à Paris où ils pourraient signer le livre mis à leur disposition, relié de cuir noir. Le 29 mai, des centaines de personnes étaient rassemblées devant l'ambassade, près d'une heure avant l'ouverture. De nombreuses déclarations de sympathie accompagnaient les signatures.

De très nombreux visiteurs se manifestèrent au bois de Boulogne, dont le coiffeur favori de la duchesse, Alexandre, le roi Umberto d'Italie et Maurice Schumann, ministre des Affaires étrangères, ancien journaliste, qui s'était trouvé à Candé le jour du mariage en 1937. Hubert de Givenchy devait mettre la dernière main aux vêtements de deuil de Wallis. Le lendemain, le corps fut transporté au Bourget, escorté de motocyclistes. Là, un détachement français lui rendit les honneurs avant l'embarquement dans l'avion de la reine, qui atterrit en Angleterre sur une base de la R.A.F. située dans l'Oxfordshire. La duchesse ne se trouva pas assez forte pour accompagner le cercueil. En dépit de tous ses efforts, elle était prise d'incontrôlables crises de larmes.

À Benson, l'aéroport où l'avion atterrit, ce furent le duc et la duchesse de Kent qui accueillirent la dépouille de l'ancien monarque, au son de l'hymne national. Le lendemain, un cortège funèbre conduisit le cercueil au château de Windsor où il devait être inhumé dans la chapelle Saint-George. Devant la chapelle, une foule endeuillée rappelait à quel point le duc était resté populaire. Le catafalque, recouvert d'un drap bleu, était exposé au centre de la nef du XVIe siècle. Wallis avait envoyé une croix composée de muguet du Moulin. Le cercueil était flanqué de grands cierges noirs. Des milliers de personnes défilèrent devant le catafalque pendant des heures. Alvin Schuster, du *New York Times*, rapporta que nombreux étaient ceux qui, dans la longue file qui s'étendait de la grille d'Henry VIII jusqu'au bas de la colline du château au-delà de la gare, se rappelaient la déclaration comme si elle avait été prononcée la veille. Joan Hutchison, qui à l'époque avait quinze ans et qui travaillait dans une fabrique de tricot où elle entendit l'allocution, lui déclara qu'elle avait pleuré comme une madeleine. « Il aurait dû rester, poursuivit-elle, la femme qu'il aimait n'aurait eu qu'à rester à l'arrière-plan. Nous ne lui en aurions pas voulu. C'est une femme charmante. »

Pleine de courage, la stoïque mais misérable duchesse trouva la force de se rendre à Londres. Ce fut le pilote de la reine qui la conduisit à Heathrow, avec son amie la comtesse de Dudley, Mary Churchill, épouse de l'ambassadeur à Paris, sir Christopher Soames, le docteur Antenucci et John Utter, son secrétaire. Très droite, un masque de détermination sur le visage, la duchesse fut accueillie à sa descente d'avion par lord Mountbatten. On assure qu'elle aurait demandé à Utter : « Pourquoi le prince Charles n'est-il pas là ? » Elle déclara à Mountbatten, plaintivement, que la reine mère lui faisait peur. « Elle ne m'a jamais admise », dit-elle. Mountbatten fit de son mieux pour la rassurer.

Si absorbée qu'elle était dans son chagrin, la duchesse (comme elle l'avait été en 1936) fut atterrée par la tristesse de Buckingham Palace. On l'avait installée dans l'appartement des chefs d'État, sur la façade du palais. La famille royale se donna tout le mal possible pour la mettre à l'aise, s'assurant que la salle de bains ne manquait de rien. L'appartement lui-même était des plus confortables et ses plaintes là-dessus furent tout à fait injustifiées. La princesse Anne lui fut représentée, elle se montra très touchée et heureuse de la revoir. Sur une photo de presse, révélatrice, on la voit à une fenêtre du palais, le visage marqué par la douleur. Mais, dans sa robe de deuil de Givenchy en soie noire, d'une coupe merveilleuse, elle fut l'une des plus élégantes représentantes de la famille royale, même s'il lui était encore dénié la moindre appartenance à celle-ci.

La reine avait à prendre une décision difficile. Le 3 juin était la date de son anniversaire officiel, qui était un événement public. La reine à cheval passait sa garde en revue, lors de la cérémonie du Trooping the Colour. Elle avait songé à l'annuler, puis décida de n'en rien faire. Mais elle introduisit dans le programme un air funèbre de cornemuses, rappel touchant de l'amour du duc pour cet instrument de musique.

Encore presque incapable de bouger et de parler, la duchesse suivit les cérémonies à la télévision dans son appartement du palais. C'était l'anniversaire de son mariage. Elle était sous sédatifs, mais le son des cornemuses que son mari aimait tant lui fit verser un flot de larmes. Elle était si secouée qu'elle était presque incapable de se rappeler ce qu'on lui avait dit un instant auparavant. Enfin, vivement pressée par lady Monckton, elle accepta de se rendre avec lady Dudley à la chapelle Saint-George, après le départ du public. Accompagnée du prince de Galles et de lord Mountbatten, elle fit lentement le tour du catafalque sur lequel était exposé le cercueil de son mari au centre de la nef. Elle contempla longuement l'amoncellement de fleurs qui le recouvrait presque, puis examina les couronnes mortuaires des bas-côtés. « Trente-cinq ans ! Trente-cinq ans ! » répétait-elle au prince Charles et à Mountbatten. Et elle ajouta : « Il était toute ma vie, je ne peux même pas penser à ce que je ferai sans lui, il a tant abandonné pour moi et maintenant il est parti. J'avais toujours espéré mourir avant lui. » Avant sa venue, cinquante-sept mille neuf cent trois personnes avaient défilé devant le cercueil. La reine, le prince Philip et la princesse Anne étaient venus le même jour, avant elle.

Le service avant l'inhumation, le 5 juin, à 11 heures et quart, dura une demi-heure. Le public n'avait pas été autorisé à entrer dans la chapelle. La duchesse était assise à côté de la reine, le duc d'Édimbourg à sa droite. La reine mère était là, de même le Premier ministre Edward Heath, tout comme le comte d'Avon, Anthony Eden, qui s'était si ardemment opposé au duc, du temps qu'il était roi. Il y avait encore lord Mountbatten, le prince Charles, le duc de Kent, les princes William et Richard de Gloucester et le roi Olaf de Norvège. Le duc de Gloucester, malade, était absent.

Le doyen de Windsor, le révérendissime Lancelot Fleming, présidait la cérémonie. La bénédiction fut donnée par le docteur Michael Ramsay, archevêque de Canterbury. Le cercueil fut laissé dans la chapelle, tandis que la duchesse et la famille royale allaient déjeuner. Sitôt après, la reine mère décida soudain d'assister à l'inhumation à Frogmore, où ils se rendirent tous ensemble. Le duc fut doucement descendu dans la plantureuse terre anglaise, auprès de son frère George, le duc de Kent qu'il avait tant aimé, et de la princesse Marina, de son grand-oncle révéré le duc de Connaught et de la sœur favorite de son père, la princesse Victoria. On renouvela à la duchesse l'assurance qu'elle serait enterrée aux côtés de son mari, mais elle remarqua, fidèle à son cynisme habituel, que l'espace disponible était très exigu. Elle dit à l'archevêque de Canterbury : « Je sais bien que je suis une femme très mince et petite, mais je ne pense pas pouvoir tenir dans un espace aussi étroit. » La duchesse devait raconter à son amie la comtesse de Romanones, de qui nous tenons cette histoire, que l'archevêque répliqua : « Je ne vois pas bien ce qu'on pourrait faire, mais vous tiendrez, ne vous inquiétez pas. » Sur quoi elle insista, que c'était trop petit, demandant à ce que fût enlevée la haie qui bordait le terrain. « Après tout, je ne suis pas un hérisson. » Cet échange surréaliste s'acheva sur la promesse de l'archevêque de déplacer la haie. Il le fit et il y eut finalement bien assez de place pour les deux tombes.

La duchesse décolla pour Paris dans l'avion de la reine, tandis que la fidèle lady Dudley la consolait de son mieux. Devant la Chambre des communes, Edward Heath devait évoquer en termes émouvants la mort de l'ex-monarque, en concluant par l'éloge de la duchesse « qui a répondu à sa dévotion par une loyauté, une présence et un amour identiques. C'est elle que cette mort frappe avant tout, et les Communes lui expriment leur profonde sympathie ». Chef de l'opposition, Harold Wilson y ajouta l'expression de son admiration, en disant : « Nous espérons qu'elle se sentira libre à tout moment de revenir parmi nous communiquer librement avec le peuple pour le service duquel vécut, son mari, prince de Galles, roi et duc. » L'infortuné chef des libéraux, Jeremy Thorpe, exprima les mêmes sentiments. Pourtant, en dépit du réchauffement considérable de plusieurs membres importants de la famille envers elle, le titre d'Altesse royale lui fut encore refusé. Elle demeurait « Sa Grâce, la duchesse de Windsor ».

C'est épuisée que la duchesse retrouva Paris. Le duc lui avait laissé toute sa fortune, évaluée à trois millions de livres, sans compter la collection de bijoux qui lui appartenait en propre. Au nom du gouvernement français, Maurice Schumann l'informa qu'on ne lui demanderait pas de droits de succession, et que jusqu'à sa mort elle continuerait à ne pas payer l'impôt sur le revenu. La jouissance de sa maison lui était de même garantie à vie. Le Moulin était toujours à vendre, mais, en juin 1973, un acheteur se manifesta, Edmond Antar, homme d'affaires suisse. Il paya le Moulin près d'un million de dollars. Malgré cela, les dépenses de la duchesse étaient telles que, dans les années qui suivirent, il fut nécessaire de vendre de nombreux biens de la succession Windsor.

La duchesse demeura recluse pendant plusieurs semaines, entourée d'un personnel dévoué que dirigeaient son élégant maître d'hôtel français Georges Sanègre et sa femme Ofelia. John Utter, ce diplomate américain à la retraite qui avait jadis été envoyé auprès d'Hailé Sélassié [1], continuait d'assurer sa tâche de secrétaire, aidé de Johanna Schutz, Me Blum était très souvent là, veillant dans le détail à la gestion de ses biens. Elle protégeait aussi la duchesse de l'insistance de la presse à déranger sa solitude, l'empêchant d'envahir le jardin et de la photographier à travers les fenêtres. Peu à peu, elle s'imposa dans le rôle d'ange gardien qu'avait tenu Walter Monckton.

La duchesse avait espéré pouvoir se rendre à un mariage à Salzbourg, mais le réveil de ses vieux ulcères la découragea de faire le voyage. À la place, elle invita les deux jeunes mariés, le fils et la belle-fille de la comtesse de Romanones, à finir chez elle leur lune de miel. L'une de ses rares apparitions publiques fut pour les emmener chez Maxim's. À leur stupeur, elle y commanda un hamburger. À présent que sa vie tirait d'évidence à sa fin, elle ne prenait plus la peine de cacher l'intensité de ses sentiments et de ses goûts américains, ils refaisaient surface.

Elle continuait à se préoccuper de la taille de sa tombe à Frogmore. Une lettre de ses hommes de loi londoniens la rassura enfin,

1. Victime de l'amitié du roi pour Mussolini, le négus n'avait pas été reçu à Buckingham Palace.

qui assurait, plutôt bizarrement : « La place ne manque pas entre la tombe du duc et la bordure du terrain, il y a près de neuf mètres. » La lettre ajoutait qu'il y avait encore six mètres de l'autre côté, jusqu'au pied du platane qui ombrageait cette partie du jardin. Un plan y était inclus, montrant l'exacte disposition des lieux. La duchesse envoya un mot à la comtesse de Romanones, lui demandant de s'assurer que, lorsque son temps serait venu, le platane ne tombe pas sur les deux tombes voisines.

L'avocate de Wallis, Me Suzanne Blum, avait de formidables cartes en main. Elle connaissait beaucoup de choses sur Wallis : ses liaisons avec Guy Trundle et William Bullitt entre 1937 et 1940, le parti qu'elle avait tiré de l'avocat Armand Grégoire, de sympathies nazies, la vérité sur ses rapports avec Ribbentrop, ses activités d'espionne, et sans doute le fameux dossier chinois. La duchesse n'eut jamais le courage de s'en séparer et l'emprise de Suzanne Blum augmentait de jour en jour. La sorcière exerçait son pouvoir sans quitter son sombre appartement de la rue de Varenne. Les quelques visiteurs assez intrépides pour lui rendre visite et s'exposer à ses colères devaient se hisser jusqu'à cet appartement dans un vieil ascenseur arthritique et grinçant qui menaçait à tout instant de s'écraser au fond de sa cage. Une servante boitillante et courbée par les ans les faisait entrer dans un vaste cabinet poussiéreux dont les murs bruns et ocre n'avaient pas été repeints depuis les années trente et dont la décoration orientale comprenait sans nul doute beaucoup de reliques du séjour de Wallis en Chine.

En dépit de ses mains ridées et couvertes de taches brunes, cette femme de quatre-vingt-quatre ans ne paraissait pas son âge. Comme elle détestait les journalistes et les biographes, elle les recevait de façon agressive et menaçante. Quand elle parlait d'un article, ou d'un livre écrit sur la duchesse, c'était inévitablement « une ordure », un ramassis de ragots. Elle soutenait intrépidement que jamais le duc n'avait couché avec la duchesse et que celle-ci était morte vierge. Le jour où Caroline Blackwood, la romancière irlandaise, se permit de mentionner le fait que le duc avait fait porter dans différentes suites à l'hôtel quatre-vingt-cinq valises et bagages divers sans donner un sou de pourboire aux porteurs, elle avait répliqué vertement : « Donner un pourboire ! Ç'aurait été s'abaisser ! » et avait traité son interlocutrice de chacal ! Mais ensuite elle s'était mise à trembler quand l'autre avait mentionné les notes de médecin de Wallis : « Elles sont effrayantes ! » avait-elle gémi.

Lentement mais sûrement, la duchesse reprit goût à un minimum de vie sociale. Patrick O'Higgins, ami intime et biographe d'Helena Rubinstein, l'emmenait dans Paris à de petits dîners. De temps en temps, elle voyait les Mosley et les La Rochefoucauld. Elle donnait elle-même de petites soirées sans jamais plus de huit invités. Lorsqu'elle sortait dîner, elle s'assurait toujours de la présence d'un garde du corps à la porte du restaurant où elle se rendait. L'idée d'être assassinée ou enlevée la terrifiait et il ne fait pas de doute que, dans les cercles communistes, son impopularité demeurait extrême, bien qu'il eût été douteux qu'elle constituât encore une cible plausible. Elle évoquait la création d'un musée Duchesse de Windsor à Oldfields School, où elle avait passé une partie si importante de son enfance. Mais cette idée tomba à l'eau et fut abandonnée. Parfois, sa mémoire la trahissait et elle oubliait les noms aussi bien que les têtes des gens. Sa crainte des cambrioleurs tourna à l'obsession. On plaça à côté de son lit un revolver jouet (lui faisant croire qu'il était vrai) et l'on perfectionna l'alarme électronique, piégeant le moindre centimètre des portes et des fenêtres. Il lui arrivait de se lever au milieu de la nuit et de scruter l'obscurité par la fenêtre de son regard de plus en plus myope, pour s'assurer que le soldat français à la retraite dont elle louait les services était bien à son poste. Un jour, elle tomba et se cassa le col du fémur. À l'hôpital américain de Neuilly, où elle fut admise, elle témoigna d'une pétulance indomptable, recherchant indéfiniment son commutateur électrique, assaillant le personnel de questions dont elle n'écoutait pas les réponses. Sa vieille gaieté reparaissait parfois, sous les formes les plus excentriques. Un vieil ami vint la voir. Boitant bas malgré sa canne, il lui apprit que lui aussi s'était cassé le col du fémur. « Hip, hip, hip, hourra ! » hoqueta-t-elle, ravie.

Dans sa maison, rien n'avait été changé depuis la mort de son mari. Elle y conservait même les cigarettes qu'elle détestait, les pipes dans leurs râteliers, les cigares dans leurs boîtes luxueuses. Le bureau du duc demeurait tel que du temps où il s'y asseyait ; les encriers en étaient soigneusement remplis. La chambre du duc était toujours bourrée de photos de Wallis. Presque toutes ces photos, remarquaient les visiteurs, la représentaient seule ; rares étaient celles où figurait le duc. Sa garde-robe était intacte. Tous ses costumes, soigneusement naphtalinés, pendaient dans les placards.

Ses carlins étaient pour la duchesse un constant souci. Elle les chérissait plus que jamais et la hantait la crainte qu'on ne leur donnât point l'exacte nourriture à laquelle ils étaient habitués. Elle commença à réduire son personnel, selon le même brutal système d'économies qu'elle avait appliqué à Fort Belvedere et à York House. De passage à Biarritz, qui demeurait l'une de ses stations préférées, elle tomba encore et se cassa plusieurs côtes. Il s'avéra très difficile de lui faire descendre dans la gorge un tube anesthésiant, en raison de l'importance des opérations de chirurgie esthétique qu'avait subies son cou.

À l'hôpital même, elle conservait un style indéniable. Elle refusait la nourriture de ces établissements, se faisant apporter les menus trois étoiles que lui préparait son chef. Dégoûtée par le linge ordinaire et la mauvaise qualité de leur literie, elle se faisait apporter ses oreillers et ses draps. Elle embellissait ses chambres d'une profusion de fleurs, et elle y disposa même une fois son coussin brodé favori qui portait cette sentence : « On n'est jamais ni trop mince ni trop riche. »

En 1972, le journal *France-Dimanche* annonça absurdement qu'elle allait épouser John Utter. Cela au moins la fit beaucoup rire, ce dont elle avait bien besoin. Malgré certaines incertitudes, elle pouvait toujours compter sur Utter. Il la réconfortait, était pour elle un compagnon agréable. C'était un homme aimable et chaleureux. Utter nourrissait contre lord Mountbatten une animosité personnelle, car celui-ci arrivait sans crier gare et se conduisait en terrain conquis, comme s'il eût été l'employeur même d'Utter. Il lui disait : « John, prenez votre bloc », et il se mettait à lui dicter des lettres, à la grande fureur de l'ancien diplomate.

Mountbatten exaspérait aussi Utter en parcourant toutes les pièces de la maison, désignant tel ou tel objet fort coûteux, et notamment les boîtes de Fabergé que les cambrioleurs d'Ednam Lodge avaient négligées, prétendant que le duc avait eu l'intention de les lui donner et qu'il se proposait de les emporter. Utter et Johanna Schutz avisèrent Me Blum des façons de Mountbatten et elle s'arrangea pour être toujours présente lors des apparitions de ce dernier, afin de décourager les vols. Alice, comtesse de Romanones, était aussi de ceux dont la présence était souhaitée. La duchesse lui disait : « Mountbatten n'arrête pas de réclamer. Et cela après que mon pauvre mari a tant fait pour lui. Même Georges (Sanègre), je crois, redoute ses visites… Mais qu'attendre de bon d'un homme qui a jeté sa femme à la mer ? » C'était là référence au fait qu'après sa mort à Bornéo lady Mountbatten avait été immergée.

D'après la duchesse, lors de l'une de ses visites, en 1973, Mountbatten la pressa de faire un testament en faveur de la famille royale. Il souhaitait bien entendu, assurait-elle, être compris dans la liste des bénéficiaires. Il en avait même rédigé lui-même un projet, indiquant la destination des biens de la donatrice. La duchesse désirait apparemment léguer certains objets au prince de Galles, mais elle dit à la comtesse de Romanones : « Ils ont tous spolié David de biens qui lui revenaient. » L'affirmation était fausse. La duchesse le savait bien.

Selon Me Blum, Mountbatten changea ses batteries. Il essaya de faire signer à la duchesse l'établissement d'une fondation qui recueillerait tous ses biens et que lui-même, Mountbatten, administrerait, tandis que le prince Charles en serait président. Elle finit par autoriser l'envoi en Angleterre de certains papiers insignifiants, d'insignes militaires et autres qui avaient appartenu à son mari. Un peu plus tard, Me Blum devait préciser la position de la duchesse dans une série de lettres à Kenneth de Courcy, devenu duc de Grantmesnil, datées des 24 mars, 5 et 7 avril 1979. La duchesse, précisait-elle, était tout à fait décidée à remettre au palais les lettres au duc du roi George VI et de la reine Elizabeth, certains souvenirs historiques et certains autres documents, mais là s'arrêtaient ses concessions à la famille royale.

Me Blum déclarait dans ses lettres à Grantmesnil que deux individus, se réclamant de Mountbatten ou de « quelqu'un d'autre », agissant en accord avec le palais, s'étaient procuré les clés des meubles où le duc rangeait ses documents confidentiels pour les vider de leur contenu dans des cartons qui avaient été secrètement transportés dans le pavillon des concierges, où, à la nuit tombée, un camion était venu les chercher. Il y avait là la correspondance privée du duc, les documents relatifs au divorce de Wallis d'avec Win Spencer et Ernest Simpson, des factures et une partie de la correspondance de la duchesse.

Grantmesnil décida d'enquêter sur ce supposé cambriolage royal auprès du bibliothécaire du château de Windsor, sir Robin

Macworth-Young. Sir Robin lui répondit, le 11 avril 1979, que ces allégations étaient sans fondement. Un premier lot de documents lui avait été remis, dit-il, le 15 juin 1972, par Utter, en présence de Me Blum. La duchesse avait personnellement reçu sir Robin et autorisé elle-même le transfert de ces papiers. Un deuxième lot lui avait été remis par Utter, dans les mêmes conditions, le 13 décembre. Et un troisième lot le 22 juillet 1977. Cette fois, la duchesse était absente et Utter avait quitté son emploi. En réponse à une demande de l'auteur de ces lignes, une lettre semblable du successeur de Mackworth-Young à la bibliothèque de Windsor lui fut adressée.

En 1974, Wallis trouva la force de prendre le bateau pour New York. Avec Johanna Schutz et deux de ses carlins, elle fit le voyage à bord du paquebot italien *Rafaello*, qui arriva à New York le 9 avril. Un journaliste du *New York Times* réussit à en obtenir une brève déclaration. « Je ne sors pas beaucoup, dit la duchesse, et je suis très seule. La famille royale a fait toute une histoire à l'époque de l'abdication. Aujourd'hui, il n'en serait plus de même, je m'entends bien avec la famille royale. » Sa causticité n'était pas morte. Ignorant la publication de *The Heart Has Its Reasons*, le reporter lui demanda si elle écrirait un jour son autobiographie. « Ce serait vraiment la dernière chose à faire », répliqua-t-elle sèchement, sans que le reporter comprît de quoi il retournait.

L'atmosphère électrique de Manhattan parut la ranimer. La princesse Margaret et lord Snowdon lui rendirent visite. On les photographia ensemble. Nate Cummings avait embelli sa suite d'un Sisley et d'un Renoir. La duchesse acheta quelques objets décoratifs pour égayer l'ameublement plutôt sombre des lieux et les submergea sous ses fleurs favorites. S'appuyant sur une canne, toujours merveilleusement habillée par Givenchy, elle continuait à provoquer des tumultes dans l'ascenseur et les couloirs à ses départs et à ses retours. Voûtée, fragile, regardant droit devant elle et la voix quelque peu chevrotante, elle dégageait beaucoup de dignité et de volonté. Jusque dans le déclin, qui fut précipité, elle restait *quelqu'un*.

La duchesse repassa par l'Angleterre pour visiter la tombe de son mari à Frogmore. Elle envoya à la reine une lettre de remerciement superbement tournée, pour la considération qu'elle lui avait témoignée, et fut très touchée par un télégramme plein de tact et de cœur du prince Charles. Elle adorait Charles et de nouveau parla de lui laisser quelques legs, de peu de valeur intrinsèque, mais chargés de sens. John Utter se montra d'un précieux secours lorsque la duchesse tomba sérieusement malade, le 13 novembre 1975, et entra une nouvelle fois à l'hôpital américain. Elle faillit mourir cette fois de ses vieux ulcères. En 1976, désireuse de prendre un peu de soleil, elle se fit transporter sur la terrasse de sa maison par ses deux infirmières. Deux photographes postés non loin prirent d'elle de terribles clichés, qui la montraient dans tout son délabrement. *France-Soir* publia ces photos. Me Blum intenta un procès pour atteinte à la vie privée de sa cliente et le journal fut condamné à quatre-vingt mille francs d'amende.

Au mois de juin, où tombait son anniversaire, coururent de nouveaux bruits d'enlèvement qu'aurait projeté un groupuscule d'extrême gauche. Elle fit renforcer la garde de la maison. John Utter se démit de ses fonctions, ne pouvant plus supporter les sautes d'humeur de la duchesse ; néanmoins il revint la voir de temps en temps ; il l'emmenait dîner tous les deux mois environ et lui téléphonait tous les jours pour prendre de ses nouvelles. Puis un beau jour, sans la moindre explication, la duchesse l'effaça de sa vie. Un jour qu'il appelait de la campagne, la standardiste lui répondit que Johanna Schutz avait donné l'instruction de ne plus transmettre ses coups de téléphone. Le même couperet s'était abattu sur Freda Dudley Ward quarante ans plus tôt, lorsqu'elle avait tenté d'atteindre le prince de Galles à York House.

La duchesse s'affaiblissait de jour en jour. Les médecins de l'hôpital américain réussirent à réduire au minimum sa consommation d'alcool, car depuis quelques années elle buvait de plus en plus. Elle ne mangeait presque rien, au point de n'être plus qu'un squelette en 1976. Son esprit vagabondait sans cesse. Incapable de prendre le téléphone, elle saisissait un combiné imaginaire et disait dans le vide : « Miss Schutz, s'il vous plaît, venez immédiatement ! » Autour d'elle, chacun sentait qu'elle ne désirait plus qu'une chose : une visite de la reine mère. Celle-ci n'y était pas hostile et cela, compte tenu de tout ce qui s'était passé dans les années trente, éclaire beaucoup son caractère.

La reine mère devait se rendre à Paris au mois d'octobre 1976 et il fut décidé qu'elle s'acquitterait à ce moment-là de ce geste de compassion. Le 25, il était convenu qu'à 4 heures une voiture de l'ambassade la conduirait chez la duchesse, mais à la dernière minute la duchesse ne fut pas en état de la recevoir. Johanna Schutz appela l'ambassade pour prévenir. On devait expliquer à la reine mère que la duchesse, atteinte de délire, était dans un tel état que le docteur Thin aussi bien que Me Blum l'avaient jugée hors d'état de la recevoir. La reine mère témoigna alors de la qualité de son caractère en envoyant à la duchesse deux douzaines de roses, rouges et blanches, avec sa carte et ce mot : « Amitiés, Elizabeth. »

À la fin de 1976, agissant au nom de la duchesse, miss Schutz accepta de prêter un certain nombre d'objets qui avaient appartenu au duc à une exposition commémorative du cinquantième anniversaire de la reine à Windsor. Ce fut Hugo Vickers qui se rendit à Paris, le 14 septembre, pour prendre les douze articles ainsi prêtés. D'après Vickers : « La reine mère examina avec beaucoup d'intérêt l'acte d'abdication et manifesta sa désapprobation à la vue d'Hitler et de Mussolini (photographiés aux côtés du duc). »

La duchesse était maintenant au plus mal. Me Blum s'occupait de tout. La maison faisait songer à une morgue. N'y demeuraient plus que le maître d'hôtel, Georges Sanègre, et sa femme Germaine, qui était femme de chambre, la standardiste et les infirmières de jour et de nuit. La duchesse avait perdu l'usage de ses mains et de ses pieds et il fallait la porter de son lit sur un matelas médical. On interdit pendant un temps toute visite, car l'arrivée de têtes inhabituelles l'excitait et faisait dangereusement monter sa tension. Il fallait la nourrir à la cuillère. « Le plus tôt elle mourra sera le mieux pour tout le monde », dit John Utter à un ami. Par moments, elle était complètement absente. Il fallait parfois la nourrir par perfusion, car la paralysie intermittente dont elle souffrait lui interdisait d'avaler. Hélas, aucun coma ne se déclarait, qui l'eût rendue insensible à son état. Elle avait des instants de lucidité complète, qui, pour quelqu'un qui avait eu tant de vitalité et qui avait tellement aimé la vie, devaient être insoutenables.

La duchesse ne pouvait plus lire, elle était presque aveugle. Il lui arrivait de demander d'une voix très faible d'être portée jusqu'à sa fenêtre, d'où elle entendait les oiseaux chanter. Observant la maison de la route, Hugo Vickers écrivait :

> Au-delà du mur, dans l'atmosphère brumeuse et grise, se voyait une espère de tombeau animé. Toutes les fenêtres du rez-de-chaussée étaient fermées, excepté, peut-être, une fenêtre du salon. À l'étage demeurait ce qui restait de la duchesse, entourée d'infirmières. On voyait deux lumières ; l'une, sur le côté, était celle de sa chambre, l'autre, à l'opposé, éclairait ce que je croyais être un autre salon.

La duchesse demeura inconsciente de son anniversaire au mois de juin 1980. Un nouveau personnage entra en scène. Il s'appelait Michael Bloch et il était le rejeton d'une famille prospère, installée en Irlande. Né en 1953, diplômé du St. John's College de Cambridge, il avait écrit à Me Blum pour lui demander son aide à propos d'un livre qu'il écrivait sur l'historien et biographe Philip Guedalla, vieil ami du duc de Windsor. Il désirait interviewer Me Blum et obtenir l'accès à certains documents. L'avocate parisienne l'apprécia et le prit pour assistant, car il avait été reçu au barreau de Londres. Il se vit chargé de la conservation des papiers Windsor et reconnaître la qualité de biographe autorisé. Il fut nommé éditeur et présentateur des lettres de la duchesse, dont la plupart avaient échappé au prétendu déménagement clandestin des papiers à Windsor. Le temps pour lui d'entrer en charge, la duchesse était devenue incapable de lui parler non plus que de l'aider en quoi que ce soit dans ses recherches. Elle n'en donna pas moins pleins pouvoirs à Me Blum, l'autorisant à publier ce qui lui semblerait bon. Interrogée à plusieurs reprises, Me Blum devait toujours déclarer que la duchesse avait souhaité que sa correspondance fût publiée. Beaucoup de ces lettres, qui parurent après la mort de la duchesse, sont douloureusement personnelles, mais leur valeur est inestimable pour le biographe. Elles donnent une peinture extraordinairement vivante de cette personnalité multiple.

Après deux ans de tentatives pour voir la duchesse, la comtesse de Romanones fut enfin autorisée par Me Blum à lui faire une visite. C'était un privilège rarissime. La duchesse avait eu plusieurs hémorragies. Quand la comtesse arriva, elle remarqua dans la maison un troublant silence : manquaient, s'aperçut-elle, les aboiements des carlins. La duchesse avait dû tristement se reconnaître incapable de supporter davantage leur vacarme, qu'elle avait si longtemps adoré, et les carlins avaient dû débarrasser le plancher. Lorsque la comtesse entra dans le boudoir, cette pièce merveilleusement meublée qui séparait les deux chambres principales, elle trouva la duchesse majestueusement assise dans son fauteuil roulant, vêtue d'une superbe robe de chambre de brocart d'un bleu assorti à celui de ses yeux. Elle avait les cheveux élégamment rejetés en arrière par-dessus les oreilles, ce qui mettait en valeur ses hautes pommettes et la ligne décidée de son menton. Elle portait ses saphirs préférés. Pour la première fois depuis des semaines, elle se montra étonnamment présente et, quand la comtesse lui dit qu'elle ressemblait à une impératrice chinoise, elle lui répondit, soudain s'animant à un vieux souvenir : « On me disait ça à Pékin, en 1924. »

Lorsque la comtesse revint, plusieurs mois après, la duchesse lui manifesta le même intérêt. Son ouïe était restée si fine qu'elle entendit les pas de la comtesse entrant dans sa chambre. Son amie s'attrista de la voir sans maquillage, les mains oubliées de la manucure et les cheveux cette fois blancs et ternes. Mais toute beauté ne l'avait pas encore quittée. Les yeux fixés au-delà de la fenêtre, elle dit : « Regardez comme le soleil éclaire ces arbres. On y distingue tant de couleurs ! » Mais, un peu plus tard, elle prononça une phrase qui désola la comtesse : « Dites à David de venir. Il ne faut pas qu'il manque ça. » À ses troisième et quatrième visites, la comtesse n'entendit plus un mot sortir des lèvres de la duchesse.

La duchesse demeura chez elle après 1981. Interrogé sur son état, le docteur Thomas Hewes, doyen de l'hôpital américain de Neuilly, répondit : « La duchesse est un légume. Son état est lamentable. Mais je pense qu'elle ne souffre plus. » Un pianiste fut engagé pour jouer en continu un pot-pourri des chansons populaires que le duc aimait, dans l'espoir de stimuler son esprit embrumé, mais ce fut en vain.

De nombreux curieux venaient stationner devant la maison et contemplaient par-dessus le mur la fenêtre de la chambre où elle gisait, immobile et silencieuse. Il lui arrivait parfois de manifester qu'elle remarquait les infirmières qui allaient et venaient, mais, la plupart du temps, elle ne donnait pas signe de vie. Des bruits étranges commencèrent à circuler : qu'elle était morte et qu'on l'avait congelée ou bien qu'un ordinateur perfectionné prévenait Me Blum de ses besoins et surveillait pour elle le travail des infirmières.

Enfin les rumeurs s'apaisèrent. Des mois passèrent sans que

rien parût dans la presse. Puis, le 24 avril 1986, son cœur lâcha. Elle avait quatre-vingt-dix ans.

Le lord-chambellan s'envola pour Paris, afin de ramener en Angleterre le simple cercueil de chêne. Le duc de Gloucester, dont le père était mort plusieurs années auparavant, attendait la dépouille mortelle de sa tante à la base militaire de Benson et l'accompagna jusqu'au château de Windsor. Le château était fermé et un détachement rendit les honneurs.

Un service privé de vingt-huit minutes fut célébré dans la chapelle Saint-George, auquel assistèrent cent soixante-quinze personnes. La reine était arrivée en compagnie du prince Philip et de la reine mère. L'ambassadeur des États-Unis, Charles Price, était présent. Seize membres de la famille royale étaient assis dans le chœur, face au cercueil qu'encadraient les chevaliers de Windsor en uniforme rouge galonné d'or. La duchesse eut l'honneur d'occuper le même emplacement dans la nef que le roi George V, le roi George VI, la reine Mary et le duc de Windsor. Une couronne de lis blancs et jaunes, don de la reine, avait été déposée sur le cercueil. Les mots « Son Altesse royale » n'apparaissaient pas sur la plaque. Le nom de la duchesse ne fut pas prononcé pendant le service. Le chœur de la chapelle Saint-George chanta l'hymne : « Tu l'établiras dans la paix parfaite ».

Le service achevé, le cercueil fut emporté en procession. Le cortège était mené par le capitaine du château de Windsor, le maréchal de l'air sir John Grandy à la tête des chevaliers de Windsor, précédés par le doyen de la cathédrale américaine de Paris, l'archevêque de Canterbury, le doyen et les chanoines de Windsor et le lord-chambellan. La reine, la reine mère, le prince Philip, la princesse Anne et le prince et la princesse de Galles descendirent les Grands Degrés de l'Ouest derrière le cercueil. La duchesse fut enfin déposée dans sa tombe auprès de celle du duc.

Les rubriques nécrologiques qui lui furent consacrées en Angleterre comme aux États-Unis furent dans l'ensemble fort dignes. Plusieurs journaux commirent cependant l'erreur d'imprimer que les bruits selon lesquels elle aurait eu des relations nazies étaient dénués de fondement. La comtesse de Romanones publia dans *Vanity Fair* un article – contestable – rempli de souvenirs pittoresques où elle crut nécessaire d'inclure des remarques offensantes que la duchesse aurait faites au sujet de la reine mère. À l'en croire, la duchesse se serait moquée de la reine mère, l'appelant « Cookie » et lui trouvant quelque ressemblance avec un pudding. Avec beaucoup d'ingratitude, compte tenu de la considération que la reine mère lui avait manifestée lors de la mort du duc, elle aurait brocardé le chapeau noir de celle-ci qui était « transpercé d'une flèche de plastique blanc ». Ajoutant qu'elle avait failli ne pas pouvoir se retenir de rire devant elle en dépit de toute sa douleur. Dans un autre passage de cet article, la comtesse, qui, ancien agent de l'O.S.S. en Espagne, aurait dû se montrer mieux informée, affirmait que les accusations de sympathies nazies lancées contre la duchesse étaient fausses. Apparemment rédigé à la louange de la défunte, cet article n'était guère flatteur.

Dans la semaine même de sa mort, les journaux entamèrent en feuilleton la publication de ses lettres d'amour, ce que d'aucuns jugèrent de mauvais goût. Bientôt après, ces lettres parurent en volume. Le 9 mai, le *New York Times* publia une lettre importante, d'Alistair Cooke. M. Cooke y faisait remarquer que la vraie raison de l'abdication avait dépendu du Statut de Westminster promulgué en 1931, aux termes duquel toute altération de la loi de succession au trône requérait l'assentiment des parlements des dominions, aussi bien que celui du parlement du Royaume-Uni. Dès lors, le secrétaire d'État responsable des dominions était tenu de porter l'affaire devant les parlements du Commonwealth. La Nouvelle-Zélande s'était déclarée prête à suivre l'opinion de la majorité de Londres et l'Inde était divisée entre hindous et musulmans, mais le Canada, l'Australie et l'Afrique du Sud s'étaient montrés inflexibles, jamais ils ne permettraient que Wallis devienne reine, ni même qu'elle épouse morganatiquement le roi. À Londres, les travaillistes lui étaient hostiles aussi.

Il est douteux, c'était le moins qu'on puisse dire, que le duc ait souhaité voir jetée en pâture au public sa correspondance amoureuse autant que puérile. Mais il est probable que la duchesse se serait réjouie de voir vendue sa magnifique collection de bijoux aux enchères à la face du monde. Ce fut Me Blum qui prit la décision d'en confier la dispersion totale à Sotheby. Avant la mort de la duchesse, douze bijoux importants au moins avaient déjà été vendus, avec l'argenterie royale du duc, les chiens de porcelaine chinoise et la cave. La vente eut donc lieu à Genève, les 2 et 3 avril 1987.

Elle comprit deux cent trente lots, dont l'ensemble était évalué à plus de sept millions de dollars, où l'on comptait quatre-vingt-sept œuvres de Cartier et vingt-trois de Van Cleef et Arpels. D'après Nicholas Rayner, de Sotheby, le bijou préféré de la duchesse était le collier de diamants et de rubis de Birmanie que le roi Édouard VIII lui avait donné pour son quarante et unième anniversaire, le 19 juin 1936. Y était gravé : « My Wallis from her David. » La bague de fiançailles faite d'une émeraude du Grand Moghol qu'il lui avait donnée le soir même du jugement lui accordant le divorce à Ipswich devait être aussi l'un des clous de la vente.

Des années trente, il y avait encore un collier de platine et de diamants ; une parure de diamants d'une grande beauté ; un bracelet de perles, d'émeraudes et de diamants ; les clips en diamants et saphirs représentant les plumes de Galles ; et le bracelet de diamants avec de nombreuses croix gravées qui rappelaient au couple leurs souvenirs les plus chers, une visite à Saint-Wolfgang en 1935 ou l'opération de l'appendicite que Wallis avait subie en 1944. Il y avait encore une boîte à cigarettes de Cartier en or et pierres précieuses où était gravée une carte des voyages du couple, de Londres en Espagne *via* Calais, Paris et Biarritz et de Cannes en Italie, Allemagne, Autriche, Yougoslavie, Turquie, Bulgarie et Hongrie, et retour à Londres. C'était un objet de grand prix par sa seule valeur de souvenir. Le dos d'une autre boîte, ravissant poudrier d'or et de pierres précieuses – saphirs, rubis, émeraudes, topazes et améthystes – était gravé de la même carte que celle de la boîte à cigarettes.

Des années quarante, il y avait un bracelet de saphirs, un bracelet d'or orné de saphirs et de rubis avec un fermoir de diamants, des boucles d'oreilles en saphirs et diamants, une broche en forme de flamant en saphirs, émeraudes, topazes et diamants ; et les merveilleux clips en forme de panthères dessinés par Jeanne Toussaint, la très chère amie de Jacques Cartier, qui l'avait surnommée sa « Panthère ».

Des années cinquante, il y avait un bracelet en onyx et

diamants représentant une panthère, un clip représentant un tigre, en onyx et diamants, des boucles d'oreilles en perle et diamants ; des années soixante, un superbe collier de chien en perles de culture et un pendentif d'émeraudes et de diamants dessinés par Harry Winston, un collier d'émeraudes et de diamants de Cartier et des boucles d'oreilles en rubis et diamants.

De nombreux objets qui avaient appartenu au duc avaient été inclus dans la vente, dont certains avaient une très grande valeur. Il y avait des tabatières en or, des boîtes à cigarettes en argent, une boîte à cacheter de 1820 en vermeil, un encrier en vermeil de 1910, un sceau de 1823 et une collection hétéroclite de pendules, de montres et même des répliques en or des tickets de chemin de fer vendus par la Canadian Pacific Railway Company en 1919 et 1927. L'un des plus beaux numéros était une boîte à cigares donnée en 1915 au prince de Galles, alors au front avec le premier bataillon des grenadiers de la Garde dans le nord de la France, par les membres des maisons du roi et de la reine.

L'émeraude du Grand Moghol fut vendue deux millions cent mille dollars, le collier de rubis et de diamants, deux millions six cent mille dollars. Un minuscule coupe-cigare atteignit la somme extravagante de trois mille sept cents dollars. Mohamed al-Fayed, le propriétaire égyptien du magasin Harrod's de Londres, qui venait de se faire accorder par le gouvernement français le bail de la maison qu'avaient habitée les Windsor à Paris, enleva le bracelet souvenir. L'avocat de Los Angeles, spécialisé dans les divorces, Marvin Mitchelson, paya plus de cinq cent mille dollars le collier d'améthystes. Il acheta aussi des saphirs à trois cent mille dollars pièce. Elizabeth Taylor enleva la broche des plumes du prince de Galles cinq cent soixante-quinze mille dollars. D'après certains, elle aurait aussi acheté les broches en forme de panthères au nez du prince Charles, pourtant décidé à les acquérir pour sa femme qui avait eu le coup de foudre pour elles.

Au soir du second jour, le total des ventes atteignait cinquante millions deux cent quatre-vingt-un mille huit cent quatre-vingt-sept dollars, sept fois l'estimation de Sotheby. Ce fut un acheteur anonyme qui battit tous les records : il donna un million quatre cent soixante-six mille six cent cinquante-trois dollars pour un sabre de la Royal Navy qui avait été offert par le roi George V au prince de Galles. Cette somme, naturellement, ne correspondait en rien à la valeur réelle de l'objet. Tout le produit de la vente fut versé à l'Institut Pasteur, à Paris, pour être consacré aux recherches sur le sida. Ce n'était pas si étrange, compte tenu que deux des trois maris de la duchesse étaient bisexuels et beaucoup de ses amis et admirateurs homosexuels.

Ainsi, au-delà de la mort, la duchesse se trouva plus célèbre que jamais. Les bijoux qui avaient été la grande passion de sa vie lui servirent de monument.

Malheureusement Mohammed al-Fayed n'a pas préservé longtemps *in situ* les meubles et objets réunis dans la résidence des Windsor. Il décida de clore la résidence après une brève période où elle a joué le rôle de musée et de vendre meubles, tableaux et vaisselle au bénéfice des œuvres de bienfaisance de son fils Dodi. Il annonça une vente aux enchères chez Sotheby à New York en 1995 qui fut reportée à la suite de la mort de Dodi et de la princesse Diana. Quand elle eut finalement lieu en 1996, elle rapporta beaucoup plus qu'on ne l'escomptait mais n'eut pas l'éclat mondain de la vente des bijoux et n'attira pas de personnalités en vue.

Le 6 juin 1995 le prince Edward, petit-neveu du duc de Windsor, se lança dans le tournage d'un documentaire sur son grand-oncle pour l'I.T.V. Ce documentaire, destiné à blanchir son oncle, est un travail superficiel qui me semble caractéristique de la manière dont on conçoit la communication à Buckingham Palace. Il a donné lieu quand même à une histoire amusante rapportée par Wendy Leigh dans *Edward Windsor : Royal Enigma* (New York Pocket Books 1999). D'après Leigh, le prince aurait dit à son producteur, Desmund Wilcox, que, contrairement à l'image qu'en donne le film, son grand-oncle était un voleur qui avait emporté dans son exil des tableaux et des meubles qui appartenaient à la famille royale (sans doute avait-il hérité des tendances de sa mère, Mary, arrière-grand-mère du prince Edward, dont les chambres dans ses résidences variées étaient bourrées d'objets volés. Quand elle venait en visite le mot d'ordre était d'enfermer l'argenterie).

Dans les années 1990 sont apparus des ouvrages qui cherchent à sauvegarder la réputation du prince. Le livre de Philippe Ziegler, *King Edward VII*, est le produit direct de l'autorisation que la reine avait accordée à l'auteur de consulter les archives de Windsor Castle : les résultats étaient prévisibles. Avec un art souverain de l'esquive, l'auteur traite les aspects controversés de la vie des Windsor en substituant, chaque fois que l'on pourrait parler de trahison, une imputation plus indulgente de légèreté ou de naïveté (quand il s'agit du duc) ou d'égoïsme et de rapacité (pour la duchesse). Cette approche a pour conséquence de diminuer la stature du couple. Au moins l'espionnage et la trahison obéissaient-ils chez eux à une volonté déterminée par des convictions politiques – dont l'orientation était malheureusement erronée.

La plus ridicule biographie parue à ce jour est celle de Michael Bloch, *The Duchess of Windsor* (1996), qui suggère, comme le souhaiterait Me Blum qui l'a inspirée, que Wallis était un homme – ou tout au moins qu'elle avait des caractéristiques sexuelles masculines. *Hidden Agenda* de Martin Allen (2000) est un livre excellent qui mérite une attention sérieuse, mais il n'y a vraiment qu'un livre, *Hostage to Fortune*, *The Letters of Joseph P. Kennedy* éditées par sa petite-fille Amanda Smith (2001), qui soit une source de surprises même pour un biographe averti des Windsor car il révèle pour la première fois la vraie personnalité des acteurs de la grande crise de l'abdication.

Laissons le dernier mot à un poète anonyme. Parmi les objets figurant à l'inventaire de la résidence de la duchesse à Paris (et non compris dans la vente Sotheby) se trouvait un petit feuillet illustré et encadré en or. Le texte en vers était surmonté d'une couronne. Voici ce texte :

> Mon amie vivre avec toi, toi seule
> Vaudrait mieux, je pense, que posséder
> Une couronne, un sceptre ou un trône.

NOTES ET SOURCES

(Première édition)

Chap. 1. *Une enfance à Baltimore*

Les détails concernant l'enfance de Bessie Wallis Warfield sont fondés sur les recherches menées par le généalogiste Robert Barnes, de Perry Hall, dans le Maryland. Mr. Barnes a pu obtenir les renseignements d'état civil de Baltimore pour l'année 1900 ainsi que les dates de naissance pour les familles Warfield et Montague ; un document autobiographique rédigé par Solomon Davies Warfield et incorporé à son dernier testament daté du 22 août 1922 ; un livre de comptes d'Anna E. Warfield donnant le détail des transactions, des faits et des certificats concernant la maison ainsi que les terres ; le testament d'Anna Emory Warfield incorporé à un document du 26 mars 1929 trouvé dans les papiers de Solomon Davies Warfield ; les extraits de naissance, certificats de mariage et de décès des principales personnes ainsi que les coupures de presse du *Baltimore Sun* concernant ces événements. Lors du procès que fit Josephine Metcalf Warfield à la succession Solomon Warfield, le 9 août 1929, l'examen de nombreux documents cités contribua à donner une assez bonne image de l'histoire familiale. Aidé de membres de l'Église épiscopalienne de Baltimore, le docteur Beale Thomas a consulté les archives et pu déterminer avec certitude que Bessie Wallis Warfield n'a pas été baptisée. Ce qui fut d'ailleurs confirmé par l'archidiocèse local ; le docteur Winthrop Brainerd, Mrs. Jewel Vroonland, John Zeren et le docteur Meale Thomas ont fourni d'autres renseignements. Le docteur Thomas a pu également apporter la preuve qu'en y entrant la famille Warfield avait menti sur ce point. Todd Dorsett s'est rendu à Blue Ridge Summit, en Pennsylvanie, à la recherche de documents précieux. L'*American Dictionnary of Biography* a fourni des biographies exhaustives des principaux membres du clan Warfield. Les annuaires ont fourni les adresses. Les guides de Baltimore ont donné des détails sur les écoles fréquentées par Bessie Wallis. Le *Baltimore Sun* et le *New York Times* ont remarquablement couvert l'incendie de Baltimore. La Baltimore Historical Society a transmis les documents de l'Oldfields School publiés pour son cinquantième anniversaire en 1917. Ils comprenaient entre autres des souvenirs des élèves de la classe de Bessie Wallis. Une généalogie manuscrite des Warfield à laquelle était jointe une généalogie des Montague nous a été également remise par cette société. Ses listes de visites de cette période se sont révélées de précieuses sources de renseignements. *The Heart Has Its Reasons* a fourni du matériel illustré. Nous ont aussi éclairés des articles de *Harper's Magazine*, *World's Work*, *Good Housekeeping*, *The Delineator* et *The Nord American*. Les ouvrages suivants constituèrent d'excellentes sources : *Who Killed Society ?* de Cleveland Amory, *Baltimore : A Picture History* et *The Amiable Baltimoreans* (indispensable), de F.F. Beirne, et *Baltimore, an Illustraded History*, de S.E. Greene. L'entretien avec Mrs. Edward D. Whitman fut passionnant. Nous avons aussi consulté le beau livre de Charles F. Bove, *A Paris Surgeon's Story*. L'archidiacre Mosely, de l'archidiocèse épiscopalien de Los Angeles, m'a expliqué en détail les problèmes soulevés par le fait que Wallis n'était pas baptisée ; il m'a confirmé que, selon l'orthodie de 1890, la conséquence en était la condamnation à l'enfer.

Chap. 2. *Une jeune femme obstinée*

Les nombreuses lettres que Mary Kirk a écrites à sa mère au rythme de trois ou quatre par semaine à l'époque où elle était à l'école avec Bessie Wallis se sont révélées un véritable trésor. Cette correspondance est conservée à Radcliffe. Nous avons utilisé les documents de la famille Du Pont détenus à la Eleutherian Mills Library, dans le Delaware. Le chroniqueur qui signe Cholly Knickerbocker a publié une série d'articles à l'époque de l'abdication ; il y interviewait de nombreux contemporains de Bessie Wallis à l'époque, dont Lloyd Tabb, Tom Shyrock et les directeurs des écoles de Wallis. Robert Barnes a obtenu des documents concernant John Freeman Rasin. Mrs. Dale St. Dennis, petite-fille de Corinne De Forest Montague Mustin Murray, a eu l'extrême obligeance de me confier la correspondance, abondante et remarquable, entre sa grand-mère et Bessie Wallis.

Chap. 3. *L'ascension sociale*

The Amiable Baltimoreans est la meilleure source sur le Bachelors Cotillon. Là encore, *The Heart Has Its Reasons*, les comptes et les dossiers de succession d'Anna Warfield et de Solomon Warfield se sont révélés inestimables. Pour ce qui concerne Pensacola, j'ai trouvé en Anna Irwin, épouse d'officier de marine, une aide précieuse : elle a passé des semaines à vérifier en détail la description de la base navale au début du siècle, s'entretenant avec divers survivants de cette époque et étudiant les microfilms du *Journal* de Pensacola. Le professeur George F. Pearce nous a beaucoup apporté. Nous avons pu consulter les archives de l'U.S. Navy Air Force ainsi que les dossiers de correspondance entre Henry Mustin et Mark L. Bristol, entre autres, conservés dans des cartons à la Library of Congress. Nous avons consulté les rapports annuels de l'U.S. Navy ainsi que les dossiers de l'académie de marine d'Annapolis. Nous avons pris contact avec des historiens des chemins de fer afin d'avoir des descriptions du voyage vers cette région en 1916 ; par ailleurs, un examen des cartes et plans de rues nous a indiqué le chemin qu'il fallait prendre à l'époque pour atteindre telle ou telle destination. Nous avons trouvé à la Pensacola Public Library des brochures de l'hôtel San Carlos. Eleanor Campbell, généalogiste diplômée, exerçant à Chicago, a retrouvé l'histoire du père d'Earl Winfield Spencer ; elle a également visité Highland Park, dans l'Illinois, pour en savoir plus. Les chroniques nécrologiques des membres de la famille parues dans le *Chicago Tribune* furent révélatrices. Annapolis a fourni les documents sur la scolarité, les fautes et les diplômes de Spencer. Les minutes du procès pour conduite dangereuse et homicide involontaire intenté contre Godfrey Chevalier proviennent du Maryland Hall of Records. J'ai été aidé en cela par Rick Swanson et Rita Molter, responsables des archives. Le récit de l'ouragan de 1916 a paru dans le *Pensacola Journal*. Une fois encore, le professeur Pearce nous a beaucoup aidés ainsi que son excellent ouvrage *The U.S. Navy in Pensacola*, dont nous avons pu consulter les sources.

Chap. 4. *Un grand mariage*

La meilleure description des noces revient au *Baltimore Sun* ; s'y est ajouté le certificat de mariage obtenu par Robert Barnes. Le docteur Robert Conte, historien résident de l'hôtel Greenbriar à White Sulphur Springs, en Virginie occidentale, a eu l'amabilité de m'adresser des prospectus de l'époque, ainsi que le numéro de la chambre, son emplacement et la vue que les Spencer avaient depuis la chambre de leur lune de miel. Clark G. Reynolds m'a permis de lire des pages très utiles du livre qu'il est en train d'écrire, *Towers : The Air Admiral*, et m'a donné des explications sur l'origine de certains chiffres de cette chronique. Le contre-amiral George Van Deurs, de l'U.S. Navy (aujourd'hui à la retraite), m'a fourni des renseignements complémentaires grâce à son livre méconnu *Wings for the Fleet*. Mrs. Fidelia Rainey et Mrs. Lottie Gonzalez m'ont raconté leurs souvenirs. Nous avons consulté les documents de la station aéronautique de l'U.S. Navy à Pensacola. Paolo E. Coletta, qui travaille actuellement à l'édition du manuscrit de *The Goonie Bird*, m'a envoyé des notes. Katherine Carlin King, fille de Gustav et Katherine Eitzen, a laissé des souvenirs qu'on peut maintenant découvrir à San

Diego. La Boston Historical Society m'a beaucoup aidé. Nous avons là encore consulté des historiens des chemins de fer quant au voyage vers la Californie à cette époque. Pour avoir des détails sur San Diego au début du siècle, nous avons consulté les dossiers du *Tribune*, de l'*Union* et du *Transcript*. Mon séjour à San Diego fut des plus agréables, sous la houlette de John Baron, de l'université de Californie. J'ai beaucoup aimé ma visite aux maisons louées par les Spencer à l'époque. Eileen Jackson, ancienne journaliste à l'*Union*, m'a donné les adresses. J'ai alors pris contact avec les propriétaires, T. Hyrum Callister, 1143, Alameda Street, Mr. et Mrs. Leo Hansen, Pinewood Cottage, et Mr. et Mrs. Jennings Brown, 1029, Encino Row ; ils eurent l'extrême gentillesse de me permettre de les visiter. J'ai séjourné à l'Hôtel del Coronado, où l'équipe de promotion m'a donné des renseignements sur cette période. Le directeur du Palomar m'a également aidé. Ont coopéré avec moi des membres des familles Fullam et Spreckels, ainsi que Neil Morgan, rédacteur en chef du *Tribune*, et Mrs. Dale St. Denis, dont j'ai déjà parlé, et qui m'a merveilleusement accueilli. Le capitaine Arthur Sinclair Hill m'a montré une émouvante galerie de photos de sa famille, les Montague, au destin tragique, la mort frappant à chaque génération les plus jeunes et les meilleurs. Mary Carlin King et les siens m'ont extraordinairement bien accueilli. Même si elle a beaucoup changé, San Diego a gardé le sens de la chaleur et de l'accueil qui l'habitait déjà du temps de Mrs. Spencer. Les journaux de San Diego ont tous décrit les célébrations de l'armistice du 11 novembre 1918 et de la visite du prince de Galles le 7 avril 1920. J'ai obtenu la liste complète des invités à la soirée donnée pour les habitants de la ville ; c'est ainsi que j'ai pu établir que Wallis n'était pas sur la liste restreinte. J'ai reçu beaucoup de documents de Joan Alban, de la Chambre de Commerce de Coronado et des employés des sociétés historiques de San Diego et de Coronado. Pour revenir dans l'Est, le Country Club de Chevy Chase s'est montré coopératif ; de même que les clubs de l'armée et de la marine. Les dossiers du divorce des Spencer, ouverts pour moi à Warrenton, en Virginie, contiennent les importantes dépositions de Wallis et de sa mère qui fournissent la transcription de conversations entre Earl Spencer et elles. Concernant le *Pampanga*, la meilleure source a été l'ouvrage du commandant Bernard D. Cole, *Gunboats and Marines*. Je me suis entretenu avec le commandant Cole plusieurs fois au téléphone chez lui, à Honolulu. Mrs. Milton E. Miles, veuve du contre-amiral Miles, m'a raconté ses souvenirs de jeune épouse d'officier de marine. J'ai interrogé le professeur Immanuel C.Y. Hsue, auteur du remarquable *The Rise of Modern China*, chez lui, à Santa Barbara, en Californie. Nous avons utilisé les rapports annuels de la Navy. Il en est de même pour les groupes de documents 24 et 38, contenant la correspondance générale du département de la marine et les dossiers du chef des opérations navales, ainsi que pour le groupe 45, ensemble de dossiers de la marine de l'Office of Naval Records and Library. Le gouvernement argentin m'a fourni des renseignements sur don Felipe Espil ; les meilleures sources sur ses relations avec Wallis sont Wallis elle-même, dans *The Heart Has Its Reasons*, et *The Woman He Loved* de Ralph G. Marin.

Chap. 5. *La Chine*

La section des archives des Opérations de Naval Historical Center de Washington Navy Yard nous a fourni des renseignements rendus accessibles ainsi que Evelyn M. Cherpak, directeur de la Naval Historical Collection, département de la Marine, Naval War College, Newport, Rhode Island. Nous avons utilisé les récits des épouses vivant en Chine à cette époque. Ainsi que l'article nécrologique de Mrs. F.H. Sadler, du *New York Times* du 20 juin 1951, et les O.A.H. concernant le contre-amiral Sadler. La section Biographies du département de la Marine a fourni les détails sur l'amiral Luke McNamee. La loi sur la liberté de l'information a permis l'accès aux dossiers du Renseignement de la marine et de service des passeports du département d'État concernant Mrs. Earl Winfield Spencer sur présentation de son certificat de décès. Tout cela a établi de façon formelle qu'elle travaillait pour le gouvernement. Nous avons consulté le groupe de documents 59 du département d'État, relatifs aux affaires internes chinoises, M.F. 329, liasses 38, 39, 40, 43, 103, 128 et 163. Ainsi que les cartons 6432, 6254 et 930. On trouvera d'autres références dans la collection de documents de l'auteur à l'université de Californie du Sud. Nous avons pu obtenir le journal de bord intégral de l'*USS Chaumont*. L'expérience de l'auteur en tant qu'officier de liaison avec la presse lui a permis d'analyser ces pages complexes. Il fut possible de décrire le Hong Kong de l'époque grâce à de nombeux livres de voyage. Pour trouver les dates correspondantes, nous avons consulté le journal de bord du *Pampanga*. Pour ce qui concerne le contexte politique, le professeur Hsue nous a une fois encore été d'un grand secours. Nous avons lu les microfilms des dossiers du *Hong Kong Telegraph*, du *North China Herald*, du *Celestial Empire* et du *North China Daily News*. Des interviews et une correspondance avec le duc de Grantmesnil et Leslie Field nous ont permis d'étoffer notre dossier sur la Chine. Les journaux locaux avaient eu la bonne idée de publier la liste des passagers de l'*Empress of Russia*, de l'*Empress of Canada*, du *President Garfield* et de *Shuntien*. Nous avons examiné les rapports du renseignement militaire américain au consulat. Ont également été publiées les listes des clients de l'Astor House Hotel à Shanghai et du Grand Hôtel de Pékin ; cette grave lacune pour la sécurité des citoyens américains en temps de guerre civile a été corrigée en 1925. Nous avons pu reconstituer les mouvements de Mrs. Spencer grâce aux archives de consulat du département d'État. Pour les voyages en train, nous nous sommes reportés aux archives du renseignement militaire américain. Pour en savoir plus sur les activités de renseignement exercées par Herman Rogers, nous avons eu de longs entretiens avec plusieurs membres de sa famille, essentiellement Richard D. Schley, son neveu, ainsi que sa nièce, l'ex-Mrs. Edmond Pendleton Rogers (Mrs. Beatrice Tremain). Chaque trimestre, le département d'État établissait des listes des résidents américains à Pékin, ce qui a permis à l'auteur de découvrir l'adresse d'Herman Rogers. Elle ne correspondait pas du tout à celle donnée dans *The Heart Has Its Reasons*. Nous avons consulté les dossiers du F.B.I. ainsi que les horaires de chemin de fer conservés à la Library of Congress. Au sujet du commandant Little, nous avons examiné les dossiers de la Navy et de la marine. L'affaire da Zara est confirmée dans ses Mémoires (Mondadori, 1949). Mrs. Miles a confirmé la liaison avec Ciano. On y fait référence de façon indirecte, sans mentionner le nom de Wallis, dans *Galeazzo Ciano : A life, 1903-1944*, publié chez Bompiani en 1979 par Giordano Bruno Guerri. Le plus difficile a été de déterminer la date à laquelle Wallis est rentrée aux États-Unis, car ses Mémoires sont incorrects sur ce point. James P. Maloney a passé une semaine à fouiller les archives d'immigration et de naturalisation du département américain de la Justice à la recherche des bateaux arrivant à Seattle, quand, tard un soir, il tomba enfin sur une liste portant le nom de Wallis comme passagère du *President McKinley*.

Nous avons consulté les journaux de bord de l'*USS Wright*. Les dossiers de la Navy concernant Spencer (R.G. 1959 : 1930-1939, carton 79) établissent ses liens avec Mussolini. La bibliothèque de Warrenton, en Virginie, et la société locale de généalogie ont ressorti les brochures du Warren Green Hotel, transformé depuis en bâtiment public. Ils m'ont aussi obtenu le numéro de la chambre qu'habitait Wallis ; on trouve trace de ses allées et venues dans les journaux locaux, y compris son séjour avec Mrs. Larrabee, Mrs. Edward Russel et Mrs. Henry Poole ont raconté leurs souvenirs. Ralph G. Martin a interviewé Hugh Spilman à propos de *The Woman He Loved*.

Chap. 6. *Ernest*

La société de généalogie de New York nous a confirmé les origines juives d'Ernest Simpson. Dans *Little Gloria, Happy at Last*, Barbara dévoile maints détails sur les familles Vanderbilt et Morgan. Les sociétés historiques de Pittsburgh et de Pennsylvanie nous ont fourni des détails sur Mary Thaw. À la demande de l'auteur, les dossiers du divorce des Spencer, conservés à Warrenton, en Virginie, ont été ouverts. Le *London Times* et le *Nerw York Times* m'ont aidé à comprendre le Londres de 1927. Luke Nemeth, à Los Angeles, spécialiste d'histoire politique italienne, et John Hope, à Londres, ont éclairci pour moi le monde pro-italien de l'époque. Des conversations à Londres avec Kenneth Rose et lady Donaldson ont permis d'éclairer la personnalité du prince de Galles. Les archives du *New York Times* ont révélé les fiançailles avec lady Bowes-Lyon et la caricature de Max Beerbohm qui a déclenché tant de remous. Dans son distrayant ouvrage *Queen of the Ritz*, Samuel Marx dévoile l'aventure du prince avec Marguerite Laurent. L'auteur s'est rendu dans maints endroits londoniens où Wallis et son mari ont vécu. Ils n'ont guère changé depuis. Barbara Goldsmith s'est révélée la meilleure source concernant les relations du prince avec Thelma Furness. Des photographies de l'époque parues dans *The Tatler*, *The Sketch* et *The Bystander* montrent l'intérieur du 5, Bryanston Court. Autre excellente source : les Mémoires à quatre mains de Gloria Vanderbilt et Thelma Furness, intitulés *Double Exposure*. C'est également de là que fut tiré *The Heart Has Its Reasons*.

Chap. 7. *Le prince*

Concernant Thelma Furness et le prince, Barbara Goldsmith se montra excellente. Mary Kirk, qui devint Mary Kirk Raffray, écrivit à ses parents des lettres vivantes et pittoresques sur son séjour à Londres, B. Goldsmith nous a fait le récit du voyage dans le sud de la France. La correspondance des Windsor, éditée par Michael Bloch, a constitué une source supplémentaire de renseignements. Le *New York Times*, à tort négligé par tous les biographes des Windsor, nous a donné des détails sur les déplacements du prince à l'époque. Le *Times* de Londres, quant à lui, nous a donné un calendrier censuré, ne faisant entre autres aucune mention des liens italiens. Le *New York Times* ne s'embarrassait pas de tels scrupules. Henry Flood Robert, de San Diego, a rapporté l'anecdote de ce malheureux après-midi. Dans ses journaux, sir Robert Bruce Lockhart révèle les détails de la visite à Londres du prince Louis-Ferdinand. Kenneth Rose m'a aimablement communiqué des extraits du journal du comte Albert Mensdorff, ancien ambassadeur à la cour de St. James. L'article du duc de Windsor paru dans le *New York Daily News* s'est révélé indispensable. Au sujet de l'aventure Furness-Khan, nous avons trouvé dans la biographie d'Ali Khan par Leonard Slater une source d'informations pleine d'esprit. Grâce à l'ouvrage de Stanley Jackson, *The Sassoons*, j'en ai beaucoup appris sur cette remarquable famille. *The Long Party*, de Stella Margetson, en dit long sur Laura Corrigan, Sibyl Colefax, Emerald Cunard et « Chips » Channon. John Costello m'a donné des détails sur l'amiral Wolkoff et sa fille Anna, auxquels se sont ajoutés les renseignements tirés des minutes du procès de Tyler Kent, disponibles à Yale University. Donatella Ortona a interrogé son père, lequel a interrogé le comte Dino Grandi, quatre-vingt-quatorze ans, à Bologne ; grâce à quoi nous avons eu un récit de première main sur les liens italiens à Londres. J'ai évoqué les liens allemands avec la princesse Ann-Mari von Bismarck, dans sa demeure de Marbella ; notre conversation fut suivie d'une lettre à l'immense valeur historique ; nous en avons adapté la rédaction en langage moderne. Nous avons par ailleurs trouvé maints renseignements dans l'excellent livre de Paul Schwarz, *This Man Ribbentrop*. *The Tatler* possède une mémorable photographie pleine page des invités du dîner du Club du 27 janvier (seul William Joyce ne portait pas de cravate noire). Nous avons trouvé beaucoup de choses sur Elsie de Wolfe dans sa biographie par Jane

S. Smith ; nous ont aussi aidés Tony Duquette, son protégé, aujourd'hui artiste décorateur de renom en Californie, et son associé Hutton Wilkinson. Frederick Corbitt, chargé de l'intendance de la maison royale, a laissé des souvenirs fort distrayants intitulés *Fit for a King*, hélas négligés des historiens. Le *New York Times* et le *Times* de Londres ont suivi les déplacements du prince à travers l'Europe. Pour ce qui a trait au *Rosaura*, j'ai été aidé par plusieurs membres de la famille de lord Moyne, dont son fils et la duchesse de Normandie.

Chap. 8. *En marche vers le trône*

Laura, duchesse de Marlborough, fait autorité au sujet de l'enfant illégitime du prince George. Elle a épousé Michael Canfield, dont le décès fut tragiquement prématuré. L'affaire avec Noel Coward est traitée dans l'ouvrage de Michael Thornton, *Royal Feud*. Nous avons consulté les Mémoires du prince Christophe de Grèce. Thornton est la meilleure source pour la burlesque imitation que Wallis a faite de la princesse Élizabeth. L'épisode de Ropp fut l'objet de discussions téléphoniques et épistolaires avec Frederick Winterbotham ainsi que de conversations téléphoniques avec feu Ladislas Farago ; sans oublier son livre, *The Day of the Foxes*.

Le récit du voyage en Europe est tiré en partie du *New York Times* ; on trouve aussi d'utiles renseignements dans les notes manuscrites de George Messersmith, ministre américain en Autriche, conservées à l'université du Delaware. L'ouvrage du journaliste britannique G.E.R. Geyde, *Betrayal in Central Europe*, donne une juste image du prince de Galles à Vienne. Nous avons trouvé des détails sur cette période dans la presse autrichienne, dont l'*Arbeiter Zeitung* et le *Neue Freie Presse*. Le prince Otto von Habsbourg a confirmé l'intérêt que lui portait le prince de Galles. Notre consultation des journaux hongrois *Kis Ujsag*, *Neps Java* et *Budap* nous a éclairés sur bien des points. Nous avons consulté le journal de Henry Channon. Un précieux article de Francis Watson dans *History Today* (décembre 1986) nous a fourni des extraits du journal de Wigram, non encore disponible pour le public. L'anecdote de Wallis au palais St. James est due à lady Hardinge dans *Loyal to Three Kings*. Nous avons également utilisé les journaux et lettres de Mrs. Belloc Lowndes. Le *New York Times* a admirablement couvert le jubilé et mis le doigt sur le rôle de la princesse Cécilie dans les relations du prince avec l'Allemagne. Graham Wooten a trouvé d'autres informations sur la British Legion dans l'histoire officielle de la légion. Pour les questions posées par Aneurin Bevan, il a été fait allusion à Hansard. De nombreuses sources évoquent les liens avec Londonderry, y compris *England's Money Lords*, de Simon Haxey, ouvrage fort utile. Nous avons consulté les lettres des Windsor.

Une fois encore, le *New York Times* a couvert de façon exhaustive le voyage royal. George Messersmith y était, comme toujours. La question d'Armand Grégoire est traitée dans les dossiers le concernant au F.B.I. et au Renseignement militaire, ainsi que dans ceux de la Sûreté, désormais aux archives diplomatiques, avec de nombreux autres rapports sur Grégoire émanant de diverses sources du renseignement. Nous avons lu le magazine *le Franciste* ainsi que l'ouvrage d'Alain Deniel, *Bucard et le Francisme*. *Deadline*, de Pierre Lazareff, ancien rédacteur en chef de *Paris-Soir*, et *Campaign of Treachery*, de l'éminent avocat parisien Henry Torrès, confirment les rapports du F.B.I. alléguant que Wallis a pris Grégoire comme avocat. Les liens avec Laval ont été établis par le témoignagne de Laval lors de son procès ; nous en avons utilisé les minutes ainsi que le récit publié par le *New York Times*. Le comte René de Chambrun a confirmé cette relation, dont il est question dans son livre *Pierre Laval : Traître ou Patriote ?* Nous avons examiné les documents du Foreign Office. Nous avons trouvé des détails sur Mainbocher dans *Current Biography* pour 1942. Là encore, Kenneth Rose nous a fourni le journal Mensdorff.

Kenneth de Courcy, duc de Grantmesnil, et Leslie Field ont bien évidemment constitué la source principale de notre dossier chinois. Dans son livre *The Fact*, George Seldes a évoqué la question du docteur Frank Buchman et de ses liens avec les nazis. La biographie de sir Oswald Mosley par Robert Skidelsky est riche de renseignements, ainsi que *The Fascists in Britain*, de Colin Cross, et les Mémoires de Nicholas Mosley, lord Ravensdale. Les archives du Foreign Office du Public Record Office, à Londres, contiennent des références (1972) sur la question des concessions de coton de Simpson. Les Mémoires ci-dessus mentionnés de Frederick Corbitt évoquent l'histoire de l'avocat. Pour ce qui concerne le déclin du vieux roi, *King George V*, de Kenneth Rose, est remarquable. À ce sujet, l'article de *History Today* est très précieux ; il confirme, d'après les documents de lord Dawson et de lord Wigram, la question de l'euthanasie. Nous avons trouvé dans *Business Week* du 21 mars 1936 des détails sur les revenus royaux fondés sur une étude approfondie des archives britanniques. Helen Lombard a publié un ouvrage de référence sur les investissements royaux dans Lyons, *Washigton Waltz*. On trouve dans *Captain of the Queens*, de Henry Grattidge, le récit de l'événement qui a troublé le cortège des funérailles. Paul Schwarz relate dans *This Man Ribbentrop* l'histoire des films secrets du roi et de Wallis envoyés à Hitler. Schwarz est une des rares personnes à être au courant.

Les archives des Affaires étrangères allemandes contiennent des descriptions des entretiens entre le roi et ses visiteurs allemands à cette époque. À ce sujet, nous avons consulté *Loyal to Three Kings*. Le *New York Times* a fait mention du service d'Hitler à la mémoire de George V, ainsi que de la réception à Buckingham Palace dont la presse britannique a considérablement atténué l'importance. Nous avons trouvé dans un article du *New York Times* l'idée de lady Mendl de refaire la décoration du palais. Nous y avons aussi trouvé l'interview avec mon père sir Charles Higham. Une fois encore, les lettres d'amour se sont révélées une excellente source. *Time magazine* a remarquablement couvert ces événements. Sur la question de la franc-maçonnerie, nous avons consulté les papiers de J.C.C. Davidson, ancien président du parti conservateur et plus tard chancelier du duché de Lancaster.

Chap. 9. *Presque la gloire*

Les dossiers de renseignements sur Mrs. Cartwright sont conservés à la section diplomatique des archives nationales à Washington. Une fois encore, les lettres de Mary Kirk Raffray se sont révélées une excellente source. Paul Schwarz s'est occupé de l'affaire de dix-sept roses rouges et nous a fourni un récit détaillé du séjour de Ribbentrop en Angleterre. Nous avons consulté le journal de Harold Nicolson. Celui de Robert Bruce Lockhart nous a une fois de plus fourni des informations hautes en couleur. *Stanley Baldwin*, de Keith Middlemas et John Barnes, est un ouvrage plein de renseignements dignes de foi. Pour en savoir plus sur les fuites de documents, nous nous sommes référés aux dossiers du F.B.I. Schwarz a confirmé les faits. Dans son livre *The Office*, John Connell offre le meilleur récit concernant Vansittart. Nous en avons appris davantage grâce à John Costello, qui tire ses informations du renseignement britannique. C'est Nigel West qui m'en a appris long sur zu Putlitz. Les dossiers du Foreign Office confirment la fuite Phipps. Nous avons examiné les documents Baldwin. C'est dans l'ouvrage fort controversé de Marion Crawford *The Little Princesses* que nous avons trouvé l'anecdote concernant la visite de Wallis aux petites princesses. La guerre sous-marine secrète entre l'Italie et la Russie nous a été confirmée à deux reprises : par Donatella Ortona, au cours de conversations avec son père, et par le journaliste Henry Gris, qui a interviewé le comte Ciano à l'époque. Nous avons trouvé d'excellents articles sur la tentative d'assassinat dans le *London Times* et *Time magazine*. Le meilleur compte rendu du voyage royal se trouve une fois de plus dans le *New York Times*. Dans son livre *The Living Age*, J. Charlet décrit la signification politique de ce voyage, se fondant sur les interviews qu'il a faites sur place. George Weller, indispensable correspondant du *New York Times* à Athènes, a analysé les raisons politiques de ce voyage dans le numéro du 20 septembre 1936 ; c'est également le cas du tout aussi indispensable George Messersmith. La presse britannique et les historiens, par la suite, ont balayé la plupart de ces renseignements, repris plus tard dans les dossiers Windsor du département d'État. À ce sujet, les Mémoires de John Balfour, *Not Too Correct an Aureole*, sont d'une immense valeur pour l'historien. Nous avons lu la biographie de sir Percy Loraine par Gordon Waterfield. Lady Hardinge nous a beaucoup aidés pour tout ce qui concerne les activités du couple. Le *New York Times* n'a jamais perdu Wallis des yeux à Cumberland Terrace, non plus qu'à Felixstowe et Ipswich. La question du divorce a été remarquablemnet traitée par *Time magazine*. Mrs. Belloc Lowndes nous a révélé la provenance de l'émeraude moghole.

Chap. 10. *L'abdication*

Là, le *New York Times* s'est révélé indispensable et totalement ignoré des biographes. Nous avons lu les numéros du *Daily Mail* de l'époque. Nous avons obtenu des renseignements sur la famille Rothermere grâce à Rudolph Stoiber, qui fait autorité pour tout ce qui concerne la princesse Stéphanie Hohenlohe. Dans sa remarquable vie de Walter Monckton, lord Birkenhead nous a fourni des commentaires judicieux et de nombreuses informations. C'est Birkenhead qui nous a fourni les renseignements sur les visites « secrètes » à Monckton à Buckingham Palace. Le duc de Grantmesnil nous a, quant à lui, parlé de la tentative d'assassinat sur Wallis. Il nous a également décrit les réunions du groupe de la police impériale. Nous nous sommes inspirés du journal de Blanche Dugdale. Le récit de la fuite d'Angleterre de Wallis est tiré de multiples sources, dont ses Mémoires, le *New York Times*, le *London Times*, les Mémoires de Diana Vreeland, grande amie de lord Brownlow, de l'*Edward VIII* de lady Donaldson, etc. Autre source précieuse, l'énorme biographie de Winston Churchill par Martin Gilbert. Nous avons consulté toute la presse londonienne de l'époque. Ainsi que les rapports de Scotland Yard. (Les procès-verbaux ministériels sur la crise d'abdication resteront secrets encore des années.) Le *New York Times* a analysé de façon exhaustive le voyage dans le sud de la France. Le *London Times* s'est montré notoirement insuffisant sur le sujet. Là encore, Birkenhead fut une excellente source. Les journaux français, *Paris-Soir*, *le Figaro*, *le Matin* et *le Temps* en particulier, se sont révélés indispensables. Les annotations de Michael Bloch sur les lettres d'amour ont fourni maints détails utiles. Kenneth Rose est la source par excellence sur la question de Sandringham et Balmoral, tout comme sur la liste civile et les revenus de la Couronne. Charles Bedaux Jr., Betty Hanley et l'ancienne Mrs. Edmund Livingston Rogers nous ont merveilleusement aidés pour le séjour de Wallis en France.

Chap. 11. *L'exil*

En consultation avec son père, Donatella Ferrario Ortona a obtenu la citation du comte Grandi. Birkenhead, au sujet de Monckton, fut la meilleure source quant au voyage européen du roi. L'histoire de l'*Orient Express* de E.H. Cookridge offre un bon récit des voyages du duc à bord de ce train légendaire. L'ancienne Mrs. Edmund Livingston Rogers m'a fait une parfaite description de Lou Viei à cette époque. Dans son mémorable ouvrage, *Insanity Fair*, Douglas Reed relate les activités viennoises du duc. Nous avons trouvé beaucoup de renseignements dans le livre de Frederick Morton sur les Rothschild. C'est dans le *Sunday Referee* qu'a été publié l'article d'Ellen Wilkinson. Nous avons lu les papiers de Newbold Noyes dans le *Washington Star* et dans *Paris-Soir*. Le *New York Times* a couvert le moindre geste du duc et de Wallis à l'époque. Même chose pour *Time magazine*. Nous ont été précieuses les lettres de tante Bessie publiées dans la correspondance amoureuse des Windsor ; Mrs. Dale St. Dennis, petite-fille de Corinne Murray, m'a obligeamment fourni certaines de ses notes sur la Côte d'Azur. Lady Donalson a eu l'accès exclusif aux lettres Metcalfe, qu'elle a citées dans son *Edward VIII*. Le *New York Times* a rendu compte du concert à Vienne et de la visite de la princesse royale et du comte de Harewood. C'est effectivement Leslie Field qui a ruiné le mythe des émeraudes d'Alexandra. Mrs. Field a passé des années de recherche à Buckingham Palace pour écrire son livre sur les joyaux de la Couronne. Betty Hanley s'est montrée indispensable sur la vie au château de Candé. C'est un des rares témoins oculaires encore vivants ; Charles Bedaux Jr., qui a lu ces passages, en a confirmé la véracité. Le *New York Times* et le *London Times* ont couvert l'audience du divorce. Les journalistes du *New York Times* étaient présents chaque jour à Enzesfeld. L'énorme dossier nº 0334111 du département d'État sur le duc de Windsor est aujourd'hui accessible ; il contient des renseignements sur ses relations avec Bedaux et les problèmes qu'elles ont entraînés.

Chap. 12. *Le mariage de la décennie*

On trouvera une excellente source, négligée jusque-là, sur le mariage dans les Mémoires du révérend Jardine, *At Long Last*. On pourra lire le récit de Constance Coolidge dans sa correspondance, conservée à la société historique du Maryland. Nous avons consulté la *Gazette* de Londres ainsi que les lettres de tante Bessie à Corinne, fournies par Mrs. St. Dennis. C'est le *New York Times* qui a le mieux rendu compte des noces. Betty Hanley a obtenu de nombreux détails de sa tante Fern, qui pourtant n'y était pas. Le *New York Times* a suivi la visite en Italie, grandement négligée par le *London Times*. Nous avons tiré le récit du séjour à Wasserleonburg des journaux autrichiens mentionnés plus haut ainsi que de la presse britannique et américaine. Le *Daily Express* s'est révélé une source remarquable. C'est dans les documents de Messersmith à l'université de Delaware que nous avons trouvé son rapport sur les renseignements fournis par le duc concernant les expéditions d'armes. Comme toujours, les différents voyages ont été suivis par le *New York Times*. Les lettres et télégrammes contenus dans les dossiers du département d'État du duc de Windsor renseignent parfaitement sur la préparation du voyage aux États-Unis. Jamais historien n'avait consulté ces documents. Le journal du comte de Crawford nous éclaire sur l'immense souci que les liens des Windsor avec les nazis ont causé au roi et à la reine. Le voyage allemand a été relaté en détail par le *New York Times* ainsi que les journaux autrichiens et italiens. Le récit qu'en a fait la duchesse dans son journal est loin d'être objectif, et fort complaisant. La biographie d'Éva Braun par Nerin E. Gun est également riche en descriptions ; autre source ignorée, *Personal and Secret*, de William Bullitt, sa correspondance avec le président Roosevelt. De même que *As I See It*, de J. Paul Getty. Adrian Liddell Hart a récemment interviewé Frau Hess, qui lui a parlé de sa rencontre avec la duchesse. Pour ce qui concerne Bohle, nous avons consulté les dossiers du renseignement militaire, de l'O.S.S. et du département d'État. C'est Martin Gilbert qui nous a parlé de la lettre de Churchill sur l'Allemagne ; elle est reproduite dans le volume accompagnant l'ouvrage de Gilbert comprenant cette correspondance. Nous avons examiné les dossiers de la division du Protocole du département d'État. De même que les documents de sir Eric Phipps ; la correspondance Hardinge-Vansittart que nous avons citée est extraite des dossiers de lord Avon au Public Record Office, à Londres.

Chap. 13. *Les ténèbres extérieures*

Nous avons consulté le journal loyaliste *Voz*. Tout ce qui s'est passé dans la maison de Maxine Elliott sur la Côte d'Azur est parfaitement raconté dans l'admirable ouvrage de Vincent Sheean, *Between the Thunder and the Sun*. Le *New York Times* a continué de suivre le moindre mouvement des Windsor. Tony Duquette nous a aimablement fourni maints renseignements, ainsi que des télégrammes et des lettres, au sujet de lady Mendl et des Windsor. George Seldes a nettement dénoncé William Bullitt dans *In Fact*. Le *New York Times* a traité de façon détaillée la question de Louis de Rothschild ; c'est de source confidentielle que nous avons appris que le duc était impliqué dans l'histoire de la rançon. Le document Ribbentrop concernant les relations du duc de Windsor avec le Sports and Shooting Club à Schloss Mittersill fait partie des documents du Foreign Office Dienstelle Ribbentrop intitulés « Personliche Inlander », volume 11, datés 17 décembre 1936-31 août 1940, numéro de la série 314, numéros de système 190707-190708 T 120/roll250. On le trouvera dans la collection Charles Higham à l'université de Californie du Sud ou aux archives nationales à Washington. Nous avons lu le récit du *Sunday Dispatch*. Nigel West nous a beaucoup aidés à propos du duc de Kent. On pourra examiner les documents concernant la tentative d'assassinat de Sean Russell à l'encontre des souvenirs d'Angleterre dans les documents Russell, parmi les archives de l'auteur à l'université de Caroline du Sud ou dans les dossiers du F.B.I., département diplomatique des archives nationales, ou encore dans les dossiers de Scotland Yard ou du département d'État. Pour décrire la réception qui fut le signe de la fin d'une ère en Europe, je me suis inspiré de la vie de lady Mendl par Mrs. Smith ainsi que des journaux français. Le *New York Times* a fait une description de la mort de Bedrich Benes. John Hope, en Angleterre, a réuni de nombreux détails concernant le fonctionnement de maints groupes fascistes de l'époque. Les Mémoires de Malcolm Muggeridge, *Chronicles of Wasted Time*, décrivent les soupçons attachés à la personne du général Ironside. Dans sa biographie de Lloyd George, Donald McCormick décrit les dangers existant au pays de Galles et à Hindhead. Nous avons consulté les journaux du comte de Crawford. Pour ce qui a trait au service du duc en France, nous avons consulté les archives militaires françaises à Vincennes, les dossiers du département d'État, *The Gravediggers of France*, de Pertinax, l'*Edward VIII* de lady Donalson, les journaux du major général Pownall, mes entretiens avec l'actuel lord Ironside, les Mémoires de Hore-Belisha, les documents des Affaires étrangères allemandes, les transcriptions des réunions du ministère de la Guerre, ainsi qu'une foule de documents du Public Record Office. Nous avons lu l'ouvrage de Boelske sur la propagande de guerre. Nous avons trouvé dans les dossiers du département d'État, dans la salle des archives diplomatiques des Archives nationales à Washington, une étude complète des problèmes de sécurité de la Croix-Rouge.

Chap. 14. *Un noir complot*

Operation Willi, de Michael Bloch, présente des recherches originales sur ce sujet de controverse. Nous avons consulté les dossiers du Public Record Office, dont les très importants dossiers portugais, sur lesquels Mr. Bloch a attiré notre attention. Autre source intéressante, les dossiers du départements d'État sur les Windsor. Les archives du gouvernement portugais offrent des renseignements complémentaires sur la visite du duc de Kent. L'historien trouvera d'excellentes informations dnas les volumes rédigés par Martin Gilbert pour achever la biographie que Randolph Churchill avait commencée de son défunt père, Winston Churchill. Les Mémoires de David Eccles se sont révélés utiles. L'auteur a eu l'autorisation de consulter les rapports de l'O.S.S. sur Serrano Suñer et le baron von Hoyningen-Huene. Les documents des Affaires étrangères allemandes ont pu être réexaminés grâce à l'aide de John Taylor, des Archives nationales à Washington. Je me suis également inspiré de rapports sur et de Walter Schellenberg, jusqu'ici indisponibles et spécialement ouverts pour moi grâce à la loi sur la liberté d'information. Feu sir John Colville m'a accordé la faveur d'un entretien des plus importants. Pour le compte de Tony Duquette, Hutton Wilkinson m'a remis les câbles de la duchesse à Johnny McMullen. Le télégramme d'Herbert Clairbonne Pell se trouve parmi les documents du département d'État des Windsor. Ces derniers n'ont apparemment pas été consultés par Michael Bloch. Nous avons utilisé les Mémoires de Schellenberg. Une fois de plus, la biographie de Monckton par Birkenhead s'est révélée précieuse. Jusqu'alors, les dossiers portugais sur le docteur Salazar étaient indisponibles. Le *New York Times* avait envoyé un reporter à bord de l'*Excalibur* et du *Yankee Clipper*. Grâce à quoi il a été possible de reconstituer le voyage et la rencontre air-mer avec les Rothschild.

Chap. 15. *Elba*

Les dossiers du département d'État désormais ouverts au public concernant les Windsor montrent que les autorités locales ne quittaient pas le couple des yeux. Frank Giles parle de façon amusante du duc et de la duchesse dans ses Mémoires intitulés *Sunday Times*. Le *Tribune* de Nassau a suivi les activités du duc et de la duchesse ; ainsi que Michael Bloch dans son *The Duke of Windsor's War*, ouvrage qui le défend. Le public Record Office a de bons dossiers sur les Windsor aux Bahamas. Bloch n'a pas consulté tous ces documents. Après de nombreuses années, les dossiers du F.B.I. sur sir Harry Oakes, Harold Christie, Walter Foskett, Axel Wenner-Gren, Mrs. Wenner-Gren et les Bahamas ne sont plus secrets. Frustré par la restriction de ses activités dans les Caraïbes, J. Edgar Hoover s'est lancé dans sa propre enquête à une grande échelle ; aucun autre historien n'y a eu accès. À eux seuls, les dossiers du F.B.I. sur les Wenner-Gren font presque 3 000 pages. Le récit de Bloch sur les voyages de la servante de la duchesse a été complété par les dossiers du département d'État. Les dossiers du F.B.I. sur les Windsor comprennent le rapport selon lequel la duchesse aurait envoyé des messages à New York. Tout en se prétendant ami du couple, John W. Dye en parle de façon pour le moins défavorable. Grâce au *New York Times*, nous avons des détails sur leurs voyages sur le continent ; nous ont aussi servi les dossiers du *Miami Herald*. Les documents de James D. Mooney proviennent de sa collection à l'université de Georgetown. Les rapports du département d'État et du F.B.I. le concernant se sont révélés précieux. Daniel Re'em a trouvé dans les dossiers Avon du Public Record Office de Londres des lettres jusque-là inconnues du duc de Windsor à Churchill. Là encore, les documents de Messersmith de l'université du Delaware nous ont servi. C'est grâce à la Warner Bros que nous avons pu déterminer les mouvements d'Errol Flynn ; les dossiers de la Warner Bros sont à l'université de Californie du Sud, bibliothèque Doheny, département des collections spéciales. Les lettres de la duchesse à P.G. Sedley se trouvent dans ses dossiers du département d'État. Nous avons lu et annoté l'article du magazine *Liberty*. Le télégramme de Churchill à ce sujet est conservé au département d'État et dans les dossiers de Martin Gilbert. C'est aux Archives nationales de Washington, section diplomatique, qu'on trouvera le matériel sur le Banco Continental. Ainsi d'ailleurs que des dossiers substantiels sur le Mexique. Le mémorandum de Churchill sur les biens des Windsor en France est dans les dossiers du département d'État sur les Windsor. Les dossiers du F.B.I. concernant la commission d'achat britannique font partie de l'immense documentation sur la princesse Stéphanie Holenlohe, qui, sur demande, ne sont plus secrets. C'est également par le F.B.I. que nous avons eu des détails sur la Tesden Corporation. Le rapport Mackintosh se trouve à la Franklin D. Roosevelt Memorial Library à Hyde Park, New York, dans la collection J. Edgar Hoover. Hoover venait faire son rapport chaque mercredi après-midi au président des États-Unis. Les documents Hess ont été obtenus des mains de Madelyn Sorel, qui les tenait du gardien de Hess à Nuremberg. Adrian Liddell m'a fourni des détails complémentaires. Nous avons utilisé la correspondance Windsor. La mission d'enquête de Vincent Astor est consignée dans les dossiers de la section diplomatique. Nous avons consulté le *Washington Post* et le *New York Times*. Une fois encore, les dossiers du F.B.I. ainsi que ceux de l'O.S.S. sur Armand Grégoire nous ont été utiles. Nous avons trouvé les documents d'Adolf Berle à la section diplomatique. Le *Not Too Correct an Aureole* de John Balfour fut une bonne source. Nous avons consulté le *Chicago Tribune*, le *Toronto Star*, ainsi que la presse de Montréal et d'Ottawa. Pour davantage de détails sur les voyages des Windsor, lire Bloch. Il a toutefois omis certains détails fournis par le *New York Times* et repris ici. Nous n'avons trouvé des éléments sur la déclaration de guerre de Ribbentrop que dans les documents Ribbentrop rendus accessibles par le département de la Sécurité de l'armée et le commandement du Renseignement à Fort Meade, Maryland. Le rapport du renseignement britannique sur sir Wenner-Gren est cité dans les rapports du renseignement américain ; le rapport britannique ne peut toujours pas être consulté en Grande-Bretagne. C'est au Trésor américain qu'on trouvera les dossiers sur la Brassert Compagny. Les renseignements sur la correspondance Williams-del-Drago émanent de Bloch. S'y ajoutent des extraits des dossiers du département d'État sur les Windsor. Les informations sur les conflits entre Christie et Oakes proviennent du seul témoin oculaire encore vivant, Alfred de Marigny. Le récit de l'émeute est tiré de la *Tribune* de Nassau. De même que l'incendie qui a suivi. La description de la mort du duc de Kent provient d'un rapport rendu public qu'on trouvera au Public Record Office. Les dossiers du département d'État sur Axel Wenner-Gren dévoilent des détails sur les investissements douteux (malhonnêtes) des Windsor ; la section diplomatique détient le mémorandum Berle concernant la censure. Nous avons examiné les dossiers du F.B.I. et du Renseignement militaire sur Charles Bedaux, et, ce qui est la moindre des choses, son fils a eu son mot à dire. L'historien avisé consultera les dossiers du Renseignement avant de se faire une opinion. C'est dans l'*Union* et la *Tribune* de San Diego que nous avons trouvé le récit où Spencer frôle la mort.

Chap. 16. *Le crime du siècle*

Nous avons eu des entretiens passionnants avec Alfred de Marigny à propos du meurtre de Nassau en 1943 et de ses querelles avec le duc de Windsor. Il a également expliqué en détail les motifs de Christie. Il était nécessaire de reprendre les preuves des événements et du médecin légiste, ainsi que les détails de la transcription manuscrite que le juge a faite du procès, transcription que l'auteur a pu obtenir lors d'une visite à Nassau. À Los Angeles, j'ai obtenu l'aide du docteur Joseph Choi, ancien assistant du célèbre docteur Thomas Noguchi, ainsi que de John Ball, auteur de l'admirable *Dans la chaleur de la nuit*. Dès l'instant que j'ai mentionné la taille et la forme des blessures à Mr. Ball, il les a identifiées comme causées par un harpon ; il savait par expérience que cette façon de tuer était typique du culte Santeria-Palo Mayombe. J'ai obtenu exactement la même réponse du docteur Choi. Ces dernières années, il y a eu un certain nombre de récits de meurtres perpétrés de cette façon. J'ai aussi montré à ces deux personnes les photographies de la victime ; elles m'ont tout de suite confirmé que personne n'aurait pu voir un tel corps et croire la victime encore vivante. Ce qui prouve qu'Harold Christie s'est parjuré. Alfred de Marigny croyait qu'Oakes avait été tué par balle. Il affirme que les deux médecins légistes ayant pratiqué l'autopsie ont menti au procès à ce sujet. Mais rien ne le prouve, et de toute façon la politique la plus sage aurait été de prétendre que le crime avait été commis par balle, afin d'éviter toute suggestion de crime rituel noir, ce qui ne pouvait qu'entraîner des émeutes sur les îles. Le témoignage du docteur FitzMaurice présente un intérêt tout particulier en ce qu'il a donné une description précise des blessures et refusé de donner son avis sur leur origine. L'auteur s'est rendu dans de nombreuses boutiques de matériel de navigation, afin d'examiner les treuils et autres instruments contondants possibles ; force lui fut de les éliminer et de revenir aux conclusions de Choi et de Ball. Les faits et gestes de chacun le soir du meurtre ont pu être reconstitués grâce aux notes du juge et aux dossiers de la *Tribune* de Nassau. Aucun des participants ne semble avoir survécu. Le sergent Louis Danoff, de la section homicide du L.A.P.D., m'a aimablement adressé des fascicules imprimés à usage exclusif de la police, avec des dessins et des descriptions des tueries Palo Mayombe. J'ai consulté des experts en incendies criminels au sujet de la poudre à canon, coutumière du Palo Mayombe. Le docteur Choi m'a expliqué la question de la rigidité cadavérique. Le service de relations avec les activités étrangères du département d'État a conservé des enregistrements des conversations du duc, réalisés par R.C.A. et Western Union à Miami. Le F.B.I. a conservé des dossiers sur le voyage des Windsor sur le continent, voyage qu'il a suivi pas à pas. Tous les journaux ont discrètement omis de signaler la visite au quartier général du F.B.I. à Washington. Alfred de Marigny a directement accusé le duc de complicité après coup et a affirmé que le duc l'avait poursuivi par des intermédiaires qui ont attenté à sa vie ; et aussi que le duc l'avait empêché d'émigrer. Nous avons lu le numéro de novembre 1944 de *Inside Detective*. Le remarquable détective qu'est Raymond Schindler avait raison sur une partie de l'histoire. Le rapport Majava est disponible dans le dossier spécial de J. Edgar Hoover sur l'affaire. Si les journaux ont négligé de mentionner celui que Robinson avait identifié comme étant l'assassin, les dossiers du F.B.I. mentionnent son nom. Étonnamment, le F.B.I. a permis à l'auteur de prendre connaissance de cette information en 1981 sans même demander le certificat de décès de Christie ; l'historien en conclura que le F.B.I. détient la preuve formelle de sa culpabilité. Le rapport de Toronto se trouve dans les dossiers du F.B.I. sur les Windsor. Les accusations de Stevenson ont été reprises par *Time magazine* et le *Saturday Evening Post.*

Chap. 17. *Retour en Europe*

Tous les journaux du monde ont relaté la mort du comte Ciano. Le décès de Charles Bedaux a été largement annoncé. Les journaux de Richmond ont rapporté la mort d'Audrey Weaver dans un incendie. Le livre de Bloch, *The Duke of Windsor's War*, montre que Wallis était de plus en plus malheureuse à Nassau et évoque les efforts du duc pour se réinstaller en Angleterre. (Comme toujours, Bloch accuse la famille royale de se montrer procédurière, ce qui, à mon sens, est injustifié.) En 1972, les Index du Foreign Office ont publié les sites des propriétés des Windsor. Le dossier Chanel provient du rapport Schellenberg. Là encore, les Mémoires de Balfour sont remarquables sur la question de Young. Autre source sérieuse, la biographie de Joseph R. Borkin, *Robert R. Young : The Populist of Wall Street.* Les dossiers du département d'État concernant les Windsor offrent des détails peu reluisants sur les tentatives d'éliminer les dossiers des Affaires étrangères allemandes. Le rapport de l'équipe du *Sunday Times* est daté dans le texte. Le voyage en Angleterre fut couvert par le *New York Times* et presque tous les autres journaux. Tania Long a suivi en détail l'affaire Nuremberg-Rosenberg. Le duc de Grantmesnil m'a fourni toute la correspondance de l'époque conservée au Hoover Institute of Peace and War de l'université de Stanford, Californie. Pour ce qui concerne le vol de bijoux, la duchesse de Marlborough nous a beaucoup aidés ; à son récit se sont ajoutés les articles du *London Times* et du *New York Times*, du *Daily Mail* et du *Daily Express*, les rapports de Scotland Yard et une interview de Leslie Field. *Captain of the Queens*, du capitaine Harry Grattidge, offre beaucoup de renseignements inédits. L'entretien avec Guido Orlando s'est révélé extrêmement précieux. Dans *Duchess*, Stephen Birmingham fait un amusant portrait de Jimmy Donahue. Les journaux new-yorkais ont suivi tous les mouvements des Windsor à la fin des années quarante, dont l'épisode de l'incendie du Waldorf Towers. On pourra consulter la lettre de Mrs. Eleanor Miles sur les Windsor dans le midi de la France à la Maryland Historical Society. Le testament de Henry M. Warfield est conservé aux archives du Maryland.

Chap. 18. *Les années d'errance*

Nous avons examiné le catalogue de la célèbre vente Sotheby de Genève d'avril 1987. On trouvera les détails de l'histoire de Suzanne Blum dans diverses biographies de Léon Blum. *The Windsor Story*, de Charles J.V. Murphy, ainsi que l'ouvrage de Birmingham révèlent les problèmes qu'a eus Murphy avec le duc et la duchesse au sujet de la rédaction de ses Mémoires. La duchesse de Marlborough et la duchesse d'Argyll m'ont appris beaucoup de choses. On lira le détail du voyage dans les États du Sud et au Mexique dans la correspondance de Corinne Murray ; il n'a été possible d'en reprendre que quelques faits marquants. C'est Balfour qui nous a relaté l'anecdote de Biarritz. Dans *A Long Row of Candles*, C.L. Sulzberger fait une excellente description des Windsor, que nous avons reprise. La plupart des journaux ont publié le discours du duc sur l'accession de la reine Elizabeth, de même que la controverse qu'il a entraînée. Hugo Vickers a merveilleusement décrit les différentes demeures des Windsor à Paris. Dans son journal, Cecil Beaton a écrit des choses intéressantes sur le couple, reprises par Vickers dans sa biographie de l'artiste. Dans sa maison près de Paris, lady Mosley a accordé à l'auteur un des entretiens les plus mémorables de son existence. Je m'en suis davantage inspiré que de sa biographie de la duchesse, entièrement fondée sur des sources déjà publiées. Dans ses Mémoires, hélas fort négligés, *RSVP*, un des meilleurs ouvrages du genre et guide indispensable de la vie mondaine de cette époque, Elsa Maxwell a écrit sur les Windsor avec beaucoup d'acuité et d'intelligence. Nous avons les chroniques de Cholly Knickerbocker. L'histoire de la fin des relations avec Donahue est tirée de Birmingham et de Murphy ainsi que d'une interview de Jérôme Zerbe en 1980.

Chap. 19. *La fin du jour*

Le *New York Times* a remarquablement écrit sur la mort de la reine Mary. Nous avons consulté les biographies écrites par Anne Edwards et James Pope-Hennessy. Nous avons lu le *Daily Express*. Pour ce qui concerne le meurtre de Woodward, le *New York Times* est la source la plus crédible ; ce qui n'est pas le cas du récit de Truman Capote. Le *Wall Street Journal* a publié le récit le plus détaillé de la bagarre menée par Young, pour le contrôle du New York Central Railroad ; et le suicide, si c'en fut un, a été relaté en détail par les journaux de Palm Beach et de Miami. Nous avons lu le magazine *McCall's* de janvier 1961. Feu sir John Colville et lady Mosley nous ont beaucoup appris sur la vie mondaine des Windsor et leur art de recevoir au cours de ces années. Le récit de Murphy nous a également aidés. Des membres des familles Murray et Mustin nous ont raconté le centième anniversaire de tante Bessie et ses obsèques. Les journaux new-yorkais et texans ont évoqué l'opération du duc à Houston. Le *Royal Feud* de Michael Thornton réunit d'excellentes sources sur la visite à la London Clinic et sur les événements qui ont suivi. Hugo Vickers a complété ces informations.

Chap. 20. *Le crépuscule et la nuit*

Nous avons cherché en Suisse des informations sur la clinique Niehans. Charlene Bry a publié son récit dans *People magazine* en 1987. Le *New York Times* a couvert la visite au Portugal. Hugo Vickers m'a aimablement montré l'interview de Kenneth Harris. Le *Washington Post* a raconté en détail le banquet donné par Nixon. Murphy s'est révélé la meilleure source sur Mountbatten. Thornton a complété le dossier. C'est dans le *London Times* qu'on lira le meilleur récit de la mort du duc et du service funèbre, nous avons eu des détails supplémentaires grâce à Thornhill. Vickers m'a accordé de longs et précieux entretiens sur les dernières années. Dans un article de *Vanity Fair* de juin 1986, la comtesse de Romanones évoque ces temps difficiles sur un ton d'intimité, d'ailleurs sujet à controverse. La collection du duc de Grantmesnil au Hoover Institute à l'université de Stanford, Californie, contient l'extraordinaire et capitale correspondance entre Blum et lui au sujet des documents subtilisés. J'ai évoqué les obsèques de la duchesse avec la duchesse de Marlborough, la princesse von Bismark et Hugo Vickers. Dans le *New York Times*, Alistair Cooke a donné le fin mot sur les raisons pour lesquelles on a refusé le trône à Wallis. Là encore, le catalogue de bijoux de Sotheby nous fut une source pour la vente aux enchères ; à ce sujet, nous avons également consulté divers journaux et émissions télévisées.

Notes concernant la nouvelle édition revue et augmentée

C'est de feu sir Dudley Forwood que me viennent les renseignements sur Edward (Fruity) Metcalfe. Ils ont fait l'objet d'un entretien dans sa maison de New Forest à Ringwood dans le Hampshire, le 9 octobre 1987, et devaient rester confidentiels jusqu'à sa mort. *The Kaiser's Daughter*, les Mémoires de la princesse Viktoria Luise, duchesse de Brunswick (Prentice Hall, 1977), m'a permis de connaître les détails concernant le mariage envisagé entre la princesse Frederike de Prusse et le prince de Galles. Ce qui concerne le prince Philippe de Hesse vient des dossiers de dénazification du prince (1945-46) fournis par le professeur Jonathan Petropoulos de Claremont College en Californie, autorité reconnue en la matière ; du *New York Times* entre les années 1924 et 1945 ; de documents allemands sur microfilms aux Archives nationales allemandes et au Records Service de Washington ; des dossiers du Foreign Office classés aux Archives nationales de Grande-Bretagne ; et de dossiers du State Department que Jill Cairns-Gallimore a pu consulter grâce à l'aimable concours de John Taylor. Les renseignements sur Sandra Rambeau ont leur source dans les dossiers d'espionnage du State Department concernant Mme Rambeau et ses collègues Frederick McEvoy et Errol Flynn ; dans les dossiers du Los Angeles *Herald Examiner* qui se trouvent à l'université de Californie et dans les dossiers du F.B.I.

Les relations existant entre le duc de Kent, le prince Paul de Yougoslavie, le prince Philippe de Hesse, Goering et Hitler sont nettement établies par les dossiers du State Department sur chacun des intéressés ainsi que par le dossier de dénazification de Philippe de Hesse ou d'autres sources privées. La liaison de Wallis avec Guy Trundle figure dans les rapports de Canning adressés à lord Trenchard puis Philippe Game à Scotland Yard. Ces documents qui devaient rester confidentiels jusqu'en 2037 ont été mis à la disposition du public en janvier 2003. La question du dossier chinois sur Wallis se trouve discutée dans la correspondance et les journaux de Kenneth de Courcy, duc de Grantmesnil, conservés à la Hoover Institution of Peace and War de Stanford University en Californie. Le dossier lui-même se trouve peut-être dans les dossiers de Courcy à Windsor Castle qui ne seront accessibles au public qu'en 2017. Son existence a été niée de façon constante aussi bien par Buckingham Palace que par les biographes officiels mais on peut considérer sir John Coke comme un informateur fiable et son témoignage est irrécusable. Les conversations entre sir Edward Peacock et Joseph P. Kennedy figurent dans le livre déjà mentionné *Hostages to Fortune*... (Viking/Penguin 2001). C'est la seule indiscrétion connue à ce jour qui éclaire un des aspects les mieux occultés de la chronique royale à savoir les questions financières et l'attitude de la reine à l'égard des Windsor (signalons qu'un carton entier de dossiers a été retiré de la Bodleian Library d'Oxford sur ordre royal). Fort heureusement il subsiste une lettre de la reine au prince Paul de Yougoslavie à ce sujet et nous avons ses commentaires acides tels qu'ils ont été recueillis dans le journal de J.P. Kennedy. La collusion du prince Paul avec les nazis – dissimulée par des générations de biographes complaisants – a été traitée exhaustivement par son ancien ministre Ilija Jukie dans son livre *The Fall of Yugoslavia* (New York, Harcourt Brace Jovanovich, 1971), seul compte rendu de première main disponible. Les indications que je donne sur le comportement du prince de Galles à la mort de son père se trouvent dans les journaux Kennedy, celles sur son comportement une fois devenu roi viennent d'un rapport anonyme mais fiable accessible à Churchill College (Cambridge) dont l'authenticité est confirmée par le fils et le petit-fils de sir Louis Greig.

L'histoire du Jeudi saint a été mentionnée dans le *New York Times*. La lettre du 4 mai 1936 où Wallis se plaint à sa tante Bessie Merriman est à la Baltimore Historical Society. La mention de l'activité des communistes à propos du roi figure dans les rapports à Scotland Yard du surintendant Canning. La réunion du Conseil privé à propos de l'Éthiopie est dans les Royal Archives à Windsor Castle. La visite bulgare a été commentée dans la *Bulgarian Monthly Review* – comme je l'ai indiqué dans le texte – et dans *Crown of Thorns, the Reign of King Boris III of Bulgaria*, de Stéphane Grovet (New York Madison Books 1987). La poursuite de la liaison de Wallis avec Guy Trundle après l'accession de son mari au trône est mentionnée dans les journaux Kennedy, la source de l'information étant sir Edward Peacock, comme je l'indique. La visite au pays de Galles est mentionnée dans le livre de Anne

Freemantle cité dans le texte. La réaction horrifiée du duc d'York devant la perspective de devenir roi est attestée par une longue confession douloureuse conservée aux Royal Archives à Windsor Castle. Le désir de revenir sur l'abdication se trouve dans les discussions entre Peacock et J.P. Kennedy. Sur l'affaire Cockburn on verra le livre de celui-ci *A Discord of Trumpets* (New York, Simon and Schuster, 1956) qui ne résout pas l'énigme. Les détails sur les absences du roi au cours d'un dîner et la rencontre avec Peacock viennent des archives Churchill à Cambridge.

Le rapport de 64 pages de sir Horace Wilson sur l'abdication est un texte indispensable dont les conclusions sont accablantes. Rejeté comme inexact et peu judicieux par les spécialistes en communication de Buckingham Palace quand il a été déclassifié en 2003, il repose sur un travail exhaustif de recherche conduit par un fonctionnaire consciencieux et fiable dont les convictions sont royalistes. Le rapport atteste aussi qu'on discuta dans les réunions du cabinet pour savoir s'il ne fallait pas soudoyer Wallis – ce qui confirme mes conclusions à ce sujet dans l'édition de 1987. Les visites du duc de Kent au comte Toerring sont rapportées dans les dossiers du Foreign Office de la British National Archive. La présence de Wallis au musée de Baltimore est mentionnée dans les journaux de la ville.

Sur la douleur du duc à propos de la question du titre d'Altesse royale refusé à Wallis, les détails dont je fais état m'ont été communiqués par sir Dudley Forwood dans sa résidence de Ringwood le 8 octobre 1987. L'affaire Helga Schultz figure dans les dossiers du F.B.I. sur les Windsor à Washington. La rencontre entre Errol Flynn, Hesse et Bormann à l'hôtel Meurice se trouve dans le dossier Flynn au S.I.S., dossier dont Gerald Brown a pu connaître le contenu lors d'une visite au ministère de la Défense en février 1980. Les historiens Martin et Peter Allen ont depuis enrichi le tableau en s'appuyant sur des témoins oculaires appartenant aux milieux de l'espionnage. Le banquet Horshers et la visite à Goebbels sont racontés dans l'ouvrage de Van Owen cité dans le texte. La discussion téléphonique entre Peacock et Windsor sur des questions d'argent figure dans les entretiens Peacock-Kennedy que rapportent les journaux Kennedy.

Sur les amours de Wallis et Bullitt, l'auteur s'est longuement entretenu par téléphone avec Eleanor Davies-Tydings Ditzen, amie proche de lady Jane Williams-Taylor, les 4, 8, 12 et 19 mars 2003. Elle y fait allusion dans ses mémoires *My Golden Spoon* (Lanham Books 1997) que les historiens ont eu le tort de négliger. Sur la carrière et le personnage de Bullitt on consultera plusieurs numéros de l'hebdomadaire de George Seldes *In Fact* (1940-1945) et il faut se référer au dossier accablant du State Department aux National Archives de Washington, qui mentionne l'usage illicite du ministère allemand des Affaires étrangères pour transmettre de très importants messages secrets à Washington. On trouvera des détails sur sa vie sexuelle dans *Friend and Lover, a life of Louise Bryant*, de Virginia Gardner (New York, Horizon Press, 1982). Les rapports avec Freud sont étudiés dans la biographie de Freud par

Peter Gay (New York, Norton 1988). La liaison Bullitt-Offie m'est connue par Rosemary Murphy, la fille d'un ami intime de Bullitt, diplomate comme lui, Robert Murphy, qui était à Paris à l'époque. Je tiens le détail des rendez-vous secrets chez Schiaparelli de Mme Ditzen. Sur lady Williams-Taylor j'ai appris beaucoup de choses du livre de Gioia Diliberto *Debutante, the Life of Brenda Frazier* (New York, Simon and Schuster, 1987) et des archives de la Banque de Montréal et de la Montreal Historical Society. L'histoire du chantage Maroni, telle qu'elle est racontée dans le texte, vient des journaux de Constance Coolidge, connus grâce à l'obligeance de Andrea Lynn de l'Université de l'Illinois, auxquels il faut ajouter les lettres de Coolidge à son père, conservées à la Massachusetts Historical Society à Boston, des recherches sur le Bottin Mondain, divers ouvrages en français, le livre de Pierre Lazareff *Deadine*, ainsi que les dossiers du *Matin* à Paris, les archives de la Sûreté à Fontainebleau et des entretiens à Paris accompagnés d'une exploration de la ville pour identifier les adresses mentionnées. Sur la rencontre aux funérailles de la reine Marie de Roumanie, les journaux roumains et le *New York Times* en sont la source. La lettre de George V à Baldwin concernant les Windsor se trouve dans les Archives royales à Windsor Castle. Les insultes qui ont suivi le refus de l'invitation à dîner de Rose Kennedy sont mentionnées dans les journaux de Kennedy ; la reprise des relations entre Kent et Rambeau figure dans les dossiers du *Los Angeles Herald-Examiner* de 1939 ; la rencontre de Philippe de Hesse et de Kent en juillet 1939 est mentionnée dans les dossiers sur Philippe de Hesse que conserve le professeur Jonathan Petropoulos ; les lettres du duc de Kent au prince Paul à propos du prince Friedrich de Prusse se trouvent à Columbia University. La conversation entre la reine et Kennedy au sujet de la visite aux États-Unis figure dans les journaux Kennedy. La lettre du 2 octobre 1939 de la reine d'Angleterre, le seul document conservé qui atteste son mépris pour Wallis, le seul qui ait échappé à la volonté d'élimination inspirée par le Palais, se trouve à Columbia University dans les archives du prince Paul. C'est un document inappréciable sur la personnalité de la reine (il éclaire aussi son antipathie pour les homosexuels par le portrait ironique du célèbre photographe et décorateur Cecil Beaton). Le communiqué radiodiffusé truqué du 11 octobre 1939 se trouve mentionné dans les journaux de Goebbels (conservés aux Archives nationales à Washington) et dans le livre de Cristabel Bielenberg *The Past is Myself* (Londres Corgi 1968). Le message qui fleure la trahison envoyé à Hitler par le duc de Windsor *via* Bedaux est entre les mains de Martin Allen, dont le père, Peter Allen, l'avait lui-même reçu d'Albert Speers – celui-ci l'ayant obtenu, disait-il, d'Hitler au cours des derniers jours de la vie du Führer dans le bunker de Berlin. Sur les rapports entre Bullitt, la duchesse d'Assergio et Mussolini les informations sont puisées dans le dossier du State Department qui réunit les lettres de Bullitt. Le compte rendu des conversations de Fulton Oursler avec Roosevelt se trouve dans son journal et ses documents privés à Georgetown University, Washington, qui m'ont été communiqués grâce à l'obligeance de Fulton

Oursler Jr. Le rapport d'Edward E. Tamm sur les Windsor, qui était classé secret au moment où j'écrivais mon livre en 1987, a été déclassifié par le F.B.I. en mars 2003. Toutefois la mention des Services secrets britanniques a été supprimée. Mon assistante Jill Cairns Gallimore a pu mettre la main sur le même document, à cette différence près que le nom du S.I.S. avait été effacé, ce qui confirme le fait que le rapport vient de sir Stuart Menzies et non d'une source peu fiable.

Les informations sur Claude Dansey et les Windsor me sont communiquées par une lettre de Peter Hansen qui fut au service de l'Abwehr et écrit ses Mémoires. L'histoire des rapports entre Bullitt et Vichy est à chercher dans le dossier Bullitt au State Department. Le rapport Strang se trouve aux Archives nationales de Washington, comme le memorandum de Juillet. Frederick Winterbotham a raconté à Peter Allen comment il a éliminé le duc de Kent sur les ordres du S.I.S. – je dois ces détails à Martin Allen qui m'en a parlé le 4 juillet 2003. Les commentaires allemands sur l'accident de l'hydravion viennent du *New York Times*.

Sur les Williams-Taylor, je suis redevable à Eleanor Davis Tydings Ditzen. L'histoire rapportée par William Rhinelander figure dans les archives Windsor au F.B.I. qui ont été déclassifiées en mars 2003. À propos de Bullitt/Wells voir le dossier Harold L. Ickes, Secrétaire, c'est-à-dire ministre de l'Intérieur, à la Franklin D. Roosevelt Memorial Library, Hyde Park, New York. La mission Monnet a fait l'objet de la thèse citée de Marshall pour laquelle je suis redevable à Cornell University. La mission Eddie Chapman a été racontée par Chapman lui-même lors d'une interview accordée à Gerald Brown pour la presse Murdoch, le 3 février 1980. La mort de Sikorski, rapportée dans le *New York Times* du 5 juillet 1943, a été expliquée par Frederick Winterbotham à Martin Allen. Le commentaire de Windsor sur Roosevelt se trouve dans les archives de Courcy à Stanford University. C'est également la source des propos sur la résurrection du dossier chinois concernant Wallis – que ce soit à Marrakech ou dans le midi de la France – en 1951.

L'histoire de Susan Mary Alsop vient de son livre *To Marietta From Paris* (New York Doubleday 1975). L'histoire de Wallis devenue agent de la C.I.A. vient du livre de la comtesse de Romanones, *The Spy Went Dancing* (NY G.P. Putnam's Sons 1990). C'est mon interview du docteur Jean Thin à Paris, en octobre 1991, qui m'a révélé qu'on attendait du duc de Windsor qu'il mourût sans perturber l'emploi du temps de la reine. Sur la vente des meubles et effets des Windsor par Mohamed al-Fayed, je dois mes renseignements à Sotheby New York.

Table des matières

Photocomposition Facompo
14100 Lisieux

Impression réalisée sur CAMERON
par BRODARD ET TAUPIN
La Flèche
en novembre 2005

Imprimé en France
Dépôt légal : novembre 2005
N° d'édition : 72709/01 – N° d'impression : 32620